S0-BZZ-519

V&R

WILHELM PRATSCHER

Der Herrenbruder Jakobus
und die Jakobustradition

VANDENHOECK & RUPRECHT
IN GÖTTINGEN

Forschungen zur Religion und Literatur
des Alten und Neuen Testaments

Herausgegeben von
Wolfgang Schrage und Rudolf Smend
139. Heft der ganzen Reihe

BS
2454
.J3
P7
1987

CIP-Kurztitelaufnahme der Deutschen Bibliothek

Pratscher, Wilhelm:
Der Herrenbruder Jakobus und die Jakobustradition /
Wilhelm Pratscher. –
Göttingen : Vandenhoeck und Ruprecht, 1987.
(Forschungen zur Religion und Literatur
des Alten und Neuen Testaments ; H. 139)
ISBN 3-525-53817-0
NE: GT

Gedruckt mit Unterstützung des
Fonds zur Förderung der wissenschaftlichen Forschung Wien

© 1987 Vandenhoeck & Ruprecht, Göttingen –
Printed in Germany. – Das Werk einschließlich aller seiner Teile
ist urheberrechtlich geschützt. Jede Verwertung außerhalb
der engen Grenzen des Urheberrechtsgesetzes ist ohne
Zustimmung des Verlages unzulässig und strafbar.
Das gilt insbesondere für Vervielfältigungen, Übersetzungen,
Mikroverfilmung und die Einspeicherung und Verarbeitung
in elektronischen Systemen.

Gesetzt aus Garamond auf Digiset 200 T 2
Gesamtherstellung: Hubert & Co., Göttingen

Inhalt

Vorwort

Die vorliegende Arbeit wurde im WS 1985/86 von der evang. theol. Fakultät der Universität Wien als Habilitationsschrift angenommen. Neuere Literatur konnte noch bis Herbst 1986 eingearbeitet werden. Meinem verehrten Lehrer, Herrn Prof. K. Niederwimmer, dessen EWNT-Artikel Ἰάκωβος den ersten Anstoß zur näheren Beschäftigung mit diesem Thema bildete, danke ich für viele gute Gespräche während unserer bisherigen Zusammenarbeit. Danken möchte ich weiters den Herren Professoren W. Schrage und R. Smend für die Aufnahme der Arbeit in die Reihe FRLANT, ersterem auch für sachliche Hinweise. Dank gebührt auch Frau I. Pernet für die sorgfältige Erstellung des Typoskripts und nicht zuletzt dem Fonds zur Förderung der wissenschaftlichen Forschung (Wien), der durch einen namhaften Druckkostenzuschuß die Publikation in der vorliegenden Form ermöglichte.

Wien, Juni 1987   Wilhelm Pratscher

Prolegomena

Der Herrenbruder Jakobus war eine der bedeutendsten Persönlichkeiten des Urchristentums. Er gehörte zwar nicht zu den Anhängern des irdischen Jesus, kam aber schon früh zur Gemeinde und spielte in ihr eine immer größer werdende Rolle. Die Apostelgeschichte zeigt diese Rolle nur unzureichend. Sie ist am Weg des Evangeliums von Jerusalem nach Rom interessiert und stellt das Leben der Urgemeinde nicht in seiner Differenziertheit dar. Auch ist sie bestrebt, Konflikte überhaupt zu übergehen oder wenigstens abzuschwächen. Sie steht nicht zuletzt in einer Tradition, in der die Leitfiguren der ersten Generation Petrus und im folgenden insbesondere Paulus sind – und gerade nicht der Herrenbruder Jakobus. Gemessen an seiner Bedeutung wird sein Name nur relativ selten genannt: Mk 6,3 par; Apg 12,17; 15,13; 21,18; 1 Kor 15,7; Gal 1,19; 2,9.12; Jak 1,1; Jd 1; dazu kommen noch die Stellen, an denen von den Verwandten bzw. Brüdern des Herrn die Rede ist: Mk 3,21; 3,31 ff. parr; 6,1 ff. par; Joh 2,12; 7,3.5.10; Apg 1,14; 1 Kor 9,5.

Von hier aus ergibt sich eine erste Aufgabe der vorliegenden Arbeit: sie soll die *Züge des historischen Jakobus* herausarbeiten, so gut es die vorhandenen Quellen zulassen. In der Forschung gibt es diesbezüglich eine Reihe verschiedener, oft gegensätzlicher Lösungsversuche. Ich nenne, die organisatorisch-kirchenrechtliche Seite des Jakobusbildes betreffend, nur einige offene Fragen: War Jakobus als Leiter der Jerusalemer Gemeinde gleichzeitig eine Art Haupt der Gesamtkirche[1] oder nicht[2]? Stand Petrus als judenchristlicher Missionar in administrativ-rechtlicher Abhängigkeit von Jakobus[3] oder nicht[4]? War Jakobus die bestimmende Persönlichkeit zur Zeit des Apostelkonvents[5] oder nicht[6]? War die Verwandtschaft mit Jesus die entscheidende Voraussetzung für

---

[1] Holl, Aufsätze II, 57; Cullmann, Petrus 44 ff.; Stauffer, Theologie 19; ders., ZRGG 1952, 202 ff.

[2] Gaechter, Petrus 271 ff. 296.

[3] Stauffer, ZRGG 1952, 204; Cullmann, Petrus 57; Klein, Rekonstruktion und Interpretation 83, A 205.

[4] Gaechter, Petrus 270.

[5] Lietzmann, Gal 13; Schlier, Gal 78.

[6] Haenchen, Gott und Mensch 63; Mußner, Gal 119.

den Aufstieg des Jakobus[7] oder waren andere Motive wichtiger oder zumindest gleich wichtig[8]?

Ebenso gewichtige Differenzen gibt es auch in der Beurteilung des theologischen Standortes des Jakobus. Auf der einen Seite wird er als antipaulinisch eingestuft: er habe die judenchristlichen Gemeinden planmäßig im antipaulinischen Geist geschult[9], er sei der eigentlich Verantwortliche der gegnerischen Agitationen auf dem paulinischen Missionsgebiet[10]. Auf der anderen Seite wird Jakobus in ein ausgesprochenes Nahverhältnis zu Paulus gebracht. Es bestehe keine Differenz in der Stellung zum Gesetz zwischen Petrus und Jakobus[11], die Unterschiede zwischen Paulus und Jakobus hätten keine, jedenfalls primär keine theologischen Gründe gehabt[12]; Jakobus sei Paulus näher gestanden und habe ihn besser verstanden, als Petrus es tat[13].

Ist also (als erste Aufgabe) eine möglichst exakte Bestimmung des administrativen und theologischen Standortes des *historischen Jakobus* nötig, so auch (als zweite Aufgabe) eine Darstellung des *Jakobus der Legende*, d. h. der *Wirkungsgeschichte*, die er hatte. Sie ist so groß, daß man ohne Zögern von einer Jakobustradition sprechen kann. Sie ist so vielfältig wie ihre Rezipientenkreise. Von größter Bedeutung ist die judenchristliche Ausformung dieser Tradition, deren Ausbildung in einzelnen Etappen verfolgt werden kann und in der Jakobus immer stärker zur dominierenden Gestalt der frühen Kirche überhaupt wird. Die Quellen dafür sind insbesondere erhalten im Hebräerevangelium, bei Hegesipp und in den Pseudoklementinen. Diese Jakobustradition wurde im gnostischen und im großkirchlichen Bereich übernommen und entsprechend modifiziert; im ersteren wird Jakobus zu einem (bzw. dem entscheidenden) gnostischen Offenbarungsempfänger, im letzteren versuchte man, ihn in die apostolische Tradition und Sukzession hineinzunehmen. Es steht je ein verschiedener Jakobus vor uns; die Gebundenheit des jeweiligen Jakobusbildes an die betreffenden Trägerkreise und deren theologische Anschauung soll im einzelnen herausgearbeitet werden.

In einem eigenen Abschnitt soll die pseudepigraphe Jakobusliteratur dargestellt werden, die ähnlich vielfältig ist wie die direkten Aussagen über Jakobus. Schließlich sind auch die das Martyrium Jacobi betref-

---

[7] Meyer, Ursprung III, 224; Lietzmann, Geschichte I, 58; Schoeps, Theologie 282 f.; Stauffer, ZRGG 1952, 193 ff.; Goppelt, Zeit 83.

[8] v. Campenhausen, Frühzeit 135 ff.; Gaechter, Petrus 292 ff.

[9] Stauffer, ZRGG 1952, 205.

[10] Schoeps, Theologie 68; Stauffer, ZRGG 1952, 204 f.

[11] Schmithals, Paulus und Jakobus 87, A 1.

[12] Ebd. 37 f.

[13] Howard, Paul 79.

fenden Fragen zu diskutieren. Auch hier ist der Weg von den historischen Tatbeständen bis hin zu den vielfältigen legendarischen Ausformungen nachzuzeichnen.

Bisher wurden nur Einzelgebiete der Thematik „Jakobus und die Jakobustradition" monographisch bearbeitet: *William Patrick*[14] beschränkte sich im wesentlichen auf die neutestamentlichen Berichte, die spätere Jakobustradition kommt nur beiläufig in den Blick, *Herbert Kemler*[15] setzt den Schwerpunkt bei Hegesipp, *Donald Henry Little*[16] bei der Frage des Martyriums; *Scott Kent Brown*[17] fragt anhand der Gestalt des Herrenbruders nach den Beziehungen zwischen judenchristlichem, gnostischem und katholischem Christentum, *Robert H. Eisenman*[18] schließlich versucht, einen Zusammenhang zwischen Jakobus und dem Habakukkommentar aus Qumran herzustellen[19]. Eine möglichst weit gespannte Untersuchung zur Thematik scheint also mehr als angezeigt zu sein.

---

[14] Patrick, James.
[15] Kemler, Jakobus.
[16] Little, James.
[17] Brown, James.
[18] Eisenman, James.
[19] Aufsätze, die sich primär mit Jakobus bzw. mit Einzelfragen der Jakobustradition beschäftigen, werden hier nicht angeführt. Auch erfolgt in den Prolegomena keine Auseinandersetzung mit der Literatur zum Thema, um unnötige Verdoppelungen zu vermeiden. Die Forschungsgeschichte ist also in die jeweiligen Ausführungen integriert.

1. Die Distanz zum irdischen Jesus

Nur an wenigen Stellen ist in den Evangelien vom Herrenbruder Jakobus bzw. von der Familie Jesu überhaupt die Rede: Mk 3,21; 3,31 ff. parr; 6,1 ff. parr sowie Joh 2,12 und 7,1 ff. Nur Mk 6,3 taucht der Name des Jakobus auf, ohne daß freilich von ihm irgendeine Aktivität ausgesagt wäre. Allein dies zeigt, daß Jakobus zu Lebzeiten Jesu offensichtlich keine Rolle in der Jesusbewegung gespielt hat. Die Frage, der in diesem ersten Teil nachgegangen werden soll, ist nun die nach dem Verhalten des Jakobus bzw. seiner Familie zu Jesus zu dessen Lebzeiten.

1.1 Mk 3,21

Im jetzigen Kontext des Mk stehen 3,21 und 3,31 ff. in einem engen Zusammenhang. Nach der Berufung der Zwölf 3,13–19 wird in einer wohl redaktionellen Übergangswendung V.20[1] vom Gedränge rund um Jesus berichtet. V.21 folgt die Bemerkung, daß die Seinen Jesus für nicht zurechnungsfähig halten und ihn deshalb aus dem Blickfeld der Öffentlichkeit ziehen wollen[2]. Ohne Überleitung folgt V.22–30 eine Auseinandersetzung mit den Schriftgelehrten, die Jesus vorwerfen, er sei mit Beelzebul im Bunde. V.31–35 tauchen unvermittelt wieder die Angehörigen Jesu auf. Von der Zusammengehörigkeit von V.21 und 31 ff. her ist häufig der Schluß gezogen worden, V.21 sei die ursprüngliche Einleitung zu 31 ff.[3]: V.21 sei keine selbständige Erzählung, da die Stellungnahme Jesu fehle[4]; V.21 verlange nach einer Fortsetzung[5]; Markus habe bereits

---

[1] Vgl. dazu ausführlich Oberlinner, Überlieferung 154–164. Anders Schmithals, Mk I,211.

[2] Damit ist die alte apologetische, in neuerer Zeit etwa von Wansbrough, NTS 1971/72, 234 f.; Schroeder, Eltern 110 ff. oder zurückhaltend auch von Wenham, NTS 1975, 295 ff. vertretene Deutung von V.21, wonach οἱ παρ' αὐτοῦ die Jünger wären, die aus dem Haus gehen, um das außer sich geratene Volk zu beruhigen, abgelehnt. Gegen diese Deutung spricht u.a.: die Annahme verschiedener Subjekte bei αὐτοῦ und αὐτόν; der Umstand, daß Markus ὄχλος stets durch Pronomina im Plural fortsetzt; schließlich das Verständnis früher Textkorrektoren, durch Änderung der Urheber des Vorwurfes an Jesus die anstößige Aussage zu vermeiden; vgl. dazu auch Räisänen, Mutter 26 f.; Oberlinner, Überlieferung, 165 f.; Gnilka, Mk I,144, A2; Best, NTS 1976, 311 ff.

[3] Bultmann, Tradition, 28; Haenchen, Mk 139 f.; Grundmann, Mk 107. Nach Schmithals, Mk I,211 habe Markus V.22–30 in die in der Grundschrift vorhandene Erzählung V.20 f. 31 b–35 eingeschoben; V.31 a sei redaktionelle Überleitung.

[4] Grundmann, Mk 106.

[5] Bultmann, Tradition 28.

V. 21 und 31 ff. getrennt, um die Peinlichkeit der Erzählung zu entschärfen[6].
Doch sprechen wichtige Argumente gegen eine solche ursprüngliche Zusammengehörigkeit. Die Akteure werden verschieden bezeichnet: V. 21 sind es oἱ
παρ' αὐτοῦ, V. 31 ff. hingegen Jesu Mutter, Brüder und Schwestern[7]. Auch die
Situation ist jeweils eine andere: abgesehen davon, daß in V. 21 die Angehörigen eher aggressiv auftreten, V. 31 ff. davon jedoch nichts zu spüren ist[8], geht es
V. 31 ff. gar nicht um irgendeine Aktion der Angehörigen, sondern um die
Kennzeichnung der neuen Gemeinschaft um Jesus als familia Dei. Die Angehörigen dienen nur als Kontrast. Gehören damit V. 21 und 31 ff. ursprünglich
wohl nicht zusammen, so ist V. 21 entweder als selbständige schriftliche Tradition oder als Redaktion zu betrachten. Gegen ersteres sprechen die oben zitierten Argumente *Bultmanns, Haenchens* und *Grundmanns*. Es legt sich also die
Annahme der Redaktion nahe.

Für die Annahme der Redaktion hat *Oberlinner* wichtige sprachliche Argumente gebracht: Partizipialer Anschluß sei auch sonst häufig bei Markus zu finden, meist in redaktionellen Überleitungen (1, 16. 19; 2, 1 etc.); das hap. leg. oἱ
παρ' αὐτοῦ ließe sich gut erklären als bewußte Gegenüberstellung zu den περὶ
αὐτόν (V. 32. 34); (ἐξ)έρχεσθαι stehe bei Mk zumeist in überleitenden Wendungen (1, 35. 38; 6, 12 etc.); κρατεῖν könne wie 12, 12 gut mk. Bildung sein;
schließlich finde sich die Begründung mit γάρ häufig in redaktionellen Stücken
(1, 16 etc.)[9].

Ein weiteres Argument zugunsten der Annahme der redaktionellen Bildung
von V. 21 könnte man auch in der Komposition des ganzen Abschnittes 21 ff.
sehen: V. 21 hat die Funktion einer doppelten Einleitung, noch dazu zu zwei
Erzählungen mit völlig verschiedener Thematik: zu 31 ff. (Thematik: familia
Dei) und zu 22 ff. (Thematik: Vorwurf der Besessenheit Jesu). Da zudem V. 21
weder für 22 ff. noch für 31 ff. als ursprüngliche Einleitung vorauszusetzen ist,
bleibt die Annahme der redaktionellen Gestaltung von V. 20 f. die nächstliegende Erklärung[10]. Nicht zuletzt sprechen inhaltliche Erwägungen eher für
Redaktion: V. 21 geht es nicht um eine Schilderung Jesu, etwa als Ekstatiker,
sondern es soll das Unverständnis der Menschen geschildert werden. „Die Tätigkeit des Offenbarers stößt auf Unverständnis, das selbst seine Familie mitein-
schließt."[11] Es ist auch wahrscheinlicher, daß Markus hier bewußt theologisch
gestaltet, als daß die Gemeinde eine historische Handlung von Außenstehenden
tradierte, die mit Jesus außer der Abstammung zunächst nichts gemein hatten.

Freilich, Sicherheit läßt sich mit diesen Argumenten nicht erreichen;
aber soviel dürfte auf jeden Fall deutlich sein, daß V. 21 in seiner jetzigen Form auf den Evangelisten zurückzuführen ist. Die Frage ist dann
aber speziell die, ob in bzw. hinter V. 21 eine Information für die Frage

---

[6] Haenchen, Mk 139 f.
[7] Schmidt, Rahmen 122 f.; Gnilka, Mk I, 144.
[8] Vgl. Oberlinner, Überlieferung 192.
[9] Oberlinner, Überlieferung 167 ff.
[10] Vgl. dazu wieder Oberlinner, Überlieferung 174 f.
[11] Gnilka, Mk I, 148.

nach dem Verhalten der Familie (und damit auch des Jakobus) Jesus gegenüber zu erkennen ist, die über das sonst Bezeugte (vgl. unten) hinausgeht. Unmöglich ist es sicher nicht, daß die Angehörigen meinten, Jesus könne die möglichen Konsequenzen seines Tuns nicht abschätzen, und ihn deshalb der Öffentlichkeit (und ihren Gefahren) entziehen wollten: denn daß Jesu Verhalten, insbesondere sein familienkritisches Nachfolgeethos „gerade bei seinen nächsten Verwandten höchsten Anstoß und Ärgernis bis hin zum Vorwurf der Verrücktheit bzw. der Besessenheit erweckt hatte"[12], ist gut denkbar, wenn auch kein Beweis, daß V. 21 einen konkreten Vorfall berichte[13]. Auf jeden Fall liegt hinter V. 21 ein allgemeines Wissen um Unverständnis und Distanz Jesus gegenüber, wie es auch in den anderen Berichten erkennbar ist[14]. Ein solches kann jedoch mit Sicherheit angenommen werden, denn Markus hätte kaum die Verwandten so eng an die Seite der Schriftgelehrten stellen können, wenn sie Jesus gegenüber positiv eingestellt gewesen wären oder gar zu seinen Anhängern gehört hätten[15].

1.2 Mk 3,31 ff.

Dieses Apophthegma wird allgemein als alte Tradition angesehen[16]. *R. Pesch* meint, es sei unverändert aus der Tradition übernommen worden[17]; einzelne Teile werden aber doch der mk. Redaktion zuzuschreiben sein: ἔξω στήκοντες ἀπέστειλαν πρὸς αὐτόν (V. 31) sowie καὶ ἐκάθητο περὶ αὐτὸν ὄχλος (V. 32) nehmen Bezug auf die im red. V. 20 gegebene Haussituation bzw. Nennung des Volkes, eine red. Hinzufügung wäre also gut denkbar; entsprechend ist wohl auch ἔξω (V. 32) als redaktionell anzusehen[18]. Im Zusammenhang mit der red.

---

[12] Hengel, Nachfolge 72; Haenchen, Mk 142; Pesch, Mk I, 213.

[13] Der Hinweis auf die Anstößigkeit des Berichteten (Mt und Lk tilgen) scheint mir kein ausreichendes Argument für die Annahme zu sein, hier liege „konkrete Überlieferung aus dem Leben Jesu" vor (Pesch, Mk I, 212; vgl. Lohmeyer, Mk 76 f.; Haenchen, Mk 141 ff.; ders., Bibel und wir 159). Auch der Hinweis auf Joh 7, 5 (vgl. nur Klostermann, Mk 55; Haenchen, Mk 141; Pesch, Mk I, 213; Best, NTS 1976, 314) beweist in diesem Zusammenhang nichts.

[14] Von „hostility of the kinsmen of Jesus in v. 21" (Best, NTS 1976, 314) spricht Markus aber trotz der außer 3, 21 noch 6, 4 zum Ausdruck gebrachten unverständlichen Distanziertheit nicht. Eine Differenz in der Haltung Marias einerseits und der Geschwister Jesu andererseits ist nicht anzunehmen. So meint Patrick, James 53, „The brothers doubtless did not cherish her conviction that He was the Messiah."

[15] Immerhin differenziert Markus das Verhalten der beiden Gruppen deutlich: sowohl hinsichtlich des Vorwurfs als auch der daraus abgeleiteten Verhaltensweisen.

[16] Vgl. in letzter Zeit nur Oberlinner, Überlieferung 179 ff.; Gnilka, Mk I, 147; Ernst, Mk 121. Oberlinner, Überlieferung 176 ff. hat zu Recht den Versuch von Lambrecht, Bijdragen 1968, 247 ff. zurückgewiesen, die Perikope als ganze der mk. Redaktion zuzuschreiben.

[17] Z. B. Pesch, Mk I, 221.

[18] So auch Oberlinner, Überlieferung 179 f. Der Hinweis auf die Schwestern Jesu V. 32 ist textkritisch auszuscheiden .

Einfügung von ὄχλος V. 32 könnte auch V. 34 (Jesu Hinweis auf die um ihn Sit-
zenden) redaktionell sein, zumal gerade dieser Vers die mk. Tendenz zur Ausschmückung zeigt und eine Reihe mk. Vorzugswörter aufweist[19]. Doch ist in
diesem Punkt keine so große Wahrscheinlichkeit erreichbar wie bei der Annahme der anderen red. Ergänzungen.

Die Grundzüge der aus der Tradition übernommenen Erzählung werden
durch diese red. Ergänzungen nicht tangiert. Mutter und Brüder[20] kommen aus
unbekannten Gründen zu Jesus; als man Jesus darauf aufmerksam macht, stellt
dieser die rhetorische Frage, wer denn wirklich seine Verwandten wären, und
beantwortet sie mit dem Hinweis auf die, die den Willen Gottes tun. Die Art
der Komposition dieses biographischen Apophthegmas macht es unwahrscheinlich, daß hier ein bestimmtes historisches Ereignis aus dem Leben Jesu dargestellt werden soll, denn die Erzählung trägt zu deutlich den Charakter einer
idealen Szene[21], die einen bestimmten Gedanken zum Ausdruck bringen soll:
den der wahren Zugehörigkeit zu Jesus, zur familia Dei. Zu ihr gehört man nur
durch eine bestimmte Haltung, ausgedrückt als Tun des Willens Gottes. Es
geht nicht darum, etwas über die Familie Jesu mitzuteilen; jede Diskussion über
die Motive ihres Kommens, über Jesu Vorahnung ihrer Absichten o. dgl. bleibt
„der ausschmückenden Willkür des Exegeten überlassen“, wie *Oberlinner* zu
Recht betont[22]. Mehr als ihr Auftreten interessiert nicht. Abgesehen davon, daß
über Jesu Familie auch nichts zu erfahren wäre, dient sie in der Erzählung primär dazu, die Intention der wahren Zugehörigkeit zu Jesus zu verdeutlichen;
nicht das Verhältnis der Familie zu Jesus steht im Zentrum, sondern das Verhältnis der angesprochenen Menschen zu Jesus – auf die nachösterliche Situation bezogen: das Verhältnis der Menschen zur Verkündigung des Evangeliums.

---

[19] περιβλέπω 6mal (sonst nur Lk 6,10), κύκλῳ 3mal, in gewissem Abstand auch
κάθημαι (11mal); vgl. Gnilka, Mk I, 147, A 16. Hält man V. 34a, wie Räisänen, Mutter 33 und
Gnilka, für redaktionell, so scheint auch V. 34b als redaktionell angesehen werden zu müssen;
denn V. 34b hängt ohne 34a vom Erzählungsfortschritt her in der Luft. Eine Tradierung von
34b ohne 34a scheint mir nicht möglich. Weiters: Wie V. 35 kaum selbständig überliefert worden ist, weil er für sich genommen zu allgemein und substanzlos ist (mit Dibelius, Formgeschichte 60 f., A 1; Gnilka, 147 u. a., gegen Bultmann, Tradition 29 u. a.), so kann der Vers auch
kaum in der mündlichen Tradition an eine schon vorhandene „einmalige Situationsschilde-
rung“ (Gnilka, 147) angehängt worden sein, da ohne V. 35 (und 34a) die Erzählung insgesamt
einen Torso darstellt, der für den Leser mit dem alleinigen Hinweis 34b (siehe meine Mutter
und meine Brüder) kaum verständlich ist. Selbst bei der Annahme, V. 34a gehöre zur ursprünglichen Überlieferung, wirkt diese ohne V. 35 doch recht abrupt beendet. Auch der Sitz im Leben
einer Erzählung, die nur 31–34 umfaßt hat, ist sehr undeutlich.

[20] Es ist an leibliche Vollbrüder zu denken, dazu unten 3.4.3.

[21] Bultmann, Tradition 29. Die Rede von einer „idealen Szene“ bezieht sich nur auf die Gestaltung der Perikope nach der „Idee“ der wahren Jüngerschaft und ihrer Voraussetzungen
(vgl. bes. den Gegensatz draußen – drinnen). Damit soll jedoch nicht ein historischer Hintergrund geleugnet werden. Nur ist dieser Hintergrund nicht notwendigerweise als „einmalige Situation“ (Ernst, Mk 121) festgelegt; vgl. dazu die grundsätzlichen Erwägungen von Stock, in:
Stock – Wegenast – Wibbing, Streitgespräche 8 ff.

[22] Oberlinner, Überlieferung 189 f.

Von besonderem Interesse ist die Frage, ob sich aus 3,31 ff. etwas historisch Interessantes für die Familie Jesu ergibt[23]. Mitunter wird, wenn auch (zumindest teilweise) vorsichtig, mit der Möglichkeit gerechnet, daß mit 3,31 ff. ursprünglich ein Vorrang der Herrenbrüder in der Gemeinde bestritten wurde[24]. Die Argumente, die etwa *Pesch* bringt (entgegen der Reihenfolge V. 31–34 ist in V. 35 der ἀδελφός an erster Stelle genannt; ἀδελφοί ist V. 33 absolut gebraucht; von ἀδελφαί ist erst V. 32 die Rede), sind zwar nicht zwingend, dennoch wäre eine solche Auffassung von der (im Verlauf der Arbeit zu zeigenden) Einordnung der Jakobustradition in die durchaus nicht spannungsfreie Geschichte des Urchristentums her gut denkbar. Von einer „Polemik gegen eine Art Kalifat"[25] braucht dabei nicht gesprochen zu werden, da eine solche Herausstreichung des bloßen Tatbestandes der leiblichen Verwandtschaft in der Frühzeit nicht wahrscheinlich ist (vgl. nur 1 Kor 9,5: die Brüder Jesu sind als Wandermissionare tätig; irgendwelche dynastische Tendenzen sind nicht erkennbar).

Es ist wichtig zu sehen, daß im Zusammenhang der Charakterisierung der familia Dei überhaupt auf die physische Verwandtschaft Jesu rekurriert wird. Soll das nicht ein merkwürdiger Zufall sein, so könnte 3,31 ff. doch in gewisser Weise ein Licht auf die Verwandten Jesu und ihr Verhältnis zu ihm werfen. Die Intention der Erzählung liegt sicher nicht in einer Polemik gegen Verwandte Jesu oder in der Überlieferung einer negativen Haltung der Familie Jesus gegenüber; während etwa *Oberlinner* diesen Tatbestand zu Recht pointiert herausarbeitet (vgl. oben), übt er doch in seiner Darstellung eine übertriebene Zurückhaltung bezüglich der historisch interessanten Implikationen der Erzählung. Diese liegen sicherlich nicht offen zutage, sind indirekt aber doch gegeben. *Oberlinner* hat mit der Behauptung sicher recht, daß die Gründung der „neuen" Familie nicht in einem Versagen der leiblichen Angehörigen zu suchen ist, sondern einzig und allein in Jesu Sendung, in seiner Gottesreichverkündigung[26]. Die Frage jedoch, wo nun unsere Erzählung sage, daß die neue Familie ihre Existenz dem Versagen der Angehörigen verdanke[27], ist unnötig. Abgesehen davon, daß dann ja die Verfasser bzw. Tradenten offensichtlich falsche historische Angaben gemacht bzw. weitergegeben hätten, geht es der Erzählung ja nicht um eine Darstellung der historischen Bedingungen für die Entstehung der neuen Familie; der Hinweis auf die leibliche Verwandtschaft Jesu, von

---

[23] Mk griff diese Erzählung nicht aus biographischem Interesse auf, vgl. Schmithals, Mk I, 213.

[24] Schweizer, Mk 48; Crossan, Mark 110 ff.; Pesch, Mk I, 224; Ernst, Portrait 176 u. a.

[25] Schweizer, Mk 48.

[26] Oberlinner, Überlieferung 195 f.

[27] Oberlinner, Überlieferung 195.

der außer ihrem Kommen überhaupt nichts berichtet wird, hat keine
kausale Funktion, sondern sozusagen eine illustrative. Er dient nur zur
Herausstreichung der Bedingung für die Zugehörigkeit zur neuen Familie.

So wie die Erzählung geformt und tradiert wurde, setzt sie voraus,
daß die leiblichen Angehörigen Jesu nicht zu dessen Nachfolgerschaft
gehörten. Denn hätten sie dazugehört, so hätte die Erzählung nicht so
gestaltet werden können; es wäre ja gerade die Pointe verlorengegangen, wenn die Angehörigen auch gleichzeitig zur neuen Familie gehört
hätten. Nur bei der Annahme einer Distanz zu Jesus egibt sich ein sinn-
voller Verstehenszusammenhang, etwa bezüglich der Gegenüberstellung der zwei Familien oder der Art der eher brüsken und schroffen
Reaktion Jesu[28]. Nicht unmittelbar beleg-, wohl aber erschließbar, ergibt sich somit eine Distanz der Angehörigen zu Jesus zu dessen Lebzeiten, die zur Zeit der Bildung und Tradierung von Mk 3,31 ff. noch
deutlich lebendig war. Über die genauere Art der Distanz läßt sich von
dieser Erzählung aus freilich nur insofern Konkretes sagen, als es sich
zwar nicht um offene Feindschaft[29], wohl aber um Unverständnis und
Reserve gegenüber seinem Wirken handelte.

1.3 Mk 6,1–6 a

In der gegenwärtigen Forschung bestehen in der Frage nach der Entstehung
dieses Berichts unterschiedliche Auffassungen, die von der Annahme einer nur
geringfügigen red. Bearbeitung einer überkommenen Erzählung[30] bis zur Annahme reichen, Markus sei nur die erfolglose Predigt Jesu in seiner Vaterstadt
bekannt gewesen[31]. Während die erstere Auffassung in der Annahme redaktio-
neller Bearbeitung zu minimalistisch erscheint, wird in der letzteren der Redaktion zu große Bedeutung beigemessen; die konkreten historischen Angaben in
V.3 und die etwas holprige, nicht spannungslose Darstellung[32] scheint doch

---

[28] Vgl. schon Dibelius, Formgeschichte 46.

[29] Richtig Schmithals, Mk I,216: „Ihr Tun ist von keiner Feindschaft gegen Jesus bestimmt.
Sie bestreiten aber den paradoxen Anspruch Jesu, daß Gott in ihm, dem konkreten Menschen,
dem ,Mann aus Nazareth', eschatologisch zum Heil der Welt handelt."

[30] Pesch, Mk I,315 u.a.

[31] Haenchen, Mk 220; Gräßer, Text und Situation 25 u.a.

[32] Vgl. zu diesen Spannungen Gräßer, Text und Situation 20 ff.; V.2 ist vom Weisheitslehrer
und Thaumaturgen die Rede. V.4 vom Propheten; V.4 gibt die Skepsis der Landsleute als Regel an, V.6 a drückt dennoch die Verwunderung Jesu aus; V.2 ist von einer übernatürlichen
Mächtigkeit Jesu die Rede, V.5 von seiner stark begrenzten Macht; V.2 gerät das Volk in Stau-
nen, V.3 nimmt es an Jesus Anstoß; V.5 a wird berichtet, daß Jesus keine Wunder tun konnte,
V.5 b sind es doch wenigstens einige. Diese Spannungen sind auffallend, auch wenn sie nicht
stets und in gleicher Weise einander Ausschließendes aussagen.

darauf hinzudeuten, daß Markus schon geprägte, als Erzählung vorliegende Tradition übernimmt[33]. Folgende Teile könnten dem Redaktor zugeschrieben werden:

Mit ziemlicher Sicherheit ist neben der Übergangswendung καὶ ἐξῆλθεν ἐκεῖθεν auch der Verweis auf die Jünger V. 1 redaktionell. Die Jünger spielen im folgenden keine Rolle mehr, sie sind aber im Makrokontext (wegen der bevorstehenden Aussendung) von Bedeutung[34]. Größte Wahrscheinlichkeit besteht auch in der Annahme des red. Ursprungs von καὶ ἐν τοῖς συγγενεῦσιν αὐτοῦ καὶ ἐν τῇ οἰκίᾳ αὐτοῦ[35]; damit wäre im ursprünglichen Logion von der πατρίς die Rede gewesen. Das scheint wahrscheinlicher als die Annahme, συγγενεῖς sei traditionell, πατρίς und οἰκία dagegen redaktionell[36]. Parallelen, insbesondere aus dem hellenistischen Bereich, weisen eher auf das allgemeinere πατρίς: so spricht Dio Chrys Or 47,6 vom schweren Leben des Philosophen in seiner πατρίς[37]. Wichtig ist auch die Beobachtung *Gräßers*, daß „Verwandte" und „Haus" nicht als aktiv Handelnde auftreten[38]; sie fallen geradezu aus dem Rahmen der Erzählung heraus; erst von 3,21. 31 ff. her wird ihre Nennung klar. Daß V. 4 hingegen (wenn auch als traditionelles Logion) erst von Markus mit der Erzählung verbunden worden sei[39], ist nicht anzunehmen, da ohne deutendes Jesuswort die rekonstruierte Einheit fragmentarisch wirkt und in der gattungsmäßigen Einordnung Schwierigkeiten macht[40].

Möglicherweise sind auch die auf Jesu Wundertätigkeit bezogenen Teile erst sekundär (durch Markus oder doch schon eher vor ihm?) mit der Erzählung verbunden worden: die Frage nach den Wundern V. 2 sowie der Hinweis auf das Geschehen bzw. Nichtgeschehen von Wundern in Nazareth V. 5[41], eventu-

---

[33] Von da aus ist es auch unwahrscheinlich, daß die Erzählung vom vorgegebenen Logion V. 5 aus als eine ideale Szene gestaltet wurde, wie Bultmann, Tradition 30 f. u. a. meinen.

[34] Vgl. zuletzt Gnilka, Mk I, 228.

[35] Z. B. Schnackenburg, Mk I, 141. Ernst, Mk 168, nimmt an, Mk hätte in einer vorgegebenen Erzählung den um die Nennung der Verwandten und des Hauses erweiterten Prophetenspruch (V. 4) eingefügt.

[36] So Oberlinner, Überlieferung 304 ff.

[37] Vgl. auch Epict Diss III 16,11; Philostrat, EpApoll 44.

[38] Gräßer, Text und Situation 37; das Argument Oberlinners, Überlieferung 305, dies sei durch den jetzigen Kontext gegeben und könne nicht schon auf die Überlieferung des Markus übertragen werden, ist nicht überzeugend. Auch daß V. 4 in der jetzt vorliegenden Form ursprünglich ist, also einschließlich der Nennung der Verwandtschaft, wie Pesch, Mk I, 320 f. meint, ist nicht anzunehmen.

[39] So Oberlinner, Überlieferung 312; Gnilka, Mk I, 228 f.

[40] Vgl. dazu Merkel, ThLZ 1980, 276.

[41] Daß zwischen V. 5 a und 5 b, wie sehr häufig (vgl. nur Roloff, Kerygma 159; Schweizer, Mk 69; Pesch, Mk I, 321; Gnilka, Mk I, 229; Merkel, ThLZ 1980, 276) angenommen wird, ein Widerspruch besteht, wobei dann 5 a als traditionell, 5 b als redaktionell erklärt wird, muß nicht angenommen werden, wenn man V. 5 als Einheit nimmt und nicht in zwei (unabhängige) Teile zerreißt. Es geht nicht um ein Unvermögen Jesu, sondern um das Sich-Versagen der von Jesus Angesprochenen (vgl. Bultmann, Tradition 31, A 1; von diesem Zusammenhang her lehnt auch Oberlinner, Überlieferung 315 ff. das Auseinanderreißen von 5 a und 5 b ab) – freilich ist V. 5 schon von Mt 13,57 als Unvermögen Jesu gedeutet worden, da er das οὐκ ἐδύνατο in οὐκ ἐποίησεν korrigierte. Diese Korrektur ist freilich weder für noch gegen die Ursprünglichkeit

ell auch einschließlich des V. 6 wegen der Verknüpfung von Wunder und Glaube[42]. Der Bezug auf die Wunder fällt aus dem Duktus der Erzählung heraus. Geht es zudem V. 5 nicht um ein Unvermögen Jesu, sondern um das Sich-Versagen der Bewohner Nazareths, so kann von der Peinlichkeit eines solchen Unvermögens aus (da nicht ausgesagt) auch nicht mehr auf das Vorliegen alter Tradition geschlossen werden. Nicht zuletzt hätte dadurch die ursprüngliche Erzählung einen sehr pointierten Abschluß mit V. 4 und einen geradlinigen Gedankengang gehabt[43]. Doch bleibt die Rekonstruktion an dieser Stelle wesentlich unsicherer als bei den oben angenommenen red. Ergänzungen. Für den vorliegenden Zusammenhang ist sie auf jeden Fall belanglos, da über das Verhältnis der Familie zu Jesus nichts ausgesagt ist.

Die wesentlichen Aussagen dazu finden sich V. 3 f. Abgesehen von der angenommenen red. Hinzufügung von συγγενεῖς und οἰκία liegt hier, wie fast allgemein angenommen wird, „nicht bloß Auffüllmaterial"[44], sondern alte Tradition vor, der Einzelheiten noch bekannt sind. Neben dem Beruf Jesu werden genannt: Die Namen der Mutter, Maria, des Jakobus und dreier seiner Brüder, Joses, Judas und Simon, sowie Schwestern, ohne deren Namen oder Zahl anzugeben. Nur hier (und an der Parallelstelle Mt 13,55) taucht in den Evangelien der Name des Jakobus auf. Jakobus wird als erster in einer Liste von vier Brüdern genannt; die Liste scheint Tradition hohen Alters aufzubewahren, da die drei Brüder des Jakobus in der frühchristlichen Kirche keine leitenden Funktionen innegehabt zu haben scheinen, soweit jedenfalls die uns bekannte Tradition Rückschlüsse zuläßt. Über Joses und Simon erfahren wir unter Nennung Ihres Namens überhaupt nichts[45], über Judas auch nur, daß seine zwei Enkel gegen Ende der Regierung Domitians als Verwandte des Herrn und Nachkommen Davids vor den Kaiser zitiert, aber als politisch ungefährlich wieder entlassen worden seien und nachher führende Stellungen in der Kirche innegehabt hätten (Hegesipp bei

---

von V. 5 ein Beweis. Möglicherweise steht V. 5 auch im Zusammenhang mit Mißerfolgen der Gemeinde in der Mission, wie sich vom Makrokontext (Aussendung) her nahelegen könnte, vgl. Schniewind, Mk 92.

[42] Nach Kertelge, Wunder 122 ist in V. 2 der Hinweis auf die Weisheit traditionell, der auf die Wunder redaktionell; seine Begründung freilich wirkt zu dogmatisch, um überzeugen zu können: die erste Frage impliziere eine „Wesensaussage", die zweite betone den „Geschehenscharakter der Taten Jesu".

[43] Schon Dibelius, Formgeschichte 106 f. nahm an, die Erzählung sei ursprünglich mit V. 4 beendet gewesen; er nahm jedoch einen doppelgliedrigen Spruch (wie EvThom 31 = PapOxyrh 1,6: Prophet und Arzt) an, was weniger wahrscheinlich ist.

[44] Schweizer, Mk 69; Pesch, Mk I,322, Oberlinner, Überlieferung 297; Schmithals, Mk I,301 u. a.; vgl. schon Dibelius, Formgeschichte 107.

[45] Nachrichten über Simon haben wir nur, wenn er mit dem Vetter Jesu, Symeon, dem Nachfolger des Jakobus auf dem Bischofsstuhl in Jerusalem (nach Hegesipp bei Eus HE IV 22,4) identifiziert wird, so Blinzler, Brüder 96 ff. Diese Identifizierung fällt, wenn man die Herrenbrüder für leibliche Brüder Jesu hält.

Eus HE III 20,1–6); immerhin aber erwähnt Paulus 1 Kor 9,5, daß (wie Petrus und die anderen Apostel) die Herrenbrüder auf ihren Missionsreisen ihre Ehefrauen mitnehmen, die Herrenbrüder also zur christlichen Gemeinde gehörten und aktiv missionarisch tätig waren. Welche Brüder Paulus hier genauerhin meint, läßt sich nicht sagen; aber es ist kaum vorstellbar, daß keiner der drei darunter gewesen sein sollte. Welche Bedeutung jeder einzelne hatte, läßt sich freilich nicht feststellen. Ob die Liste Mk 6,3 nach der Bedeutung der Herrenbrüder in der urchristlichen Gemeinde verfaßt wurde oder ob eine Aufzählung dem Alter[46] nach vorliegt, läßt sich somit nicht entscheiden. Daß Jakobus aus einer gesetzesstrengen Familie stammte, wird häufig unter Hinweis auf seine spätere Bezeichnung „der Gerechte" bzw. auf den Umstand, daß er (ebenso wie die drei in der Liste genannten Brüder) einen Patriarchennamen trägt, als möglich angenommen[47]. Doch auch hier muß vorsichtig geurteilt werden; insbesondere der Hinweis auf die Patriarchennamen ist jedenfalls kein sehr starkes Argument, da ihr häufiges Auftreten nicht zu überraschen braucht: sie sind vom Alten Testament her sehr bekannte Namen.

Was das Verhältnis der Familie bzw. des Jakobus Jesus gegenüber betrifft, ist einzig in der red. Hinzufügung V. 4 (καὶ ἐν τοῖς συγγενεῦσιν αὐτοῦ καὶ ἐν τῇ οἰκίᾳ αὐτοῦ) direkt eine Distanz ausgesprochen. Die (theologische) Absicht, die Angehörigen Jesus gegenüber als unverständig und distanziert zu zeigen, kann zwar nicht als (historischer) Beleg für die Situation zu Lebzeiten Jesu genommen werden; wohl aber ist daraus zu schließen, daß die Tatsache der Distanz z. Z. des Markus bekannt war, sonst hätte seine Darstellung leicht als unrichtig erkannt werden können. Auch die vormarkinische Form des Apophthegmas läßt die Schlußfolgerung zu, daß die Angehörigen nicht zum Kreis um Jesus gehörten; denn die Art, in der sie von den Antagonisten Jesu, den Bewohnern Nazareths, als Argumentationsmittel benutzt werden, hat nur Sinn und Überzeugungskraft, wenn sie Jesus fern standen. Welcher Art diese Distanz genauerhin war, läßt sich wiederum nicht feststellen; nur die Tatsache der Distanz selbst ist Mk 6,1 ff. sowohl aus der Tradition erschließbar wie in der Redaktion direkt belegt.

---

[46] So Patrick, James 22; Blinzler, Brüder 26. Patrick nahm von 1 Kor 9,5 aus an, Jakobus sei verheiratet gewesen (ebd. 32 f.). Auch das ist möglich, aber nicht sicher.

[47] Vgl. nur Lohmeyer, Mk 110; Grundmann, Mk 157; Schweizer, Mk 46; Pesch, Mk I,322; Gnilka, Mk I,232.

1.4 Die matthäischen und lukanischen Parallelberichte

Die beiden Großevangelien revidierten den markinischen Bericht über die negative Haltung der Familie zu Jesus. Weniger auffällig geschieht dies bei Mt. Die wichtigste Differenz ist die Streichung der Notiz Mk 3, 20 f. (Jesu Angehörige halten ihn seiner Sinne nicht für mächtig); dadurch wird die Anstößigkeit dieses Verhaltens der Familie beseitigt. Zwei Motive dürften dafür verantwortlich sein: einerseits mußte angesichts der Zugehörigkeit der Angehörigen Jesu zu christlichen Gemeinden im Laufe der Zeit das Wissen um die Distanz der Familie zum irdischen Jesus immer unerträglicher geworden sein; andererseits – und das scheint das wesentlichere Motiv zu sein, für das unmittelbare, kompositorische Anhaltspunkte vorliegen – hatte Mt in den Vorgeschichten Maria insofern positiv gezeichnet, als sie um die Besonderheit der Geburt und des zukünftigen Wirkens Jesu wußte (1, 18 ff. u. ö.). Ein solches Maß an Unverständnis, wie es Mk 3, 20 f. voraussetzt, ist also von der Komposition des Mt her nicht glaubwürdig und nötigte zum Eingriff in die Vorlage[48]. Der gegenläufige Druck der Tradition scheint aber doch so stark gewesen zu sein, daß eine essentielle Änderung nicht erfolgte. Mt strafft 12, 46 ff. die Erzählung Mk 3, 31 ff., er erwähnt die Schwestern Jesu nicht und die Mutter und die Brüder nur einmal[49], übernimmt aber den Kontrast, den die leibliche Familie Jesu zur neuen familia Dei der Jünger Jesu bildete.

Das gleiche Bild einer geringfügigen Änderung des Mk-Textes zeigt auch der Bericht vom Auftreten Jesu in Nazareth Mt 13, 53 ff. Eine im vorliegenden Zusammenhang interessante Änderung liegt nur in dem Jesus in den Mund gelegten Sprichwort vor; hatte Mk 6, 4 vom Verachtetsein eines Propheten ἐν τῇ πατρίδι αὐτοῦ καὶ ἐν τοῖς συγγενεῦσιν αὐτοῦ καὶ ἐν τῇ οἰκίᾳ αὐτοῦ gesprochen, so läßt Mt 13, 57 den Hinweis auf die συγγενεῖς weg; da aber weiterhin von der οἰκία die Rede ist, bleibt die Distanz der Familie zu Jesus. Sie ist freilich nicht so betont wie bei Mk.

Wesentlich positiver ist die Darstellung des Verhältnisses der Angehörigen zu Jesus bei Lk. Wie bei Mt fehlt die Notiz Mk 3, 20 f., und auch die Perikopen Mk 3, 31 ff. und 6, 1 ff. weisen in der Lukasfassung eine viel größere redaktionelle Bearbeitung auf. Während Mk 3, 31 ff./ Mt 12, 46 ff. vom Kontrast der leiblichen Angehörigen und der familia Dei geprägt sind, ist ein solcher Lk 8, 19 ff. nicht vorhanden[50]: der Ge-

---

[48] Vgl. Brown u. a., Maria 85 ff.

[49] Vorausgesetzt, Mt 12, 47 ist textkritisch sekundär, was allerdings nicht sicher ist.

[50] Richtig Brown u. a., Maria 134 f. Daß Jesus Lk 8, 21 „einen lobenden Kommentar" über seine Mutter und Brüder (ebd. 135) abgibt, ist aber zumindest mißverständlich.

gensatz bei Mk zwischen den draußen stehenden Angehörigen, die nicht ins Haus gehen wollen (!), ist durch den Hinweis beseitigt, sie hätten wegen der großen Menge nicht zu Jesus gelangen können (!)[51]. Auch stellt Jesus bei Lk nicht die Frage, wer denn seine wahren Verwandten seien, und unterläßt auch die (die leiblichen Angehörigen ausschließende) Geste des Hinzeigens auf die Jünger[52].

Die gleiche Tendenz zeigt auch die Version des Auftretens Jesu in Nazareth (4, 16 ff.). In der verwunderten Frage der in der Synagoge Anwesenden ist von Jesus nur als Sohn Josefs die Rede: seine Mutter, Brüder und Schwestern werden nicht erwähnt. Auch wenn der Hinweis auf die Josefssohnschaft aus einer mit Joh 6, 42 verwandten Tradition stammen sollte, läge dennoch ein bewußtes Weglassen der Mutter und Geschwister vor, da diese Lk ja von der Mk-Vorlage her bekannt waren[53]. Der Hinweis auf Mutter und Geschwister fehlt auch im Wort über das Verachtetsein eines Propheten 4, 24; da dort nur die πατρίς genannt ist, gibt Lk wiederum zu erkennen, daß er die Verwandten von einer Distanz zu Jesus ausnehmen will[54]. Die beiden oben genannten Motive für diese schriftstellerische Gestaltung dürften auch bei Lk anzunehmen

---

Denn nicht darum geht es dem lukanischen Jesus, sondern (wie Mk und Mt) um die Betonung der Zugehörigkeit zur familia Dei; auch kann man nicht sagen, Lk „presents Jesus' mother and his brothers ... as model disciples. They are the prime examples of these who listen to the word of God ,with a noble and generous mind' (8: 15)" (Fitzmyer, Luke 723); die leiblichen Angehörigen werden (noch) nicht unmittelbar in die familia Dei integriert (richtig Schweizer, Lk 96: „dennoch stehen sie noch ,draußen'"), sondern nur insofern (wenigstens bei Maria, vgl. Lk 1 f.), als von Anfang an ein Verstehen des Weges Jesu vorausgesetzt ist, das sich aber erst nach dessen Tod und Auferweckung in aktive Gefolgschaft umsetzt.

[51] Lk setzt nicht voraus, daß Jesus sich im Haus befindet; deswegen läßt er V. 19 die „draußen stehenden" Verwandten weg. V. 20 übernimmt er gleichwohl das „draußen" von Mk 3, 32, obwohl es gar nicht mehr paßt. Die Notiz meint im jetzigen Kontext: „außerhalb' der Menge" (Schneider, Lk I, 188). Die Differenzen zwischen dem mk. und lk. Bericht interpretiert Patrick, James 54 zu Unrecht als Zeichen für verschiedene Besuche Jesu in Nazareth.

[52] Schürmann, Lk I, 470: „Luk läßt bei seiner Mk-Wiedergabe alles der leiblichen Familie Jesu Ungünstige aus." Eine gewisse Distanz bleibt aber auch bei Lk insofern, als leibliche Verwandtschaft in und gegenüber der familia Dei gleichgültig wird.

[53] Eine Alternative zwischen der Zitierung einer mit Joh 6, 42 verwandten Tradition und dem Weglassen der Mutter und Geschwister (wie Brown u. a., Maria 133 voraussetzen) liegt also nicht vor.

[54] Entsprechend gehört die Familie Jesu auch zur frühesten Gemeinde, Apg 1, 14. Eine historisch vertrauenswürdige Mitteilung ist das nicht. – Die Bearbeitung des Mk-Stoffes durch Mt und Lk zeigt, daß die Evangelisten gegen Jakobus durchaus nicht feindlich eingestellt waren (auch wenn sie theologisch nicht seine Linie vertraten): anders Carroll, BJRL 1961/62, 56 ff., der in ihrer Darstellung der Distanz Jesu zu seiner Familie und zu den Pharisäern (Jakobus als christlicher Pharisäer, 60) ihre Feindschaft gegen Jakobus (58) ausgedrückt sieht. Auch Hengel, FS Kümmel (1985) 91 sieht die Evangelien den Brüdern Jesu „eher feindlich" gegenüberstehend.

sein, wobei das in den Vorgeschichten über Maria Gesagte (vgl. 1, 38.
42. 45; 2, 19. 51) noch ein stärkeres Gewicht hat, als es bei Mt der Fall
ist. Da in den Vorgeschichten des Mt und Lk (anders in den apokryphen Kindheitsevangelien) das Interesse an der Person Jesu haftet, be-
ruht diese veränderte Wertung der Stellung der Verwandten zum irdischen Jesus also letztlich auf christologischen Prämissen. Das Bemühen, die Distanz zu beseitigen, weil das Wissen darum auf die Dauer
unerträglich war, dürfte demgegenüber nur von sekundärer Bedeutung
sein. Unmittelbar am Text läßt es sich nicht verifizieren; es hängt vielmehr mit dem Umstand zusammen, daß unangenehme Ereignisse der
eigenen Vergangenheit später gerne in schönerem Licht gesehen werden.

1.5 Joh 2, 12; 7, 1 ff.

Nur an diesen beiden Stellen tauchen die Herrenbrüder im Johannesevangelium auf. Das Bild, daß sich daraus für die Frage ihres Verhaltens Jesus gegenüber erheben läßt, ist ein deutlich anderes als bei Markus, zumindest was die dahinterstehende Tradition betrifft.

Joh 7, 1 ff. drängen die Brüder Jesus zu einer aufsehenerregenden
Selbstpräsentation in Jerusalem. Sie sehen und anerkennen die Wunder
Jesu, mißverstehen sie jedoch und stehen damit auf der Seite des Kosmos (V. 7). Ihr Handeln kann also de facto nur als Unglaube charakterisiert werden (V. 5)[55]. Hier liegt deutlich johanneische Theologie vor;
V. 5 kann damit nicht als unmittelbar historisch zu verstehende Aussage
angesehen werden[56] (die Aussage ist gleichwohl historisch richtig: sie ist
Reflex der frühesten Tradition, wie sie auch Mk bezeugt). Hinter der
jetzigen Form von Joh 7, 1 ff. steht eine ältere Tradition[57], möglicherweise sogar ein Stück aus der Semeiaquelle: ebenso wie 2, 1 ff. und
11, 1 ff. verweigert Jesus Wunder auf Aufforderung hin, kommt dem
Verlangen aber dann doch nach; wie 2, 1 ff. verweist er dabei auf seinen
noch ausstehenden καιρός (7, 6) bzw. seine ὥρα (2, 4); nur 2, 1 ff. und

---

[55] Die Brüder stehen gleichwohl nicht auf einer Ebene mit der „Welt". Ihre Haltung
ist nicht vom Haß Jesus gegenüber geprägt, sondern von Unverständnis: Nicht nur die
politische Machtkonstellation in Jerusalem verkennen sie. „Vor allem fehlt ihnen der Einblick in den Plan Gottes, der Jesus einen ganz anderen Weg führt" (sc. als den eines politischen Messias), Schneider, Joh 163.
[56] Gegen Haenchen, Mk 141; Pesch, Mk I, 213 u. a. Daß in V. 5 spezifisch synoptische
Tradition zum Ausdruck kommt (als Frage Bauer, Joh 103), braucht von der Konzeption
von 7, 1 ff. her nicht angenommen zu werden.
[57] Anders Schulz, Joh 112.

hier tauchen die Brüder Jesu im Johannesevangelium auf[58]. Auch die
Stellung der Brüder zu Jesus korrespondiert der in 2,12. Gleichgültig,
ob nun wirklich ein Stück aus der Semeiaquelle vorliegt oder nur ältere
Tradition, eine Distanz zu Jesus in der Gestalt, wie sie aus der mk. Tradition zu erschließen ist, ist nicht zu konstatieren. Die Brüder stehen,
wenigstens was ihr bewußtes Wollen betrifft, nicht gegen Jesus oder un-
beteiligt fern von ihm, sondern hinter ihm[59].

Dem entspricht die Stellung der Brüder zu Jesus nach *Joh 2, 12*[60].
Dieser Übergangsvers ist zu der 2,1 ff. vorliegenden Semeiaquelle zu
rechnen; er kann kaum auf das Konto des Evangelisten gesetzt werden,
da er keine Verbindung zum Folgenden herstellt[61]. Eher lapidar wird
berichtet, daß Jesus nach der Hochzeit mit seiner Mutter, seinen Brüdern und seinen Jüngern nach Kapharnaum zieht[62]. Jesu Mutter und
Brüder gehören Joh 2,12 wie selbstverständlich zu seiner Begleitung.
Eine Distanz zu Jesus ist nicht spürbar. Die Mutter hat 2,1 ff. vielmehr
größtes Zutrauen zu ihrem Sohn. Die Brüder selbst spielen keine aktive
Rolle, auch wenn sie V.2 ursprünglich sein sollten, sie gehören aber mit
zum engsten Kreis um Jesus.

Auch wenn Joh 2,12; 7,1 ff. ältere Traditionen vorliegen, wirklich
alte Tradition, die das Verhalten der Angehörigen zu Jesus widerspie-
gelt, wird man darin sicher nicht erblicken können[63]. Das Schweigen
der synoptischen Tradition in diesem Punkt ist doch zu gewichtig. Es
ist nicht denkbar, daß eine positive Beziehung, insbesondere des Jako-

---

[58] Bultmann, Joh 217, A1. Bultmann hält weiters 7,1 ff. für die ursprüngliche Einleitung des 5,1 ff. berichteten Wunders, ebd.; ähnlich Becker, Joh I,262. Nach Schnackenburg, Joh II,193, ist es möglich, daß 7,1 ff. aus einer Quelle stammt; er hält aber eine Rekonstruktion zu Recht nicht für durchführbar und spricht davon, daß der Evangelist „das
Wissen, woher immer es ihm zufloß, in seine Darstellung völlig eingeschmolzen und die
Brüder Jesu zu Vertretern des Unglaubens und der ‚Welt' gemacht" habe (ebd.).

[59] Nach Haenchen, Joh 345 ist die Überlieferung gegenüber Mk 3,21. 31 ff. „im JE
freilich etwas abgeschwächt". Das ist zu zurückhaltend formuliert. Die Brüder gehören
trotz allen Mißverstehens in der Semeiaquelle zur Gefolgschaft Jesu. Zu sagen, „In
Jn 7.3–10 they appear to be positively hostile" (Lindars, John 133; vgl. Schroeder, Eltern
113) ist dagegen weit übertrieben.

[60] Das spricht ebenfalls für eine Zusammengehörigkeit von 7,1 ff. mit der Semeiaquelle.

[61] Bultmann, Joh 79; Becker, Joh I,110; für Redaktion: Blank, Joh Ia,196. Brown,
John 113, vermutet in V.12 eine unabhängige, eventuell sogar frühe joh. Tradition, die
der (nachjohanneische) Redaktor des Joh zur Harmonisierung mit den synoptischen Berichten einfügte.

[62] Möglicherweise ist an dieser Stelle die Erwähnung der Jünger sogar sekundär, worauf die Uneinheitlichkeit der Textüberlieferung hinweisen könnte: Die μαθηταί fehlen
N, 1010 pc, a b e ff², sie stehen H δ 371 pc vor ἀδελφοί, in W sogar vor μήτηρ, vgl. Bultmann, Joh 79, A5; Barrett, John 194.

[63] Bultmann, Joh 217, A2.

bus, zum irdischen Jesus keinen literarischen Niederschlag gefunden
haben sollte. Dies ist zwar nur ein argumentum e silentio, aber in Verbindung mit dem oben zu den Markusstellen Ausgeführten scheint mir
die Beweiskraft für die Annahme einer Distanz der Angehörigen zum
irdischen Jesus ausreichend zu sein.

Bedenkt man den judenchristlichen Ursprung der Semeiaquelle, so
legt sich die Annahme nahe, daß für diese, gegenüber der synoptischen
Tradition deutlich andere Charakterisierung des Verhältnisses der Angehörigen zum irdischen Jesus judenchristliche Kreise verantwortlich
sind. Im Judenchristentum, in dem der Herrenbruder Jakobus sehr bald
eine dominierende Figur war und leibliche Verwandte Jesu auch nach
Jakobus eine große Rolle spielten (z. B. Symeon), war (anders als etwa
im heidenchristlichen Bereich) das Wissen um diese ursprüngliche Distanz sicher äußerst unangenehm. Mit der späteren Glorifizierung des
Jakobus in judenchristlichen Kreisen (dazu unten) paßt eine solche
Rückprojizierung der nachösterlichen Situation in die Zeit Jesu sehr
gut zusammen – und ist vergleichsweise noch außerordentlich zurückhaltend[64]. So scheint m. E. Joh 2,12; 7,1 ff. der erste Beleg für die
Hochschätzung der leiblichen Verwandten Jesu, insbesondere des Jakobus, im Judenchristentum vorzuliegen[65].

1.6 Zusammenfassung

Bezüglich des Verhältnisses des Jakobus bzw. der Angehörigen zum
irdischen Jesus läßt sich sagen: Die Familie stand Jesus zu dessen Leb-

---

[64] Dieselbe positive Beziehung der Familie zum irdischen Jesus liegt in einem Fragment, das wahrscheinlich (vgl. Vielhauer, in: NTApo I⁴,87) zum Nazaräerevangelium gehört, vor (Hier Pelag III 2 [PL 23,570 f.] = Fragment 2 in: NTApo I⁴,95): Mutter und
Brüder Jesu schlagen ihm vor, sich mit ihnen von Joh. d. T. taufen zu lassen, was Jesus jedoch unter Hinweis auf seine Sündlosigkeit (vgl. die Version der Taufe Jesu Mt 3,13 ff.)
ablehnt (unter Kautelen). Gegenüber den Traditionen Joh 2,12; 7,1 ff. liegt hier sogar
eine gewisse Fortbildung der Herrenbrüder- oder, wohl besser, der Jakobustradition vor,
da die Familie schon vor Jesu Taufe mit dessen öffentlichem Auftreten einverstanden zu
sein scheint, ja es geradezu provozieren will. Es wäre interessant zu wissen, wie der tar-
gumartig das Matthäusevangelium benützende Verfasser des Nazaräerevangeliums (Vielhauer 93) die Stellen, an denen die Herrenbrüder vorkommen, gestaltet. Daß er die Familie Jesu auch mit der Taufe Jesu verbindet, deutet jedenfalls auf sein Bemühen hin, sie
herauszustreichen. Die Herrenbrüder- bzw. Jakobustradition hat wohl somit im judenchristlichen Bereich in den ersten Jahrzehnten des zweiten Jahrhunderts gegenüber der
Traditionsstufe, die in der Semeiaquelle vorliegt, bereits deutlich merkbare Fortschritte
gemacht.

[65] Daß die kanonischen Evangelien sowohl in ihrer Berichterstattung über die Brüder
Jesu wie in ihren Angriffen auf die Pharisäer „their hostility to James and his interpretation of Christianity" zeigen (Carroll, BJRL 1961/62, 56 ff.; Zitat S. 58), stimmt nach dem
bisher Ausgeführten nicht.

zeiten distanziert gegenüber. Eine alte Tradition, die das direkt zum Ausdruck bringt, gibt es freilich nicht, erst Markus und Johannes sprechen hier eine deutliche Sprache. Wohl aber läßt sich die Distanz aus den bei Markus vorliegenden Traditionen bzw. dem völligen Schweigen bezüglich eines positiven Verhältnisses erschließen. Welcher Art diese Distanz war, gar welche Gefühle Jesu Angehörige ihm entgegenbrachten, läßt sich jedoch nicht sagen. Deutlich ist allerdings wieder, daß bereits früh (Semeiaquelle) judenchristliche Bemühungen einsetzten, das Verhältnis der Angehörigen zu Jesus auch für dessen Lebzeiten als ein positives zu zeichnen.

2. Jakobus als Zeuge des Auferstandenen

Der Herrenbruder Jakobus gehörte nicht zum Jüngerkreis Jesu, spielte aber in der Geschichte des frühen Christentums eine außerordentlich wichtige Rolle. Zeitlich und thematisch zwischen diesen beiden Bereichen sind die Berichte 1 Kor 15,7 und Ev Hebr 7 anzusiedeln, die Erscheinungen des Auferstandenen vor Jakobus zum Inhalt haben. Die Frage ist nun, welche Schlußfolgerungen diese beiden Berichte bezüglich der Gestalt des Herrenbruders zulassen und zwar sowohl hinsichtlich seines Anschlusses an die christliche Gemeinde als inbesondere seiner Stellung in ihr.

2.1 1 Kor 15,7

2.1.1 Literarische Fragen

Die Erwähnung der Erscheinung vor Jakobus 1 Kor 15,7 findet sich im Kontext einer alten kerygmatischen Formel, in deren Zentrum der Tod und die Auferstehung Jesu stehen. Der Beginn dieser Formel liegt eindeutig in V. 3 b; die große Streitfrage ist jedoch, wo das Ende der ursprünglichen Formel anzusehen ist. Je nach Lösung dieser Frage sind Schlußfolgerungen für die Gestalt des Jakobus möglich.

Héring und im Anschluß an ihn *Fuller*[1] halten wegen der Zerstörung der Rhythmik durch V. 5 die Formel bereits mit V. 4 für beendet. Doch ist diese Argumentation sehr schwach[2]. Die Symmetrie würde vielmehr ein Ende der Formel bei ὤφθη (V. 5) erfordern (als Gegenstück zu ἐτάφη, V. 4); dagegen spricht auch die Fortsetzung des vierten Gliedes der Formel mit ὅτι, ebenso wie bei den drei vorhergehenden Gliedern. Schließlich ist (und das gilt nicht nur in diesem Fall, sondern überhaupt bei der Rekonstruktion urchristlicher Formeln) die Annahme eines formal reinen Textes lediglich ein Postulat[3].

---

[1] Héring, Première Corinthiens 134; Fuller, Formation 14. Fuller, 13 argumentiert, die alte Tradition könne auch deswegen das ὤφθη nicht mehr eingeschlossen haben, weil sonst eine Überlappung zweier Formeln (kerygmatische Formel und Zeugenreihe) angenommen werden müsse. Doch wie will er die Annahme einer unabhängig von der kerygmatischen Formel tradierten Zeugenreihe beweisen? Diese Frage ist auch an Bammel zu stellen, der das Ende der kerygmatischen Formel bei ὤφθη ansetzt (vgl. Anm. 4).

[2] Vgl. Charlot, Construction 229.

[3] Conzelmann, 1 Kor 306, A 32.

Letzteres spricht auch gegen die Annahme von *Michaelis* und *Bammel* [4], die Kerygmaformel ende mit ὤφθη V.5. Vor allem ist es jedoch ganz unwahrscheinlich, daß von einer Sendung jemals ohne Nennung des oder der Zeugen die Rede war[5].

Setzen diese beiden Lösungsversuche das Ende der kerygmatischen Formel bei V.4 oder 5a an, so schieben es die folgenden über V.5 hinaus. Nach *Bartsch* reicht die alte Tradition bis V.6a (in der Form εἶτα πεντακοσίοις ἀδελφοῖς ἐφάπαξ)[6]. Den Bruch der Konstruktion am Beginn von V.6 sieht er in der Anfügung des Relativsatzes V.6b begründet. Auch wenn dies möglich ist, bestehen doch Schwierigkeiten: die sehr merkwürdige Einfügung von ἐπάνω durch Paulus und der Umstand, daß das vierte Glied der kerygmatischen Formel schon sehr aufgebläht wäre.

Eine, soweit ich sehe, von niemandem übernommene Abgrenzung nimmt *Seidensticker* vor: Er rechnet V.3b. 4 und 6a (bis ἕως ἄρτι; also nach üblicher Einteilung bis 6bα) zur alten Formel; sie habe nur von einer einzigen Erscheinung berichtet, der vor den fünfhundert Brüdern, die mit der Mt 28,18 berichteten identisch sei. Die Erscheinungen V.5 seien ebenso wie die V.7, da in einer zweigliedrigen Formel vorliegend, aus V.6 herausgesponnen[7]. Wieso sie sekundär sein sollen, ist freilich nicht einzusehen, denn gerade die Erscheinung vor Petrus ist auch sonst als alte Tradition bekannt (vgl. nur Lk 24,34). Insbesondere jedoch wäre das Ende der Formel bei V.6bα sehr merkwürdig, da die kerygmatische Formel in V.6bα mit einem erläuternden Zusatz, also einer fremden Textsorte, schließen würde; auch inhaltlich läßt sich die Interpretation *Seidenstickers*, V.6bα drücke das „Bleiben" der Zeugen aus, die der Kirche immer zur Verfügung stünden, nicht halten – die Einschränkung οἱ πλείονες, die ja bereits den Tod einiger Zeugen impliziert, widerspricht dem zu deutlich.

Auch die alte z.B. von *Weiß* oder *Robertson-Plummer* [8] vertretene Deutung, wonach die Kerygmaformel bis V.7 reiche, hat zu viele Schwierigkeiten, um festgehalten werden zu können. Zwar wird von neueren Vertretern dieser Auffassung V.6b als sekundär eliminiert[9], aber der stilistische Bruch V.6 scheint doch wesentlich größer zu sein, als man zuzugestehen bereit ist[10]. Daß V.6a und 7 bereits vor Paulus formuliert worden sind[11], ist richtig, aber das heißt noch nicht, daß diese Verse ursprünglich schon mit 3b–5 verbunden waren. Die

---

[4] Michaelis, Erscheinungen 12; Bammel, ThZ 1955, 402.

[5] v. Harnack, SAB.PH 1922, 64, A4; Graß, Ostergeschehen 298; Kremer, Zeugnis 28 verweist auf Lk 24,34 und den Gebrauch von ὤφθη in der Septuaginta.

[6] Bartsch, ZNW 1964, 264.

[7] Seidensticker, ThGl 1967, 312ff.

[8] Robertson–Plummer, First Corinthians 335 halten zwar an V.7 als dem Ende der Formel fest, meinen aber, sie reiche auf jeden Fall bis V.5. Weiß, 1 Kor 350 hält aus textkritischen Gründen die Erwähnung der δώδεκα für sekundär (die Varianten δώδεκα bzw. ἔνδεκα, so D* G lat u.a. sollen darauf hinweisen).

[9] Z.B. Hirsch, Auferstehungsgeschichten 33; Stuhlmacher, Evangelium I,269; Richter, I.Korinther 15,1/11, 37 hält den ganzen V.6 für sekundär, wobei dann freilich schwer zu erklären ist, warum Paulus die parallelen Verse 5 und 7 getrennt haben sollte.

[10] Etwa Stuhlmacher, Evangelium I,268.

[11] Stuhlmacher, Evangelium I,268.

Hauptschwierigkeit scheint vor allem darin zu liegen, daß bei dieser Auffassung an das kerygmatische Traditionsstück eine außerordentlich lange Reihe von Zeugen angeschlossen wäre, ein Umstand, der die vorliegende Gattung zerbrechen und die Intention viel zu sehr auf die Erscheinungen hin ausrichten würde.

Mitunter wird die Meinung vertreten, die Kerygmaformel habe ursprünglich mit ὤφθη Κηφᾷ geschlossen, also nur von einer einzigen Erscheinung, der vor Petrus, berichtet[12]. *v. Harnack* argumentiert dabei von der von Lukas in die Emmauserzählung eingefügten Formel ὄντως ἐγέρθη ὁ κύριος καὶ ὤφθη Σίμωνι (Lk 24,34) her. Diese Formel repräsentiert sicher ältestes Überlieferungsgut; wohl aus diesem Grunde kann Lukas sie auch nicht beiseite lassen und fügt sie in die Emmauserzählung ein, obwohl er damit deren Pointe zerstört. Eine Formel mit Petrus als einzigem Zeugen wäre prinzipiell auch 1 Kor 15,3b ff. denkbar, doch setzt diese Formel gegenüber Lk 24,34 einen sicher um etliches späteren Entwicklungsstand voraus, in dem nicht nur von Tod und Auferweckung (so etwa Röm 4,25), sondern zusätzlich noch von Grablegung und Erscheinung berichtet wird. Daß die Zwölf noch später an die mit Petrus endende Formel angeschlossen worden seien, ist aber nicht sehr wahrscheinlich, da diese Gruppe ja in der Geschichte der frühen Kirche bald keine nennenswerte Rolle mehr zu spielen scheint. Daß Paulus ab V.5b bereits formulierte Tradition an 3b–5a anfügt, ist auch sprachlich unwahrscheinlich, da der Bruch der Konstruktion V.6 dann bereits V.5b anzunehmen wäre[13]. Daß Paulus hingegen ab V.5b überhaupt frei formuliert[14], ist ebenfalls nicht anzunehmen, denn es sprechen nicht nur unpaulinische Termini[15] dagegen, sondern es bleibt auch unklar, warum er teils mit εἶτα, teils mit ἔπειτα fortsetzt und warum er in V.5 und V.7 verschiedene Erscheinungen zusammenfaßt und zwischen diesen Versen eine so deutliche Parallele herstellt.

Es bleibt die im Anschluß an *v. Harnack* [16] zumeist[17] vertretene Abgrenzung die wahrscheinlichste, daß die alte Formel bis δώδεκα reicht.

---

[12] So v. Harnack, SAB.PH 1922, 64; Charlot, Construction 287; Schenk, NTS 1977, 476; Stenger, LingBibl 45, 1979, 76.

[13] So richtig v. Harnack, SAB.PH 1922, 64.

[14] Vgl. Schenk, NTS 1977, 472 und Stenger, LingBibl 45, 1979, 77.

[15] Z.B. δώδεκα, ἐπάνω, die Kombination ἀπόστολοι πάντες.

[16] v. Harnack, SAB.PH 1922, 63f.; er ist freilich nicht der erste, der so deutet, S.63 nennt er selbst v. Hofmann und Heinrici; vgl. auch Dibelius, Formgeschichte 17, der die Frage nach dem Ende der Formel aber doch offen lassen möchte. Daß v. Harnack nicht mit δώδεκα, sondern schon mit Κηφᾷ die alte Überlieferung für beendet ansieht, ist in diesem Zusammenhang nur von geringer Bedeutung; seiner Meinung nach wurde bereits in der Tradition selbst εἶτα τοῖς δώδεκα angefügt und lag in dieser Form dann auch Paulus vor.

[17] Vgl. nur Molland, Euangelion 80; Jeremias, Abendmahlsworte 95; Kümmel, Kirchenbegriff 3f.; Lichtenstein, ZKG 1950, 7; v. Campenhausen, Tradition und Leben 52; Rengstorf, Auferstehung 37; Goguel, Naissance 55; Graß, Ostergeschehen 95; Klein, Die zwölf Apostel 39; Schmithals, Apostelamt 65; Conzelmann, EvTh 1965, 4; ders., 1 Kor 303; Barrett, First Corinthians 342; v.d. Osten-Sacken, ZNW 1973, 245f.; Vögtle, in: Vögtle-Pesch, Osterglauben 37; Murphy–O'Connor, CBQ 1981, 585; Wolff, 1 Kor 153ff.; Lüdemann, Paulus II,77.

Die wesentlichsten Argumente dafür sind die oben genannten, die gegen ein Ende der Formel bei V.7 sprechen: einerseits der immer wieder angeführte (sofern überhaupt ein Argument gebracht wird) Bruch in der Konstruktion am Beginn von V.6[18], andererseits die Veränderung des kerygmatischen Charakters der Formel durch die lange bis V.7 reichende Kette von Auferstehungszeugen. Die älteste Form der Tradition 1 Kor 15,3 b–5[19] rückt, wie bereits *v. Harnack* betont[20], den Tod und die Auferweckung Jesu ins Zentrum und schließt jeweils einen Begleitsatz an, die Grablegung und die Erscheinung vor Petrus und den Zwölfen. Durch die Anfügung einer Reihe weiterer Erscheinungen wird das Schwergewicht ganz auf die Erscheinungen hin ausgerichtet[21], wobei Paulus auch auf sich selbst hinweisen kann. In der Reihe der Zeugen erscheinen somit ursprünglich Petrus und die Zwölf; daran fügt Paulus die Erscheinungen vor den über fünfhundert Brüdern, vor Jakobus und allen Aposteln und schließlich vor ihm selbst an. Die Zusammenstellung von Petrus und den Zwölfen hat eine deutliche Parallele in der von Jakobus und allen Aposteln. Bevor jedoch auf diesen Parallelismus und die gegebenenfalls daraus zu ziehenden Konsequenzen eingegangen wird, sind noch einige mehr biographisch ausgerichtete Bemerkungen zur Erscheinung vor Jakobus selbst zu machen.

2.1.2 Die Bedeutung der Erscheinung für die Biographie des Jakobus

Häufig wird die Erscheinung vor Jakobus als das entscheidende Ereignis angesehen, das seinen (bzw. seiner Familie) Anschluß an die christliche Gemeinde bewirkte[22]. Sicherheit wird sich in dieser Frage kaum erreichen lassen, aber von einer Wahrscheinlichkeit wird man auf jeden Fall reden können[23]. *Graß*[24] hält es zwar für denkbar, daß für Ja-

---

[18] v. Harnack, SAB.PH 1922, 63. Er bringt weiters folgende Argumente: 1. V.6 b gehöre als paulinische Erläuterung sicher nicht zur Tradition; 2. Die Sätze 6, 7 und 8 seien formal gleichartig gebaut, und da V.8 sicher nicht ein Teil der Tradition sei, seien es V.6 und 7 auch nicht; 3. Schließlich der parallele Charakter von 3 b–5 mit zwei Haupt- und zwei diese sicherstellenden Begleitsätzen. Mit Ausnahme des dritten sind diese Argumente keine wirklich gewichtigen.

[19] Paulinische Zusätze sind praktisch mit Sicherheit die drei ὅτι V.4 f.; sie wiederholen das ὅτι-Zitativum von V.3 b.

[20] v. Harnack, SAB.PH 1922, 63 f.

[21] Der Tod Jesu oder seine Heilsbedeutung spielt im folgenden überhaupt keine Rolle mehr.

[22] Vgl. Zahn, Forschungen VI,333; Patrick, James 65 ff.; Albertz, ZNW 1922, 268 f.; Grosheide, First Corinthians 352; Koch, Auferstehung 201; Conzelmann, Geschichte 28; Fuller, Formation 37; Bruce, Paul 85; Opitz, Alte Kirche 40.

[23] Robertson – Plummer, First Corinthians 338; v. Campenhausen, Kirchliches Amt 21; Aland, RGG³ III,525; Wilckens, in: Joest–Pannenberg (edd.), Dogma 69.

[24] Graß, Ostergeschehen 101; im Anschluß daran Conzelmann, 1 Kor 314, A 91.

kobus nicht erst die Erscheinung der Anlaß für den Anschluß an die
Gemeinde war, sondern sie ihm erst später widerfuhr; doch betont er
noch im selben Zusammenhang, es müsse etwas geschehen sein, das Jakobus und seinen Angehörigen „den Glauben abnötigte"[25]. *Graß* sagt
zwar nicht, was er mit einem solchen Ereignis meint; an die Erscheinung vor Jakobus selbst zu denken liegt aber doch sehr viel näher als an
Erscheinungen anderer Auferstehungszeugen oder gar an andere Ereignisse. Ähnlich wie bei Petrus und Paulus wäre dann auch bei Jakobus
der Glaube an den Auferstandenen durch eine ihm zuteil gewordene
Christophanie entstanden[26].

Wenigstens einigermaßen läßt sich auch der Zeitpunkt der Erscheinung vor Jakobus bestimmen. Daß Apg 1,14 „mindestens eine sehr
frühzeitige Bekehrung des Jakobus nach Ostern" voraussetze[27], klingt
freilich etwas übertrieben, da dieser Vers Teil eines Summariums ist
und eine historisch fragwürdige Situation beschreibt[28], nämlich die Zugehörigkeit der Familie Jesu zur frühesten Gemeinde. Hier dürfte eher
der Wunsch späterer Generationen durchscheinen, die später so bedeutende und geachtete Familie Jesu nicht allzu lang abseits stehen zu las-

---

[25] Graß, Ostergeschehen 102.

[26] Einen Versuch, diese Deutung der Erscheinung vor Jakobus (analog zu den anderen 1 Kor 15,5ff. berichteten) nicht nur in bezug auf die Person des Jakobus selbst, sondern in bezug auf die urchristliche Geschichte überhaupt zu bestimmen, unternimmt Fuller, Formation 37ff. Er unterscheidet zwei Gruppen von Erscheinungen, einerseits Petrus,
die Zwölf und die Fünfhundert, andererseits Jakobus, alle Apostel und Paulus. Die erste
beziehe sich auf die Grundlegung der Kirche als eschatologischer Gemeinschaft, die
zweite auf die Mission (49). Von der Relation Jakobus – alle Apostel her bestimmt er die
Bedeutung der Erscheinung vor Jakobus ganz aus der Mission; zudem: nach Gal 1,19
habe Paulus Jakobus so gut wie Petrus besucht; beim Apostelkonvent gehe es wieder um
Missionsprobleme, und der Zwischenfall in Antiochien Gal 2,12 sei ebenfalls durch In-
spekteure des Jakobus verursacht. Jakobus sei also „the chairman of the Central Board of
Missions", und die Bedeutung der Erscheinung vor Jakobus liege in „the inauguration of
the mission outside of Jerusalem" (38). In bezug auf Jakobus scheint hier Fuller weit
übers Ziel zu schießen. Jakobus hat selbstverständlich mit Missionsfragen zu tun gehabt,
aber gerade seine Christophanie als Inauguration der Mission außerhalb Jerusalems (also
einschließlich der Heidenmission) zu bezeichnen, scheint doch den Berichten über die
Anfänge des Christentums (etwa Apostelgeschichte, Paulusbriefe, Mt 28,18ff.) nicht gerecht zu werden.

[27] Bammel, ThZ 1955, 405. Auch das weitere Argument Bammels, bei einem späteren
Eintritt des Jakobus in die Gemeinde wäre dessen bald folgendes Avancement kaum möglich gewesen, scheint nicht sehr stark zu sein. Für die spätere Rolle des Jakobus in der Gemeinde ist die Erscheinung selbst sicher wichtiger gewesen als ihr Zeitpunkt, ganz abgesehen davon, daß dafür nicht einmal die Erscheinung der wichtigste Grund war. Die Erscheinung vor Jakobus innerhalb der vierzig Tage zwischen Ostern und Himmelfahrt
anzusetzen (Patrick, James 67), heißt, ein theologisches Motiv für historische Rekonstruktion heranzuziehen.

[28] Richtig Mahoney, in: Dautzenberg – Merklein – Müller (edd.), Frau 109.

sen[29]. Immerhin ist sehr auffällig, daß Jakobus in der Apostelgeschichte zum ersten Mal 12, 17 genannt wird, wenn auch bereits in hervorgehobener Position. Dies deutet nicht darauf hin, daß Jakobus von allem Anfang an in der Gemeinde eine wichtige Rolle spielte, ja überhaupt zu ihr gehörte. Weiters ist auffällig, daß Jakobus in der ursprünglichen Kerygmaformel 1 Kor 15, 3 b–5 nicht erwähnt wird, sondern nur Petrus und die alsbald aus dem Gesichtskreis verschwindenden Zwölf. Diese beiden Erscheinungen sind somit sicher vor der des Jakobus anzusetzen. Allzu spät wird man sie aber auch nicht ansetzen können; denn Paulus betrachtet 1 Kor 15, 8 seine eigene Erscheinung als später geschehen, außerdem scheint Jakobus beim ersten Besuch des Paulus in Jerusalem gut zwei Jahre nach dessen Bekehrung bereits eine wichtige Persönlichkeit zu sein (Gal 1, 19). Vor allem aber hat die Zusammenstellung von Jakobus und allen Aposteln 1 Kor 15, 7 auf jeden Fall auch eine zeitliche Komponente, so daß die Erscheinung vor Jakobus früher anzusetzen wäre[30]. Man wird somit nicht allzu fehl gehen, wenn man sie etwa in der Mitte zwischen der Erscheinung vor Petrus und vor Paulus ansetzt[31].

---

[29] Vgl. Graß, Ostergeschehen 102.

[30] Eine offene Frage ist, in welcher Weise die Reihenfolge der Zeugen 1 Kor 15, 5 ff. zu verstehen ist. Eine durchgehende Reihung dem Rang nach ist nicht anzunehmen, da u. a. die Stellung der Fünfhundert vor Jakobus auf diese Weise nicht erklärbar ist (Michaelis, Erscheinungen 26; Richter, 1 Kor 15, 1/11, 42). Auch eine Unterteilung der Erscheinungen in zwei Dreiergruppen, wobei dann innerhalb der beiden Gruppen nach dem Rang geordnet sei (Michaelis, 26; an der chronologischen Ordnung am Anfang und am Ende der gesamten Reihe hält Michaelis, 29 dennoch fest) ist nicht anzunehmen. Die Schwierigkeit dabei ist einerseits, warum Paulus zwei Gruppen bilden sollte, um dann innerhalb dieser Gruppen Abstufungen vorzunehmen, und insbesondere die Stellung der Erscheinung des Paulus selbst: er betont ja gerade die Gleichwertigkeit seiner Erscheinung (trotz der anderen Vergangenheit) und seines Apostolats. Öfters wird die Meinung vertreten, die Reihe sei zwar am Anfang und am Ende chronologisch geordnet, dazwischen erfolge die Aufzählung aber nur assoziativ (Conzelmann, 1 Kor 314; Schenk, NTS 1977, 474. – Bammel, ThZ 1955, 414 und im Anschluß an ihn Bartsch, ZNW 1964, 264, A 10 sehen nur das ἔπειτα V. 7 a als rein assoziativ an). Doch hat die Anreihung der Zwölf an Petrus und aller Apostel an Jakobus sicher (auch) einen zeitlichen Aspekt. Es könnten bestenfalls die beiden ἔπειτα (V. 6 und 7) als assoziativ verstanden werden; die Annahme eines einheitlichen chronologischen Verständnisses durch Paulus (Lietzmann, Kor 77; Kümmel, Kirchenbegriff 45, A 12; Kümmel bei Lietzmann, Kor 191; v. Campenhausen, Tradition und Leben 53, A 13; Graß, Ostergeschehen 96; Klein, Die zwölf Apostel 43; Richter, ebd. 42 f. u. a.) liegt aber vielleicht doch näher (ἔπειτα, εἶτα und ἔσχατον haben zwar nicht nur, wohl aber vorwiegend zeitlichen Charakter, vgl. Bauer, Wörterbuch 463 f. 563. 620 f.).

[31] Graß, Ostergeschehen 102.

2.1.3 1 Kor 15, 7 als Rivalitätsformel

1 Kor 15,7 liegt deutlich ein Parallelismus zu V. 5 vor: während die Christophanien vor den Fünfhundert und vor Jakobus durch ἔπειτα mit den vorhergehenden Erscheinungen verbunden sind bzw. die des Paulus durch ἔσχατον, sind die Zwölf mit Kephas und alle Apostel mit Jakobus durch εἶτα verbunden; auch fehlt einzig vor den Zwölfen und allen Aposteln ein ὤφθη; schließlich ist jeweils eine der bedeutendsten Gestalten der Urgemeinde (allgemeiner: der frühen Kirche), Petrus bzw. Jakobus, einer der wichtigsten Gruppen derselben, den Zwölfen bzw. allen Aposteln vorgeordnet, wobei die erstgenannte Einzelperson jeweils zur folgenden Gruppe gehörte[32] und wohl auch in der Gruppenerscheinung mitbeteiligt war[33]. Es ist außerordentlich auffällig, in einer Aufzählung von Zeugen des Auferstandenen eine solche Parallelbildung zu finden. Die Klärung ihrer Herkunft ist die entscheidende Frage, an der die weiteren Überlegungen hängen; diese wären hinfällig, würde die Parallelbildung auf Paulus zurückgehen.

Kümmel nimmt an, daß lediglich stilistische Gründe für eine zu V. 5 parallele Gestaltung der beiden V. 7 genannten Erscheinungen ausschlaggebend waren, da bei beiden keinerlei Zusätze zu machen waren

---

[32] Daß Petrus ein Glied des Zwölferkreises war, bedarf keiner Erörterung. Umstritten ist jedoch, ob Jakobus zum Apostelkreis gehörte (so z.B. Holl, Aufsätze II,49; Lietzmann, Kor 78; Rengstorf, ThWNT I,432; Cullmann, Petrus 263, A1; Bammel, ThZ 1955, 417, A71; Graß, Ostergeschehen 106; Wilckens, in: Joest–Pannenberg (edd.), Dogma 67; Schmithals, Apostelamt 53 f.; Bruce, Paul 86; Wolff, 1 Kor 169) oder nicht (so z.B. Zahn, Forschungen VI,357; Koch, ZNW 1934, 208 f.; Wendland, Kor 142; Schlier, Gal 61; Klein, Die zwölf Apostel 46, A190; Kemler, Jakobus 36; Mußner, Gal 96, der allerdings die Zwölf mit den Aposteln identifiziert). Mitunter läßt man diese Frage auch offen (so z.B. Conzelmann, 1 Kor 314, A91; Barrett, First Corinthians 343; Richter, 1 Kor 15,1/ 11,52). Die Parallelität 1 Kor 15,5 und 7 scheint eher auf eine Zugehörigkeit des Jakobus zum Apostelkreis schließen zu lassen. 1 Kor 9,5 spricht jedoch weder gegen, noch Gal 2,9 für diese These, wie Schmithals, Apostelamt 53 f. meint: 1 Kor 9,5 zeige, daß die Brüder Jesu nicht zu den Aposteln gezählt worden seien, da sie neben ihnen genannt werden – doch wird auch Petrus neben den Aposteln genannt. Gal 2,9 werde Jakobus zwar auch nicht direkt Apostel genannt, aber es sei aus seiner, des Petrus und des Johannes Sendung zu den Juden, des Paulus hingegen zu den Heiden zu erschließen. Hier ist nicht einmal gesagt, daß Jakobus missionarisch tätig war, und noch weniger, daß er zum Kreis der Apostel zählte. Der wichtigste Beleg, auf den immer wieder hingewiesen wird, ist Gal 1,19: Paulus erklärt, in bezug auf seinen ersten Besuch bei Petrus in Jerusalem, drei Jahre nach seiner Berufung: ἕτερον δὲ τῶν ἀποστόλων οὐκ εἶδον, εἰ μὴ Ἰάκωβον τὸν ἀδελφὸν τοῦ κυρίου. Wird εἰ μή mit „außer" übersetzt, so wäre Jakobus als Apostel bezeichnet; wird es jedoch mit „sondern" übersetzt, wäre das nicht der Fall. Da die erstere Bedeutung die im Neuen Testament übliche ist, die letztere dagegen überhaupt nicht vorkommt, ist auch hier die erstere eher vorzuziehen. Ein stringenter Beweis läßt sich freilich auch von dieser Stelle aus nicht führen.

[33] Für Petrus vgl. nur Mk 16,7 par; 16,14; Lk 24,36 ff.; auch für Jakobus scheint es sich nahezulegen.

(wie bei V.6)[34]. Doch will diese Lösung nicht recht befriedigen. Denn Paulus würde inhaltlich dabei nichts gewinnen, ja geradezu den Leser zur Annahme falscher Alternativen treiben. Gerade auch im Vergleich mit den aus dem Zusammenhang fallenden Formulierungen von V.6a (vgl. nur ἐπάνω und ἐφάπαξ), die Paulus ohne Änderung übernimmt, wäre zu erwarten, daß er auch die V.7 gegebene Tradition so übernimmt, wie er sie vorfand[35].

Die Zusammenstellung von Jakobus und allen Aposteln geht nach *Schenk* und *Stenger* ebenfalls erst auf Paulus zurück (wenn auch aus etwas anderen Motiven als nach *Kümmel*). Danach schließe die kerygmatische Tradition mit V.5a; V.5b–7 sei eine bewußt chiastische Komposition durch Paulus[36], hergestellt durch εἶτα (V.5b. 7b; jeweils ohne ὤφθη) und ἔπειτα (V.6. 7a; jeweils mit ὤφθη). Das so in die Mittelstellung gerückte 6b stehe im Zentrum, genauer 6bβ, also die Frage nach den schon verstorbenen Auferstehungszeugen[37]. Gegen diese Lösung sprechen nicht nur die schon oben erwähnten sprachlichen Argumente, sondern vor allem auch der Umstand, daß dann die so lange und sicher nicht unbeabsichtigte Zeugenliste in der Luft hinge; läge in V.6bβ die Intention von V.5bff., so wäre diese lange Liste inklusive der Erwähnung der Erscheinung vor Paulus selbst völlig überflüssig; in diesem Fall hätte Paulus wohl anders und zielführender formuliert. Hält man weiters V.5b für das Ende der Kerygmaformel, so ist das Vorgegebensein der Verbindung von Jakobus und allen Aposteln eher wahrscheinlich als eine Parallelisierung gerade dieser beiden Erscheinungen mit den V.5 genannten durch Paulus, da der Gesamtaufbau der Zeugenreihe nicht parallelisierend ist[38]. Schließlich: der Ausdruck ἀπόστολοι πάντες ist mit größter Wahrscheinlichkeit vorpaulinisch, denn Paulus, der gerade den Korinthern gegenüber seinen Apostolat immer wieder verteidigen muß (vgl. nur 1 Kor 9, 1 ff.; 2 Kor 10–13), hätte kaum diese ihn selbst ausschließende Formulierung geschaffen[39]; daß er mit ihr

---

[34] Kümmel, Kirchenbegriff 5; vgl. Klein, Die zwölf Apostel 40, der jedoch die Formulierung τοῖς ἀποστόλοις πᾶσιν für „im Munde des Paulus zumindest fragwürdig" hält. Auch Wengst, Formeln 94 meint, V.7 könne eine V.5 nachgebildete paulinische Komposition sein. Dagegen z.B. Murphy-O'Connor, CBQ 1981, 587.

[35] Vgl. Wilckens, in: Joest-Pannenberg (edd.), Dogma 70 f.

[36] Schenk, NTS 1977, 472; Stenger, LingBibl 45, 1979, 77 spricht von einer „Ringkomposition".

[37] Schenk, NTS 1977, 473; Stenger, LingBibl 45, 1979, 78.

[38] Vgl. Lichtenstein, ZKG 1950, 47, A 124 a.

[39] Anders merkwürdigerweise Schenk, NTS 1977, 474 (ohne Argumente). Murphy-O'Connor, CBQ 1981, 587f. nimmt an, Tradition wäre in V.7 nur die Zusammenstellung Ἰακώβῳ εἶτα τοῖς ἀποστόλοις und Paulus hätte das πᾶσιν dazugefügt: obwohl πᾶς normalerweise bei Paulus vor dem Substantiv stehe, handle es sich im Falle der Nachstellung um eine besondere Betonung; zudem stehe es in Zitaten stets vor dem Substantiv. Angesichts

große Schwierigkeiten hat, zeigt die umständliche Redeweise und Apologie seines Apostolates V. 8 ff.[40]. Die unveränderte Übernahme dieses Syntagmas durch Paulus läßt ebenfalls eher darauf schließen, daß er es in einer fixen Verbindung mit der Nennung des Jakobus vorfand, als daß er es als Einzeltradition überliefert bekam.

Ist also anzunehmen, daß die Parallelbildung V.7 nicht erst von Paulus geschaffen wurde, sondern bereits früher erfolgte, so stellt sich die Frage nach den näheren Umständen und Voraussetzungen ihrer Entstehung. Soweit überhaupt darauf eingegangen wird, lassen sich die Lösungen, wenn ich recht sehe, in zwei Gruppen einteilen: die einen, *Wilckens* und *Seidensticker*, verstehen die Formel V.7 als Widerspiegelung einer gegenüber V.5 späteren Situation der Urgemeinde; die anderen, *v. Harnack* und eine Reihe von Exegeten nach ihm, verstehen sie als Ausdruck einer Rivalität zwischen Petrus- und Jakobusanhängern.

Nach *Wilckens* sind V.5 und V.7 ursprünglich zeitlich aufeinanderfolgende „Legitimationsformeln zur Begründung besonderer Autorität bestimmter, einer Erscheinung gewürdigter Christen"; die Formeln hätten zunächst nicht die Intention gehabt, die Auferstehung Jesu zu erweisen; diese Funktion hätten sie erst in der Missionssituation bekommen, in der die Auferstehung Jesu nicht schon vorausgesetzt war, sondern erst proklamiert werden mußte[41]. Doch scheint hier jedenfalls V. 5[42] nicht korrekt interpretiert zu sein. Wenn die Erscheinungen vor Petrus und den Zwölfen zur Kerygmaformel V.3 b ff. gehören[43], müssen sie auch von ihr her verstanden werden. Dann ist aber schwer verständlich, warum in einer Formel, in der Tod und Auferweckung (bzw. deren Heilsbedeutung) im Zentrum stehen, diejenigen, denen eine Er-

---

des oben Ausgeführten empfiehlt sich diese These nicht (dagegen z. B. auch Lüdemann, Paulus II, 79, A 57). Auch die Auffassung, „Jakobus und die Apostel" habe ursprünglich „Jakobus und die Zwölf" gemeint (ebd. 589), ist angesichts der erst späten Einschränkung des Terms auf die Zwölf nicht anzunehmen. Dagegen ist die Anordnung der Formel vor V. 8 wegen der Nennung der Apostel mit Murphy – O'Connor, ebd. 589 auf bewußte paulinische Gestaltung zurückzuführen.

[40] Vgl. dazu jetzt v. d. Osten-Sacken, ZNW 1973, 245 ff.

[41] Wilckens, in: Joest – Pannenberg (edd.), Dogma 75; vgl. ders., Auferstehung, 20 f. Für ursprüngliche Legitimationsformeln in V.5 und 7 auch Bussmann, Missionspredigt 101 ff.; Pesch, ThQ 1973, 214 f.; Lüdemann, Paulus II, 79; dagegen Vögtle, in: Vögtle – Pesch, Osterglauben 44 ff. 67.

[42] Bei V.7 liegen die Dinge etwas anders, vgl. dazu unten.

[43] Lüdemann, Paulus II, 77 meint, V.5 lasse sich innerhalb des Traditionsstückes V. 3 b–5 „als selbständiges Traditionselement herauslösen". Der Verweis auf Lk 24,34 ist dabei aber nicht als Argument zu benützen, da dort mit dem ὤφθη ein ἠγέρθη verbunden ist. Eine selbständige Tradierung ist nur als nicht formelhaftes Traditionselement anzunehmen. Es dürfte ebenso wie der Hinweis auf das Begrabenwerden zu dem ursprünglichen Kern in V.3 b–5, dem Hinweis auf Tod und Auferweckung (vgl. z.B. auch Röm 4,25), dazugewachsen sein.

scheinung zuteil wurde, nicht als Bürgen für das Geschehene genannt sein sollen, sondern eine kirchenrechtliche Legitimation der Führungsgarnitur der ersten Stunde gegeben werden soll. Dabei soll nun keineswegs die Legitimation von der Proklamation getrennt werden; indem Petrus und die Zwölf als Zeugen genannt werden, werden sie selbstverständlich auch legitimiert, aber dieser Aspekt ist keinesfalls der primäre.

Von dieser Einsicht her ist *Wilckens'* Deutung der Entstehung der Tradition V. 7 „als eine allmähliche Einflußverschiebung von Petrus zu Jakobus"[44] schon formgeschichtlich nicht mehr so glatt: in 1 Kor 15,5 sieht er „die älteste Legitimationsformel aus den Anfängen der Geschichte der Urgemeinde, die Petrus um der ihm zuteilgewordenen Ersterscheinung des Auferstandenen [45] willen die Führungsrolle im Kreise der durch eine weitere Erscheinung ausgezeichneten Gruppe der ‚Zwölf' zuspricht"; 1 Kor 15,7 hält er dagegen für die „geltende Legitimationsformel einer etwas späteren Zeit, die dem Herrenbruder Jakobus im Kreise der Apostel führende Autorität zuspricht"[46]. Wenn V. 5 primär keine Legitimationsformel ist, ist die These der Abfolge zweier Formeln, die die jeweilige Führung der Jerusalemer Gemeinde legitimieren sollten, nicht mehr zu halten[47]. Noch fraglicher ist das Bild der Geschichte der Urgemeinde, das *Wilckens* zeichnet, nämlich die in den Legitimationsformeln sich manifestierende allmähliche Einflußverschiebung von Petrus zu Jakobus. *Wilckens* stellt sich diese Verschiebung – im ausdrücklichen Gegensatz zu der gleich zu behandelnden Position *v. Harnacks* – als ausgesprochen harmonisch verlaufene vor, frei von jeder ausgesprochenen Rivalität. Daß diese frühe Geschichte tatsächlich so konfliktlos verlaufen ist, will jedoch nicht recht einleuchten[48].

---

[44] Wilckens, in: Joest–Pannenberg (edd.), Dogma 72; Lüdemann, Paulus II,81. 84. Die Rede von „Einflußverschiebung" ist unkorrekt, wenn dabei an eine schon *vollzogene* gedacht ist. Sie deutet Richtiges an, insofern die Formel V.7 eine *beabsichtigte* Verschiebung des Einflusses zum Ziel hatte (dazu im folgenden).

[45] Daß Petrus der erste Mann war, dem eine Christophanie widerfuhr, läßt sich aus guten Gründen annehmen: Neben 1 Kor 15,5, das nur bei Annahme einer Ersterscheinung des Petrus sinnvoll verstanden wird, da so die Richtigkeit des Kerygmas V.3 b f. am besten gewährleistet ist, ist Lk 24,34 zu nennen: gegen die Intention der Emmausperikope ist hier eine Formel eingefügt, die eine Erscheinung vor Petrus berichtet und die nur als Ersterscheinung verständlich ist; auch die namentliche Nennung des Petrus neben den Jüngern insgesamt Mk 16,7 deutet darauf hin, ebenso wie der Name „Kephas" und die „effektive [...] Stellung des Petrus in der Kirche im apostolischen Zeitalter" (v. Harnack, SAB.PH 1922,68, A 2; vgl. auch Cullmann, Petrus 66; Wilckens, in: Joest–Pannenberg [edd.], Dogma 76 ff.; Marxsen, Auferstehung 86).

[46] Wilckens, in: Joest–Pannenberg (edd.), Dogma 81.

[47] In welcher Weise V.7 eine Legitimation des Jakobus zum Ausdruck bringen will, ist eine andere Frage, vgl. dazu genauer unten.

[48] Vgl. auch Kemler, Jakobus 67, A 89.

Sehr ähnlich der Lösung von *Wilckens* ist die *Seidenstickers*[49]. Danach ist V.7 als Parallelbildung zu V.5 nach dem Weggang des Petrus aus Jerusalem gebildet worden, also zu einer Zeit, in der Jakobus „der zuständige Zeuge", war. Ausschlaggebend dafür sei das Verlangen gewesen, „in den jeweiligen Führern der Gemeinde, die die für alle verbindliche Urtradition verkörpern, auch die für diese Gemeinde ,zuständigen' Zeugen der Auferstehung des Herrn zu sehen"[50]. Auch *Seidensticker* sieht hinter den Formeln keine Rivalität[51]. Sie seien vielmehr „ekklesiale Formeln"[52], also durch die jeweilige kirchliche Situation bedingt. Der Hinweis, auch Paulus sei für seine Gemeinden der zuständige Zeuge gewesen[53], ist zwar richtig, beweist jedoch für die These eines konfliktlosen Übergangs nichts; Paulus war für seine Gemeinden der zuständige Zeuge, weil sie von ihm gegründet wurden und er ihr erster und grundlegender Zeuge war. Andere Zeugen, die in seinen Gemeinden an seine Stelle hätten treten wollen (bzw. es versucht haben), hätten dies nur unter Herbeiführen von Konflikten tun können. Entsprechend wäre auch für den Ersatz[54] des Petrus durch den neuen zuständigen Zeugen Jakobus eher eine Konfliktsituation anzunehmen als nicht.

Die Annahme einer solchen Konfliktsituation ist für eine Reihe von Exegeten in der Nachfolge von *v. Harnack* die Erklärung der auffallenden Parallelität der beiden Überlieferungsreihen[55]. *v. Harnack* versteht V.5 und V.7 als „rivalisierende [...] Formeln der Petrusleute und der

---

[49] Seidensticker, ThGl 1967, 317 f.

[50] Seidensticker, ThGl 1967, 318 f.

[51] Ebd. Immerhin gesteht Seidensticker, ThGl 1967, 318, A 67 zu, es sei denkbar, daß in Jerusalem gewisse Kreise aus polemischer Absicht die Kephasformel durch die Jakobusformel ersetzt (und nicht nur ergänzt) haben, doch sei die Gesamtsituation in Jerusalem nicht extrem jakobinisch. Freilich, wer sind denn die „gewissen Kreise"? Und wie paßt die Polemik in Seidenstickers Rekonstruktion?

[52] Seidensticker, ThGl 1967, 318.

[53] Seidensticker, ThGl 1967, 318 f.

[54] Von einem „Hinzutreten" eines neuen „zuständigen Zeugen" kann sinnvollerweise nicht gesprochen werden; das spricht ebenfalls gegen die Annahme eines konfliktlosen Übergangs.

[55] v. Harnack, SAB.PH 1922, 67 f.; Albertz, ZNW 1922, 265 ff.; Meyer, Ursprung III, 225. 258 f.; Finegan, Überlieferung 109; Molland, Euangelion 81; Grundmann, ZNW 1939, 47; ders., ZNW 1940, 115; Dahl, Volk Gottes 188; Lichtenstein, ZKG 1950, 46; Goguel, Naissance 56; Bammel, ThZ 1955, 406 ff.; Winter, NT 1958, 149; Stauffer, in: Roesle – Cullmann (edd.), Begegnung 367, A 44; Bartsch, ZNW 1964, 263 f.; Schoeps, in: Aspects 57; Kemler, Jakobus 33 ff.; Lüdemann, Paulus II, 80 ff. Meist geht man nur mit einigen Worten auf v. Harnack ein, schließt sich aber an (Meyer, Finegan, Molland, Dahl, Lichtenstein, Goguel, Stauffer). Brun, Auferstehung 33 nennt zwar v. Harnacks These eine „ansprechende Vermutung", läßt die Frage dann aber doch offen. Saß, Apostelamt 98 ff. schließt sich zwar Meyer (und damit v. Harnack) an, ohne aber ausdrücklich die überkommenen Formeln als rivalisierende zu bezeichnen.

Jakobusleute"[56]. Diese Vorstellung einander gegenüberstehender Gruppen ist häufig übernommen worden[57], soweit nicht (damit aber sachlich
übereinstimmend) bloß von konkurrierenden oder rivalisierenden Formeln gesprochen wird[58]. Die grundlegenden Argumente für die Rivalitätsthese, wie sie in etwa bereits *v. Harnack* [59] formulierte, und auf die
im folgenden in verschiedener Weise immer wieder verwiesen wurde,
sind folgende (in etwas systematisierter Form): 1. sprachliche Parallelität durch die jeweils gleiche Anfügung des zweiten Gliedes ohne ὤφθη
und mit εἶτα; 2. inhaltliche Parallelität durch jeweilige Zusammenstellung einer Einzelperson und einer Gruppe; da *v. Harnack* die δώδεϰα
mit den ἀπόστολοι πάντες identifiziert, stehen Petrus und Jakobus, die
als einzelne eine besondere Rolle spielen[60], demselben Personenkreis
gegenüber, befinden sich also in einer ausgesprochenen Rivalität: die
beiden Parteien bräuchten zwar nicht dem Führer der jeweils anderen
Gruppe die Tatsache einer Christophanie abzustreiten, aber welche die
sachlich grundlegende, der Apostelerscheinung vorangehende sei, darauf komme es an; 3. eine Parallele, wenn auch noch so fragwürdiger
Art, liege EvHebr 7 vor, wo auch eine Erscheinung vor Jakobus und
eine nachfolgende vor den Aposteln berichtet werde[61]. 4. schließlich
liege in der Verdrängung des Petrus als des ersten Zeugen des Auferstandenen dieselbe Tendenz zugrunde wie 1 Kor 15,7: diese Verdrängung beginne bereits bei Lukas, der das ὤφθη Σίμωνι auf eine Formel
zusammenschrumpfen lasse (24,34); Joh 21,14 werde die Erscheinung
vor Petrus als die dritte bezeichnet, bei Matthäus folge auf die Christophanie vor den Frauen die vor den Jüngern (28,9f. 16ff.); bei Johannes

---

[56] v. Harnack, SAB.PH 1922, 67f.

[57] Albertz, ZNW 1922, 267; Brun, Auferstehung 33; Molland, Euangelion 81; Goguel,
Naissance 56; Bammel, ThZ 1955, 411; Winter, NT 1958, 149; Stauffer, in: Roesle – Cullmann (edd.), Begegnung 367, A 44 u. a.

[58] Meyer, Ursprung III, 225; Finegan, Überlieferung 109; Grundmann, ZNW 1940,
115; Lichtenstein, ZKG 1950, 46; Bartsch, ZNW 1964, 264; Kemler, Jakobus 33 u. a.

[59] v. Harnack, SAB.PH 1922, 66ff.

[60] Zum Aspekt der starken Betonung des Einzelzeugen vgl. Bammel ThZ 1955, 406.

[61] EvHebr 7 ist nur von Begleitern des Jakobus die Rede, nicht direkt von Aposteln,
auch nicht von οἱ περὶ Πέτρον (v. Harnack, SAB.PH 1922, 67); v. Harnack verbindet hier
das vorliegende Fragment des EvHebr mit einem von Preuschen (ed.), Antilegomena 8 zitierten angeblichen Fragment des EvHebr aus Hier VirInl 16 (TU 14,1,17), in dem von
„Petrum et ... qui cum Petro" die Rede ist, und das in Antiochien z. Z. des Ignatius bekannt gewesen sein soll. Ob es sich bei dem Zitat VirInl 16 (vgl. Ign Sm 3,2) tatsächlich
um das EvHebr handelt, ist unsicher; Ignatius nennt keine Quelle und auch Hieronymus
spricht nur (wie VirInl 2 [TU 14,1,8]) davon, daß er das Evangelium neulich übersetzt
hätte; sollte es tatsächlich ein Fragment des EvHebr sein, so wäre diese Erscheinung vor
Petrus und seinem Kreis später als die vor Jakobus anzusetzen. Freilich wäre eine Spannung zu EvHebr 7 nicht zu übersehen, wo es keinen von Jakobus unabhängigen Kreis
von Offenbarungsträgern gibt, noch dazu mit der herausgehobenen Gestalt des Petrus.

und im unechten Markusschluß sei Maria aus Magdala die erste Zeugin (Joh 20,14 ff.; Mk 16,9), EvHebr 7 Jakobus, in Didask 21 (*Vööbus* II 191) die Frauen. Dieser Streit um die Ersterscheinung habe seine letzte Ursache im Verhältnis der Jakobus- zu den Petrusleuten[62].

Gegen diese Argumente, wie überhaupt gegen die *Harnack*sche Rivalitätsthese, sind eine Reihe von Einwänden gemacht worden. Die wichtigsten seien kurz genannt:

1. Immer wieder wird erklärt, der Text biete keine Anhaltspunkte für die Annahme von Polemik; die Parallelität könne besser anders erklärt werden; nach *Michaelis* spricht gerade der parallele Aufbau gegen die Herkunft aus konkurrierenden Kreisen[63]. Dem ist das bereits oben (zu *Kümmel*) Ausgeführte entgegenzuhalten; daß gerade die Parallelität gegen die Annahme ursprünglich rivalisierender Formen spreche, setzt voraus, was erst zu beweisen wäre, daß sie nämlich tatsächlich erst von Paulus geschaffen wurde, eine Annahme, die wenig befriedigt.

2. Der Einwand, es sei nicht vorstellbar, daß in derselben Urgemeinde konkurrierende Formeln aufbewahrt worden sein sollen[64], ist kaum stichhaltig: einerseits waren Petrus und die Zwölf ein fester Bestandteil der alten Kerygmaformel, konnten also kaum ohne weiteres gestrichen werden; andererseits wissen wir nicht, wann Paulus diese Formel überliefert bekam: sollte er sie, wie mit einiger Wahrscheinlichkeit angenommen werden kann, anläßlich seines ersten Besuches in Jerusalem bei Petrus bekommen haben, so kann die Entstehung von V.7 bestenfalls zeitgleich angesetzt werden, und Paulus hat dann von der alten Tradition Kenntnis gehabt, selbst für den unwahrscheinlichen Fall, daß sie später verdrängt worden sei.

3. Weiters wird die chronologische Reihenfolge gegen die Annahme ursprünglich rivalisierender Formeln angeführt[65]. Doch auch dieses Argument hat große Schwierigkeiten: daß Paulus aller Wahrscheinlichkeit nach die Reihenfolge als eine chronologische verstand, kann zwar angenommen werden, doch

---

[62] Vgl. auch Bammel, ThZ 1955, 407. v. Harnack, SAB.PH 1922, 69, A1 verweist noch auf Joh 21,14, wo die Erscheinung Jesu als die dritte bezeichnet wird und folgert: „man zählte (Sperrung v.H.) also und die Erscheinungen rivalisierten miteinander in bezug auf die erste Stelle".

[63] Michaelis, Erscheinungen 136, A39; vgl. Kümmel, Kirchenbegriff 4; Schmithals, Apostelamt 66; Klein, Die zwölf Apostel 40; Fuller, Formation 28.

[64] Wilckens, in: Joest–Pannenberg (edd.), Dogma 71, A38 im Anschluß an etwas anders orientierte Überlegungen von Graß, Ostergeschehen 298. Graß richtet sich zwar letzten Endes gegen das Vorhandensein rivalisierender Formeln in der Urgemeinde; seine Ausführungen betreffen aber in diesem Zusammenhang nur die Kombination solcher Formeln in der Urgemeinde, und können die Annahme ihres Vorhandenseins daher nicht entkräften.

[65] Graß, Ostergeschehen 97; vgl. Fuller, Formation 13. Graß anerkennt zwar die Wahrscheinlichkeit einer Rivalität zwischen Petrus und den Petrusleuten einerseits und Jakobus und den Jakobusleuten andererseits, will aber 1 Kor 15,5 und 7 nicht als rivalisierende Formeln auffassen.

besagt das überhaupt nichts für das Verständnis der Formeln z. Z. ihrer Entstehung. Ist das Verständnis von V.7 als Paulus vorgegebene Parallelbildung zu V.5 richtig, kann nicht mehr mit dem Argument der (bei Paulus vorliegenden) chronologischen Reihenfolge operiert werden[66].

4. Einen formgeschichtlichen Einwand erhebt *Graß*: V.7 sei keine kerygmatische Formel wie V.3b ff. vorgeschaltet, sondern es liege nur eine Nennung zweier Zeugen vor, der Vers könne also keine Konkurrenzformel sein[67]. Diese Schlußfolgerung leuchtet nicht ein: einerseits: warum sollte Paulus nicht ein vorgeschaltetes Χριστὸς ἐγήγερται oder dgl. weggelassen haben? Eine ähnliche Vorschaltung müßte auch V.6 vorhanden gewesen sein. Sollte aber andererseits tatsächlich V.7 ohne Verbindung mit einer kerygmatischen Formel geformt und tradiert worden sein, was unwahrscheinlich ist, so wäre immer noch die Intention der vorpaulinischen Zusammensetzung von Jakobus und allen Aposteln zu erklären. Nicht zuletzt geht es Paulus im Makrokontext ja nicht primär um die kerygmatische Formel, sondern um die vielerlei Bezeugungen des Auferstandenen. Wie *Kemler* richtig herausstellt, steht das „christliche Zentraldogma" 1 Kor 15,3 b ff. über Gruppenstreitigkeiten und ist sowohl für petrinisches als auch für jakobeisches oder auch paulinisches Christentum offen[68]. Dieser Hinweis spricht auch gegen die folgenden zwei Argumente: zunächst

5. Paulus könne bei einer so feierlich eingeleiteten Wiedergabe der ihm bekannten Erscheinungen kaum gedankenlos zwei konkurrierende Formeln nebeneinandergestellt haben[69]. Doch will Paulus gerade die Einheitlichkeit der Zeugen in der Frage des Geschehenseins der Auferstehung Jesu herausstreichen; ein Nichtübereinstimmen in Einzelfragen, d. h. in der Frage, welcher Erscheinung die sachliche Priorität zukomme, spielt dabei keine Rolle[70]. Ebenso

6. Eine Kombination konkurrierender Traditionen sei „die Sache von Leuten der zweiten Generation"[71]. Nach dem vorhin Gesagten erscheint eine Kombination gerade durch Paulus als sehr sinnvoll.

7. Die Identifizierung der δώδεκα mit ἀπόστολοι πάντες durch *v. Harnack* ist sicher nicht richtig[72], doch ist das kein Einwand gegen V.5 und V.7 als Rivalitätsformeln; im Gegenteil: indem Jakobus nicht bloß den Zwölfen, sondern dem sicher größeren Kreis aller Apostel vor- und damit übergeordnet wird, wird seine Bedeutung in Konkurrenz zu Petrus erst recht herausgestrichen.

---

[66] Läßt man die Frage nach einem zeitlichen oder bloß anreihenden Verständnis von ἔπειτα und εἶτα offen (z. B. Kemler, Jakobus 33) oder entscheidet man sich (wenigstens im Einzelfall) für letzteres (z. B. Bammel, ThZ 1955, 414; Bartsch, ZNW 1964, 264, A 10), so entfällt das Argument von Graß ebenfalls.

[67] Graß, Ostergeschehen 97 f.; Fuller, Formation 12.

[68] Kemler, Jakobus 33.

[69] Kümmel, Kirchenbegriff 4.

[70] Kemler, Jakobus 33 weist zur Illustration auf Phil 1,12 ff. hin, wo Paulus es als einzig wichtig hinstellt, daß Christus verkündigt wird, auch wenn unterschiedliche und keineswegs immer nur positive Motive dahinterstehen.

[71] Graß, Ostergeschehen 97; Charlot, Construction 277.

[72] Vgl. nur Kümmel, Kirchenbegriff 4; Richter, 1 Kor 15, 1/11, 48; grundsätzlich Klein, Die zwölf Apostel.

8. Der Hinweis von *Michaelis*[73], im EvHebr sei nicht Jakobus der Erstzeuge, sondern der Priesterknecht, die Behauptung einer Ersterscheinung vor Jakobus in Jakobuskreisen sei also nicht zu erweisen und folglich auch keine Rivalität, ist nahezu trivial; denn das legendarische Motiv der Einführung des Priesterknechtes will ja nicht Jakobus die Protophanie streitig machen, sondern die Auferstehung Jesu als selbst Gegner überwältigendes Ereignis herausstellen.

Keines dieser Argumente kann die Rivalitätsthese widerlegen, die damit die wahrscheinlichste Lösung der Entstehung der Formel 1 Kor 15,7 bleibt. Die oben genannten positiven Argumente sind freilich von unterschiedlicher Gewichtigkeit. Während die beiden letztgenannten, der Hinweis auf die Protophanie vor Jakobus im EvHebr und der auf die merkwürdige Zurückdrängung des Petrus als des Erstzeugen, eher nur unterstützenden, illustrierenden Charakter haben[74], hat der Hinweis auf die sprachliche und inhaltliche Parallelität von V. 5 und V. 7 größte Bedeutung, wobei der pointierten Gegenüberstellung zweier Einzelzeugen, jeweils im Zusammenhang mit einer Gruppenerscheinung, das meiste Gewicht zuzumessen sein dürfte.

Ein wesentlicher Punkt ist jedoch an der herkömmlichen Form der Rivalitätsthese zu korrigieren: die Vorstellung von zwei rivalisierenden Gruppen, einer Petrus- und einer Jakobuspartei, der die jeweiligen Formeln zuzuschreiben wären, ist in dieser Form nicht zu halten, jedenfalls nicht von 1 Kor 15,5 und 7 her und jedenfalls nicht für diese frühe Zeit[75]. Denn die Formel V. 5 ist ja nicht einfach petrinisches Sondergut,

---

[73] Michaelis, Erscheinungen 135 f., A 39.

[74] Daß das EvHebr kaum als solides Fundament zu betrachten ist (Charlot, Construction 277), ist angesichts der in 1 Kor 15,7 selbst liegenden Intention sicherlich allzu zurückhaltend geurteilt.

[75] In späterer Zeit scheint das anders geworden zu sein. Eine bewußt und ausschließlich gegen Jakobus gerichtete Polemik liegt allerdings auch Mt 16,18 f. nicht vor. Die Formulierung dieser Petrus in einmaliger Weise herausstreichenden Aussagen ist nicht auf den irdischen Jesus zurückzuführen (Cullmann, Petrus 215 ff.; ders., ThWNT VI, 107), da sie als Epiphaniebericht gestaltet sind und die Investitur des Offenbarungstradenten zum Inhalt haben (vgl. Kähler, NTS 1977, 36 ff.). Sie werden auch nicht in die früheste Zeit der Jerusalemer Urgemeinde gehören (nach Bultmann, Tradition 277 handelt es sich um „alte aramäische Überlieferung"), vielmehr scheint in der Betonung der gesamtkirchlichen Bedeutung des Petrus die Entstehung einer heidenchristlichen Kirche vorausgesetzt zu sein; Judenchristentum wie Heidenchristentum wären dann in gleicher Weise an den entscheidenden Offenbarungsträger Petrus gewiesen. Entstehungszeit könnte frühestens die Zeit nach dem Apostelkonvent sein, da dort noch anderslautende Zuständigkeitsbereiche festgelegt worden waren.

An die Zeit nach dem antiochenischen Konflikt zu denken (Pesch, Simon 96 ff.; ders., EWNT III, 200) ist möglich (unwahrscheinlich ist dagegen Peschs Vermutung, die Formel sei während eines nach dem antiochenischen Konflikt gemachten Jerusalembesuchs zustandegekommen; wenn 1 Kor 15,7 tatsächlich eine Rivalitätsformel ist, die bestimmte Ansprüche des Jakobus und der Gruppe um ihn zum Inhalt hat, ist es unwahrscheinlich, daß gerade an diesem Ort und zu dieser Zeit Petrus so herausgestrichen worden sein

sondern eine urchristliche Formel, die die für die Konstituierung der Gemeinde entscheidenden Erscheinungen der allerersten Zeit im Zusammenhang einer kerygmatischen Formel nennt. Irgendwelche Polemik, die gegen andere Erscheinungsträger gerichtet wäre, ist in ihr nicht

---

sollte – eine Entstehung in Antiochien wäre wesentlich plausibler), auch wenn die Bestimmung der Eigenständigkeit des Paulus (Gal 1; 1 Kor 3) kaum so direkt, wie Pesch (Simon 100 ff.) meint, gegen Petrus gerichtet ist.

Für eine spätere Ansetzung der Tradition Mt 16,18 f. spricht die Petrus zugesagte Schlüsselgewalt. Hier „geht es nicht mehr um einzelne Fragen der verbindlichen Halacha, sondern hier wird bereits eine grundsätzliche Entscheidung getroffen. Petrus ist Garant und Tradent der neuen Halacha" (Kähler, 40 im Anschluß an Erwägungen R.Hummels zur Auseinandersetzung von Kirche und Judentum in Mt; vgl. bes. Mt 23,13, wo die Schlüsselgewalt der Pharisäer bestritten wird; weiters paßt „eine feierliche und ausschließliche Übertragung der gesamtkirchlichen Leitung auf ihn ... weder zu den Angaben des Paulus noch zu dem Bilde, das die Apostelgeschichte von seiner Wirksamkeit in Jerusalem zeichnet" (v. Campenhausen, Kirchliches Amt 142; vgl. Kähler, 40); sie paßt eher als Rückblick auf das gesamte Lebenswerk des Petrus (gleichwohl ist diese Bedeutung des Petrus schon in seiner Protophanie 1 Kor 15,5 angelegt, allerdings fehlt zu dieser Zeit noch die geschichtliche Verifizierung); auch das Bedürfnis der zweiten und dritten Generation, die Überlieferung der Augenzeugen zu fixieren und dabei die Autorität der Tradenten herauszustreichen, hatte große Bedeutung (Mußner, Petrus und Paulus 20). Den Sitz im Leben hatte Mt 16,18 f. in einer stark judenchristlich geprägten Gemeinde (bzw. Gemeinden), in der die Auseinandersetzung mit dem Pharisäismus zu einem Abschluß gekommen war, die eine gesamtkirchliche Ausrichtung hatte und in der petrinische Traditionen in besonderer Weise lebendig waren – man wird nicht fehlgehen, hier an den engeren Traditionsbereich des Mt zu denken (so Blank, Petrus 126 ff., bes. 128).

Wird Petrus in dieser einzigartigen Weise herausgestrichen als das Fundament (die Rede von Aposteln als Fundament ist nachpaulinisch, Eph 2,20; vgl. dagegen 1 Kor 3,11) und der Garant der Bewahrung der Gesamtkirche, der die „Schlüsselvollmacht, die Auslegungsvollmacht der Zulassungs- und Ausschlußbedingungen für die Ekklesia mit Wirkung für die Basileia" (Pesch, Simon 104) hat, so ist er damit jedem anderen Angehörigen der ersten Generation übergeordnet; dieser *innerkirchliche* Aspekt der Aussage Mt 16,18 f. darf neben der antipharisäischen Ausrichtung nicht zu kurz kommen. Eine ausschließlich polemische innerkirchliche Zielsetzung ist damit noch nicht gegeben, da die Trägerkreise sich durch diese Formulierung ihrer unangreifbaren und unerschütterlichen (Fels!) Verbundenheit mit den Ursprüngen vergewisserten, die Formulierung also zunächst der Selbstbestätigung in der Gefolgschaft des Petrus diente. Das Kirchenverständnis der hinter Mt 16,18 f. stehenden Gemeinde ist aber durch die Bindung an Petrus notwendigerweise gegen Christen gerichtet, in deren Geschichtsrückblick andere Offenbarungsträger die entscheidende Position innehatten; soweit das Leute sind, die sich in besonderer Weise dem Herrenbruder Jakobus verpflichtet wußten, ist Mt 16,18 f. *auch als antijakobinisch* einzustufen. Primär oder nur gegen Jakobus ist die Formulierung allerdings nicht gerichtet (gegen Carroll, BJRL 1961/62, 61; zur These, die Betonung der Autorität des Petrus sei als antipaulinisch einzustufen, vgl. Mußner, Gal 90, A 60). Ein die Gesamtkirche, also auch das Heidenchristentum betreffender Anspruch des Jakobus ist für die Jakobustradition des 1. Jh.s aufgrund fehlender Quellen nicht festzustellen (anders im 2. und 3. Jh., dazu unten), wenn auch möglich. Nur in dem Maße, in dem er eventuell vertreten worden war, wäre Mt 16,18 f. *direkt* (auch) gegen eine solche Jakobustradition gerichtet gewesen.

enthalten. Wohl aber ist V.7, falls die Bestimmung dieses Verses als vorpaulinische Parallelbildung zu V.5 richtig ist, polemischer Natur. Einzig die Tradition V.7 ist demnach eine rivalisierende Formel, die die für Petrus und die Zwölf reklamierte grundlegende Bedeutung für die Gemeinde für Jakobus und den Kreis der Apostel beansprucht[76]. In diesem Sinne ist auch die *Wilckens*sche These von 1 Kor 15,5 und 7 als Legitimationsformeln zu korrigieren. Als Legitimationsformel ist nicht V.5 anzusprechen, denn Petrus brauchte sich ja nicht zu legitimieren, wohl aber ist V.7 eine Legitimationsformel, bei der das Moment der Bezeugung des Auferstandenen selbstverständlich auch gegeben war, aber doch hinter dem Aspekt der Legitimation des Zeugen Jakobus zurücktrat.

Offen muß freilich die Frage nach dem Urheber der Formel bleiben, ob sie auf Jakobus selbst zurückgeht[77] oder, was wahrscheinlicher ist, nur auf die Jakobusgruppe, bzw. inwieweit der Herrenbruder an Entstehung und Tradierung initiativ beteiligt war. Daß nicht das Werk des Jakobus allein vorliegen kann, ist formgeschichtlich schon daran ersichtlich, daß die Formel einen Sitz im Leben einer Gruppe haben muß, es also so etwas Ähnliches wie eine Jakobuspartei auf jeden Fall gegeben haben muß – wie andererseits aber 1 Kor 15,3b–5 keine spezifische Petruspartei nötig war, auch wenn nach Entstehen einer Anhängerschaft des Jakobus sich de facto zwei Gruppen gegenübergestanden sein werden[78]. Näheres über diese Jakobusgruppe kann von 1 Kor 15 aus freilich nicht gesagt werden, auch nicht über das Verhältnis zu Petrus; nur soviel ist jedenfalls deutlich, daß die Person des Jakobus auf Kosten des Petrus in den Vordergrund gerückt wurde; dies äußert sich daran, daß als die grundlegende Erscheinung Jesu nicht die vor Petrus angesehen wurde, die als solche ja gar nicht geleugnet zu werden brauchte, sondern die vor Jakobus. Darüber, daß die Jakobuserscheinung die zeitlich erste war, daß also Jakobus die Protophanie für sich beanspruchen konnte, ist 1 Kor 15,7 noch nichts Direktes ausgesagt[79]. Ebenfalls nichts Genaues läßt sich über die Zeit der Entstehung der

---

[76] Inwiefern dann eine eventuell vorhandene Petrusgruppe in apologetischer Weise an der alten Formel festhielt, ist eine andere Frage.

[77] Nach Bruce, Paul 85 habe Paulus bei seinem Besuch in Jerusalem (Gal 1,18f.) die Berichte über die Erscheinungen vor Petrus, den Zwölfen und den Fünfhundert von Petrus erzählt bekommen, jene vor Jakobus und allen Aposteln von Jakobus.

[78] Bruce, Paul 85 meint, die Petrusgruppe habe sich im Haus der Maria, der Mutter des Johannes Markus getroffen (Apg 12,17). Das ist nicht ausgeschlossen, auch wenn Apg 12 stark legendarisch geprägt ist.

[79] Wenn v. Harnack, SAB.PH 1922, 67, A 3 betont, die Entscheidung über die wichtigste Christophanie müsse nach Art der Legendenbildung über kurz oder lang auch zur Annahme führen, sie sei die erste gewesen, ist das richtig; daß dies auch „sehr wahrscheinlich" schon bei den Jakobusleuten der Fall war, läßt sich aber nicht beweisen.

Formel V.7 sagen. Als Rivalitätsformel muß sie auf jeden Fall in eine Zeit gehören, in der Jakobus noch hinter Petrus stand, bestenfalls an zweiter Stelle. Nach Gal 1,18 geht Paulus gut zwei Jahre nach seiner Berufung, mithin ca. 30/31 noch allein zum Zweck des Kennenlernens des Petrus nach Jerusalem; Jakobus wird zwar erwähnt, aber nur beiläufig. Z.Z. des Apostelkonvents, ca. 43/44, ist aller Wahrscheinlichkeit nach Petrus immer noch die führende Gestalt, er geht aber bald weg, und Jakobus wird alleiniger Führer der Gemeinde. Die Formel 1 Kor 15,7 wird kaum in dieser letzten Zeit vor dem Apostelkonvent entstanden sein, sondern früher, spätestens Ende der dreißiger Jahre, vielleicht auch schon in der Mitte derselben.

2.2 EvHebr 7

Eine Christophanie vor dem Herrenbruder Jakobus berichtet auch das Hebräerevangelium, Fragment 7[80]: „‚Dominus autem cum dedisset sindonem servo sacerdotis, ivit ad Iacobum et apparuit ei‘, (iuraverat enim Iacobus se non comesurum panem ab illa hora qua biberat calicem Domini[81], donec videret eum resurgentem a dormientibus) rursusque post paululum, ‚Adferte, ait Dominus, mensam et panem‘, statimque additur: ‚Tulit panem et benedixit et fregit et dedit Iacobo Iusto et dixit ei: Frater mi, comede panem tuum, quia resurrexit Filius hominis a dormientibus‘.“

Bezüglich der Person des Jakobus ist dieser Bericht des EvHebr in mehrfacher Hinsicht aufschlußreich: 1. Der Skopus der Erzählung ist nicht die Christophanie selbst und deren Bezeugung, sondern die Lösung des Jakobus von einem Entsagungsgelübde. Allein dies zeigt schon, in welchem Maße hier die Person des Herrenbruders ins Zentrum gerückt ist. Die Erscheinung dient nur zur Lösung eines persönlichen Konfliktes[82]. 2. Jakobus ist nicht erst nach Ostern zur Gemeinde gestoßen, sondern gehörte bereits zum engeren Jüngerkreis des irdischen Jesus. Er ist also beim letzten Mahl Jesu anwesend gedacht. 3. Die Frage nach dem ersten und damit dem wichtigsten Zeugen des Auf-

---

[80] Nach der Zählung in NTApo I⁴,108. Text bei Hier VirInl 2 (TU 14,1,7 f.).

[81] Zu den Argumenten gegen die Lesart „Dominus", wie sie Lightfoot, Gal 266 vertrat, vgl. Zahn, Forschungen VI, 277, A 1.

[82] Daß im Zentrum der Erzählung das „Wiedererkennen Jesu ... am Brotessen" liege, wie Albertz, ZNW 1922, 260 behauptet, ist nicht der Fall, denn das Brotessen fand erst zu einem durch „post paululum" abgehobenen späteren Zeitpunkt statt, als das Erkennen Jesu durch Jakobus ja schon vorbei war. Das spricht auch gegen die Vermutung von Lichtenstein, ZKG 1950, 65, die Erscheinung vor Jakobus sei nach dem EvHebr eine Abendmahlserscheinung gewesen.

erstandenen ist eindeutig entschieden: es ist Jakobus. Entsprechend wird auch der Zeitpunkt der Erscheinung verlegt: auf den ersten Tag der Auferstehung Jesu. 4. Der Auferstandene läßt Tisch und Brot richten[83], bricht das Brot und gibt es Jakobus. Der Herrenbruder ist also von Begleitern umgeben, deren Identität nicht genau angegeben wird; vermutlich ist an die Zwölf (bzw. Elf) gedacht, worauf der Zusammenhang mit dem letzten Mahl Jesu hinweisen könnte. Auf jeden Fall ist Jakobus für die vorliegende Tradition von der frühesten nachösterlichen Zeit an die Zentralfigur der christlichen Gemeinde. Petrus wird, ebensowenig wie ein anderer Jünger Jesu, genannt. Von einer (direkten) Rivalität ist nichts zu spüren. Jakobus braucht nicht mehr (!) um seine Stellung zu kämpfen; sein Sieg ist vollständig. Er ist anerkanntermaßen der erste und vornehmste Zeuge des Auferstandenen, der wichtigste Träger der Tradition, auch und gerade gegenüber Petrus und den Zwölfen[84.85].

Dem Bericht des EvHebr kann natürlich kein historischer Wert über das hinaus beigemessen werden, was vom Neuen Testament her bekannt ist. Daß Jakobus als erster eine Erscheinung gehabt habe, hat ebenso das Zeugnis neutestamentlicher Schriften gegen sich wie seine Teilnahme am letzten Mahl Jesu oder die ihm zugedachte entscheidende Rolle in der christlichen Kirche von allem Anfang an. Das Motiv der Grabeswache bzw. Auferstehung vor sogenannten neutralen Zeugen (vgl. Mt 28,4. 11 ff.; EvPetr 8, 28 ff.) trägt ebenso wie das der Grabesvisitation (vgl. Lk 24,24; Joh 20,5 ff.) apologetischen und legendarischen Charakter und gehört nicht in die früheste Zeit. Auch die Bezeichnung „Iacobus Iustus" gehört in spätere Zeit. Als historischen Kern kann man immerhin eine Erscheinung vor Jakobus festhalten; alles andere ist Ausschmückung judenchristlicher Kreise des ausgehenden ersten Jahrhunderts „ad majorem Jacobi gloriam"[86]. Die Hochschätzung des Herrenbruders ist dabei nicht auf den palästinischen Bereich beschränkt, sondern greift weit darüber hinaus in das Diasporajudentum, wie das wohl von Anfang an griechische EvHebr (wie es

---

[83] Er muß also auch den Begleitern des Jakobus sichtbar geworden sein, aber auf jeden Fall erst nach Jakobus, so daß man am besten an eine Szene mit zwei aufeinanderfolgenden Erscheinungen denken wird.

[84] Indirekt ist damit auch EvHebr ein Beleg für eine alte Rivalität zwischen Petrus und Jakobus, die aber zunehmend verdeckt wurde zugunsten des unangefochtenen Primats des Herrenbruders.

[85] Sollte das Gelübde des Jakobus dem Versprechen des Petrus, mit Jesus in den Tod gehen zu wollen (Mk 14,31 par), nachgebildet sein, so wäre die Standhaftigkeit des Jakobus im Gegensatz zum Versagen des Petrus ein weiteres Indiz für die Herausstreichung des Primats des Jakobus, vgl. Graß, Ostergeschehen 84.

[86] Goguel, Naissance 57; vgl. schon vorher Patrick, James 70 ff.; Resch (ed.), Agrapha 250.

scheint) für Ägypten beweist[87]. Analoges gilt, wie in den folgenden Kapiteln zu zeigen sein wird, auch für andere Zentren des Judenchristentums der ersten Jahrhunderte.

2.3 Zusammenfassung

1 Kor 15,7 wird eine Christophanie vor dem Herrenbruder Jakobus berichtet. Da Jakobus und seine Familie dem irdischen Jesus distanziert gegenüberstanden, muß irgend etwas geschehen sein, das ihren Anschluß an die christliche Gemeinde bewirkte. Als diese Ursache die Erscheinung vor Jakobus anzunehmen, liegt nahe, auch wenn sich in dieser Frage kaum Sicherheit erreichen läßt. Demgegenüber deutlich fortgeschritten ist die Tradition EvHebr 7. Danach gehörte Jakobus zur Anhängerschaft des irdischen Jesus und war sogar beim letzten Mahl Jesu anwesend (vgl. EvNaz gegenüber den Synoptikern im vorigen Kapitel).

1 Kor 15,7 liegt eine formale und inhaltliche Parallelbildung zu V.5 vor, der mit seinem Bericht über die Christophanie vor Petrus und den Zwölfen ein Teil der alten Kerygmaformel 3b ff. ist. Vor allem die inhaltliche Parallelität in der Gegenüberstellung jeweils einer führenden Gestalt der Urgemeinde, Petrus und Jakobus, und einer Gruppe, der Zwölf und der Apostel, läßt in Verbindung mit den an sich weniger wichtigen Argumenten, nämlich der ausdrücklichen Kennzeichnung der Erscheinung vor Jakobus als der ersten in EvHebr und der in der frühchristlichen Literatur öfters gegebenen Verdrängung des Petrus als des Erstzeugen darauf schließen, daß V.7 in rivalisierender Tendenz dem selbst aber unpolemischen V.5 nachgebildet wurde, um gegenüber Petrus den Herrenbruder Jakobus ins Zentrum zu rücken. Nach der Formel 1 Kor 15,7 hat zwar Jakobus Petrus nicht ausdrücklich als Erstzeugen abgelöst, wohl aber ist seine Erscheinung die grundlegende, und die Tendenz geht eindeutig dahin, sie auch zur ersten zu machen, wie es dann im EvHebr der Fall ist. Von einer Rivalität gegenüber Petrus ist im EvHebr im Grunde gar nichts mehr zu merken. Die Entscheidung ist schon längst gefallen. Jakobus braucht sich seine führende Position nicht mehr zu erkämpfen, er hat sie vielmehr bereits von allem Anfang an. Petrus wird nicht einmal erwähnt und ist nichts weiter als ein gewöhnliches Glied der um Jakobus gesammelten Anhängerschar Jesu.

---

[87] Bauer, Rechtgläubigkeit 55 ff. hat wahrscheinlich gemacht, daß das EvHebr das Evangelium der griechisch sprechenden ägyptischen Judenchristen war; auch wenn diese These aufgrund des fragmentarischen Charakters der Überlieferung nicht zur Gewißheit erhoben werden kann, erfreut sie sich z.R. großer Beliebtheit, vgl. nur Vielhauer, Geschichte 661; Wilson, TRE III,329 f.

3. Der kirchenrechtliche und theologische Standort des Jakobus[1]

3.1 Jakobus nach den Zeugnissen des Neuen Testaments (Gal und Apg)

Der Herrenbruder Jakobus spielte in der Geschichte der frühen Kirche eine außerordentlich große Rolle – und doch gibt es nur wenige neutestamentliche Texte, in denen er handelnd auftritt, oder in denen etwas über ihn berichtet wird[2]. Allein dieser Umstand zeigt bereits deutlich, daß er offensichtlich nicht den Typ von Christentum repräsentierte, der sich in der späteren heidenchristlichen Großkirche durchsetzte; nirgends wird in den später kanonischen Schriften über Jakobus gleichsam um seiner selbst willen berichtet (über den Jakobusbrief siehe unten); stets stehen die Aussagen über ihn im Konnex zu solchen über andere Gestalten des Urchristentums, die sich in der Großkirche größter Wertschätzung erfreuten, Petrus und insbesondere Paulus. In folgenden Zusammenhängen taucht Jakobus auf: in den paulinischen Briefen zunächst beim ersten Besuch des Paulus in Jerusalem (Gal 1,18 f.), weiters beim Apostelkonvent (Gal 2,1 ff.) und im Zusammenhang des antiochenischen Konflikts (Gal 2,11 ff.); auch stellt sich die Frage, ob er hinter antipaulinischen Aktionen in paulinischen Gemeinden steht, wie mitunter angenommen wird. In der Apostelgeschichte wird Jakobus erwähnt im Rahmen der Erzählungen von der wunderbaren Befreiung des Petrus (12,3 ff.), des Apostelkonvents (15,1 ff.) und des letzten Besuchs des Paulus in Jerusalem (21,1 ff.). Dazu kommt noch Apg 1,14, wo von den Brüdern Jesu die Rede ist. Bevor diese Berichte im einzelnen auf ihre Ergiebigkeit hinsichtlich der Frage des kirchenrechtlichen

---

[1] „Kirchenrechtlich" meint im folgenden den Status in der Leitung der Gemeinde, „theologisch" die Ausprägung der Lehranschauung.

[2] Zu den nachneutestamentlichen christlichen Texten vgl. die folgenden Kapitel. Ein nichtchristlicher Text über Jakobus liegt, soweit ich sehe, nur Jos Ant XX 197 ff. vor (unten 4.). Der bAZ 16 b f. Bar im Disput mit Eliezer ben Hyrkanus auftretende Jakob aus Sechania (tHul II 24: Jakob aus Sichnin) ist nicht mit dem Herrenbruder zu identifizieren (gegen Klausner, Jesus 42 ff.; mit Riesner, Jesus als Lehrer 410). Weder kann man von Jakobus als „einem unmittelbaren Jünger Jesu" (Klausner, ebd. 47) reden, noch kann die Anklage gegen Eliezer wegen Kontakt zu einem Jesusschüler erst Jahrzehnte nach dem angenommenen Zusammentreffen erfolgt sein, wie Klausners Identifikation voraussetzt.

und theologischen Standortes des Jakobus untersucht werden, ist es nötig, die in ihnen dargestellten Ereignisse chronologisch in die Geschichte des Urchristentums einzuordnen.

3.1.1 Zur Chronologie

Es scheint sinnvoll, mit der Frage der zeitlichen Ansetzung des Apostelkonvents zu beginnen. Bei der zumeist vertretenen Datierung auf oder um das Jahr 48[3] ergeben sich viel größere Schwierigkeiten, als man gemeinhin zuzugestehen bereit ist: Die Tätigkeit des Paulus in Korinth kann durch die Gallioinschrift ziemlich sicher auf 49/50 bis 51 datiert werden. Hält man am Jahr 48 für den Konvent fest, so steht (selbst für den Fall, daß man die 1. Missionsreise für ein lukanisches Konstrukt hält[4]) für die gesamte Missionstätigkeit von Galatien angefangen über Philippi und Thessalonich bis hin zum Beginn des Aufenthaltes in Korinth kaum mehr als ein Jahr zur Verfügung; hält man sich die langen Aufenthalte in Korinth und besonders in Ephesus vor Augen, so erscheint die erwähnte Zeit für die Tätigkeit an so vielen Orten, bei der Paulus mindestens in drei erfolgreich Gemeinden gründete, als zu kurz, nicht zuletzt deshalb, weil ja die Abreise aus Antiochien keineswegs in allernächster Zeit nach dem Konvent stattgefunden haben kann; für die Zeit zwischen Apostelkonvent und antiochenischem Konflikt darf eine nicht zu geringe Zeit in Ansatz gebracht werden: die (kaum unmittelbar nach dem Konvent erfolgte) Ankunft des Petrus in Antiochien, seine (länger dauernde) Tischgemeinschaft mit den Heidenchristen, die Nachrichten darüber nach Jerusalem und die Reise der Jakobusleute nach Antiochien nötigen zur Annahme einer Zeitspanne, die so groß ist, daß sie zwischen 48 und 49/50 zusammen mit der darauffolgenden Missionstätigkeit des Paulus nicht unterzubringen ist[5].
Weiters: Die 1. Missionsreise des Barnabas und Paulus dürfte als historisch anzusehen sein, da in Apg 13 f. an mehreren Stellen das von Lukas benützte Itinerar sichtbar wird: 13,3 f. 13. 42 f.; 14,1.5-7. 21 f. 24 f.[6]. Stimmt das und hält man daran fest, daß die 1. Missionsreise nach dem Konvent stattfand[7], so ist

---

[3] Vgl. nur Patrick, James 133; Dibelius, Paulus 53; Reicke, FS de Zwaan (1953) 181; Haenchen, Apg 84; Schoeps, Paulus 58; Stauffer, in: Roesle–Cullmann (edd.), Begegnung 369; Conzelmann, Apg 87; ders., Geschichte 20; Goppelt, Zeit 152; Georgi, Kollekte 93; Roloff, Apostolat 63, A 81; ders., Apg 223; Ogg, Chronology 72; Kasting, Mission 116; Bornkamm, Paulus 10; Lohse, in: Kottje–Moeller (edd.), Ökumenische Kirchengeschichte I, 43; Kümmel, Einleitung 219; Hengel, Geschichtsschreibung 8; Köster, Einführung 536; Schelkle, Paulus 75; Lüdemann, EvTh 1980, 445; ders., Paulus I, 272; ders. in: Corley (ed.), Colloquy 304; Radl, ThQ 1982, 53; Egger, Gal 17; Hengel, FS Kümmel (1985) 71.

[4] Conzelmann, Apg 72; ders., Geschichte 53.

[5] Den antiochenischen Konflikt „bald nach dem Apostelkonvent" (Goppelt, Christentum 91), „wenig später" (scil. nach dem Konvent; Hengel, Geschichtsschreibung 102) oder „einige Zeit nach dem Apostelkonzil" (Eckert, in: Ernst [ed.], Schriftauslegung 299) anzusetzen, scheint einer gewissen Verlegenheit zu entspringen.

[6] Vielhauer, Geschichte 76 f.

[7] Haenchen, Apg 423; Bornkamm, Paulus 63 f.

erst recht die Zeit von ein bis eineinhalb Jahren zu kurz. Die Ansetzung der Reise vor dem Konvent (entsprechend der lukanischen Darstellung) hat aber Gal 1,21 gegen sich, wo Paulus als Aufenthaltsorte zwischen dem Besuch bei Petrus und dem Konvent nur Syrien und Kilikien nennt. Daß Paulus hier nur die ersten Stationen seines Wirkens in dieser Zeit nennt[8], ist unwahrscheinlich, da er Gal 1 f. sehr genau zu informieren sucht, um die Unangreifbarkeit der Behauptung seiner Unabhängigkeit von Jerusalem herauszustellen[9]. Die Erwähnung einer größeren räumlichen Entfernung von Jerusalem als Syrien und Kilikien wäre durchaus in seinem Interesse gelegen, also zu erwarten[10]. M. a. W.: Ist die 1. Missionsreise als historisch anzusehen und aller Wahrscheinlichkeit nach erst nach dem Konvent anzusetzen, dann kann dieser aber nicht erst im Jahr 48 stattgefunden haben, sondern bedeutend früher.

Das positive Argument für eine frühere Ansetzung des Konvents, mit dessen Hilfe man den Zeitpunkt sogar recht genau fixieren kann, ist das vaticinium ex eventu Mk 10,38 f., das den Märtyrertod der beiden Zebedäussöhne vorhersagt und „das schwerlich anders als von einem gleichzeitigen Tod der Brüder verstanden werden kann und ohne Apg 12,2 auch nie anders verstanden worden wäre"[11]; gestützt wird diese Annahme durch Papias[12] und das sog. Martyrologium Syriacum[13]. Da vor dem Tod Agrippas I im Jahr 44 n. Chr. noch die Verfolgung der Gemeinde mit Hinrichtung der Zebedaiden und Flucht des Petrus untergebracht werden muß, ist als Zeitpunkt des Konvents am besten an 43 n. Chr. zu denken[14]. (Falls der Hinweis auf das Passa Apg 12,3 richtig ist, wäre

---

[8] Weiß, Urchristentum 149; Lüdemann, Paulus I,82; die These, Gal 1,21 schließe eine frühe Mission in Griechenland aus, hält Lüdemann in: Corley (ed.) Colloquy 316 nicht für ein „substantial counterargument" – wohl zu Unrecht.

[9] Daß Paulus einen Aufenthalt jenseits der kilikischen Grenze erwähnt haben würde, könnte man aus Gal 1,17 schließen, wo er die seinen Aufenthalt in Damaskus unterbrechende Tätigkeit in der Araba sehr wohl berichtet, vgl. Borse, FS Mußner (1981) 52.

[10] Von Gal 1,21 her ist die Datierung von Jewett, Paulus 157, auf Oktober 51 (nach der sog. zweiten Missionsreise) unwahrscheinlich; auch ist nicht deutlich, warum Paulus vor dem auf Winter 51/52 datierten Zusammenstoß mit Petrus eine jahrelange Missionstätigkeit ohne Zusammenarbeit mit Barnabas durchgeführt haben soll; nicht zuletzt ist es mehr als unsicher, daß Apg 18,22 f. die Reise zum Konvent sein soll; vgl. zur Kritik auch Paulsen, ThZ 1984, 86 und Suhl, ThLZ 1984, 819.

[11] Vielhauer, Geschichte 77; Eisenman, Maccabees, 27; vorher schon Schwartz, Schriften V, 48 ff. 129 u. ö.; Preuschen, Apg 75 f. Es ist auffällig, daß Lukas, der Apg 12,2 nur den Tod des Zebedaiden Jakobus berichtet, Markus 10,39 streicht.

[12] Papias bei Philipp von Side (TU 5,2,170): Ἰωάννης ὁ Θεολόγος καὶ Ἰάκωβος ὁ ἀδελφὸς αὐτοῦ ὑπὸ Ἰουδαίων ἀνῃρέθησαν.

[13] Preuschen (ed.), Analecta I,137: Ἰωάννης καὶ Ἰάκωβος οἱ ἀπόστολοι ἐν Ἱεροσολύμοις; weiters fehlt Johannes (ebenso wie Petrus oder Jakobus) in einer Liste von Personen der frühen Kirche, die nicht das Martyrium erlitten hatten, ClAl Strom IV 71,3 (GCS ClAl II,280); auch Aphr Demonstr 21,23 (Parisot I,1,988; lat. Übers. 987) weiß vom Martyrium der beiden Zebedäussöhne (im Zusammenhang mit ihnen erwähnt er nach Jesus nur Stephanus, Simon und Paulus); vgl. Jackson, JThSt 1917, 30 ff.

[14] Eine zeitliche Ansetzung auf 43/44 n. Chr. wurde schon von Schwartz, Schriften V, 131 und Preuschen, Apg 91 vertreten, in jüngerer Zeit von Prentice, FS Johnson (1951) 144 f.; Sanders, NTS 1955/56, 137 (mit z. T. freilich untauglichen Argumenten, wie die Annahme der Priorität des westlichen Textes in der Reihenfolge der Jerusalemer Säulen

die Verfolgung der Gemeinde Passa 43 anzusetzen, der Konvent dann kurz früher[15].)

Vom Konvent aus kann die zeitliche Einordnung des 1. Jerusalembesuchs vorgenommen werden. Paulus nennt Gal 1,18 und 2,1 zwei für die relative Chronologie überaus wichtige Daten. 1,18 f. berichtet er, er sei nach seiner Berufung nicht sofort nach Jerusalem gezogen, sondern habe zunächst in der Araba und in Damaskus gewirkt. Erst drei Jahre später habe er Petrus besucht, unter Berücksichtigung der antiken Zählweise über zwei Jahre. Paulus berichtet weiter, er sei nach Syrien und Kilikien zurückgekehrt und nach über dreizehn Jahren erneut nach Jerusalem gereist (zum Apostelkonvent). Die Frage ist, ob

---

Gal 2,9, wodurch mit Jakobus der Zebedaide gemeint wäre; doch kann Gal 2,9 kein anderer Jakobus als 2,12 gemeint sein, also in beiden Fällen der Herrenbruder), weiters bei Hahn, Mission 77; Vielhauer, Geschichte 78; Klein, ZNW 1979, 251; Suhl, Paulus 69; Schneemelcher, Urchristentum 53 (als Alternative: 48 n. Chr.); Schmithals, Apg 244 (Schmithals gibt als Alternative dazu 51/52 n. Chr. an); Borse, Gal 72 ff.; Borse kommt zu diesem Datum auf unübliche Weise: der Gal 2,1 genannte Zeitraum von 14 Jahren sei von der Abfassungszeit des Gal (57 n. Chr., ebd. 74) zurückzurechnen. Der Vers sei zu verstehen: „Darauf (da)nach (liegen heute schon) vierzehn Jahre, ging ich wieder hinauf nach Jerusalem" (ebd. 74). Borse verweist zur Stützung seiner These besonders auf Apg 24,17 und 2 Kor 12,1 ff. An ersterer Stelle weise Paulus vor Felix darauf hin, daß er nach vielen Jahren (δι ἐτῶν δὲ πλειόνων) nach Jerusalem gekommen sei, um Almosen zu bringen. – Eine echte Parallele ist das allerdings nicht, da der lk. Paulus hier für den Leser deutlich rückblickend formuliert; Gal 2,1 dagegen steht in einem chronologisch fortschreitenden Bericht, den Paulus plötzlich durch Zurückrechnen weiterführen soll. Auch der Vergleich mit 2 Kor 12,2 (Hinweis auf die πρὸ ἐτῶν δεκατεσσάρων erlebte Entrückung in den dritten Himmel) ist nicht beweiskräftig. Die genannte Entrückung ist wegen verschiedener Inhalte kaum mit der Offenbarung Gal 2,2 identisch (wie Borse, ebd. 76 meint). Borses Verständnis von Gal 2,1 ist freilich viel zu unsicher, als akzeptiert werden zu können (vgl. auch Hübner, ThLZ 1986, 200). Von hier aus kann die Frühansetzung kaum begründet werden. – Ein stringenter Beweis gegen die Ansetzung des Konvents ca. Ende 43 liegt, soweit ich sehe, nirgends vor. Georgi, Kollekte 92 meint z. B., eine Nennung des Herrenbruders ohne nähere Kennzeichnung wäre für eine Zeit, zu der der Zebedaide Jakobus noch am Leben war, undenkbar. Da sich aber aus dem Argumentationszusammenhang des Gal eindeutig ergibt, daß der Herrenbruder gemeint ist, ist eine nähere Kennzeichnung unnötig. Immerhin ist auffällig, daß der Zebedaide Jakobus nicht zu den στῦλοι Gal 2,9 zählt. Hengel, Geschichtsschreibung 94 meint deshalb, die Namen der drei Säulen deuten auf einen Zeitpunkt nach dem Tod des Zebedaiden Jakobus hin; Lukas deute mit seiner Umstellung von Jakobus und Johannes in den Jüngerlisten an, daß letzterer ersteren überlebt habe. Doch ist Lukas kein Beweis, denn die Umstellung paßt gut zu seiner Unterdrückung von Mk 10,38 f. – Hengels Argument berührt sicher einen wunden Punkt in der Ansetzung des Konvents Ende 43, doch ist es kein zwingender Beweis gegen die Annahme einer Umschichtung des obersten Führungskreises vor dieser Zeit. Daß der Zebedaide Jakobus zu dieser Zeit eine beachtliche Rolle in der Leitung der Jerusalemer Gemeinde gespielt haben muß, ergibt sich mit Sicherheit daraus, daß die Verfolgung durch Agrippa I ihn zusammen mit Petrus und Johannes traf (prinzipiell ist nicht einmal die Möglichkeit abzuweisen, daß er zum Kreis der στῦλοι gehörte, dieser also mehr als drei Personen umfaßte; die Darstellung des Paulus Gal 2,9 legt das zwar nicht nahe, schließt es aber auch nicht grundsätzlich aus).

[15] Insofern ist die Kritik Jewetts (Paulus 63 f.) an der Ansetzung des Konvents 43 nicht zwingend.

2,1 auf die Berufung oder auf den 1. Jerusalembesuch zurückverweist. Daß ersteres zutrifft, weil Paulus bewußt zweideutig formuliere[16], oder daß er eher eine größere als eine kleinere Zahl von Jahren gewählt habe, um seine Unabhängigkeit von Jerusalem zu dokumentieren[17], will nicht recht einleuchten, ebensowenig, daß ein Nacheinander der Zeitangaben dem sachlichen Gefälle des Textes widerspreche[18]. So unsicher eine Entscheidung in diesem Punkt ist[19], ist doch aufgrund von ἔπειτα und πάλιν der Bezugspunkt eher die 1. Jerusalemreise[20], genauer: die Rückreise nach Syrien und Kilikien (V. 21)[21]. Ist das richtig, so käme man für die Berufung des Paulus auf das Jahr 28 – was zwar recht nahe an der auf das Jahr 27 zu datierenden Kreuzigung Jesu liegt[22], aber jedenfalls denkbar erscheint (beim Bezug von 2,1 auf die Berufung wäre für diese 30/31 anzusetzen; die Ereignisse bis zur Berufung bräuchten dann nicht so gedrängt gedacht zu werden). Für den Besuch des Paulus bei Petrus Gal 1,18 f. wäre entsprechend 30/31 (bzw. 33) anzusetzen.

Setzt man den Konvent 43 an, so haben die Ereignisse Apg 12,1 ff. mit der Flucht des Petrus und der Aufforderung, dies dem Herrenbruder Jakobus zu melden, nicht vor, sondern nach dem Konvent stattgefunden und zwar bald nachher, wahrscheinlich sogar in ursächlichem Zusammenhang mit ihm. Ebenso nach dem Konvent wäre der antiochenische Konflikt anzusetzen (dies geschieht zwar meist auch bei einer Datierung des Konvents auf 48, aber mit den oben dargestellten Schwierigkeiten[23]). Sind die Ausführungen über die Hi-

---

[16] Klein, ZNW 1979, 251.

[17] Suhl, Paulus 47.

[18] Georgi, Kollekte 13, A 2; für den Bezug auf die Berufung sprechen sich auch Ogg, Chronology 56; Lührmann, Gal 37 und Köster, Einführung 536 aus.

[19] Eckert, Verkündigung 183, A 3 läßt ihn offen.

[20] So die meisten: Lightfoot, Gal 102; Zahn, Gal 77; Weiß, Urchristentum 148, A 1; Lietzmann, Gal 9; Dibelius, Paulus 53; Schlier, Gal 65; Bornkamm, Paulus 10; Vielhauer, Geschichte 74; Becker, Gal 22; Mußner, Gal 101; Hainz, FS Mußner (1981) 31; Jewett, Paulus 157; Dunn, NTS 1982, 471; πάλιν ist textkritisch unsicher, das teilweise Fehlen in der Textüberlieferung (vg[ms] bo; Mark Ir[lat] Ambst) scheint aber doch als markionitische Emendation erklärbar.

[21] Betz, Gal 83; Lüdemann, Paulus I, 85 f.; ders. in: Corley (ed.), Colloquy 295; ἔπειτα ist 1,21 sicher auf das Vorhergehende (erster Besuch bei Kephas) zu beziehen, wahrscheinlich auch 2,1 (auf die Rückreise nach Syr./Kil.); ob die 1,18 genannten drei Jahre auf die unmittelbar vorher berichtete Rückkehr nach Damaskus zu beziehen (Lüdemann, Paulus I, 85) oder von der Berufung an zu rechnen sind, bleibt unsicher. Im ersteren Fall hätte der Aufenthalt in der Araba nur ganz kurz, der darauffolgende in Damaskus aber drei Jahre gedauert; im letzteren wäre die in der Araba verbrachte Zeit in diese drei Jahre einzubeziehen; vielleicht ist doch diese Möglichkeit vorzuziehen.

[22] Für die Datierung des Todes Jesu auf das Jahr 27 f. vgl. die Überlegungen von Hahn, Mission 76; Vielhauer, Geschichte 78; Lüdemann, Paulus I, 27 f., A 26. Dort auch weitere Literatur.

[23] Mitunter wird der antiochenische Konflikt vor dem (auf ca. 48 festgelegten) Konvent angesetzt, so u. a. Zahn, Gal 110 f. (dort A 39 die Vorgeschichte dieser Interpretation); Munck, Paulus 92 ff.; Stählin, Apg 209; Féret, Pierre 49 f. 53 ff., dagegen mit Recht Dupont, Études 185 ff., bes. 202; Dunn, JSNT 18, 1983, 41 f., A 4.
Lüdemann, Paulus I, 101 ff. (vgl. ders. in: Corley [ed.], Colloquy 297) möchte im antiochenischen Konflikt geradezu das auslösende Moment für den Konvent sehen, freilich

storizität der 1. Missionsreise richtig, so wäre diese vor dem antiochenischen Konflikt anzusetzen, da zu dieser Zeit Paulus und Barnabas noch zusammenarbeiteten. Nimmt man für die Zeit zwischen Konvent und Ende der 1. Missionsreise ca. zwei Jahre an und läßt man noch ein wenig Spielraum nach der Rückreise nach Antiochien, so wird man in etwa das Jahr 46 als Zeitpunkt des antiochenischen Konflikts ansetzen können.

Da die Briefe bzw. Brieffragmente des Paulus an die Galater, Korinther und Philipper gegen bzw. um die Mitte der fünfziger Jahre geschrieben wurden[24], sind die in ihnen vorausgesetzten gegnerischen Aktionen ebenfalls in diese und in die kurz davorliegende Zeit zu datieren. Kurz nach dieser Zeit muß auch die Reise nach Jerusalem zwecks Überbringung der Kollekte stattgefunden haben, also etwa 56.

Mithin ergibt sich für die in unserem Zusammenhang in Frage kommenden Ereignisse in etwa folgende Datierung: Besuch des Paulus bei

---

mit unzureichenden Gründen: die Forderungen der Gegner im Zusammenhang des Konvents und der Jakobusleute seien ähnlich (101 f.), doch erstere verlangen die Beschneidung der Heidenchristen, letztere die Toraobservanz der Judenchristen; das Phänomen so komplikationslos zusammenlebender gemischter Gemeinden wie Gal 2, 11 ff. ist (gegen Lüdemann 102) durchaus nicht nur vor dem Konvent vorstellbar; daß schließlich eine Infragestellung der Tischgemeinschaft nach dem Konvent nicht mehr möglich gewesen sei, da diese Frage durch eine dem Dekret vergleichbare Klausel geregelt worden sei (102), ist ebenfalls nicht anzunehmen, da ein Dekret, das nur Barnabas als Vertreter der antiochenischen Gemeinde, nicht aber Paulus und seinen (primär) heidenchristlichen Gemeinden auferlegt wurde (98 f.), nicht denkbar ist, denn z. Z. des Konvents war Paulus ebenso wie Barnabas ein Vertreter der antiochenischen Gemeinde und das angenommene Dekret hätte auch Paulus (und seine späteren Gemeinden) betreffen müssen. – Von folgender Überlegung her ist jedoch die Datierung des antiochenischen Konflikts in die Zeit vor dem Konvent ganz unwahrscheinlich: es ist nicht vorstellbar, daß sich Paulus und Barnabas nach diesem Zerwürfnis sehr rasch wieder versöhnten, gemeinsam zum Konvent reisten (wobei weder Gal 2, 1 ff. noch Apg 15, 1 ff. das Geringste auf eine vergangene Spannung hindeutet), um sich hernach aus völlig unbekannten Gründen wieder und nun endgültig zu trennen. (Dieses Argument würde auch gelten, wenn der antiochenische Konflikt nicht der Grund für die Trennung zwischen Paulus und Barnabas gewesen wäre: in Lüdemanns Aufstellung bliebe auch dann noch unklar, warum Paulus sich von Barnabas trennte, jahrelang allein missionierte, dann gemeinsam mit ihm zum Konvent reiste, um sich hernach wieder unmotiviert von ihm zu trennen. – Eine nähere Auseinandersetzung mit den chronologischen Aufstellungen Lüdemanns ist hier nicht möglich; ein wichtiger Kritikpunkt ist, daß „die behauptete Existenz paulinischer Gemeinden außerhalb Syriens und Ciliciens vor dem Konzil unbewiesen" bleibt (Rese, ThZ 1982, 106).–

Das Argument einer chronologischen Darstellung Gal 2, 1 ff. für die Nachordnung des antiochenischen Konflikts, wie es immer wieder gebracht wird (Oepke, Gal 87 f.; Schmithals, Paulus und Jakobus 51; Suhl, Paulus 70), zählt freilich nicht, da in einer narratio die Chronologie nicht eingehalten werden muß, vgl. Betz, NTS 1975, 366 f.; Lüdemann, Paulus I, 102; ob Paulus aber tatsächlich den antiochenischen Konflikt bewußt als stärkstes Argument für seine Unabhängigkeit an das Ende der narratio gestellt haben würde, ist sehr zu bezweifeln, da er diese Auseinandersetzung nicht als Sieger beendete.

[24] Bezüglich der Argumentation kann hier nur auf die Kommentare und Einleitungen verwiesen werden.

Petrus ca. 30, Konvent 43, Flucht des Petrus 44, antiochenischer Konflikt ca. 46, Agitation in paulinischen Gemeinden erste Hälfte der fünfziger Jahre und Reise nach Jerusalem ca. 56[25]. In diesem zeitlichen Rahmen soll nun die kirchenleitende und theologische Position des Herrenbruders Jakobus erörtert werden, soweit die vorliegenden Texte dafür Anhaltspunkte bieten.

3.1.2 Der Besuch des Paulus bei Kephas (Gal 1, 18 f.)

Erst gut zwei Jahre nach seiner Berufung reiste Paulus nach Jerusalem mit der Absicht ἱστορῆσαι Κηφᾶν (1, 18); ἱστορεῖν ist hap. leg. im Neuen Testament; die Wendung ist am besten zu übersetzen mit „um Kephas (persönlich) kennenzulernen"[26]. Den Hauptzweck nur in einem Höflichkeitsbesuch zu sehen[27], ist nicht möglich, da dann (abgesehen von der historischen Unglaubwürdigkeit einer solchen Zielsetzung) ja das gebräuchliche ἰδεῖν genügt hätte[28]. Den Hauptzweck andererseits darin zu sehen „to obtain from him (scil. Kephas, W. P.) information which no one else was so well qualified to give"[29], scheint zu weit zu gehen, da Paulus ja seine Verkündigung nicht primär am irdischen Jesus orientierte, auch wenn es nicht vorstellbar ist, daß darüber nicht gesprochen wurde[30]. Deutlich ist auf jeden Fall, daß Paulus nicht der Jerusalemer Gemeinde als ganzer einen Besuch abstattete (dieser mithin auch keinen offiziellen Charakter hatte), sondern nur an der Person des Kephas ein unmittelbares Interesse hatte[31]. Daß er diesen nicht als Führer

---

[25] Das Hypothetische dieser chronologischen Ansätze soll nicht geleugnet werden. Sie haben nach meinem Dafürhalten aber eine größere Wahrscheinlichkeit als andere Datierungen.

[26] Hofius, ZNW 1984, 84; dort Belege, ich nenne nur: Jos Bell VI 81; Ant I 203; Plut Thes 30,3; Mor 578 D; PsCl H I 9,1 u.ö.; Bauer, Wörterbuch 756 übersetzt: „besuchen zum Zweck des Kennenlernens"; das Moment des „Besuchens" ist in dieser Übersetzung zu sehr betont; das Motiv, Petrus kennenzulernen, steht aber auch bei Bauer im Zentrum.

[27] Mußner, Gal 95.

[28] Der Aspekt des Vertrautwerdens mit Personen oder Dingen ist charakteristisch für ἱστορεῖν (Pape, Handwörterbuch, I, 1271 gibt als Äquivalent an: durch eigene Anschauung oder Nachfrage erfahren, durch die Sinne wahrnehmen, erforschen, in Erfahrung bringen). Mit Akk. d. Pers. kommt es Her Hist 2,19,3; 3,77,2 im Sinne von „jemanden befragen" vor.

[29] Bruce, FS Kümmel (1975) 26 im Anschluß an Kilpatrick, FS Manson (1959) 148 f. („to get information from Cephas", 149); weiters: Dunn, NTS 1982, 465 (Paulus suchte „no doubt primarily background information about the ministry of Jesus while on earth as well perhaps as the very beginnings of the new movement centred on the risen Christ"); Roloff, Apostolat 86; dagegen z. R. Hofius, ZNW 1984, 73 ff.

[30] Hengel, Geschichtsschreibung 74.

[31] Das würde auch gelten, falls die Übersetzung Trudingers, NT 1975, 201 „Other than (Sperrung Trud.) the apostles I saw none except James, the Lord's brother", die Meinung des Paulus treffen sollte (dabei würde „Apostel", wie Trudinger auch durch den

des Apostelkreises aufsuchte, sondern als den „missionarisch interes-
sierten Apostel"[32], ist jedoch nicht zu beweisen, so sehr die Diskussion
missionarischer Fragen mit Sicherheit im Interesse des Paulus lag. Paulus war nur am Kontakt zu der entscheidenden Gestalt der frühesten
Kirche interessiert; der Grund dürfte von Gal 2,2 her zu bestimmen
sein: seine Verkündigung konnte nicht ohne grundsätzliche Übereinstimmung mit Jerusalem – repräsentiert in Kephas – geschehen; Paulus
hatte kein Interesse am Kontakt zu anderen führenden Repräsentanten
der Jerusalemer Gemeinde, von denen er, wie er V. 20 mit einem Eid
versichert, nur den Herrenbruder Jakobus zu Gesicht bekam (V. 19).

Über die damalige Stellung des Jakobus in der Jerusalemer Gemeinde
läßt sich nur sehr wenig sagen. Mit großer Wahrscheinlichkeit rechnete
Paulus ihn zum Kreis der Apostel[33], er gehörte also bereits um 30 zum
engeren Führungskreis. Es deutet aber nichts darauf hin, daß Jakobus zu
dieser Zeit bereits die wichtigste Persönlichkeit der Jerusalemer Gemeinde war, wie *W. Prentice* meint[34]. Da der Besuch des Paulus, wie
dieser ausdrücklich vermerkt, nur Kephas galt, ist letzterer auch als die
entscheidende Gestalt der damaligen Zeit anzusehen und die Erwähnung des Jakobus nicht dem damaligen Interesse des Paulus an seiner
Person zuzuschreiben, sondern der aktuellen Situation des Gal (Paulus
suchte auch nicht den Kontakt zu den anderen Aposteln, die sich sämtlich wohl kaum außerhalb Jerusalems aufgehalten haben werden). Bezeichnenderweise wählt Paulus für das Sehen des Jakobus nicht wie bei
Petrus ἱστορέω, sondern ὁράω, das nur eine beiläufige, sich mehr oder
minder zufällig ergebende Kontaktnahme bezeichnet. Jakobus ran-
gierte also um 30 in den Augen des Paulus deutlich hinter Petrus. Daß
er an zweiter Stelle hinter Petrus stand[35], kann auf keinen Fall erschlos-

---

Verweis auf Apg 1,14 anzudeuten scheint, auf die Zwölf verweisen; dieser Apostelbegriff
ist Paulus fremd). Die Annahme Trudingers, „that by this time also he (i. e. Paulus, W. P.)
would want to meet others who were apostles before him … to share his participation in
the Christian mission with them" (ebd.), ist jedoch von V. 18 sowie von 1 Kor 1,14;
Phil 4,15 her unwahrscheinlich. Auch hätte Paulus sich, falls Trudinger recht hätte, anders ausgedrückt; gegen Trudinger auch Howard, NT 1977, 63 f.; Bruce, Gal 101.

[32] v. Campenhausen, Kirchliches Amt 20, A 7.

[33] Nach Borse, Gal 67 meine dieser Kreis die Zwölf und die Herrenbrüder; angesichts
des sonstigen paulinischen Sprachgebrauchs (vgl. nur Röm 16,7) ist die paulinische (!)
Formulierung Gal 1,19 kaum in diesem Sinn zu beschränken.

[34] FS Johnson (1951) 144. Prentices Überlegungen hängen mit seiner Identifikation
des Herrenbruders Jakobus mit dem Alphäussohn Jakobus zusammen sowie mit seiner
Vermutung, dieser Jakobus habe die Überzeugung aufgebracht, Jesus sei der Messias
(ebd. 148 ff.; zur traditionellen kirchlichen Identifikation seit Hieronymus unten 3.4.3).

[35] Gaechter, Petrus 261; auch daß er schon so wichtig war, daß er nicht übergangen
werden konnte (Stauffer, ZRGG 1952, 202; Cullmann, Petrus 42; Carroll, BJRL 1961/62,
50), verkennt die Intention des Abschnittes; Paulus übergeht die anderen Apostel ja auch

sen werden, überhaupt scheint es mindestens für diese frühe Zeit, abgesehen von der Spitzenstellung des Petrus, keine weitere Rangordnung innerhalb der Führungsgarnitur gegeben zu haben, denn noch dreizehn Jahre später steht ein Kollegium von στῦλοι an der Spitze.

Gut denkbar ist dagegen, daß Jakobus schon z.Z. des Gal 1,18 f. genannten Besuches Pauli in Jerusalem der *Führer einer bestimmten „Gruppe"* war, wie *F. F. Bruce* [36] annimmt: „James was perhaps already the leader of one group in the Jerusalem church." Freilich darf man sich eine derartige „Gruppe" nicht als allzu geschlossene vorstellen, sondern als einen offenen Kreis von Gemeindegliedern, die in einem Nahverhältnis zum Herrenbruder standen und in ihm die entscheidende Gestalt der Jerusalemer Gemeinde sahen (im Gegensatz zu den tatsächlichen Verhältnissen). In diesem Kreis dürfte die Rivalitätsformel 1 Kor 15,7 entstanden sein. Das entscheidende Motiv für die Sammlung dieses Kreises um Jakobus dürfte die ähnliche theologische Ausrichtung gewesen sein; wie noch zu zeigen sein wird, war Jakobus stärker den väterlichen Überlieferungen verbunden als Petrus. Dieses Motiv scheint gleichzeitig das entscheidende gewesen zu sein, das Jakobus in späteren Jahren immer stärker in den Vordergrund rücken und ihn schließlich die Führungsposition in der Jerusalemer Gemeinde erlangen ließ.

Bleibt schon die Bedeutung des Jakobus innerhalb des Jerusalemer Leitungsgremiums im einzelnen unklar, so ist seine theologische Position allein von Gal 1,19 aus erst recht nicht genauer zu bestimmen. Daß er (nicht nur später, sondern bereits zu jener Zeit) „Führer der antipaulinischen Front"[37] war, ist eine glatte Eintragung in den Text. Eine antipaulinische Haltung wird für diese Zeit weder von den führenden Repräsentanten der Urgemeinde, noch überhaupt von einer Gruppe der aramäisch sprechenden, judäischen Gemeinden berichtet[38], man freute

---

nicht und erwähnt Jakobus nur wegen seines auf historische Zuverlässigkeit bedachten Berichtes.

[36] Bruce, Gal 99.

[37] Stauffer, ZRGG 1952, 202.

[38] Eine „ablehnende, reservierte Haltung Jerusalems" zu konstatieren (Rebell, Paulus 81), ist zu undifferenziert. Gleiches gilt auch, wenn von der „wenig konziliante(n) Haltung der Jerusalemer Paulus und der gesamten Heidenkirche gegenüber" die Rede ist (ebd. 68) oder die Agitation auf dem paulinischen Missionsgebiet als „Infragestellung durch die Jerusalemer" bezeichnet wird (ebd. 89). Wenn das Verhältnis des Paulus zur Urgemeinde, die Stellung einzelner Glieder bzw. Gruppen der Urgemeinde zur Tora und die Haltung des Paulus zu derselben differenzierter betrachtet werden, als es Rebell tut, kann dessen sozialpsychologischer Ansatz als sehr positiv bewertet werden (ich verweise damit nur auf einen Aspekt der Arbeit Rebells, die Beziehungen des Paulus zur Urgemeinde mit Hilfe der balancetheoretischen Analyse sozialer Beziehungen durch F. Heider zu interpretieren, vgl. bes. 36 ff.).

sich vielmehr, daß Paulus von einem Verfolger zu einem Verkündiger geworden war (Gal 1, 22 ff.)[39], auch wenn manche zurückhaltend gewesen sein werden.

Eine Näherbestimmung der theologischen Position des Jakobus ist aber von folgender Überlegung aus möglich: Der aramäisch sprechende Teil der Urgemeinde, die „Hebräer" (Apg 6, 1) wurde von den Vorgängen rund um die Lynchjustiz an Stephanus und der anschließenden Zerschlagung des hellenistischen Gemeindeteils offenbar nicht getroffen. Die Apostel blieben nach Apg 8, 1 unangetastet in Jerusalem, auch eine eventuelle Vertreibung und spätere Rückkehr einzelner aramäisch sprechender Judenchristen ist nicht erwähnt. Die pneumatisch-eschatologisch motivierte Tora- und Tempelkritik der „Hellenisten" (Apg 6, 8 ff.)[40] wurde von den „Hebräern" nicht geteilt, jedenfalls nicht in dieser Form. Auch wenn für das Überleben innerhalb des seit dem 2. Jh. v. Chr. besonders auf Tora und Tempel fixierten palästinensischen Judentums eine toraobservante Haltung notwendig war[41], muß die torakritische Haltung Jesu auch auf die „Hebräer" nachgewirkt haben. Eine theologisch völlig einheitlich ausgerichtete aramäisch sprechende Urgemeinde ist freilich selbst für die Zeit um 30 nicht denkbar (vgl. nur die später deutlich werdende, unterschiedliche Einstellung des Jakobus und Petrus in der Frage der Toraobservanz der Judenchristen), auch wenn es noch keine ausgeprägte Opposition gegen eine gesetzesfreie[42] Heidenmission wie z. Z. des Konvents gegeben haben wird; ei-

---

[39] Daß Paulus Jerusalem so rasch wieder verließ, liegt nach Gal 1, 23 nicht an einer ihn ablehnenden Haltung, wahrscheinlich auch nicht an der Erreichung des mit dem Besuch gesetzten Zieles, sondern eher an möglichen Gefahren, denen er durch die Parteigänger aus seiner vorchristlichen Zeit ausgesetzt war.

[40] Zur Position der Hellenisten und den näheren Umständen ihrer Vertreibung aus Jerusalem und ihrer Missionstätigkeit außerhalb Palästinas vgl. Hengel, ZThK 1975, 151 ff., bes. 186 ff.; ders., Geschichtsschreibung 63 ff.

[41] Grund für die sadduzäische Verfolgung der Apostel Apg 4 f. ist nicht Tora- und Tempelkritik, sondern die Verkündigung Jesu als des gekreuzigten Messias.

[42] Die Rede von „Gesetzesfreiheit" und „Toraobservanz" bedarf der Interpretation, um nicht mißverstanden zu werden: nach gemeinurchristlicher Auffassung (vgl. nur 1 Kor 15, 3 b–5) wird dem Glaubenden durch Tod und Auferstehung Jesu eschatologisches Heil zuteil. Dadurch entsteht aber eine Spannung zur traditionellen jüdischen Auffassung von der in der Tora Israel (und durch Israel der Welt) gegebenen Heilsmöglichkeit. Paulus scheint diese Spannung als erster erkannt zu haben; er löste sie Röm 7, 7 ff. (im Gal formuliert er plakativer), indem er an der göttlichen Herkunft der Tora zwar festhielt, aber ihre de-facto-Heilsmöglichkeit aufgrund der Korrumpierung durch die Sarx bestritt. Heil kann nicht durch Erfüllung der Tora erreicht werden. Damit entzieht Paulus jeder *Leistungsfrömmigkeit* die Legitimation. In der Folge muß nicht nur der sittliche Anspruch der Tora neu begründet werden (vgl. Ind.-Imp.), sondern (und das ist im vorliegenden Zusammenhang von größter Bedeutung) es entsteht auch eine *Indifferenz gegenüber den Ritualvorschriften* der Tora, die brennpunktartig in der Ablehnung der Beschneidung zum Ausdruck kommt. *Meint „gesetzesfrei" also eine Haltung, die das Heil nicht*

nerseits lag der Beginn der systematisch über das Judentum hinausgreifenden Mission nach der Vertreibung der Hellenisten noch zu nahe,
andererseits deutet Gal 1,23 nicht auf eine solche Opposition hin. Ist
eine ausgesprochen torarigoristische Haltung der armäisch sprechenden Urgemeinde in den Anfängen unwahrscheinlich (möglicherweise
gilt dies auch für ihre toraobservantesten Gruppen), so mindestens in
ebenso großem Maße für Jakobus, der sich nach seiner Christophanie
mit (vorher abgelehnten) Motiven Jesu sehr wohl wenigstens partiell
identifiziert haben mußte.

3.1.3 Der Apostelkonvent (Gal 2, 1ff.; Apg 15, 1ff.)

3.1.3.1 Analyse

Für einen gut dreizehn Jahre dauernden Zeitabschnitt ist über den Herrenbruder Jakobus nichts bekannt. Erst im Zusammenhang des Apostelkonvents
Ende 43 wird er wieder erwähnt. Die Quellen dafür liegen Gal 2,1 ff. und
Apg 15,1 ff. vor; daß diese Texte vom selben Ereignis berichten, ist (trotz aller
Unterschiede) aufgrund der großen Übereinstimmungen betreffend Anlaß, Diskussionsgegenstand, Teilnehmer und (im Grunde auch) Ergebnis anzunehmen[43]. Dabei ist dem Paulustext nicht nur als der Primärquelle gegenüber dem
Acta-Bericht der Vorzug zu geben, sondern auch deshalb, weil Paulus sich im
Gal seinen Gegnern gegenüber keine Unkorrektheiten in der Berichterstattung

---

an die Tora bindet (dabei konnten dann die Ritualia zu einem Adiaphoron werden), *so
„toraobservant" eine Position, die dies weiterhin tut, trotz des Bekenntnisses zu dem in Christus bewirkten eschatologischen Heil* (dabei mußten natürlich auch die Ritualia festgehalten
werden). Die toratreuen Judenchristen dürften diese Spannung nicht erkannt oder jedenfalls nicht für bedeutend gehalten haben. Für sie hat die Tora weiterhin eine *effektive*
Heilsbedeutung. Die Folge ist, daß sie auch die Einhaltung der rituellen Toravorschriften
verlangen, z.T. nur von den Judenchristen (z.B. Jakobus), z.T. auch von den Heidenchristen (Judaisten).

[43] So die meisten Exegeten, ich nenne nur Dibelius, Paulus 118; Schoeps, Paulus 57,
A 1; Reicke, FS de Zwaan (1953) 173 f.; Cullmann, Petrus 55; Haenchen, Apg 446 f.; Georgi, Kollekte 13, A 5; Parker, JBL 1967, 182; Bornkamm, Paulus 52; Eckert, Verkündigung 183, A 3; Borse, Gal 93 ff. (nach Borse biete Lukas Apg 11,27 ff. und 15,1 ff. „zwei
Darstellungen desselben Jerusalembesuchs, von dem Paulus zu den Galatern spricht" ebd.
97). Anders z.B. Geyser, FS de Zwaan (1953) 129 ff.; Bultmann, Exegetica 417; Talbert,
NT 1967, 35; Bruce, Paul 159. 184; ders., Gal 108 f. 128; Marshall, Acts 245. 247: Die
Reisen Gal 2,1 ff. und Apg 11,27 ff. seien identisch, Apg 15,1 ff. beschreibe ein späteres
Ereignis. – Die Überbringung einer Kollekte steht zwar nicht ausdrücklich im Widerspruch zu Gal 2,1 ff. (Bultmann, 417, A7; Geyser, 129 f.); eine Kombination der Reisen
Apg 11 f. und Gal 2,1 ff. legt sich aber doch von der Darstellung des Paulus her nicht
nahe. Daß die Gal 2,2 erwähnte ἀποκάλυψις mit der Prophetie des Agabus (Apg 11,28)
identisch ist (Geyser, ebd.), will nicht recht einleuchten, ebenso daß κατ᾽ ἰδίαν auf Einzelbesuche bei Jakobus, Kephas und Johannes hinweise, die wegen der Verfolgungssituation
notwendig gewesen seien (Geyser, ebd. 130 f.), da die Verfolgung ja erst später anzusetzen ist.

hätte erlauben können. Dennoch wird man, wie *Hengel* richtig betont[44], den historischen Wert des Acta-Textes höher ansetzen müssen, als dies oft geschieht[45], und Apg 15 auf der Grundlage des von Paulus her Bekannten auf seinen historischen Kern hin untersuchen. Entsprechend soll im folgenden zunächst allgemein der Konvent hinsichtlich seines Anlasses, Verlaufs und Ergebnisses untersucht werden und auf diesem Hintergrund dann im besonderen die Position des Herrenbruders Jakobus in kirchenrechtlicher und theologischer Hinsicht herausgearbeitet werden.

Der *Anlaß* der Reise zum Konvent war eine ἀποκάλυψις. Daß deren Inhalt kein privates Anliegen des Paulus betraf, sondern mit der gesetzesfreien Heidenmission der antiochenischen Gemeinde zusammenhing, ergibt sich schon aus der Zusammenstellung der nach Jerusalem reisenden Delegation: neben den gleichberechtigten Partnern Paulus und Barnabas zieht auch der unbeschnittene heidenchristliche Mitarbeiter Titus mit (2,1). Bereits von hier aus legt sich als Anlaß die gesetzesfreie Heidenmission nahe, nicht jedoch eine eventuelle antiochenische gesetzesfreie Judenmission mit entsprechenden negativen Auswirkungen auf die Existenz der Jerusalemer Gemeinde innerhalb des palästinensischen Judentums[46]. Daß die gesetzesfreie Heidenmission der Antiochener durch judaistische Agitationen in Gefahr war, legt Gal 2,1 ff. an mehreren Stellen nahe: der Hinweis auf die Falschbrüder, die sich eingeschlichen hatten, um die Freiheit der Heidenchristen auszuspionieren und sie unter das Gesetz zu zwingen (V.4), versteht sich (von der dabei vorausgesetzten Aktivität der Falschbrüder her) am besten, wenn als Ort ihrer Agitation Antiochien bzw. das antiochenische Missionsgebiet angenommen wird[47]; die Darlegung des (u.a.)

---

[44] Hengel, Geschichtsschreibung 38f.; vgl. Hahn, Mission 66; Kasting, Mission 116, A164.

[45] Keinen bzw. einen sehr geringen eigenen Quellenwert konzedieren der Apg Dibelius, Aufsätze 86f.; Haenchen, Apg 447; Bornkamm, Paulus 53; Schmithals, Paulus und Jakobus 91; Conzelmann, Apg 83. Die lukanische Darstellung des Konventsablaufs, insbesondere der dem Petrus und Jakobus in den Mund gelegten Reden hat Dibelius, ebd. 84ff. jedoch deutlich herausgearbeitet. Den Quellenwert des Acta-Berichtes andererseits so hoch anzusetzen, „daß Apg 15,1–29 die offizielle Seite des Apostelkonzils darstellt, während Gal 2,1–10 Dinge berührt, die ebenfalls bei Gelegenheit des Konzils geschehen sind, aber den hl. Paulus persönlich betrafen" (Gaechter, Petrus 219), ist freilich auch nicht möglich.

[46] So Schmithals, Paulus und Jakobus 29ff., bes. 34f., der die Initiative zur Reise also nicht auf Seiten der Antiochener, sondern auf der der Jerusalemer sieht. Schmithals argumentiert dabei von 2,2a (Offenbarung) und 2,9 (Einigung über die Missionsaufteilung) her, allerdings nicht überzeugend. Wieso z.B. 2,2a unverständlich sein soll, wenn im Interesse der Arbeit des Paulus eine dringende Aussprache nötig war, ist nicht einzusehen. Und auch 2,9 deutet keineswegs auf ein primäres Interesse der Antiochener an einem Abkommen. Zudem hätte 2,9, falls hier wirklich der Verzicht auf gesetzesfreie Judenmission ausgedrückt wäre, keine Antwort auf die judaistischen Initiativen gegeben.

[47] Borse, FS Mußner (1981) 50 denkt an ein Einschleichen in die (nicht öffentliche) Unterredung mit den Säulen. Doch sollte V.4 und 5 nicht in einen unmittelbaren Geschehenszusammenhang gebracht werden, da V.4 ein Anakoluth ist. Damit ist die Existenz von Falschbrüdern auf dem Konvent nicht bestritten, sie ist vielmehr im Zusammenhang der Ereignisse sehr wahrscheinlich, wenn auch von Paulus nicht direkt erwähnt.

von Paulus verkündigten Evangeliums in Jerusalem unter dem Aspekt, ob er etwa vergeblich gearbeitet hätte (V. 2), deutet ebenfalls auf antiochenische Initiative. Daß dabei die Beschneidungsforderung eine große Rolle spielte, sagt Paulus nicht direkt, deutet es aber durch die Mitnahme des Titus gleichsam als eines Testfalles[48] an. – Apg 15, 1 f. bestätigt diese (zunächst allein von Paulus her gewonnene) Bestimmung des Anlasses des Konvents direkt: Judaisten fordern die Beschneidung und als es deshalb zu Streitigkeiten kommt, werden Paulus und Barnabas als offizielle Vertreter der antiochenischen Gemeinde zwecks Klärung der Streitfrage nach Jerusalem gesandt[49].

Damit ist auch der *Diskussionsgegenstand* der Beratungen in Jerusalem bestimmt: die gesetzesfreie Heidenmission der Antiochener, wobei der Beschneidung gleichsam exemplarische Bedeutung zukam. Diskussionspartner waren die einander schon in Antiochien gegenüberstehenden Parteien Paulus und Barnabas einerseits, die Befürworter der (wie immer näher verstandenen) Gesetzesobservanz der Heidenchristen andererseits, schließlich die Leitung der Jerusalemer Gemeinde, bestehend aus den drei Säulen Jakobus, Petrus und Johannes[50].

Das *Ergebnis* bestand nach der Darstellung des Paulus in einem Sieg seiner Position; der Standpunkt der Judaisten wurde verworfen. Die Säulen erkannten und anerkannten die durch göttliche Beauftragung und durch sichtbaren Erfolg ausgewiesene Missionsarbeit der Antiochener[51] und gaben Paulus und Barna-

---

[48] Mußner, Gal 106; Schmithals' Meinung (Paulus und Jakobus 91), es sei unhistorisch, die Beschneidungsforderung als Anlaß des Treffens in Jerusalem zu bezeichnen, ist nicht haltbar, auch wenn diese Forderung nur Teil eines umfassenderen Zusammenhangs war.

[49] In der Art, wie die Antiochener eine Lösung der Streitfrage suchten, ist deutlich ihr Selbstbewußtsein zu erkennen: die Gemeinde war möglicherweise schon größer als die Jerusalemer, sie war zu einem zweiten Zentrum des Christentums geworden, das eine große Ausstrahlungskraft gewonnen hatte, vgl. Roloff, Apg 223 f.

[50] Johannes wird zwar Apg 15 nicht erwähnt, aber als lebend vorausgesetzt, da Apg 12, 2 nur den Tod des Zebedaiden Jakobus berichtet. Die Nichterwähnung dürfte kompositorische Gründe haben: Die programmatischen, die Gesetzesfreiheit der Heidenmission durchsetzenden Reden werden von den beiden führenden Repräsentanten der Jerusalemer Gemeinde gehalten, Petrus und dem Herrenbruder Jakobus, von denen aus der Rückschau der Zeit der Apg der eine in der frühen Zeit der Urgemeinde dominierte, der andere in der späten.

[51] Mitunter vermutet man, daß Paulus Gal 2, 7 f. das offizielle Dokument des Konvents zitiert bzw. wenigstens Teile daraus: Cullmann, Petrus 19; ders., ThWNT VI, 100, A 6; Dinkler, Signum Crucis 279 ff.; Klein, Rekonstruktion und Interpretation 106 ff. (106, A 37 Literaturangaben über frühere Versuche, die auffällige Namensform Πέτρος zu erklären); Bruce, FS Kümmel (1975) 27; ders., Paul 153; ders., Gal 121; Betz, Gal 97; Schille, Apg 327; die unpaulinischen Wendungen εὐαγγέλιον τῆς ἀκροβυστίας und εὐαγγέλιον τῆς περιτομῆς sowie insbesondere das höchst auffällige Πέτρος (Paulus sagt sonst stets Κηφᾶς!) deuten tatsächlich auf (nichtpaulinische) Tradition hin und sind als genuin paulinische Bildungen kaum erklärbar. Lüdemann, Paulus I, 90 weist auch richtig darauf hin, daß die Aufteilung des Evangeliums in zwei Arten nicht sonstigem paulinischem Sprachgebrauch entspricht; die Lösung, die Lüdemann vorschlägt, V. 7 f. sei paulinische Personaltradition aus der Zeit vor dem Konvent (91 ff.), überzeugt allerdings nicht, weil sich daraus die unpaulinische Terminologie immer noch nicht erklärt; das gleiche Argu-

bas zum Zeichen dafür δεξιὰς κοινωνίας (V.9); es kam zu einer Aufteilung der Missionsbereiche; während die Antiochener sich der Heidenmission widmen sollten, war die Aufgabe der Jerusalemer die Judenmission[52] – d.h. implizit, nur die Heidenmission sollte eine gesetzesfreie sein; die Judenmission dagegen sollte nach dem Kriterium gestaltet bleiben, das auch für das Leben der Jerusalemer Gemeinde bisher gegolten hatte, der Tora. Das für Paulus entscheidende Ergebnis der Verhandlungen war, daß die Jerusalemer Seite für die Heidenmission keine gesetzlichen Auflagen machte: V.6: οὐδὲν προσανέθεντο. Die einzige (V.9: μόνον) „Auflage", die aber keine gesetzliche war, besagte, daß die

---

ment spricht auch gegen die beliebte Auskunft, V.7f. sei eine Neudeutung, eine interpretatio paulina der Konventsbeschlüsse (Haenchen, Gott und Mensch 62; ders., Apg 449; Bammel, ThWNT VI,909, A224; Mußner, Gal 118, A93; vgl. auch Becker, Gal 24; Lührmann, Gal 38). Auch die Lösung, Paulus zitiere möglicherweise Begriffe aus einer mündlich getroffenen Vereinbarung (Betz, Gal 98), überzeugt nicht recht; Paulus würde bei mündlicher Tradition doch eher freier, seinem sonstigen Sprachgebrauch entsprechender, formulieren. Kann man immerhin eine nichtpaulinische Vorlage mit einiger Sicherheit annehmen und (in Ermangelung eines anderen, besser denkbaren Sitzes im Leben) diese wahrscheinlich doch auf den Konvent zurückführen, so kann Paulus aber bestenfalls Fragmente eines solchen Protokolls zitiert haben: Die Gegenüberstellung seiner Person mit der des Petrus ist in dieser Form von V.9 aus nicht als ursprünglich anzunehmen (es sei denn, Paulus war der Wortführer auf antiochenischer Seite und wurde zusammen mit dem Jerusalemer Hauptverantwortlichen Petrus genannt – aber wie soll das bewiesen werden?). Der Ich-Stil ist freilich auf jeden Fall in einem Dokument unmöglich. Der Hinweis Hengels, Geschichtsschreibung 100, Gal 2,7f. gehe nicht auf ein Protokoll zurück, da es auf dem Konvent primär nicht um die Aufteilung der Mission, sondern um eine Anfrage aus Antiochien ging, übersieht, daß die „Anfrage" aus Antiochien nur die Voraussetzung für den Konvent war, nach V.9 jedoch über die Frage der Rechtmäßigkeit der gesetzesfreien Heidenmission hinausgehend sehr wohl eine Aufteilung der Missionsbereiche beschlossen wurde.

[52] Umstritten ist, wie diese Aufteilung näher verstanden werden kann. Gegen eine geographische Lösung (so Patrick, James 142; Oepke, Gal 85; Suhl, Paulus 67f.; Lührmann, FS Bornkamm [1980] 276, A24; ders., Gal 39; mit Vorsicht Burton, Gal 97f.) spricht u.a. die dabei vorauszusetzende ungeklärte Stellung der Diasporajuden (Haenchen, Apg 450; Zeller, Juden 270f.), weiters der Umstand, daß Gal 2,11ff. weder die Mission des Petrus in Antiochien noch das Auftauchen der Jakobusleute einer Kritik unterzogen wird. Aber auch eine rein ethnische Lösung (Schmithals, Paulus und Jakobus 36; ders., Apg 111; Lüdemann, Paulus I,96; ders., EvTh 1980, 443; Betz, Gal 100) ist nicht anzunehmen, da dann aller Wahrscheinlichkeit nach die Jerusalemer Seite (1 Kor 9,5 deutet ganz auf Heidenmission; vgl. auch Apg 10 und die sich darin spiegelnde Offenheit des Petrus für die Heidenmission) und sicher Paulus die Konventsbeschlüsse übertreten hätte (1 Kor 9,20; Röm 11,14; 15,19 und überhaupt die Stellung des Paulus zu den Juden, vgl. Hengel, Geschichtsschreibung 76; Wilson, Gentiles 186). Wie man z.Z. des Konvents u.a. von Jerusalemer Seite diese Aufteilung interpretierte, läßt sich kaum befriedigend sagen. Da dieses Thema nicht das zentrale des Konvents war, sondern nur ein aus dem eigentlichen Thema, der gesetzesfreien Heidenmission, folgendes, ist es denkbar, daß es nicht präzise beantwortet wurde, sondern daß man nur Schwerpunkte (Hahn, Mission 70; Georgi, Kollekte 22), Richtungen (Schlier, Gal 79) oder die prinzipielle Zuständigkeit (Hainz, Ekklesia 119, A2) aufzeigen und sich nicht gegenseitig behindern wollte (Bornkamm, Paulus 60; dieses Motiv würde gut zu der Zurückweisung der judaistischen Position, sowohl durch die Antiochener wie durch die Jerusalemer Säulen, passen).

Heidenchristen „die Armen" in Jerusalem finanziell unterstützen sollten. – Anders als Paulus berichtet die Apostelgeschichte von einer echten Auflage, die den Heidenchristen zwar nicht schlechthin Toraobservanz abverlangte, wohl aber die Beachtung einiger ritueller Bestimmungen: Verzicht auf Götzenopferfleisch, Unzucht, Ersticktes und Blut (15,20; in anderer Reihenfolge 15,29; als Mitteilung an Paulus bei dessen letztem Jerusalembesuch 21,25). Nach dem Zeugnis des Paulus können diese sog. Jakobusklauseln allerdings nicht auf dem Konvent beschlossen worden sein; die Frage ist, wann, unter welchen Umständen und vor allem, von wem (dazu unten 3.1.3.3.2).

3.1.3.2 Die kirchenrechtliche Stellung des Jakobus z. Z. des Konvents

Für die kirchenrechtliche Stellung des Jakobus in der Jerusalemer Gemeinde z. Z. des Konvents sind zwei Sachbereiche von Bedeutung, seine Einstellung zur Kollekte und seine Position innerhalb des Führungsgremiums der στῦλοι.

3.1.3.2.1 Die Kollekte

Auf dem Konvent wurde als einzige Verpflichtung der Antiochener vereinbart, die πτωχοί in Jerusalem finanziell zu unterstützen; dadurch strichen die Beteiligten die Einheit der Kirche trotz verschiedener Ausprägung und Aufgabenstellung heraus. Daß die Initiative dazu von den Jerusalemern ausging, wird aus der Formulierung μνημονεύωμεν (Gal 2,10a) und aus dem Hinweis des Paulus, er habe sich geflissentlich bemüht, dem zu entsprechen (10b), deutlich. Umstritten ist aber, was diese Initiative näherhin bedeutete, m. a. W. wie die Säulen die Kollekte verstanden und was sich daraus für ihr kirchenrechtliches Selbstverständnis erheben läßt.

Umstritten ist schon die Frage, wie Paulus selbst die Kollekte verstand: teils wird dabei die soziale Seite im Sinne einer Unterstützung der sozial Armen in Jerusalem herausgestrichen[53], teils wird die Kollekte stärker als eine an die Jerusalemer Gesamtgemeinde gerichtete Gabe verstanden, die dieser aufgrund ihrer heilsgeschichtlichen Priorität zustand[54]. Hier scheint eine Alternative aufgestellt zu sein, die in Wirklichkeit keine war, da (sowohl für das Verständnis des Paulus wie das der Jerusalemer) beide Aspekte einander notwendig ergänzten: Paulus streicht den sozialen Charakter der Kollekte deutlich heraus: Röm 15,26 charakterisiert er die Adressaten nicht wie sonst allgemein

---

[53] Z.B. Zahn, Gal 105; Burton, Gal 99; Munck, Paulus 282; Oepke, Gal 85; Conzelmann, Geschichte 72; Mußner, Gal 126, A 129; Betz, Gal 103; Lüdemann, Paulus I, 108, A 116 u. a.
[54] Lietzmann, Gal 13; Schlier, Gal 80; Georgi, Kollekte 29; Hahn, Mission 69; Hengel, Geschichtsschreibung 99; Lührmann, Gal 39 f.

als οἱ ἅγιοι (1 Kor 16,1; 2 Kor 8,4; 9,1.12; Röm 15,25. 31), sondern als πτωχοὶ τῶν ἁγίων; 2 Kor 9,12 spricht er von den ὑστερήματα τῶν ἁγίων, 2 Kor 8,14 von ἐκείνων ὑστέρημα, dem ausdrücklich τὸ ὑμῶν περίσσευμα entgegengesetzt wird. Der soziale Charakter der Kollekte ergibt sich auch daraus, daß die Säulen sie den Antiochenern nur so verständlich machen konnten (wie Paulus seinen Gemeinden) – die antiochenische Delegation war ja nicht bloß subalterne Befehlsempfängerin, sondern (mindestens aus eigener Sicht) gleichberechtigte Verhandlungspartnerin (Gal 2,9).

Ebenso wichtig wie der soziale Zweck der Kollekte ist nun aber, daß die Empfängerin die Jerusalemer Gemeinde und nur sie war[55]. Röm 15,26 ff.[56]: die Heidenchristen sind ὀφειλέται der Jerusalemer (V. 27 a); weil sie τοῖς πνευματικοῖς αὐτῶν Anteil bekommen haben, schulden sie ihnen ἐν τοῖς σαρκικοῖς eine Gegengabe (V. 27 b; V. 28: καρπός). Paulus argumentiert hier heilsgeschichtlich. Eine Umkehrung des Verhältnisses ist nicht möglich. Weil das Evangelium von Jerusalem aus zu den Heidenchristen gekommen ist (und nicht umgekehrt), darf die Jerusalemer Gemeinde auch eine Entschädigung dafür erwarten[57].

Daß die Jerusalemer die Kollekte über die karitative und heilsgeschichtliche Motivation hinaus als eine prinzipielle *Forderung rechtlichen Charakters*, als eine ihnen zustehende „christliche Ersatzform der jüdischen Tempelsteuer"[58] verstanden, ist *unwahrscheinlich*. Die Durchführung der Kollekte entspricht nicht der Einbringung der Tempelsteuer: sie ist keine regelmäßige Abgabe, sondern nur eine einmalige Gabe[59] und bezog sich außerdem nicht auf Christen in Palästina, sondern nur auf den Wirkungsbereich der antiochenischen Mission[60]. Auch die

---

[55] Dieser Umstand tritt überdeutlich heraus, wenn man sich fragt, warum nicht die Jerusalemer Gemeinde die expandierende heidenchristliche Missionsarbeit unterstützte – der Gedanke lag wohl nicht nur den Jerusalemern, sondern auch den Antiochenern fern.

[56] Auch 2 Kor 8,14 und 9,12 ff. argumentiert Paulus mit der geistlichen „Leistung" der Jerusalemer als Begründung der Kollekte.

[57] Ein strukturell ähnliches Verhältnis liegt vor, wenn die Verkünder des Evangeliums als Gegenleistung von der Gemeinde materiellen Unterhalt verlangen können.

[58] Stauffer, ZRGG 1952, 204; ders., in: Roesle – Cullmann (edd.), Begegnung 369 f. („Kirchensteuer an die Zentralgemeinde in Jerusalem", 370); vgl. schon vorher Holl, Aufsätze II,60 f.; Saß, Apostelamt 123; weiters Schweizer, ThWNT VI,412, der sogar meint, Paulus selbst habe die Kollekte so verstanden. Daß die Jerusalemer im Unterschied zu Paulus die Kollekte als Steuer im Sinne einer rechtlichen Auflage verstanden, halten Schlier, Gal 80, A 5; Wilckens, ThWNT VII,735; Hainz, Ekklesia 119, A 3 und Hengel, Geschichtsschreibung 99 für möglich.

[59] Wäre die Kollekte von den Jerusalemern als eine regelmäßige Abgabe verstanden worden, so hätte Paulus Gal 2,10 (also gut zehn Jahre nach dem Konvent, zu einer Zeit, als die Sammlung noch unabgeschlossen war) nicht behaupten können, er habe sich beeilt, diesem Anliegen der Jerusalemer zu entsprechen.

[60] Conzelmann, Geschichte 72; Mußner, Gal 126, A 129; Betz, Gal 103; Georgi, Kol-

Rede von einer „Auflage"[61] ist nur insofern korrekt, als sie zum Ausdruck bringt, daß die Initiative zur Kollekte von den Jerusalemern ausging; sie ist irreführend, wenn damit eine rechtliche Unterordnung der Antiochener gemeint ist: Gal 2,10 steht nicht προσανατίθημι, sondern μνημονεύειν; Paulus hätte eine rechtliche Auflage Höhergestellter nicht verschleiern können; eine rechtliche Auflage widerspricht weiters nicht nur der freiwilligen Beteiligung der mazedonischen Gemeinden am Kollektenwerk (2 Kor 8,3 f.) und der selbständigen Festsetzung der Höhe des Beitrages durch das einzelne Gemeindeglied (2 Kor 9,7); sie widerspricht vor allem auch Gal 2,7–9, wonach die Jerusalemer den Antiochenern eine ebenso große Verantwortung für die heidenchristliche Mission zubilligten, wie sie sie für die judenchristliche beanspruchten, d.h. sie de facto als auf gleicher Stufe stehend akzeptierten. Von einer Unterordnung der Antiochener läßt Gal 2,7 ff. nichts merken[62] (auch wenn man in Rechnung stellt, daß Paulus hier als Partei formuliert)[63]. Von der Kollekte aus kann also auch kein Aufsichtsrecht der Jerusalemer Kirchenleitung, speziell des Jakobus über die „ganze Kirche" postuliert werden[64]. Haben aber die Jerusalemer insgesamt kein derartiges Verständnis der Stellung ihrer Gemeinde gehabt, so ist es auch für Jakobus nicht anzunehmen (Jakobus tritt auf dem Konvent nach dem Bericht des Paulus mit keiner von den übrigen Säulen abweichenden Meinung hervor).

lekte 29 bringt ein (allerdings wichtiges) argumentum e silentio: Hätten die von Lukas verwendeten antiochenischen Traditionen „irgend etwas über eine Steuer der antiochenischen Gemeinde für Jerusalem berichtet, so hätte sich Lukas diese Nachricht sicher nicht entgehen lassen".

[61] Holl, Aufsätze II,61; Käsemann, in: Rengstorf (ed.), Paulusbild 490.

[62] Richtig Radl, ThQ 1982, 55: „Jerusalem wird nicht konsultiert, nein, es muß überzeugt werden."

[63] Das „Rollenverständnis des Paulus" und das „Verständnis seiner Position durch die Jerusalemer" ist mit Hübner, TRE XII,9 zu unterscheiden. Die Jerusalemer dürften nicht von vornherein an eine förmliche Gleichberechtigung der Antiochener gedacht haben – was letzteren wohl auch klar war: die Reise nach Jerusalem zeigt das ebenso wie die Kollekte. Die Aufteilung der Missionsgebiete implizierte aber de facto eine Gleichstellung, da Paulus und Barnabas auf ihrem Arbeitsgebiet gleich verantwortlich waren wie die Jerusalemer auf dem ihren. Paulus sah diese Konsequenzen (da in seinem Interesse liegend) vermutlich viel deutlicher als seine Gesprächspartner.

[64] Für ein Aufsichtsrecht der Jerusalemer: Weiß, Urchristentum 199 f.; Holl, Aufsätze II,62; Stauffer, ZRGG 1952, 203, A 11. Stauffer meint 202 (im Anschluß an Weiß), bereits mit der Entsendung einer Delegation nach Jerusalem erkenne „Antiochien grundsätzlich die höchstinstanzliche Zuständigkeit Jerusalems in der ecclesia universalis an" – doch lag die Wahl Jerusalems nahe, weil die judaistischen Agitatoren offensichtlich von dort gekommen sind.

3.1.3.2.2 Jakobus als Mitglied des Säulenkollegiums

Die kirchenrechtliche Stellung des Jakobus z. Z. des Konvents kommt insbesondere darin zum Ausdruck, daß er zusammen mit Kephas und Johannes als „Säule" bezeichnet wird. Im vorliegenden Zusammenhang interessieren dabei insbesondere die Fragen nach dem darin gegebenen Selbstverständnis, nach der Haltung des Paulus diesem Dreierkollegium gegenüber und nach der Position des Jakobus innerhalb desselben.

Der Titel „στῦλοι" charakterisiert die führenden Gestalten der Jerusalemer Gemeinde nicht bloß allgemein-metaphorisch, dem klassischen Gebrauch entsprechend als Stützen der Gemeinschaft, der sie angehören (Eur IphTaur 57; Aisch Agam 897 f.). Vielmehr ist der ekklesiologische Bezug der Verwendung von στῦλος im Neuen Testament charakteristisch. Neben Gal 2,9 und Offb 3,12 gilt dies ebenso für 1 Tim 3,15, wo die Gemeinde als ganze eine Säule der Wahrheit genannt wird [65]. Die Bezeichnung von Jakobus, Petrus und Johannes als στῦλοι setzt also die Vorstellung der Kirche als eines eschatologischen Bauwerks voraus (die Kirche als Tempel Gottes 1 Kor 3,10 ff. 16 f.; Eph 2,21; Offb 3,12), das auf den drei genannten als den tragenden Säulen ruht[66] – eine Vorstellung, die natürlich deren Selbstverständnis zum Ausdruck bringt. Unter „Kirche" kann dabei sinnvollerweise nur die Gesamtkirche verstanden werden, nicht nur die Jerusalemer Gemeinde oder die Judenchristen – ähnlich wie auch der aus demselben Vorstellungskreis stammende Titel „Kephas"[67] Simon eine *für die Gesamtkirche grundlegende Bedeutung* zuschreibt[68].

Diese gesamtkirchliche Bedeutung der στῦλοι anerkennt Paulus ebenso wie Barnabas; die Reise nach Jerusalem zum Konvent beweist das bereits, und dennoch ist sein Verhältnis zu ihnen aufgrund seines eigenen Selbstverständnisses nicht problemlos: er muß, um den Fortbestand seiner Arbeit zu sichern, mit ihnen ein Übereinkommen treffen und beruft sich in der Auseinandersetzung mit den galatischen Gegnern

---

[65] Offb 10,1 (Engelsfüße als Feuersäulen) gehört nicht in diesen Zusammenhang; statt στῦλος (Offb 3,12: die Märtyrer) wird als Äquivalent θεμέλιον verwendet (1 Kor 3,10 f.: Christus; Eph 2,21: die Apostel und Propheten); an allen genannten Stellen ist die christliche Gemeinde als der ναὸς θεοῦ im Blick.

[66] Vgl. Wilckens, ThWNT VII,734 f.; vgl. im einzelnen Barrett, FS de Zwaan (1953) 4 ff.; ein absoluter Gegensatz zum klassischen metaphorischen Gebrauch ist dabei freilich nicht gegeben (gegen Barrett).

[67] Explizit formuliert und um das Theologumenon der Schlüsselgewalt erweitert Mt 16,18 f.

[68] Diese Bedeutung ist allerdings keine im strengen Sinn „kirchenbegründende". In den alten Bekenntnisformeln taucht das Gremium der στῦλοι bezeichnenderweise nicht auf (wohl aber alle drei Mitglieder). Es gehört also nicht in die früheste Zeit der Kirche.

auf sie; er sucht aber gleichzeitig, eine ihm unangemessen erscheinende Betonung ihrer Stellung zu korrigieren. Nicht nur betrachtet er sich als gleichwertigen Apostel mit gleich-ursprünglicher Berufung durch den Auferstandenen (Gal 1, 1. 10 ff. u. ö.)[69], auch in der Parenthese Gal 2, 6 ὁποῖοί ποτε ἦσαν οὐδέν μοι διαφέρει· πρόσωπον ὁ θεὸς οὐ λαμβάνει ist er bemüht, ihnen keine unangemessen hohe Bedeutung zuzuerkennen[70]. Von einer Einschränkung oder Relativierung ihrer Bedeutung[71] ist nur insofern angemessen zu reden, als *Paulus einen seiner Meinung nach inkorrekten Gebrauch ihrer Autorität durch die galatischen Gegner zu unterbinden sucht.* Auch in der mehrmaligen (V. 2. 6 bis . 9) Verwendung von δοκοῦντες für die Jerusalemer Säulen[72] liegt kaum Ironie[73]; Paulus

---

[69] Von daher legt sich eine Interpretation von μή πως εἰς κενὸν τρέχω ἢ ἔδραμον (Gal 2, 2) im Sinne einer Befürchtung (so Lietzmann, Gal 9; Burton, Gal 72; Schlier, Gal 67; Kasting, Mission 117, A 166 u. a.) nicht nahe; der Satz ist vielmehr als indirekte Frage mit erwarteter negativer Antwort zu verstehen (Oepke, Gal 74; vgl. Georgi, Kollekte 18 f.; Suhl, Paulus 66). Paulus fürchtet nicht, daß sein Evangelium nichtig wäre, wenn es nicht die Anerkennung der Jerusalemer fände; Gal 1 f. ist dafür der deutlichste Beweis.

[70] Ὁποῖοί ποτε meint Eigenschaften der δοκοῦντες und ist im Sinne von qualescumque zu verstehen (Lietzmann, Gal 12; Oepke, Gal 78; Mußner, Gal 114). Dabei liegt jedoch kein Gegensatz zu einer Interpretation im Sinne von quales aliquando (Burton, Gal 87; Schlier, Gal 75; Hahn, Mission 68, A 3) vor, denn die Vorzüge der δοκοῦντες ergeben sich ja aus ihrer Geschichte.

[71] Lührmann, Gal 38; Betz, Gal 94 f.; Dunn, JSNT 18, 1983, 6 f. Nach letzterem versuche Paulus Gal 2, 6, die Autorität der Säulen zu relativieren, und 2, 7 ff., sein Maß an Anerkennung derselben zu verschleiern. Das alles deute darauf hin, daß die drei Säulen mit dem Konventsbeschluß ein Urteil verhängt hätten - eine unzulässige Schlußfolgerung. Paulus kam zwar als Delegierter der antiochenischen Gemeinde nach Jerusalem (mit Dunn 7), aber deswegen noch nicht als bloßer Befehlsempfänger. Der Vorrang bestand nur darin, daß die Jerusalemer die zeitlich ersten Zeugen des Auferstandenen bzw. z. T. die Weggefährten Jesu waren (vgl. 1 Kor 15, 3 ff.). Daß sie selbst daraus einen theologischen wie rechtlichen Vorrang anderen gegenüber (inklusive Paulus) ableiteten, wird man bejahen können, auch wenn letzterer das nicht anerkannte und auch wenn es sich in der Verhandlung und im Ergebnis des Konvents nicht niederschlug.

[72] Die Annahme der Identität von δοκοῦντες und στῦλοι (Lietzmann, Gal 9; Klein, Rekonstruktion und Interpretation 111, A 66; Hahn, Mission 69, A 1; Bligh, Gal 158; Oepke, Gal 74; Lührmann, Gal 37; Betz, Gal 86) ist naheliegender als die der Nichtidentität (Zahn, Gal 102 f.; Schlier, Gal 67; Kasting, Mission 98; Käsemann, in: Rengstorf [ed.], Paulusbild 491; Mußner, Gal 115. 118; Strobel, FS Mußner [1981] 88): das Subjekt ist von V. 6 an das selbe; und daß δοκοῦντες V. 6 einen anderen Personenkreis meint als V. 9, wäre ebenfalls merkwürdig.

[73] Mit Burton, Gal 71; Lietzmann, Gal 9; Foerster, ZNW 1937, 287 f.; Schlier, Gal 76, A 2; Dinkler, ThR 1959, 201; Bornkamm, Paulus 59; Bruce, Gal 109. Eine mehr oder minder starke ironische Note nehmen an: Schoeps, Paulus 62; Wilckens, ThWNT VII, 735; Suhl, Paulus 66; Aus, ZNW 1979, 261; Betz, Gal 86 f. Oepke, Gal 78 betont immerhin, daß ein in diesem Sprachgebrauch liegender gewisser Sarkasmus „sich aber weniger gegen die Säulen selbst richtet als gegen den Kult, den man mit ihnen treibt". Nach Rebell, Paulus 54 habe δοκοῦντες einen leicht ironischen Klang, στῦλοι dagegen nicht; diese Differenzierung ist unwahrscheinlich.

beruft sich auf sie, er kann sich also kaum gleichzeitig ironisch von ihnen distanzieren. Freilich: *nach dem Konvent* wurde infolge der Aufteilung der Verantwortung für die Mission unter Heiden und Juden der *Anspruch, Säulen der Kirche zu sein, auf das Judenchristentum eingeschränkt* – zwar nicht, was die theologische Grundlegung, wohl aber, was die *praktische Auswirkung* betraf[74].

Z. Z. des Konvents hatte Jakobus zusammen mit Kephas und Johannes die Stellung einer Säule des eschatologischen Tempels inne. Wann sich dieses Kollegium bildete bzw. wann seinen Mitgliedern der Titel στῦλοι zugeschrieben wurde, läßt sich nicht genau sagen. Titel und Kollegium sind auf jeden Fall jünger als der Dodekakreis und auch als der Titel Kephas für dessen Exponenten (vgl. nur 1 Kor 15, 3 ff. und die Evv.)[75]. Während des ersten Jerusalembesuchs des Paulus 30/31 bestand das Säulenkollegium noch nicht; als übergreifender Term für Führungskräfte erscheint dort ἀπόστολοι[76]. Nun wird man die Entstehungszeit des Säulenkollegiums aber auch nicht allzu spät ansetzen dürfen. In dem Maß, in dem das älteste Kollegium, die δώδεκα, an Bedeutung verlor und andere Gestalten in den Vordergrund traten, insbesondere der durch eine Christophanie und Blutsverwandtschaft mit Jesus ausgewiesene Jakobus, mußte ein anderes Gremium entstehen; da Jakobus schon früh eine große Bedeutung gewonnen hatte (1 Kor 15,7), liegt es nahe, *die Entstehung des Säulenkollegiums als Folge des Aufstiegs des Jakobus anzusehen.* Wenn 1 Kor 15,7 tatsächlich eine aus Jakobuskreisen stammende Konkurrenzformel zu der älteren Formel 1 Kor 15, 5 vorliegt (oben 2.), so könnte man die Entstehung des Säulenkollegiums als einen *Kompromiß zwischen der alten Dodeka- bzw. Kephastradition und der jüngeren Jakobustradition* ansehen (Kephas und Johannes als Prototypen der ersteren, Jakobus als der der letzteren). Als Entstehungszeit könnte man bei aller Vorsicht an die zweite Hälfte der dreißiger Jahre denken.

Umstritten ist, welche der drei Säulen die führende Position innerhalb des Kollegiums und damit in der Jerusalemer Gemeinde innehatte. Zumeist sieht man in Jakobus wegen dessen Nennung vor Kephas

---

[74] Vgl. Wilckens, ThWNT VII,735, der freilich zu undifferenziert formuliert. Daß die στῦλοι speziell als „Vertreter des Judenchristentums" (Becker, Gal 25; vgl. Hainz, FS Mußner [1981] 37, A 25) am Konvent beteiligt waren, engt ihre Bedeutung von vornherein zu sehr ein. Eine Trennung in einen juden- und einen heidenchristlichen Teil der Kirche ist erst auf dem Konvent beschlossen worden.

[75] Neben Kephas hatten die beiden Zebedäussöhne schon von Anfang an leitende Funktionen und behielten sie bis zu ihrem Tod im Jahre 44.

[76] Dies könnte auch darauf hindeuten, daß der Zwölferkreis in der ursprünglichen Form bereits zu dieser Zeit nicht mehr bestand (bei Paulus kommt bezeichnenderweise δώδεκα nur in der traditionellen Formel 1 Kor 15, 5 vor); er persönlich hatte mit diesem Kreis offensichtlich nichts (mehr) zu tun.

(Gal 2,9) diese führende Figur[77]. Doch genügt die Vorordnung dafür noch keineswegs[78], da sie auch anders erklärt werden kann. Der Hinweis, Jakobus sei wegen 2,11 ff. als erster erwähnt[79], scheint aber noch zu wenig weit zu gehen; er nimmt zwar auf den Kontext Bezug, berücksichtigt aber zuwenig die galatische Situation, die Paulus stets bei seinen Formulierungen vor Augen steht. Wegen dieser galatischen Situation und der Involvierung des Jakobus in sie (wie immer dieser Bezug ausgesehen haben mag, dazu unten) dürfte Jakobus vorangestellt sein. Paulus will dann betonen: auch Jakobus, der z.Z. des Gal führende Repräsentant der Jerusalemer Gemeinde, hat der gesetzesfreien Heidenmission ausdrücklich zugestimmt (Gal 2,9)[80]. Das bedeutet aber, daß nicht Jakobus, sondern *Kephas z.Z. des Konvents die führende Position innerhalb des Säulenkollegiums* innehatte. Dafür sprechen auch noch andere Beobachtungen: 1. Paulus setzt sich Gal 2,7f. in Parallele

---

[77] Vgl. schon Baur, Werke I,62, A*; weiters Burton, Gal 95; Zahn, Apg II,506. 511; Lietzmann, Gal 13; Bauernfeind, Apg 191; Schlier, Gal 78; Stauffer, ZRGG 1952, 203; ders., in: Roesle – Cullmann (edd.), Begegnung 367; Prentice, FS Johnson (1951) 145; Cullmann, Petrus 46 f.; ders., ThWNT VI,110; Reicke, FS de Zwaan (1953) 174; Schoeps, Paulus 62 f.; Schmithals, Paulus und Jakobus 40 f.; ders., Apg 138; Hahn, Mission 68 f., A 3; Roloff, Apostolat 63, A 81; ders., Apg 226; Eckert, Verkündigung 190 f.; Ward, RestQ 1973, 175; Bruce, FS Kümmel (1975) 27; ders., Paul 153; ders., Men 90; Grant, Paul 167; Betz, Gal 99; Hengel, Geschichtsschreibung 82; ders., FS Kümmel (1985) 92; Lüdemann, EvTh 1980, 445; Schneemelcher, Urchristentum 98 f.; Borse, Gal 90.

[78] Auch Hengels Hinweis (Geschichtsschreibung 82) auf die Jüngerkataloge Mk 3,16 f.; 5,37; 9,2; 13,3; 14,33 mit der Reihenfolge Petrus, Jakobus (Zebedaide) und Johannes ist nicht stichhaltig, da er formgeschichtlich nicht differenziert: in den Katalogen liegt fest geprägtes formelhaftes Traditionsgut vor, bei Paulus aber eine ad hoc-Formulierung, die aufgrund eines aktuellen Interesses eine Reihung vornimmt. Daß die drei Säulen „an equal position" innehatten (Carroll, BJRL 1961/62, 50), ist nur richtig, insofern mit diesem Term die kollektive Führung der Jerusalemer Gemeinde z.Z. des Konvents bezeichnet ist. Die Aussage wird falsch, wenn damit der historische Vorrang des Petrus geleugnet wird (auch Johannes hatte sicher nicht dieselbe Bedeutung wie Petrus). Die Jakobusgruppe innerhalb der Jerusalemer Gemeinde wird freilich eine echte Gleichstellung mit Petrus behauptet haben, ja sogar den Herrenbruder für bedeutender gehalten haben. Dem Selbstverständnis der sich um Petrus Scharenden entsprach das sicher nicht und offensichtlich auch der Meinung des Paulus nicht.

[79] Mußner, Gal 119; Becker, Gal 25; während Mußner Petrus als die führende Figur ansieht, läßt dies Becker offen.

[80] Gaechter, Petrus 278; vgl. Oepke, Gal 81, der allerdings nur von Judaisten allgemein spricht, so daß nicht sicher ist, ob er wirklich die galatischen Agitatoren meint. – Als Möglichkeit erwogen auch von Schlier, Gal 78, der damit seine eigene Position relativiert (vgl. A 77), weiters u. a. Haenchen, Gott und Mensch 62; Eckert, Verkündigung 191, A 1; Mußner, Gal 119. Conzelmann, Geschichte 41 f. sieht den Grund für die Voranstellung des Jakobus darin, daß „er als der Vertreter der strengen judenchristlichen Richtung der wichtigste Verhandlungspartner war, wenn es um die Freiheit der Heidenchristen vom Gesetz ging". Conzelmann betont dabei richtig, daß es Paulus bzw. den Antiochenern gerade auch um die Übereinstimmung mit Jakobus ging, differenziert aber nicht zwischen Jakobus und „der strengen judenchristlichen Richtung" in Jerusalem.

zu Petrus. Es wäre im Argumentationszusammenhang des Gal sehr ungeschickt, wenn Petrus bloß untergeordnetes Mitglied des Kollegiums
gewesen wäre; die Gegenüberstellung ist am besten verständlich, wenn
Petrus tatsächlich die oberste Leitung innehatte[81]. 2. Petrus hat vor der
Verfolgung unter Agrippa I Jerusalem wohl nicht für längere Zeit verlassen; daß in dieser Zeit bereits Jakobus die Führung innehatte, ist unwahrscheinlich, da dies weder aus Gal noch aus der Apg stichhaltig erschlossen werden kann; erst die spätere judenchristliche Tradition
(EvHebr 7) hat demgegenüber ein deutlich revidiertes Bild von der
Rolle des Jakobus in der frühen christlichen Kirche. 3. Auch aus der lukanischen Darstellung des Konvents ergibt sich keineswegs eine Unterordnung des Petrus unter Jakobus[82]. Den entscheidenden Anstoß zur
Anerkennung der gesetzesfreien Heidenmission gibt vielmehr Petrus,
der die zuvor heftig streitenden Parteien (V.7) zum Schweigen bringt
(V.12 und 13 betont). Jakobus greift in seiner Rede[83] auf das von Petrus Gesagte zurück, erhärtet es durch einen Schriftbeweis und schlägt
(gegen Gal) vor, den Heidenchristen einige rituelle Auflagen zu machen. Eine Spitzenposition des Jakobus geht aus der lukanischen Gestaltung des Ablaufs des Konvents also nicht hervor[84]. *Die Annahme der
Führungsrolle des Petrus innerhalb des Säulenkollegiums und damit der Jerusalemer Gemeinde z. Z. des Apostelkonvents bleibt somit die wahrschein-
lichere Lösung.*

---

[81] Für die Vorrangstellung des Petrus: Haenchen, Gott und Mensch 63; Klein, Rekonstruktion und Interpretation 109 ff. (Kleins These, V.7 f. spiegele die Zeit des Konvents,
V.9 die Zeit des Gal, stimme ich insofern nicht zu, als ich die Institution der Säulen schon
für die Zeit des Konvents annehme); Mußner, Gal 119; ders., Apg 91; Schneider, Apg II,
181. Diese Annahme gilt erst recht, wenn Gal 2,7 f. tatsächlich Fragmente eines Protokolls enthält. Das Argument von Bligh, Gal 165 f., die Mittelposition des Kephas zwischen Jakobus und Johannes drücke dessen Vorrang aus, überzeugt indessen nicht. Nach
Pieper, Kirche 36 ff. war Petrus z.Z. des auf das Jahr 48 n.Chr. datierten Konvents als
Träger des Missionswerkes unter den Juden Jakobus als dem Jerusalemer Gemeindeleiter
vorgeordnet. Das ist ein zu schematisch von petrinischer, später großkirchlicher Tradition geprägtes Urteil. Die Jakobuskreise haben es sicher nicht so gesehen, wie überhaupt
die Frage des (rechtlichen) Verhältnisses Petrus–Jakobus nach dem Weggang des ersteren aus Jerusalem nicht endgültig geklärt worden zu sein scheint.

[82] Gegen Cullmann, Petrus 53 ff., bes. 55 f., nach dem Jakobus die Versammlung präsi-
diere, während Petrus nur als Missionar auftrete; vgl. auch die Charakterisierung des Jakobus als „presiding officer", Mackenzie, BS 1939, 340.

[83] Daß die Reden Apg 15 literarischen Charakters, nicht historischen Ursprungs sind,
ist längst erkannt (Dibelius, Aufsätze 87); von der Jakobusrede aus können also auch
keine Schlußfolgerungen auf den historischen Jakobus gezogen werden.

[84] Es ist auffällig, daß Johannes (obwohl natürlich als lebend vorausgesetzt –
Apg 12,1 ff. berichtet nur vom Tod seines Bruders Jakobus) in der Komposition Apg 15
keinen Platz hat. Lukas läßt an dieser Nahtstelle der Apostelgeschichte nur die entscheidenden Repräsentanten der früheren bzw. späteren Zeit der Jerusalemer Gemeinde auftreten.

3.1.3.3 Die theologische Position des Jakobus z. Z. des Konvents

3.1.3.3.1 Jakobus und die ψευδάδελφοι (Gal 2, 4 f.)

Daß Jakobus in einer Art Nahverhältnis zu den in Antiochien aufgetretenen ψευδάδελφοι stand, wird seit *F. C. Baur* [85] in unterschiedlicher Akzentuierung immer wieder betont: Nach *E. Stauffer* geht die Agitation der Falschbrüder in Antiochien auf die Initiative des Jakobus zurück [86]. *H. J. Schoeps* gibt den Tübingern wenigstens insoweit Recht, als er meint, die στῦλοι wären „in ihrem Herzen auf seiten dieser Gruppe gestanden" [87]. Nach *M. Simon* [88] seien die Gal 2, 12 genannten Jakobusleute „sans doute" dieselben wie die Apg 15, 1 ff. genannten Falschbrüder. Da erstere „sinon sur les injonctions formelles de Jacques, du moins avec la certitude d'exprimer son opinion" handelten [89], wird auch Jakobus zu einem, die Beschneidung der Heidenchristen fordernden Judaisten. Unpräzise ist auch, Jakobus als „Vertreter der strengen judenchristlichen Richtung" [90] zu bezeichnen, weil er damit zu undifferenziert in eine Reihe mit den antiochenischen Judaisten gestellt würde. Auch die Frage, ob sich nicht die Falschbrüder bei ihrer Forderung der Beschneidung des Titus „anfangs auch auf die ‚Säulen' berufen konnten" [91], geht zu weit; man wird auch für diese Zeit vor dem Übereinkommen eine theologische Position der Säulen vermuten können, die sich von der Position derer unterschied, die die Falschbrüder in Jerusalem unterstützten; denn immerhin, die Säulen anerkennen (sicherlich auch auf die Argumentation der Antiochener hin) im Unterschied zu jener judaistischen Gruppe die gesetzesfreie Heidenmission. *Dieser Unterschied sollte in keiner wie immer gearteten Weise nivelliert werden* [92].

---

[85] Baur, Paulus 121; zustimmend Eckert, Verkündigung 226.

[86] Stauffer, ZRGG 1952, 202; auch Holl, Aufsätze II, 57 möchte wenigstens in Form einer Frage an der Urgemeinde als der Absenderin festhalten; sie hätte das von Paulus mit κατασκοπεῖν bezeichnete Verhalten allerdings positiv im Sinne von ἐπισκοπεῖν aufgefaßt. Nach Aus, ZNW 1979, 260 habe Jakobus die Beschneidung der Heidenchristen favorisiert, selbst wenn er die Falschbrüder nicht nach Antiochien gesandt habe.

[87] Schoeps, Paulus 63. Schoeps' Äußerungen sind freilich widersprüchlich, denn er betont andererseits (62 f.) korrekterweise, die unüberbrückbare Kluft sei nicht zwischen den Antiochenern und den Säulen, sondern zwischen diesen beiden und den Falschbrüdern verlaufen. Hier rückt er die Säulen in ihrem theologischen Verständnis viel näher zu Paulus als zu den Falschbrüdern.

[88] Simon, RHR 1978, 28.

[89] Ebd. 30.

[90] Conzelmann, Geschichte 42; ähnlich Smend-Luz, Gesetz 75: „eigentlicher Exponent der Gesetzestreuen".

[91] Lüdemann, EvTh 1980, 443.

[92] Vgl. nur Niederwimmer, EWNT II, 412. Auch deutet Paulus nirgends an, die Säulen hätten vor dem Konvent eine andere Position vertreten als auf ihm (daß ihnen die Berechtigung einer gesetzesfreien Heidenmission jedoch schon vor der Unterredung mit der

Damit ist freilich noch lange nicht gesagt, daß durch diese Anerkennung die theologische Position des Jakobus in der Gesetzesfrage mit der des Paulus mehr oder minder identisch war. So formuliert *W. Patrick*: „Paul is not only a witness to the high position of James, he also states that his views were identical in principle with his own."[93] Ähnlich meint *W. Schmithals*, „daß die verschiedene Einstellung zum Gesetz bei Paulus und bei Jakobus nicht, jedenfalls nicht primär, theologische Gründe gehabt haben kann. Darüber muß Einverständnis bestanden haben, daß das Evangelium den Glauben fordert, nicht durch das Gesetz, sondern durch ‚die Gnade des Herrn Jesus selig zu werden' ... Wenn die Judenchristen dennoch am Gesetz festhielten, so kann das nur praktische Gründe gehabt haben", nämlich, die „Möglichkeit, als judenchristliche Gemeinde in Judäa zu leben"[94]. Daß ein Judenchrist wie Jakobus in solch völlig veräußerlichter, bloß taktischer Weise mit der Tora umging, will freilich nicht einleuchten. Die paulinische Gesetzeslehre impliziert zwar, daß die Tora als Heilsweg auch für den Judenchristen abgetan ist, aber das ist eine theologische Reflexion des Paulus, die nicht vorschnell mit der Praxis des Jakobus bzw. der palästinensischen Judenchristen schlechthin verbunden werden sollte. Eine prinzipielle Gesetzeskritik wie bei Paulus ist bei Jakobus jedenfalls undenkbar, sollte sein Verhalten nicht schizophren gewesen sein.

Was den Apostelkonvent betrifft, so ist zwischen der Position der Antiochener und der Säulen dennoch kein Unterschied sichtbar – es ging ja auch nicht um die Toraobservanz der Judenchristen, sondern ausschließlich um die Torafreiheit der Heidenchristen; was diese Frage betrifft, übernahmen sie die Position der Antiochener und entschieden sich gegen die Judaisten, die durch ihre Tätigkeit in Antiochien den Konvent ausgelöst hatten. Von einer gemäßigten oder Mittelposition der Säulen zu sprechen[95], ist zwar richtig, doch geht dabei der Blick bereits über den Bericht vom Konvent hinaus zu den Gal 2,11 ff. geschilderten Ereignissen. Eine Differenzierung der theologischen Position der Säulen untereinander und damit eine genauere Bestimmung der Position des Jakobus ist von Gal 2,1 ff. aus freilich nicht möglich.

---

antiochenischen Delegation so bewußt war wie nachher, ist freilich nicht anzunehmen). Dies bestätigt auch Apg 15,24, wo die Tätigkeit der Judaisten in Antiochien als nicht durch die Jerusalemer Führung gedeckt hingestellt wird.

[93] Patrick, James 139 f.
[94] Schmithals, Paulus und Jakobus 37 f.
[95] Gaechter, ZKTh 1963, 352; ders., Petrus 230; Schoeps, Paulus 57 u. ö.; Betz, Gal 82.

3.1.3.3.2 Jakobus und die sog. Jakobusklauseln

Nach dem Bericht der Apostelgeschichte ist Jakobus der spiritus rector von vier den Heidenchristen aufzuerlegenden kultischen[96] Vorschriften: Enthaltung vom Götzendienst, von sexuellen Beziehungen in bestimmten Verwandtschaftsgraden, von Ersticktem und von Blut (Apg 15,20; in anderer Reihenfolge 15,29; 21,25). Es handelt sich um die vier Vorschriften, die nach Lev 17 f. auch für die in Israel wohnenden Nichtjuden galten. Bei Paulus findet sich nichts dergleichen. Die Frage ist nun die nach den näheren Umständen der Entstehung dieser Klauseln und vor allem die, ob und in welcher Weise Jakobus dabei beteiligt war, so daß sich gewisse Schlüsse auf den theologischen Standpunkt des Jakobus ziehen ließen.

Daß die Klauseln zu den offiziellen Abmachungen des Konvents gehörten, wie (immer noch) viele Exegeten annehmen[97], *ist vom Zeugnis des Paulus her abzulehnen*: Gal 2,6. 10 könnte der Apostel angesichts der galatischen Agitatoren kaum so ungeschützt formulieren; er wäre von diesen leicht zu widerlegen[98]. Außerdem wäre zu erwarten, daß er in den betreffenden Abschnitten des 1 Kor darauf Bezug nimmt (1 Kor 5, 1 ff. 9 ff.; 6, 12 ff; 8, 1 ff.)[99]. Schließlich wäre auch der antioche-

---

[96] Die Deutung des sog. westlichen Textes auf ethische Vorschriften ist natürlich sekundär.

[97] Vgl. nur Patrick, James 143; Zahn, Apg II, 542 (Zahn meint, „daß den Heidenchristen in Syrien und Cilicien dadurch keinerlei neue Vorschriften gegeben werden sollten, daß vielmehr Pl und Brn bisher schon den neubekehrten Heiden zwar nicht die jetzt erst geprägte Formel, aber doch wesentlich gleichartige Anweisungen gegeben hatten" [!]); Geyser, FS de Zwaan (1953) 136; Schoeps, Paulus 60; Stauffer, in: Roesle – Cullmann (edd.), Begegnung 370; Gaechter, ZKTh 1963, 341; Bligh, Gal 184; Oepke, Gal 84 f.; Bruce, Men 93; Borse, FS Mußner (1981) 61; ders., Gal 99 (ein Widerspruch zu Gal 2,6 bestehe nach Borse nicht: Paulus selbst sei nichts auferlegt worden, da bei ihm ein mit dem Dekret im Einklang stehendes „christlich-jüdisches Grundverständnis" [Gal 99] vorauszusetzen sei; das Dekret sei „nicht an ihn …, sondern mit seiner Zustimmung an die von ihm bekehrten Heiden" [ebd.] gerichtet gewesen. – Diese Trennung von Paulus und seinen Gemeinden ist jedoch nicht möglich. Das ἐμοί kann sich nicht bloß auf Paulus persönlich beziehen; auch berücksichtigt Borse nicht, daß die Klauseln kultischen Charakter haben); McDonald, in: Livingstone (ed.), Studia Evangelica VII, 329: „a four-fold halachah (Sperrung McDon.) consisting of the minimum requirements that could be laid upon Gentile converts"; Lüdemann, Paulus I, 98 f.

[98] Auf diesen Umstand wird immer wieder hingewiesen: Dibelius, Aufsätze 89; Schmithals, Paulus und Jakobus 82; Conzelmann, Apg 85; Bornkamm, Paulus 63; Kasting, Mission 122; Wilson, Gentiles 189; Eckert, in: Ernst (ed.), Schriftauslegung 299. Conzelmann und Wilson machen auch zu Recht darauf aufmerksam, daß das Dekret auf den Hauptstreitpunkt, die Beschneidung, gar nicht eingeht.

[99] Dibelius, Paulus 118; Bornkamm, Paulus 63; Hahn, Mission 73; Conzelmann, Apg 85; Patrick, James 171 ff. versucht, den Widerspruch der paulinischen Texte gegen die These, die Klauseln seien auf dem Konvent beschlossen worden, auszuschalten: die Klauseln hätten sich nicht auf die Lehre, sondern nur auf die Praxis bezogen. Doch kann

nische Konflikt unnötig gewesen, wenn eine die Speisenfrage implizierende Regelung auf dem Konvent getroffen worden wäre[100]. Eine Modifikation der These, die Klauseln seien auf dem Konvent beschlossen worden, liegt in der Annahme vor, sie hätten nicht Paulus betroffen, sondern nur Barnabas und die antiochenische Gemeinde[101]. Doch die Trennung zwischen Paulus und Barnabas ist unstatthaft; das ἐμοί (Gal 2,6) kann nicht dahingehend interpretiert werden, als sei Paulus von den Klauseln ausgenommen worden[102]: nach V. 9 war Paulus ebenso wie Barnabas Vertreter der antiochenischen Gemeinde[103]. Die Frage der Klauseln trägt also für das Erkennen der theologischen Position des Jakobus zur Zeit des Konvents nichts bei (zur Entstehung der Klauseln vgl. unten).

3.1.4 Die Übernahme der Gemeindeleitung in Jerusalem durch Jakobus (Apg 12,17)

Die nächste Notiz über den Herrenbruder Jakobus findet sich in der Erzählung von der wunderbaren Befreiung des Petrus aus dem Gefängnis während der Verfolgung unter Agrippa I im Jahr 44. Als Grund der Verfolgung nennt Apg 12,3 durchaus glaubwürdig, Agrippa habe sich dadurch bei den Juden beliebt machen wollen[104]. Dies paßt gut zu dem Bild, das Josephus von Agrippa zeichnet. Danach habe er sich zwar nach außen als hellenistischer Herrscher, dem Judentum gegenüber aber als Jude pharisäischen Typs präsentiert (Jos Ant XIX 292 ff. 343 ff.; Bell II 219). Da die Verfolgung kurze Zeit nach dem Apostelkonvent stattfand (falls die oben angenommene Datierung richtig ist), ist es nicht abwegig, hier einen *Konnex herzustellen*: am Konvent hat

---

die „Praxis" der Klauseln nicht von der dahinterstehenden „Lehre" getrennt werden; noch dazu haben sie kultischen Charakter und ihre Anerkennung bedeutet wenigstens partiell die Anerkennung dieses Teils der Tora durch die Heidenchristen. Daß Paulus das verschweigen sollte, ist in der Situation des Gal ganz unwahrscheinlich.

[100] Dibelius, Aufsätze 89; Conzelmann, Apg 85.

[101] Geyser, FS de Zwaan (1953) 136; Oepke, Gal 84 f.; Lüdemann, Paulus I, 98 f.; dagegen z. R. Hübner, TRE XII, 10.

[102] Daß Apg 15,23 als Adressaten die Gemeinden in Syrien und Kilikien nennt, schließt Paulus keineswegs aus, da er z. Z. des Konvents selbstverständlich zusammen mit Barnabas der antiochenischen Gemeinde angehörte.

[103] Die Schwierigkeiten dieser Position liegen klar zutage, wenn Lüdemann meint, das Dekret habe nicht Paulus gegolten, „da seine Gemeinden wie auch die galatischen (primär) heidenchristlich waren" (Paulus I, 99). Zum einen macht schon das die Verlegenheit signalisierende „primär" die Trennung unmöglich, denn es ist undenkbar, daß das Dekret nur für bestimmte Heidenchristen gelten sollte; zum anderen war eine Trennung der Missionsarbeit des Paulus und Barnabas z. Z. des Konvents noch gar nicht im Blick.

[104] Conzelmann, Apg 69; vgl. bes. Rosenberg, RECA X, 1, 143 ff.

immerhin der pharisäische Apostat Paulus teilgenommen, der nicht nur
während seiner Missionstätigkeit in dauernden Schwierigkeiten mit der
Synagoge stand (2 Kor 11,24), sondern auch vor seiner letzten Jerusalemreise diese seine früheren Parteigänger fürchtete (Röm 15,31), die
ihn schließlich zu töten versuchten (Apg 21,27 ff.). Es wäre also denkbar, daß die Erregung dieser pharisäischen Kreise Agrippa zum Einschreiten gegen die mit Paulus kollaborierende Jerusalemer Gemeindeleitung veranlaßte. *Daß diese Verfolgung aber nur (oder in erster Linie)
die Zebedaiden und Petrus traf*[105], *nicht aber den Herrenbruder Jakobus,
könnte ein Hinweis auf eine unterschiedliche Einstellung der Führungsgarnitur zur Toraobservanz sein* – der spätere Konflikt in Antiochien bestätigt dies in bezug auf Jakobus und Petrus eindeutig. Ohne den Grad
der Toraobservanz deutlicher erkennen zu können – eine einheitliche
Haltung hat es im palästinensischen Judentum in dieser Frage ja nicht
gegeben[106] – könnte von Apg 12,1 ff. aus jedenfalls Jakobus eine tora-
strengere Haltung eingenommen haben als die anderen beiden Glieder
des Säulenkollegiums bzw. weitere Kreise der Jerusalemer Gemeinde
(u. a. und vor allem der Zebedaide Jakobus).

Nach der Zerschlagung des Säulenkollegiums ist Jakobus an die
Spitze der Jerusalemer Gemeinde getreten[107]. Apg 12,17 ist davon ein
Reflex, gleichgültig, ob die Aussage des scheidenden Petrus, das Vorge-
fallene „Jakobus und den Brüdern" zu melden, in der Lukas überlieferten Legende stand[108], oder, was eher anzunehmen ist, auf sein eigenes
Konto zu schreiben ist[109]. Ein Kollegium wie bisher scheint es nicht
mehr gegeben zu haben; sowohl Apg 12,17 als auch Gal 2,12 (für eine
um einige Jahre spätere Zeit) deuten darauf hin, daß *Jakobus ab 44 n.*

---

[105] Also ehemalige Jünger Jesu. Daß die freie Einstellung Jesu zur Tora gerade bei seinen Jüngern Nachwirkungen hatte, ist nicht verwunderlich.

[106] Zwar wurde im Judentum an der grundsätzlichen Geltung der Tora festgehalten.
Doch ist nicht zu übersehen, daß „man dabei in concreto auch flexibel war, einzelne Ge-
bote verschärfte, der Situation anpaßte, neu schuf oder sogar aufhob" (Smend-Luz, Gesetz 52); ich verweise nur auf die unterschiedliche Haltung der einzelnen jüdischen Parteien in dieser Frage und die verschiedenen Auffassungen von Schriftgelehrten-Schulen
und auf die Diskrepanz an Toraobservanz zwischen Pharisäern und dem Am-ha-arez,
vgl. Schürer, Geschichte II, 447 ff. 489 ff.; Hengel, Judentum, passim (aufschlußreich ist
Hengels Stichwortregister unter: Gesetz: Gesetzestreue und Abtrünnige).

[107] Daß Jakobus bereits vor der Flucht des Petrus (und vermutlich sogar schon von
der Zeit Gal 1,19 an) ausdrücklich bestellter Gemeindeleiter im Sinne eines monarchischen Bischofs (mit Presbytern an seiner Seite) war, wie Gaechter, Petrus 263 meint, ist
durch nichts angedeutet und historisch auch ganz unwahrscheinlich (ähnlich wie Gaechter auch schon Zahn, Apg II,507. 512; weiters Frend, Martyrdom 155).

[108] Dibelius, Aufsätze 87, A 1.

[109] Haenchen, Apg 376 f.: „Eine solche Bezugnahme auf eine Person, die keine Rolle
in ihr (scil. der vorliegenden Erzählung) spielt, ist der Legende fremd"; vgl. auch Conzelmann, Apg 71.

Chr. die alleinige und unbestrittene Führung in Jerusalem innehatte. Ob Jakobus zu dieser Zeit bereits ein Presbyterkollegium zur Seite stand, läßt sich von Apg 12 aus nicht sagen[110]. Von Presbytern ist in der Apg erstmals 11,30 die Rede (Überbringung einer antiochenischen Kollekte durch Paulus und Barnabas), weiters tauchen sie als Gruppe neben den Aposteln Apg 15,2. 4. 6. 22 f.; 16,4 und schließlich als Jakobus zugeordnetes Kollegium Apg 21,18 auf. Die Berichte Apg 11; 15 und 16 über die Rolle der Presbyter stehen im Widerspruch zu Gal 1 f. und sind nicht für die Darstellung der Jerusalemer Gemeindeleitung der Zeit vor dem Konvent heranzuziehen. Das *Presbyterkollegium* scheint also erst in der Zeit *nach 44 entstanden* zu sein, *zumindest hat es erst ab diesem Zeitpunkt parallel zum Aufstieg des Jakobus an Bedeutung gewonnen*[111].

Die *im Vergleich zu den anderen Säulen stärkere Toraobservanz des Jakobus, die aber keinen rigoristischen (im Sinne strengster pharisäischer Auffassung) oder gar judaistischen (im Sinne der Forderung der Gesetzesobservanz der Heidenchristen) Charakter hatte,* ließ ihn der Verfolgung unter Agrippa I entgehen (ähnlich wie bereits die Verfolgung der Hellenisten die toraobservantere aramäisch sprechende Urgemeinde nicht getroffen hatte) und dürfte daher *der entscheidende Grund* gewesen sein, *daß er nach dem Ausscheiden der anderen* στύλοι *die unbestrittene Führungsposition in der Jerusalemer Gemeinde einnehmen konnte.* Daß er aber überhaupt Mitglied des Säulenkollegiums wurde, muß andere Gründe gehabt haben; ausgezeichnet war er ja durch seine Verwandtschaft mit Jesus[112] und durch seine Christophanie, die von der Gruppe um ihn als

---

[110] Mit den Brüdern sind nicht die restlichen, noch in Jerusalem verbliebenen Glieder des Zwölferkreises (Geyser, FS de Zwaan [1953] 127), die Presbyter (Gaechter, ZKTh 1963, 343; im Sinne von „Amtsbrüder", ders., Petrus 262) oder die Gruppe um Jakobus im Unterschied zu der im Haus der Maria versammelten Anhängerschaft des Petrus (Bruce, Men 88; ders., Gal 99) zu verstehen; ἀδελφοί meint hier vielmehr die Gesamtgemeinde, da die Szene V.12 ff. ja in einem Privathaus mit einer Art Hausgemeinde spielt.

[111] Vgl. Bornkamm, ThWNT VI,662 f.

[112] Der Verwandtschaft Jesu messen in neuerer Zeit insbesondere Stauffer, ZRGG 1952, 200 ff.; ders., in: Roesle–Cullmann (edd.), Begegnung 367 ff.; Schoeps, Theologie 282 f. und Goppelt, Zeit 83 (in der Nachfolge v. Harnacks, Weiß', Knopfs u.a.; nähere Angaben bei v. Campenhausen, Frühzeit 135 ff., bes. 139 ff.) eine viel zu große Bedeutung bei, wenn z. B. Stauffer behauptet, Jakobus hätte „den Führungsanspruch der Männer aus dem Hause Davids und Josephs" (in: Roesle–Cullmann [edd.], Begegnung 367 f.), also eine Art Kalifat vertreten. Die Hochschätzung der Verwandtschaft mit Jesus ist bei den Jakobus Nahestehenden sicherlich größer gewesen als bei anderen, doch bedeutet das noch nicht das von Anfang an vorhandene Geltendmachen dynastischer Ansprüche. Apg 1,21 ff. spielt Jakobus bei der Nachwahl für Judas Ischariot bezeichnenderweise keine Rolle – er erfüllte die gestellten Bedingungen nicht. Dynastische Ansprüche wären im strengen Sinn ohnehin erst nach 44 möglich gewesen, und auch für diese Zeit fehlen einigermaßen sichere Anhaltspunkte, auch wenn solche Ansprüche nicht von vornherein ausgeschlossen werden können. Zwar wurde ein Cousin Jesu und des Jakobus, Simon ben

die entscheidende überhaupt angesehen wurde (vgl. oben 2.). Dazu muß er, wie Gal und Apg zeigen, eine Persönlichkeit gewesen sein, die bei aller Konzilianz und Gesprächsbereitschaft doch ihren Standpunkt geradlinig und folgerichtig vertrat, mithin eine ichstarke Persönlichkeit.

3.1.5 Der Zwischenfall in Antiochien (Gal 2, 11 ff.)

3.1.5.1 Die Situation

Das letzte Beispiel, das Paulus im Rahmen der Narratio Gal 1, 12– 2, 14 bringt, um damit seine Unabhängigkeit von den Jerusalemer Autoritäten und die Rechtmäßigkeit seines eigenen Apostolats herauszustreichen, ist der Bericht über seinen Zusammenstoß mit Kephas in Antiochien, nach obiger Chronologie ca. 2–3 Jahre nach dem Apostelkonvent und der Flucht des Kephas aus Jerusalem. Paulus und Barnabas sind nach Absolvierung der 1. Missionsreise ebenfalls wieder in Antiochien. Der Bericht Gal 2, 11 ff. deutet darauf hin, daß Petrus erst kurze Zeit vorher nach Antiochien gekommen ist[113]. Er schloß sich dem Verhalten der anderen Judenchristen an und pflegte ebenso wie diese mit den Heidenchristen Tischgemeinschaft[114]. Dies stieß in Jerusalem auf Kritik. Auf eine diesbezügliche Intervention von Jakobusleuten hin zog sich Petrus von den gemeinsamen Mahlzeiten zurück, worauf sich sämtliche Judenchristen anschlossen – sogar, wie Paulus bestürzt feststellt, sein Partner und Mitverantwortlicher für die gesetzesfreie Heidenmission, Barnabas. Paulus zog daraufhin Petrus zur Rechenschaft. Er sah die gesetzesfreie Heidenmission bedroht, wie aus seinem Votum, Petrus zwinge die Heidenchristen, jüdische Speisevorschriften einzuhalten (V. 14), hervorgeht. Ob tatsächlich schon ein derarti-

---

Klopa, nach dem Jüdischen Krieg Gemeindeleiter in Jerusalem (Heg bei Eus HE III 11), doch die Brüder Jesu trieben nach 1 Kor 9, 5 Mission und nicht Familienpolitik in Jerusalem, die Enkel des Herrenbruders Judas erhielten führende Stellungen in der Kirche erst nach (!) der Ablegung des Zeugnisses für Christus vor Domitian (Heg bei Eus HE III 20, 6; 32, 6; μάρτυς beide Male zuerst genannt), und selbst im EvHebr ist die Auszeichnung des Jakobus nicht seine Verwandtschaft mit Jesus, sondern seine ihm als erstem zuteil gewordene Christophanie.

[113] Dies spricht gegen die in der älteren Exegese übliche Annahme, Petrus sei sofort nach Antiochien geflohen, vgl. Haenchen, Apg 371, A 2.

[114] Dabei speziell an normale Mahlzeiten bei Heidenchristen (Burton, Gal 104) oder an Herrenmahlfeiern (Lietzmann, Gal 13) zu denken, scheint nicht sinnvoll. Eine Trennung von Sättigungsmahl und Herrenmahl ist für diese frühe Zeit nicht anzunehmen (noch fast ein Jahrzehnt später sind sie in Korinth miteinander verbunden, 1 Kor 11, 20 ff.). Da gerade im Zusammenhang des Herrenmahls das gemeinsame Essen eine spezifische Bedeutung gewann, und die ganze Angelegenheit von Paulus als offizielle, die ganze Gemeinde betreffende Sache behandelt wird, wird man nicht so sehr an normale Mahlzeiten denken (Mußner, Gal 138 und Betz, Gal 107 möchten es offen lassen, ob Herrenmahlfeiern oder normale Mahlzeiten gemeint sind), sondern an gemeinsame Mahlzeiten, in deren Rahmen das Herrenmahl gefeiert wurde (Schlier, Gal 83. 86, A 2; Bornkamm, Paulus 66; Lührmann, Gal 41).

ges heidenchristliches Verhalten gegeben war oder Paulus bloß die Konsequenzen darstellt, bleibt unsicher. Er hatte offensichtlich mit seinem Protest keinen Erfolg[115], trennte sich daraufhin von Barnabas und begann seine eigenständige Missionsarbeit[116].

3.1.5.2 Die kirchenrechtliche Position des Jakobus

Der Positionswechsel des Petrus und der übrigen antiochenischen Judenchristen hatte als Anlaß den gegen die Tischgemeinschaft von Heiden- und Judenchristen gerichteten Protest von Gesinnungsgenossen des Herrenbruders Jakobus. Von größter Bedeutung für die Bestimmung der rechtlichen Position des Jakobus ist nun die Frage nach dem konkreten Bezug dieser Jakobusleute zu Jakobus, ob es sich nämlich allgemein um Gesinnungsgenossen des Herrenbruders handelte[117], oder

---

[115] Einen solchen zu berichten hätte er sich seinen galatischen Gegnern gegenüber sicher nicht versagt, vgl. Haenchen, Apg 459; Georgi, Kollekte 31, A 92; Bornkamm, Paulus 67 f.; Conzelmann, Geschichte 74; Eckert, Verkündigung 227; Hengel, Geschichtsschreibung 84; Köster, Einführung 540; Schneemelcher, Urchristentum 162; Roloff, Apg 227; Radl, ThQ 1982, 59; Schneider, Apg II, 191; Wilckens, NTS 1982, 156; Dunn, JSNT 18, 1983, 38; Borse, Gal 106 u. a.; dagegen meint Schelkle, Paulus 66, Paulus hätte den Vorfall nicht erwähnt, wenn er nicht wesentlich zu seinen Gunsten ausgegangen wäre; auf lange Sicht (Entwicklung der heidenchristlichen Kirche) hat freilich Paulus recht behalten; auch war dieser natürlich von der Richtigkeit seiner Position überzeugt; aber unmittelbaren Erfolg in dem Sinne, daß er Petrus und die anderen wieder für das ursprüngliche Verhalten gewinnen konnte, hatte er kaum. Rebell, Paulus 51 meint, Paulus erzähle „den Ausgang seines Streites mit Petrus nicht bestimmter, weil er nicht bestimmter war". Das wird so kaum zutreffend sein: der Erfolg oder Mißerfolg des Angriffs auf Petrus muß klar erkennbar gewesen sein, auch wenn man in der Beurteilung dessen, worin der Erfolg oder Mißerfolg bestand, differierte; eine sehr detaillierte Auslegungsgeschichte von der Väterzeit an bei Lönning, StTh 1970, 8 ff.

[116] Dunn, JSNT 18, 1983, 36 ff. sieht im antiochenischen Konflikt den entscheidenden Anlaß für die Erkenntnis der Bedeutung der Rechtfertigung für das konkrete Leben durch Paulus: „For the first time, probably, he had come to see that the principle of ‚justification through faith' applied not simply to the acceptance of the gospel in conversion, but also to the whole of the believer's life" (36). Dieses Urteil wird sich in dieser Form nicht halten lassen (mit Houlden, JSNT 18, 1983, 58 f.); zwar hatte der Konflikt tiefgehende Folgen für die weitere Tätigkeit des Paulus und bestärkte ihn sicher in seiner theologischen Überzeugung, aber auch die praktischen Konsequenzen hat Paulus sicher schon vorher deutlich erkannt; man wird aufgrund seiner Haltung im Konflikt (im Gegensatz zu der des Petrus und der anderen) gerade schließen können, daß er die treibende Kraft hinter der judenchristlichen Bereitschaft war, es mit den Speisevorschriften der Tora im Umgang mit den Heidenchristen nicht so genau zu nehmen; auch wenn er Judenchristen nicht unmittelbar zur Übertretung diesbezüglicher Vorschriften aufgefordert haben wird, hat er sicher das Seine zur Herstellung eines möglichst offenen und weiten Verständnisses der Handhabung derselben beigetragen.

[117] Lietzmann, Gal 13 f.; Kittel, ZNW 1931, 151; Gaechter, Petrus 290 ff.; Oepke, Gal 88; Hoennicke, Judenchristentum 216 meint, Jakobus könnte nicht der Urheber dieser Intervention sein, da Paulus Jakobus als „geistige(n) Urheber der Gegenmission" hätte

ob sie von ihm nach Antiochien gesandt wurden[118]. Im ersteren Fall wäre τινας zu ἀπὸ Ἰακώβου zu ziehen, im letzteren zu ἐλθεῖν. Sprachlich ist τινας ἀπὸ Ἰακώβου im Sinne von „Jakobusleute", „zu Jakobus gehörig" zwar möglich (vgl. Mk 5,35)[119], doch dürfte, dem sonst üblichen Gebrauch von ἀπό entsprechend, auch hier eine Herkunftsangabe eher anzunehmen sein; dafür sprechen auch einige inhaltliche Erwägungen: „die ausdrückliche Erwähnung des Herrenbruders kann nicht von ungefähr sein"[120]; sie läßt nicht zu, bloß allgemein an nach Antiochien gekommene judäische oder Jerusalemer Christen zu denken, ohne Bezug zu Jakobus. Der außerordentlich starke Eindruck, den sie machten[121], läßt ebenfalls darauf schließen, daß eine gewichtige und anerkannte Autorität hinter ihnen stand; zudem läßt Paulus nirgends durchblicken, daß er ihre Autorisierung durch Jakobus bezweifle. D. h. aber: die τινες kamen im Auftrag des Jakobus und intervenierten in seinem Namen.

Soweit scheint die Rolle des Jakobus deutlich zu sein. Nun werden aber daraus häufig sehr weitreichende Folgerungen für seine Position bzw. sein Selbstverständnis in kirchenrechtlicher Hinsicht gezogen: *K. Holl* spricht von einem „amtlichen Auftrag"[122], *E. Stauffer* von „Visitatoren" des Jakobus[123]; dieser kontrolliere, wie u.a. Gal 2,12ff. zeige, „von Jerusalem aus die gesamte Christenheit"[124]. Doch diese Ausweitung der Wirksamkeit bzw. des Rechtes des Jakobus ist nicht nur durch nichts gerechtfertigt, sie widerspricht vor allem auch dem Umstand, daß

---

bezeichnen müssen. Doch differenziert er hier nicht ausreichend zwischen judaistischen Angriffen auf die gesetzesfreie Heidenmission und der nur auf das Verhalten der Judenchristen gerichteten Intervention des Jakobus.

[118] Patrick, James 189ff.; Burton, Gal 102f.; Meyer, Ursprung III,424; Schlier, Gal 83; Carroll, BJRL 1961/62, 54; Eckert, Verkündigung 195; Bruce, Paul 176; ders., Gal 129f.; Mußner, Gal 139; Becker, Gal 27; Schneemelcher, Urchristentum 164; Kieffer, Foi 19; Dunn, JSNT 18, 1983, 35; Lüdemann, Paulus und das Judentum, 36; Borse, Gal 102 (ebd. 108 meint Borse, der Grund, warum Jakobus Vertrauensleute nach Antiochien sandte, sei der gewesen, mit Petrus nach dessen Flucht „Kontakt herzustellen"; vom gemeinsamen Essen mit Heidenchristen hätten die Jakobusleute erst nach ihrer Ankunft erfahren, ebd. 107).
[119] Vgl. die Überlegungen bei Burton, Gal 107; Mußner, Gal 139.
[120] Mußner, Gal 139.
[121] Sogar der Heidenmissionar Barnabas bricht seine Tischgemeinschaft mit den Heidenchristen ab.
[122] Holl, Aufsätze II,57.
[123] Stauffer, ZRGG 1952, 204.
[124] Ebd. Eine „Führungsforderung, die nicht nur die judenchristlichen Gemeinden betraf", nimmt auch Hengel, FS Kümmel (1985) 88 an. Auch wenn die Jerusalemer sich als Mittelpunkt der Kirche insgesamt wußten, haben sie doch nicht in die Angelegenheiten der heidenchristlichen, paulinischen Gemeinden eingegriffen, jedenfalls nicht Jakobus und sein Kreis (vgl. unten 3.1.6).

die *Intervention sich nur auf das Verhalten der Judenchristen richtete*. Jakobus vertrat also die Meinung, die Judenchristen seien auch weiterhin auf die Tora verpflichtet. Eine Forderung seinerseits an die Heidenchristen wird nicht erwähnt. Man sollte aber auch nicht von einer „Visitation' der Judenchristen"[125] sprechen, denn dabei ist bereits vorausgesetzt, daß Jakobus von Jerusalem aus über die Judenchristen „regierte", also über sie aufgrund eines Autoritätsgefälles „eine Jurisdiktion beanspruchte"[126]. Daß die „Furcht" des Petrus vor den Gesandten des Jakobus aus seiner administrativen Abhängigkeit als judenchristlicher Missionar von Jerusalem[127], aus der „Konfrontation mit übergeordneter Autorität"[128] zu erklären sei (mithin also eine ausdrückliche Weisungsbefugnis des Jakobus andeute), ist ganz unwahrscheinlich. Das stärkste Argument dagegen ist, daß dann ja auch dem von Jerusalem durchaus unabhängigen Heidenmissionar Barnabas[129] Furcht vor und Unterordnung unter Jakobus unterstellt werden müßte[130]. *Gal 2, 12 ff. wird im Grunde keine andere rechtliche Position des Jakobus als zur Zeit des Konvents sichtbar: er weiß sich für die Judenchristen verantwortlich* und erhebt dort, wo es seinem theologischen Verständnis entspricht, in bezug auf sie sein Veto. Er tut dies aber nicht als höchste Autorität des Judenchristentums – freilich als Autorität; eine kirchenrechtliche Schlüsse zulassende Wertung dieser Autorität liegt aber Gal 2, 12 ff. nicht vor.

3.1.5.3 Die theologische Position des Jakobus

Aus der gegen das Verhalten der Judenchristen in Antiochien gerichteten Intervention des Jakobus läßt sich dessen *theologische Position* wenigstens an einem Punkt deutlich erkennen: *die Judenchristen sind verpflichtet, die jüdischen Speisevorschriften einzuhalten, ihre Gebundenheit auch an die Ritualvorschriften der Tora bleibt also aufrecht.* In welchem

---

[125] Mußner, Gal 139.

[126] Ebd. Die Rede von Jurisdiktion setzt ein Autoritätsgefälle zwischen Jakobus einerseits und Petrus bzw. den antiochenischen Judenchristen andererseits voraus. Dieses Gefälle ist jedoch nach allem, was sich erkennen läßt, nicht anzunehmen.

[127] Cullmann, Petrus 57; ders., ThWNT VI, 110.

[128] Klein, Rekonstruktion und Interpretation 83, A 205.

[129] Sowie allen Judenchristen in Antiochien.

[130] Man sollte deshalb überhaupt vorsichtig sein, die „Furcht" des Petrus erklären zu wollen, sei es als Sorge um seinen Apostolat unter den Juden (Blinzler, Aufsätze I, 149; Mußner, Gal 142) oder als Furcht vor Repressalien der Juden gegen die palästinensischen judenchristlichen Gemeinden (Schmithals, Paulus und Jakobus 55; Bruce, Gal 131; Cousar, Gal 47 u. a.; vgl. dazu die folgende Anmerkung); man sollte sie auch nicht mit seinem „Charakter" in Verbindung bringen (so zuletzt Mußner ebd.). Der Hinweis auf die Furcht ist eine Interpretation des Verhaltens des Petrus durch Paulus (richtig Köster, Entwicklungslinien 114; Eckert, Verkündigung 196 f.), die über die Beweggründe des Petrus und aller anderen Judenchristen kaum präzise Schlußfolgerungen zuläßt.

Maße damit eine torarigoristische Haltung pharisäischen Zuschnitts für Jakobus angenommen werden kann, läßt sich von dieser Intervention aus nicht sagen. Das palästinensische Judentum war ja bezüglich der Einhaltung der Tora keineswegs eine Einheit (dazu unten 3.1.7). Wenn ein Judenchrist von Judenchristen Toraobservanz verlangt, liegt es am nächsten, dies als theologisch begründetes Verlangen zu sehen. Politische Motive könnten zusätzlich für die Intervention eine Rolle gespielt haben, sie haben aber kaum primäre oder gar ausschließliche Bedeutung[131].

Die Gesandten des Jakobus dürfen nicht als Judaisten charakterisiert werden, wie es immer wieder geschieht[132]. Im Unterschied zu den ψευδάδελφοι von Gal 2,4 oder den Gegnern des Paulus in Antiochien *wandten sie sich mit ihren Forderungen gerade nicht an die Heiden-, sondern an die Judenchristen*; das zeigt deutlich der Umstand, daß die Judenchristen ihr Verhalten änderten. Auch einen „Minimalkatalog wie Apg 15,20. 28 f."[133] werden die Gesandten des Jakobus kaum gefordert

---

[131] Reicke, FS de Zwaan (1953) 177 ff., bes. 184; Schmithals, Paulus und Jakobus 54 ff.; ders., Apg 138; Ward, RestQ 1973, 176; Suhl, Paulus 77; Bruce, Gal 130 f.; Dunn, JSNT 18, 1983, 7 ff. nehmen an, die Jakobusleute hätten vor allem deshalb interveniert, um dadurch die politisch unsichere Situation der palästinensischen Judenchristen angesichts des Wachsens des Zelotismus in den vierziger Jahren zu entschärfen. Petrus hätte dies eingesehen und aus Furcht vor den Juden (= τοὺς ἐκ περιτομῆς, V.12) eingelenkt. Doch die Annahme, mit dieser Wendung seien Juden gemeint, ist nicht stichhaltig; es sind vielmehr Judenchristen, genauerhin die angekommenen Jakobusleute, darunter zu verstehen; auch im Kontext sind mit analogen Wendungen eindeutig Christen gemeint (V.12: ἔθνη = Heidenchristen; V.13: Ἰουδαῖοι = Judenchristen). Damit fällt auch die These, die Intervention sei in erster Linie politisch motiviert gewesen (entsprechend ist auch keine primär politische Motivation hinter den judaistischen Agitationen in Antiochien bzw. auf dem paulinischen Missionsgebiet anzunehmen, zudem es dort nicht um Juden-, sondern um Heidenmission ging; gegen Jewett, NTS 1970/71, 198 ff., bes. 204 ff.).

[132] Schoeps, Paulus 62; Gaechter, Petrus 291; Filson, Geschichte 240; Eckert, Verkündigung 217. 235; Mußner, Jak 14; Simon, RHR 1978, 30; Aus, ZNW 1979, 260; Weiser, BZ 1984, 159; ders., Apg 379. Auch eine bloße „Verwandtschaft" mit den Falschbrüdern zu konstatieren, wie es Becker, Gal 27 f. tut, ist angesichts der Einsicht, daß die Jakobusleute nur die Judenchristen ansprachen, verwirrend (S.28 sieht Becker richtig, daß Jakobus und seine Anhänger keine Judaisten waren, denn nur letztere forderten die Beschneidung).

[133] Becker, Gal 28. Catchpole, NTS 1976/77, 428 ff. nimmt an, die Jakobusleute wären bereits mit dem Dekret Apg 15,29 nach Antiochien gekommen – das ist unwahrscheinlich, weil dann der Rückzug der Judenchristen nicht nötig gewesen wäre. Nach Dunn, JSNT 18, 1983, 31 f. hätten die Heidenchristen schon die grundlegenden Speisegebote der Tora befolgt (im besonderen Verzicht auf Schweinefleisch sowie auf Fleisch nicht vorschriftsgemäß geschlachteter Tiere; kritisch zu dieser These zu Recht Cohn-Sherbok, JSNT 18, 1983, 70 f.); die Jakobusleute hätten eine genauere Beachtung der Tora verlangt (im wesentlichen rituelle Reinheit und den Zehnten betreffend). Dagegen spricht, daß die Jerusalemer sich nicht an die Heiden-, sondern an die Judenchristen wandten. Ob sie zunächst überhaupt an ein Zusammenleben beider Gruppen dachten (also Forderungen an

haben, sonst hätte es ja nicht erst zum Rückzug des Petrus und aller anderen Judenchristen und damit zum Konflikt mit Paulus kommen dürfen. Vor allem spricht gegen eine die Grenzen verwischende Nebeneinanderstellung von Jakobus (bzw. den Jakobusleuten) und den Judaisten, daß Paulus gegen erstere nicht polemisiert und ihnen keinen Bruch der Konventsbeschlüsse vorwirft. Er anerkennt damit ausdrücklich die Berechtigung des Standpunktes des Herrenbruders, obwohl er selbst durchaus in Theorie und Praxis einen anderen Standpunkt vertritt: seine Gesetzeslehre impliziert nicht nur prinzipiell das Abgetansein des Gesetzes als Heilsweg auch für Judenchristen, er hatte auch de facto nichts gegen Übertretungen ritueller Toravorschriften, wie die Vorgeschichte des antiochenischen Konflikts zeigt.

Die theologische Position des Jakobus innerhalb der verschiedenartigen Möglichkeiten der Judenchristen, die Geltung der Tora auch für die Christen festzulegen, kann durch einen Vergleich vor allem mit der diesbezüglichen Position des Petrus weiter verdeutlicht werden. Jakobus vertrat zwar keine judaistischen Forderungen; *er hatte aber auch nicht* (soweit es Judenchristen betraf) *die in der Diaspora übliche relativ freie Einstellung zur Tora*, wie sie von antiochenischen Judenchristen und im Anschluß an sie von Petrus selbst praktiziert wurde[134]. Ein Abgehen von der toraobservanten Haltung der Judenchristen ist für Jakobus jedenfalls nicht denkbar, auch wenn dies ernste Folgen für das Zusammenleben mit den Heiden haben sollte; solche Folgen scheinen zunächst überhaupt nicht in seinem Blickfeld und Verantwortungsbereich

---

die ersteren stellten), ist durchaus unsicher. In der Folge mußte freilich diese Frage diskutiert werden (vgl. unten 3.1.5.4).

[134] Daß gerade diese auf entsprechende Vorhaltungen hin wieder zu einer größeren Toraobservanz bereit waren, zeigt, daß sie ihre Haltung theologisch noch nicht ausreichend durchreflektiert hatten (im Unterschied zu Paulus), um den Forderungen der Jerusalemer widerstehen zu können. D.h. die Praxis des Verzichts auf die Einhaltung ritueller Toravorschriften war in Antiochien weiter entwickelt als die theoretische (theologische) Bewältigung der Konsequenzen dieses Verhaltens. Das Fatale der Haltung der Antiochener Judenchristen besteht in der Regression auf eine in der Praxis bereits überwundene Position. Aus diesem Grunde wendet sich Paulus gegen Petrus, nicht aber direkt gegen Jakobus. Diese unterschiedliche Behandlung des Petrus und Jakobus durch Paulus darf nicht verwischt werden (gegen Neitzel, ThQ 1983, 147f.). Sie entspricht gleichwohl nicht Paulus' grundsätzlicher Haltung zu den Jerusalemern. Auch deren Position lehnt Paulus faktisch ab: Wenn das Heil nach gemeinurchristlicher Auffassung durch Christus erworben wurde, worin ist dann die Legitimität der Verpflichtung der Judenchristen auf das Gesetz begründet? Denn daß für einen Judenchristen, der an der Tora festhält, nicht gerade deren Heilscharakter grundlegend sein sollte, ist nicht denkbar. Wie sind aber die beiden „Soteriologien" miteinander in Einklang zu bringen? Diese Frage scheint von den Jerusalemern nicht erkannt worden zu sein. Erst Paulus tat das und löste sie so, daß er die *effektive* Heilswirksamkeit des Gesetzes leugnete, insofern ist Paulus' Position auch (!) antijakobinisch.

gelegen zu sein. Die palästinensische Umwelt, in der Jakobus verblieb, spielte für das Zustandekommen dieser Haltung eine bestimmte Rolle, aber keine entscheidende, die größere theologische „Liberalität" des Petrus muß schon für dessen Zeit in Palästina in Ansatz gebracht werden, was durch die Apostelgeschichte auch bestätigt wird: seine Bereitschaft zur Gründung des hellenistischen Gemeindeteils in Jerusalem (6,1 ff.), sein Wohnen in unreinem Hause (9,43) und besonders sein, wenn auch zuerst nur ansatzweises Offensein für die Heidenmission (10,1 ff.); ein „kritisches Ferment"[135] von Jesu Einstellung zur Tora ist bei ihm deutlich erkennbar.

Hatte Jakobus eine konservativere Einstellung zur Tora als Petrus, so ist *seine theologische Position erst recht von der des Paulus zu unterscheiden.* Daß er nur aus taktischen Gründen eine andere Gesetzesauffassung vertrat als Paulus, theologisch aber mit ihm mehr oder minder übereinstimmte, wie *W. Schmithals* annimmt[136], überschätzt bei weitem das für Jakobus theologisch Mögliche. Es läßt sich nicht sagen, „that James understood Paul's gospel better than Peter and in fact was closer to Paul in theology than Peter", wie *G. Howard* vermutet[137], der dies aus dem Fehlen einer Polemik gegen Jakobus Gal 2,11 ff. schließt. Doch erklärt sich dieses daraus, daß Paulus eine toraobservante Haltung von Judenchristen prinzipiell ja nicht für unmöglich hält, sondern nur den Rückzug von einer einmal erreichten Position angreift, der aus heidenchristlicher Sicht letztlich als Akzeptierung der Heilsnotwendigkeit der Tora und damit als Abfall von der Wahrheit des Evangeliums (2,14) interpretiert werden müßte. Liegt Jakobus theologisch keineswegs auf einer Linie mit Paulus, so sollte seine Intervention in Antiochien aber auch *nicht als antipaulinischer Akt* eingeschätzt werden[138].

---

[135] Hengel, Geschichtsschreibung 81.

[136] Schmithals, Paulus und Jakobus 37 f.; vgl. die obigen Erörterungen zum Apostelkonvent; Schmithals sieht auch keine theologischen Differenzen zwischen Petrus und Jakobus. Er anerkennt „keine mehr als bei Petrus zum Judaismus tendierende Einstellung des Jakobus, die natürlich möglich ist" (87, A 1). – Jakobus war zwar kein Judaist, seine Position ist aber dennoch von der des Petrus (und erst recht von der des Paulus) zu differenzieren, auch wenn sie nur bruchstückhaft deutlich wird.

[137] Howard, Paul 79.

[138] Gegen Lüdemann, EvTh 1980, 444. Andererseits ist auch die Rede von „amicable relations between Paul and James" (Ward, RestQ 1973, 176) zumindest leicht mißverständlich. Was den bewußten Willen beider zum guten Auskommen betrifft, ist Ward zuzustimmen. Paulus wie Jakobus waren bestrebt, keine Kluft zwischen den von ihnen repräsentierten Formen des Christentums aufkommen zu lassen. Dennoch hatten es beide aufgrund ihrer sehr verschieden akzentuierten theologischen Position recht schwer miteinander. Das Verhältnis war alles andere als problemlos. Daß beide dennoch versuchten, die „Kirchengemeinschaft" aufrechtzuerhalten, und ein Zerbrechen dieser Gemeinschaft durch extreme Gruppen zu verhindern bestrebt waren, ist ein Zeichen für ihr kirchenpolitisches Verantwortungsbewußtsein; insbesondere gilt das für Jakobus, der durch einen

Man müßte mindestens ebenso von einem antipetrinischen bzw. antijudenchristlichen (soweit es das antiochenische Judenchristentum betrifft) sprechen. Hier liegt ein derart weites Verständnis von „antipaulinisch" vor, daß die Grenzen zwischen Jakobus und wirklich antipaulinischen Kräften (wie etwa den Judaisten an den verschiedensten Orten) in illegitimer Weise verwischt werden[139].

Daß der antiochenische Konflikt auf eine Gesinnungsänderung des Jakobus zurückgehe, der entgegen den Absprachen auf dem Konvent versuche, die Verhältnisse in Antiochien zu ändern[140], ist nicht anzunehmen. Der dabei vorausgesetzte *Bruch der Konventsentscheidungen durch Jakobus ist textlich nicht zu belegen.* Auf dem Konvent sind nach allem, was erkennbar ist, Fragen der Tischgemeinschaft von Heiden- und Judenchristen nicht besprochen worden, sonst hätte es nicht zum antiochenischen Konflikt kommen können. Die Trennung der Missionsbereiche in einen heiden- und einen judenchristlichen bedeutete keineswegs eine Aufgabe der Toraobservanz durch die Judenchristen. Zumindest scheint Jakobus das Abkommen in diesem Sinn verstanden zu haben. Seiner Meinung nach waren im Gegenteil gerade die antiochenischen Verhältnisse nicht mehr im Sinne des Abkommens, d. h. nicht er verletzte das Abkommen, sondern die antiochenischen Judenchristen, allen voran die, die in Jerusalem am Abkommen beteiligt waren, Petrus, Paulus und Barnabas. *Die Intervention wäre also nach dem Verständnis des Jakobus nicht als Bruch, sondern als Wiederherstellung der durch den Konvent beabsichtigten Verhältnisse zu werten*[141], eine Gesin-

---

Bruch mit Paulus seine eigene Situation in der stets bedrohlicher werdenden Zeit vor dem Jüdischen Krieg entscheidend verbessern hätte können (unten 4.).

[139] Dagegen ist selbstverständlich mit Lüdemann (EvTh 1980, 442 ff.) die Vorgangsweise der Agitatoren in Antiochien (Gal 2,4) als antipaulinisch einzustufen. Die Qualifizierung des Einschreitens des Jakobus in Antiochien als des zweiten antipaulinischen Aktes, von dem wir wissen, ist jedoch unzulässig. Lüdemann anerkennt ja selbst, daß der Einigungsvertrag des Apostelkonvents nicht ausschloß, „daß in Zukunft Juden, die gesetzlos in einer heidenchristlichen Gemeinde lebten, auf das Halten des jüdischen Gesetzes verpflichtet werden konnten – mit Bezug auf das Jerusalemer Abkommen" (443).

[140] Suhl, Paulus 67; Betz, Gal 82. Nach Filson, Geschichte 240 habe Jakobus „sich dem Druck der konservativen Gruppe gebeugt". Die Position des Jakobus verzeichnet auch Radl, ThQ 1982, 57: „In Jerusalem ist vermutlich die Führung auf einen anderen, auf Jakobus, übergegangen. Jedenfalls herrscht dort nicht mehr der Einfluß des Petrus, nicht mehr der Geist des ‚Konzils'. Die Judaisten bekommen wieder Oberwasser."

[141] Daß nicht nur Paulus und Barnabas, sondern auch Petrus mit den Heidenchristen Tischgemeinschaft pflegte, zeigt, daß sie alle die Konventsbeschlüsse anders interpretierten, entsprechend ihrer anderen theologischen Position. Sie warfen Jakobus jedenfalls keine illegitime theologische Haltung vor, wie der Erfolg der Jakobusleute in Antiochien deutlich macht; gegen die Annahme eines Bruchs der Konventsabsprachen durch Jakobus (bzw. die Jakobusleute) richtig Oepke, Gal 87; Becker, Gal 28.

nungsänderung seit dem Konvent ist also in diesem Punkt nicht festzustellen. (Eine andere Frage ist, ob das bei seiner eventuellen Beteiligung
an der Einigung zwischen Heiden- und Judenchristen bezüglich der
sog. Jakobusklauseln der Fall ist.)

Der *primäre Grund für die Intervention* des Jakobus scheint also seine
theologisch motivierte Verantwortung für die Judenchristen gewesen zu
sein, wie sie ihm auf dem Konvent zusammen mit Petrus (und dem inzwischen wahrscheinlich schon toten Zebedaiden Johannes) zugefallen
war. Ist Petrus seiner Meinung nach nicht in adäquater Weise dieser
Verantwortung nachgekommen (weil er eine freiere Einstellung zur
Heidenmission und zum Leben der Judenchristen in der Diaspora
hatte), so mußte er korrigierend eingreifen. Ein Anspruch besonderer
Machtvollkommenheit ist damit durchaus nicht gegeben. Zum Konflikt
kam es vielmehr, weil er mit der Position des Petrus (und im besonderen mit der des Paulus) nicht übereinstimmte und nicht gewillt war,
ohne eine Aktion den Dingen ihren Lauf zu lassen. – Neben dieser
theologischen *Motivation* steht noch eine *politische*, die wiederum vom
Verantwortungsbewußtsein des Herrenbruders getragen ist: die *Situation der Christen in Palästina* wurde in den Jahrzehnten vor dem Jüdischen Krieg immer bedrohlicher. Inwiefern, zeigen deutlich die Verfol-
gungen, die über die dortigen Gemeinden hereinbrachen; je stärker
eine kritische oder distanzierte Haltung der Christen der Tora gegenüber für die Außenwelt sichtbar wurde, um so eher reagierte diese
durch Verfolgung; zuerst die des tempel- und torakritischen Stepha-
nus(kreises), während die Gruppe um die Zwölf zunächst noch unge-
schoren blieb; dann die Verfolgung der Führer dieser Gruppe mit dem
Tod der Zebedaiden und der Flucht des Petrus, schließlich der Tod des
Herrenbruders Jakobus selbst (dazu unten 4.). In dieser Situation war
es für letzteren ein Gebot der Stunde, alles zu tun, um Kritik fernzuhal-
ten. Das betraf nicht nur die Judenchristen Palästinas, sondern auch die
der Diaspora, mit denen erstere ja Verbindung hatten. Kritikmöglich-
keit an letzteren mußte auch die ersteren gefährden; Gefahren auszuschalten, mußte folglich für den Jerusalemer Gemeindeleiter von höchstem Interesse sein (wie unangenehm Jakobus in dieser Hinsicht auch
und gerade die Verbindung zu Paulus war und wie sehr er bemüht war,
die Situation zu einem guten Ende zu führen, zeigt Apg 21).

3.1.5.4 Die Jakobusklauseln als Folge des antiochenischen Konflikts

Scheitert (wie oben 3.1.3.3.2 betont) die Rückführung der Klauseln auf den
Konvent, so ist auch die (entgegengesetzte) Anschauung von *W. Schmithals* abzulehnen: er meint, die Klauseln hätten in der christlichen Gemeinde überhaupt
keinen Sitz im Leben, sondern seien von Lukas direkt aus dem hellenistischen

Judentum übernommen worden[142]. Die genaue Adressierung jedoch spricht, wie immer sie zu interpretieren ist, für eine Lukas vorliegende antiochenische Tradition[143]. Vor allem handelt es sich um Verhaltensweisen der Heidenchristen, die noch im 2. Jh. weit verbreitet waren[144]; es ist also viel wahrscheinlicher, daß die Klauseln dieser heidenchristlichen Tradition entstammten, als daß Lukas sie direkt aus dem hellenistischen Judentum übernahm.

Sehr beliebt ist die These, die Klauseln seien nach dem antiochenischen Konflikt in Jerusalem erlassen worden[145]. Die Annahme eines Ursprungs in Jerusalem impliziert, daß Jakobus ein offizielles, für die Heidenchristen Geltung beanspruchendes Dekret erließ. Doch die Hinweise auf die Betonung des ἐμοί (Gal 2,6) wie auf die Darstellung der Apg reichen dafür nicht aus[146] und wichtige Argumente schließen eine offizielle und damit autoritative dekretale Entscheidung des Jakobus aus:

1. Die Rückführung der Klauseln auf die Jerusalemer Autoritäten paßt sehr gut zum lukanischen Geschichtsbild, wonach alle wichtigen Entscheidungen in der Frühzeit der Kirche von den Jerusalemern initiiert bzw. gebilligt sein mußten (vgl. nur Apg 8,14ff. und besonders die Bekehrung des Cornelius 10,1ff. mit dem ausdrücklichen Rückverweis auf dieses Ereignis in der Rede des Petrus beim Konvent).

2. Daß Paulus nirgends in seinen Briefen auf die Klauseln eingeht[147], spricht ebenfalls gegen eine direkte Rückführung auf Jakobus; an einer autoritativen Entscheidung Jerusalems und damit an einer Änderung der Haltung gegenüber dem Apostelkonvent könnte Paulus, dem am guten Verhältnis zu Jerusalem liegt (Kollekte), nicht völlig kommentarlos vorbeigehen. Es ist immerhin sehr auffällig, daß Paulus Jakobus nirgends angreift, auch nicht Gal 2,11ff.[148].

---

[142] Schmithals, Paulus und Jakobus 84.

[143] Vgl. Dibelius, Aufsätze 89; für Tradition spricht auch die Erwähnung von Judas und Silas; ersterer wird nur hier im NT genannt. – Lukas hat Apg 15,1ff. den Bericht über den Apostelkonvent (Par. Gal 2,1ff.; Thema: gesetzesfreie Heidenmission, abgehandelt am Thema der Beschneidung) und den über die Lösung des antiochenischen Konflikts (Thema: Festlegen der Modalitäten für Gemeinschaft zwischen Juden- und Heidenchristen in gemischten Gemeinden) kontaminiert; vgl. Schneider, Apg II,176f.

[144] Offb 2,14. 20; Just Dial 34,8; MinFel Oct 30,6; Lugdunens. Märtyrer bei Eus HE V 1,26; Tert Apol 9,13; PsCl H VII 4,2; 8,1; VIII 19,1; vgl. Haenchen, Apg 455f.; Conzelmann, Apg 85.

[145] Weizsäcker, Zeitalter 180; in neuerer Zeit Bultmann, Exegetica 416; Goppelt, Zeit 52f.; Wilson, Gentiles 191; Holtz, NT 1974, 124; Pesch, FS Mußner (1981) 106f.; Strobel, FS Mußner (1981) 97; Roloff, Apg 227; Mußner, Apg 94; Weiser, BZ 1984, 157; ders., Apg 376; Egger, Gal 19; für ältere Vertreter dieser These vgl. Haenchen, Apg 452.

[146] Richtig Schmithals, Paulus und Jakobus 85: „Daß es dort (scil. Jerusalem) geschehen ist, dafür gibt es aber keinen Hinweis, auch nicht bei Lukas."

[147] Daß Paulus die Klauseln nicht kennt (Conzelmann, Geschichte 73), ist bei einer Edition durch Jakobus aber unwahrscheinlich.

[148] Unwahrscheinlich ist die These von Catchpole, NTS 1977, 442f., die Jakobusleute (Gal 2,12ff.) hätten das Dekret bereits nach Antiochien mitgebracht (gegen Catchpole spricht allein schon der Umstand, daß das „Dekret" ein bereits gegebenes Problem bezüglich des Zusammenlebens von Heiden- und Judenchristen voraussetzt, während ein solches in Antiochien ja erst nach Intervention der Jakobusleute entstand).

3. Daß man sich in dem unabhängigen Antiochien, das bereits eine lange Tradition in der gesetzesfreien Heidenmission hatte, nun plötzlich von Jerusalem offizielle Vorschriften machen ließ, ist ebenfalls nicht sehr einleuchtend.

Die Klauseln betreffen Probleme gemischter Gemeinden. Es ist anzunehmen, daß sie, in welcher Form immer, auch in einer solchen Gemeinde entstanden sind[149] (möglicherweise kam es auch in verschiedenen gemischten Gemeinden, d.h. unter ähnlichen Bedingungen, zu ähnlichen Problemlösungen). Antiochien bietet sich als (ein) möglicher Entstehungsort für die Klauseln an: darauf deutet schon die Adresse des Schreibens Apg 15,23; Lukas greift hier sicher auf antiochenische Tradition zurück. Zudem ist es dort, wie Gal 2,11 ff. zeigt, zu Schwierigkeiten im Zusammenleben von Heiden- und Judenchristen gekommen; die Annahme der Entstehung der Klauseln in Antiochien in der Zeit nach dem Konflikt mit dem Zweck, die Gemeinschaft beider Gruppen wieder auf eine tragfähige Basis zu stellen, liegt jedenfalls sehr nahe. Aus judenchristlicher Sicht könnte man von einer *Präventivmaßnahme* sprechen, die Verletzungen von (Speise)Vorschriften der Tora durch Judenchristen verhindern sollte. Daß für einen solchen Kompromiß[150] eine starke judenchristliche Gruppe vorhanden sein mußte und damit die Aktualität der Frage nach der Toraobservanz, dürfte deutlich sein; eine solche ist aber in den letzten Jahrzehnten des 1. Jh.s nicht mehr gegeben[151], man wird also am besten an die 2. Hälfte der vierziger Jahre denken.

Ist diese historische Einordnung richtig, so wurden die Klauseln den antiochenischen Heidenchristen nicht auferlegt, sondern von ihnen im Zusammenwirken mit den Judenchristen erstellt, stellen also *eine Art freiwillige Selbstbeschränkung zum Zweck des Zusammenlebens mit den Judenchristen* dar. *Jakobus war zwar nicht der Initiator der Klauseln, eine wenigstens indirekte Beteiligung seinerseits kann aber kaum ausgeschlossen werden*, da immerhin seine Vertrauensleute den Konflikt ausgelöst hat-

---

[149] Haenchen, Apg 454 f.; Conzelmann, Apg 85; ders., Geschichte 73 f.; Conzelmann–Lindemann, Arbeitsbuch 413; Kemler, Jakobus 42; Bornkamm, Paulus 63; Hengel, NTS 1971/72, 18, A 17 (vgl. ders., Geschichtsschreibung 98); Mußner, Gal 135, A 6; Schneider, Apg II, 192.

[150] Das Dekret vertritt eine gemäßigte judenchristliche Position. „While the Decree goes against the tendency represented by Paul and illustrates the triumph of what can be described as moderate or mitigated Jewish Christianity, it also amounts to a defeat of extreme, uncompromising Jewish Christianity" (Simon, BJRL 1969/70, 460; zustimmend Ward, RestQ 1973, 179).

[151] Dies spricht dagegen, die Klauseln auch in ihrer kultischen Form erst in eine spätere Phase der Geschichte des frühen Christentums zu verweisen, so Bornkamm, Paulus 63; als Möglichkeit Conzelmann–Lindemann, Arbeitsbuch 413 (anders Conzelmann, Geschichte 74); nach Haenchen, Apg 454 f. beschrieb Lukas die lebendige Tradition seiner Zeit.

ten. Daß dieser außerordentlich schwerwiegende Zusammenstoß, bei
dem immerhin die antiochenische Missionsorganisation zerbrach, von
den Jakobusleuten völlig ohne Kontaktnahme mit Jakobus ausgelöst
worden sein soll, ist unwahrscheinlich. Jakobus wußte sich zwar nicht
direkt für die Heidenchristen zuständig – die Forderungen Gal 2, 11 ff.
betreffen nur die Judenchristen, und auch auf dem Konvent beschloß er
als Mitglied des Säulenkollegiums eine (freiwillige) Selbstbeschränkung
auf die Judenmission. Nach aufgebrochenem Konflikt (z. Z. des Konvents verlautet nichts davon) aber mußte auch Jakobus dazu Stellung
beziehen, und er scheint mit der Position der übrigen Judenchristen
übereingestimmt zu haben, jedenfalls wird in diesem Beschluß selbst
keine abweichende Haltung etwa von der des Petrus sichtbar[152].

Schwer zu beantworten ist die Frage, ob hier eine *Positionsverände-
rung des Jakobus gegenüber seiner Haltung auf dem Apostelkonvent* vorliegt. Mit aller Vorsicht könnte man sagen, daß dies *nicht der Fall* ist;
die Frage der Tischgemeinschaft und daraus resultierende Probleme
wurden auf dem Konvent offensichtlich nicht thematisiert, denn daß
diesbezüglich nichts beschlossen worden wäre, ist unglaubhaft[153];
Gal 2, 1 ff. schließt aber Kautelen irgendwelcher Art ausdrücklich aus.
Das bedeutet aber wohl, daß Jakobus dieselbe Position schon zur Zeit
des Konvents unausgesprochen hatte, genauer gesagt, daß er zur Zeit
des Konvents unter den gleichen Voraussetzungen wie denen des antiochenischen Konflikts auch keine andere Meinung geäußert hätte; das
bedeutet aber wohl auch, daß Jakobus die den Heidenchristen auf dem
Konvent zugestandene Freiheit nicht (wie Paulus) als prinzipielle Freiheit vom Ritualgesetz verstand[154]; er stimmte dieser Freiheit nur insofern zu, als dadurch die Verpflichtung der Judenchristen auch (!) auf
die Ritualia nicht tangiert würde. Eine spezifisch antipaulinische Haltung braucht dabei weder von Jakobus noch von den am antiochenischen Konflikt beteiligten Judenchristen angenommen werden; nicht
nur ist es gut möglich, daß sie in der theologischen Wertung die Klauseln und die Forderung der Beschneidung differenzierten; es ist sogar

---

[152] Möglicherweise konnte Jakobus mit den Klauseln seine Position durchsetzen
(Hengel, Geschichtsschreibung 98) – aber nicht aus einem primären Interesse an der Heidenmission heraus, sondern im Sinne der oben genannten Präventivmaßnahme. „Rand-
siedler des Gottesvolks" (Smend-Luz, Gesetz 77) im Sinne der Stellung der Gottes-
fürchtigen zu Israel waren die Heidenchristen in den Augen des Jakobus spätestens ab
diesem Zeitpunkt nicht mehr.

[153] Gegen Hübner, Gesetz 23, der meint, der Hinweis des Paulus auf die „heidnische"
Lebensweise des Petrus vor der Ankunft der Jakobusleute lasse darauf schließen, daß auf
dem Konvent auch die Speisegesetze Lev 11 – im Sinne des Paulus erfolgreich – zur Sprache kamen.

[154] Hübner, Gesetz 54.

wahrscheinlich, daß sie theologische Implikationen von Forderungen an die Heidenchristen nicht in der Schärfe sahen und bewerteten wie der theologisch geschulte und in diesen Fragen sehr sensible Paulus.

3.1.6 Jakobus und die Agitatoren auf dem paulinischen Missionsgebiet

Die auf dem paulinischen Missionsgebiet allenthalben auftauchenden Agitatoren brachte man seit den Zeiten der Tübinger immer wieder mit den Jerusalemer Autoritäten in engsten Konnex und machte diese oder einzelne von ihnen so zu ausgesprochenen Gegnern des Paulus und zu den eigentlich Verantwortlichen für die Krisen, mit denen Paulus in seinen Gemeinden konfrontiert wurde[155].

Bei den im Gal bekämpften Gegnern des Paulus handelt es sich, wie zu Recht fast allgemein anerkannt ist, um Judaisten judenchristlicher Herkunft[156]: sie fordern die Beschneidung der Heidenchristen als Bedingung des Heils (5,2; 6,12 f.; vgl. 5,6. 11 f.), weiters die Beachtung eines Festkalenders (4,10), sie agitieren gegen Paulus und seinen Apostolat, der dem der Jerusalemer nicht ebenbürtig sei (1,1 ff. u. passim), sie berufen sich auf ihre jüdische Abstammung (3,7; 4,26; letztere Stelle könnte auf Herkunft aus Jerusalem hindeuten). *Daß Jakobus für das Wirken dieser Leute verantwortlich ist, ist ganz unwahrscheinlich.* Zunächst: Paulus bringt ihn nirgends in Zusammenhang mit ihnen, er greift Jakobus nie an, was bei der Schärfe des Gal nicht denkbar ist, wenn er ihn als treibende Kraft im Hintergrund wüßte; und daß die Judaisten, falls Jakobus in der Beschneidungsfrage wirklich hinter ihnen gestanden wäre, das nicht gebührend ausgesprochen hätten, so daß es auch Paulus bekannt hätte werden müssen, ist nicht anzunehmen. Weiters: „Der loyale und faire Ton, in dem er von den ‚Säulen' und Barnabas spricht, legt die Vermutung nicht nahe, er habe hinter der Agita-

---

[155] Holl, Aufsätze II, 57; Lietzmann, Schriften II, 288; Meyer, Ursprung III, 434; Jackson–Lake, Beginnings I, 1, 312; Schoeps, Theologie 68; Stauffer, Theologie 22; ders., ZRGG 1952, 204 f.; vgl. auch Lüdemann, EvTh 1980, 455: „Die starke antipaulinische Agitation in der galatischen und der korinthischen Gemeinde(n) ... hat als Folie den unaufhaltsamen Aufstieg des Herrenbruders Jakobus in Jerusalem." Nach Rebell, Paulus 87 ff. sind die Gegner des Paulus „Abgesandte der Urgemeinde oder zumindest ihr nahestehende Kreise" (87; vgl. 89: „die Jerusalemer"); Rebell unterscheidet hier zuwenig die verschiedenen Positionen innerhalb der Jerusalemer Gemeinde, die insbesondere im Verhalten zu Paulus zum Ausdruck kommen.

[156] Dibelius, Paulus 121; Kümmel, Einleitung 260 ff.; Goppelt, Christentum 94 f.; Bornkamm, Paulus 35 u. passim; Köster, Entwicklungslinien 135 f.; Vielhauer, Geschichte 119; Hübner, Gesetz 54; ders., TRE XII, 7; Mußner, Gal 25; Betz, Gal 101; Lüdemann, EvTh 1980, 448 f. 454; andere Erklärungsversuche bei Vielhauer, Geschichte 120 ff.

tion Petrus und/oder Jakobus gesehen."[157] Schließlich: Jakobus wußte sich nur für die Judenchristen zuständig; er verzichtete nicht nur auf dem Konvent auf die Zuständigkeit für die Heidenmission; seine Intervention in Antiochien geschah ebenfalls nur um der Judenchristen willen; und selbst wenn er, wie wahrscheinlich, an der Entstehung der Klauseln mitbeteiligt war, wird keine andere Richtung seiner Bemühungen sichtbar, denn die Intention der Klauseln war nicht, die Heidenchristen zu reglementieren, sondern den Judenchristen den Verkehr mit ihnen ohne Aufgabe ihrer Toraobservanz zu ermöglichen. – Ein Zusammengehen des Herrenbruders mit Judaisten würde einen sehr deutlichen Bruch mit seinem bisherigen Verhalten bedeuten und müßte erst an den Texten aufgezeigt werden (auch Apg 21 erscheint Jakobus nicht als Judaist).

In neuerer Zeit machte *A. Strobel*[158] den Versuch, die Sendung der galatischen Agitatoren durch Jakobus zwar aufrecht zu halten, aber doch die jeweiligen theologischen Anschauungen auseinanderzuhalten; danach hätten die Gegner des Paulus (ebenso wie die des 2 Kor) als Sendlinge der Urgemeinde (84) die Aufgabe gehabt, das Dekret in den paulinischen Gemeinden durchzusetzen (89. 101). Jakobus habe in ihm nur ein Programm von „Mindestforderungen gegenüber den Heiden" (91) formuliert; im Zuge der Verbreitung des Dekrets sei aus Übereifer eine „gewisse" (101, A 34) Beschneidungspropaganda gemacht worden, die aber „nicht im Sinne der jerusalemischen Verantwortlichkeit war" (101). Doch auch diese harmonisierende Konstruktion läßt sich nicht aufrecht halten: es müßte nicht nur Jakobus eine unglückliche Hand bei der Auswahl seiner Gesandten attestiert werden, vor allem setzt die offizielle Bekanntmachung von Jerusalem aus eine ebenso offizielle Deklaration durch Jakobus in Jerusalem voraus sowie das ausdrückliche Eingreifen des Jakobus auf heidenchristlichem Gebiet – beides ist nach dem oben Gesagten ganz unwahrscheinlich; schließlich deutet Paulus

---

[157] Vielhauer, Geschichte 119 f.; er meint dann allerdings, daß dieser Ton eine solche Vermutung auch nicht völlig ausschließe, wenn es auch nicht naheliegend sei; es bleibe in diesem Punkt ein ungelöster Rest: Paulus könne sich trotz der Konventsabsprachen nicht auf einen Konsens mit Petrus und Jakobus berufen (Gal 2, 11 ff.) und auch gegenüber der korinthischen Kephaspartei könne er nicht auf seine Einheit mit Kephas verweisen, während er dies in bezug auf Apollos ausgiebig tue. – Der fehlende Konsens betrifft aber Gal 2, 11 ff. gerade nicht die Beschneidung, sondern Fragen des Zusammenlebens von Heiden- und Judenchristen, das (sicherlich gegen die Intention des Paulus) u. a. Petrus und Jakobus mit Hilfe der Klauseln zu sichern hofften. Nun kann freilich ein historisches Urteil in dieser Frage aufgrund der Quellenlage nicht mit letzter Sicherheit gefällt werden, aber die Indizien sprechen jedenfalls gegen die These, Jakobus habe die Beschneidung der Heidenchristen gefordert.

[158] Strobel, FS Mußner (1981) 81 ff.

durch nichts an, daß die Gegner nur zwecks Durchsetzung eines Dekrets nach Galatien gekommen seien[159].

Stand Jakobus zwar nicht auf der Seite der Judaisten, so ist es doch gut vorstellbar, daß sie seine Autorität zur Durchsetzung ihrer eigenen Vorstellungen ausnützten[160]. Daß das Verhältnis des Paulus zu Jerusalem überhaupt Diskussionsgegenstand war, könnte ebenso darauf hinweisen, wie die Voranstellung des Jakobus Gal 2,9 und die Vermutung, daß nur die Berufung auf eine hohe Autorität Paulus in dessen eigenen Gemeinden erschüttern konnte. Die geistigen Verwandten der galatischen Agitatoren sind aber nicht bei Jakobus (oder den Jakobusleuten von Gal 2,12) zu suchen, sondern bei den in Antiochien und Jerusalem aufgetretenen Falschbrüdern (Gal 2,4 f.).

Ein ähnlich negatives Ergebnis ist auch in der Frage eines Bezuges des Jakobus zu den Gegnern des Paulus im 2 Kor festzustellen. Diese haben ihre Tätigkeit sowohl mit ihrem pneumatischen Status (geistgewirkte Rede: 10,10; 11,16; visionäre Erlebnisse: 12,1; Apostelzeichen:

---

[159] Eine Intervention des Jakobus, wenn auch in anderem Zusammenhang, nimmt Hübner an (Gesetz 53 ff.): durch die mit Jerusalem in Kontakt stehenden, wenn auch nicht die Haltung des Jakobus einnehmenden Judaisten, habe dieser die Argumentation des Paulus bezüglich des Gesetzes gekannt (ev. sogar den Text des Gal); Jakobus habe gegen Sätze wie Gal 5,4 (wer sich beschneiden läßt, ist aus der Gnade gefallen) fragend eingewandt, wie Paulus denn überhaupt mit toraobservanten Judenchristen eine Abmachung treffen und an der kirchlichen Einheit mit Jerusalem habe festhalten können. Dies habe Paulus zum Umdenken und zu einer differenzierteren Wertung der Tora im Röm geführt (neben der Auffassung von ihrem Ende auch ihre Anerkenntnis als Inbegriff des Willens Gottes).

So sehr dieser Ablauf hypothetischen Charakter trägt, ist er doch verständlich und als möglich zu bezeichnen. Zu unpräzise sind jedoch Hübners Ausführungen bezüglich der differierenden Interpretation der Konventsbeschlüsse durch Paulus und die Jerusalemer in bezug auf die Geltung des Gesetzes für die Heidenchristen: „Sollten die Jerusalemer wirklich so sehr über ihren Schatten gesprungen sein, daß sie eine totale, eine prinzipielle Freiheit vom Gesetz für die *Heiden*mission (Hervorhebung W.P.) akzeptierten, obwohl sie doch sich selbst allem Anschein nach für das wahre *Israel* (Hervorhebung von Hübn.) gehalten haben?" (54). Die Jerusalemer konnten sicher nicht die paulinische Gesetzeslehre akzeptieren, deren Konsequenzen ja auch das Ende der Tora für die Judenchristen bedeuteten, aber in bezug auf die Heidenchristen haben sie sicher in allen zur Diskussion stehenden Punkten deren Freiheit akzeptiert, anders ist Gal 2,6 nicht zu verstehen. Die Freiheit der Heidenchristen war nur dort einzuschränken, wo durch sie die Judenchristen und deren Toraobservanz beeinträchtigt wurden, insofern war sie in der Tat keine „prinzipielle". Jakobus hätte dann auch in seinem Protest gegen die Konsequenzen der paulinischen Gesetzesauffassung für die Judenchristen aus Verantwortung für eben jene Judenchristen gehandelt, ein Verhalten, das völlig mit dem bisher Erkannten übereinstimmt (gegen Hübner 23, der meint, Jakobus und seine Gesinnungsfreunde, vielleicht sogar Petrus, hätten nach Analogie der Judenmission die Heidenchristen bloß als christliche σεβόμενοι betrachtet; solche Folgerungen zu ziehen, scheint nicht zulässig).

[160] Vgl. Eckert, Verkündigung 217, A 2 (dort weitere Belege); Mußner, Gal 26. 119; Vielhauer, Geschichte 119.

12,12; Anspruch auf Unterhalt: 11,20; 12,17) als auch mit ihrer Herkunft legitimiert (Hebräer, Israeliten, Nachkommen Abrahams: 11,22; Diener Christi: 11,23; ev. auch Diener der Gerechtigkeit: 11,15)[161]. Letzteres deutet auf palästinensische Judenchristen. Die Frage allerdings, von wem die mitgebrachten Empfehlungsschreiben (3,1) stammen, ist umstritten. Die These, die Verfasser seien die Urapostel bzw. Jakobus[162], läßt sich jedoch nicht aufrecht halten: die ὑπερλίαν ἀπόστολοι sind wegen der Zusammengehörigkeit von 11,4 und 5 nicht die Jerusalemer Apostel, sondern die Gegner. Weiters bräuchten diese keine Empfehlungsbriefe von den Korinthern (3,1), wenn sie von Jakobus persönlich welche gehabt hätten; schließlich spricht 11,13–15 dagegen: „Wenn Käsemann (a.a.O., S.42)[163] es mit Recht für ausgeschlossen hält, daß Paulus die Jerusalemer ‚Säulen‘ als Satansdiener bezeichnet, so ist nicht einzusehen, wieso sie dann Paulus in seiner indirekten Polemik gegen Jerusalem letztlich doch wieder als solche bezeichnet haben sollte."[164] Von welchen palästinensischen Kreisen dann die Empfehlungsbriefe ausgestellt wurden, läßt sich nicht genau sagen. Daß es Judaisten waren[165], ist möglich, die theologische Position der Gegner des 2 Kor ist aber von der eindeutig judaistischen der Gegner des Gal zu unterscheiden; bei letzteren fehlt das pneumatische Element, bei ersteren jeder Bezug auf Beschneidung und Toraobservanz; man sollte also bei ihnen besser nicht von Judaisten sprechen. Scheidet Jakobus aber als Verfasser der Empfehlungsbriefe aus, so kann er auch nicht durch sie bzw. durch das Verhalten ihrer Überbringer einen kirchenrechtlichen oder theologischen Einfluß auf die fremde heidenchristliche Gemeinde genommen haben[166]. Eine über den judenchristlichen Bereich hinausgehende Einflußnahme des Jakobus ist also auch im 2 Kor nicht nachzuweisen[167].

---

[161] Roloff, Apostolat 77ff. spricht von historischer und pneumatischer Legitimation.

[162] So u.a. Holl, Aufsätze II,57; vgl. Schoeps, Theologie 124; in neuerer Zeit Käsemann, in: Rengstorf (ed.), Paulusbild 489f.; Lüdemann, EvTh 1980, 452; Strobel, FS Mußner (1981) 100. Während Käsemann und Strobel Jakobus jedoch theologisch von den Judaisten abgrenzen (Käsemann spricht 492 nur von einem „allgemeineren Inspektionsauftrag", Strobel wiederum sieht in ihnen, wie bereits betont, die Überbringer des Dekrets), bleibt diese Verhältnisbestimmung bei Lüdemann unklar; man kann aber seine Ausführungen kaum anders verstehen, als daß seiner Meinung nach Jakobus mit dem Tun der Judaisten einverstanden war. Er sieht „im 2 Kor und im Gal dieselbe planmäßig organisierte antipaulinische Front ...", deren Herkunft Jerusalem ist" (453).

[163] Gemeint ist die Erstveröffentlichung, im Nachdruck S.486.

[164] Roloff, Apostolat 79, A129.

[165] So Schoeps, Paulus 70 (in Abgrenzung von seiner früheren Position in: Theologie 124. 130); Roloff, Apostolat 81, A136.

[166] Käsemanns Rede von einem „allgemeineren Inspektionsauftrag" ist sehr blaß; zu Strobel vgl. das oben zu den Gegnern des Gal Gesagte.

[167] Das Gleiche dürfte auch für 1 Kor gelten. Die von Bammel, ThZ 1955, 412 aufge-

Schließlich steht Jakobus auch nicht hinter den paulinischen Gegnern in Philippi[168], die man vielleicht am besten als gnostisierende Judaisten bezeichnen kann: sie sind in fremdes Missionsgebiet eingedrungene judenchristliche Missionare, die auf die Vorzüge ihrer jüdischen Herkunft verweisen und die Beschneidung fordern (3,2f.), daneben aber auch ein enthusiastisches Vollkommenheitsbewußtsein besitzen, das an ihrem Verständnis von Werkgerechtigkeit und Auferstehung hängt (3,7ff.)[169]. Diese ihre Haltung ist weit entfernt von der des Jakobus, eine palästinensische Herkunft ist zwar nicht angedeutet, aber möglich[170], doch Jakobus als spiritus rector hinter ihnen zu sehen, ist ebensowenig wie im 2 Kor oder im Gal anzunehmen.

3.1.7 Die Reise des Paulus nach Jerusalem (Apg 21,15ff.)

Der letzte Bericht über Jakobus im Neuen Testament liegt Apg 21 im Zusammenhang der letzten Reise des Paulus nach Jerusalem vor. Daß diese Reise der Übergabe der Kollekte diente, sagt der Bericht nicht direkt, wird aber aus 1 Kor 16,3f.; Röm 15,25ff. und Apg 24,17 deutlich.

3.1.7.1 Die Verhältnisse in Jerusalem

Lukas folgt für den Aufenthalt des Paulus in Jerusalem einer Vorlage; dafür spricht nicht nur, daß die V. 15 ff. deutlich erkennbare Quelle kaum mit der Ankunft in Jerusalem geendet haben wird, zumal bereits vorher auf die zu erwartende Gefangennahme verwiesen wurde (21,4. 10ff.)[171]; auch weist darauf hin, daß der von Paulus durchgeführte kultische Ritus unklar ist: Lukas stellt es so dar, als habe Jakobus von Paulus verlangt, sich mit vier Nasiräern weihen zu lassen und die Kosten für deren Ausweihung zu tragen (V.24). Ein nur für sieben Tage (V.27) übernommenes Nasiräat gab es jedoch nicht (vgl. Naz I 3;

---

nommene Ansicht G. C. Storrs und C. Weizsäckers, mit οἱ τοῦ Χριστοῦ (1 Kor 1,12) seien Jakobusanhänger gemeint, kommt über den Wahrscheinlichkeitsgrad einer Vermutung nicht hinaus. Selbst wenn sie richtig sein sollte, wäre damit noch keine direkte Einflußnahme des Jakobus in der korinthischen Gemeinde gegeben.

[168] Gegen Stauffer, ZRGG 1952, 205; im gleichen Sinn, aber ohne ausdrückliche Nennung von Philippi Jackson–Lake, Beginnings I,1,312.

[169] Vielhauer, Geschichte 165 spricht von „judaisierende(n) Gnostiker(n)", doch sollte man sie aufgrund ihres enthusiastischen Vollkommenheitsbewußtseins nicht schon als Gnostiker bezeichnen, da dieser Term dadurch zu weit gefaßt ist.

[170] Darauf könnte die gewisse Nähe dieser Leute zu den Gegnern im 2 Kor hindeuten, wie das Wertlegen des Paulus auf seine palästinensische Herkunft Phil 3,5 nahelegt.

[171] Haenchen, Apg 585; Schmithals, Paulus und Jakobus 72. Daß es sich um eine zuverlässige Quelle handelt, wird weithin anerkannt. Kittel, ZNW 1931, 154; Dibelius, Aufsätze 93; vgl. ders., Paulus 35; Haenchen, Apg 585f.; Bultmann, Exegetica 420f.; Schmithals, ebd. 71; Conzelmann, Apg 121 (mit Vorsicht); Köster, Einführung 578.

dazu Bill. II, 80 ff.). Das ἁγνίσθητι (V. 24) kann aber auch nicht Befreiung von levitischer Unreinheit bedeuten (Num 19, 12 steht ἁγνίζεσθαι für die sieben Tage dauernde Reinigung von levitischer Unreinheit; ein aus dem Ausland Kommender galt eo ipso als levitisch unrein, tPar III 5; bSchab 15 a u. ö., Bill. II, 760), da ἁγνισμός (V. 26) und ἁγνίζεσθαι (V. 24) wohl dieselbe Bedeutung haben, also auch bei den Nasiräern eine levitische Unreinheit vorliegen müßte, was natürlich ganz merkwürdig wäre – Lukas hat hier offensichtlich etwas mißverstanden. Auf Benutzung einer Vorlage weist schließlich auch die Forderung, die Kosten für die vier Nasiräer zu übernehmen sowie „die Art, wie von den 7 Tagen als etwas Bekanntem gesprochen wird"[172]. Lukas hat seine Vorlage überarbeitet. Darauf weist nicht nur die schon erwähnte Unklarheit in bezug auf die Rolle des Paulus den Nasiräern gegenüber, sondern auch sein Schweigen über die Überbringung der Kollekte sowie kleinere Dramatisierungen: etwa die Erwähnung von Zehntausenden von Christen in Jerusalem, die noch dazu alle ζηλωταὶ τοῦ νόμου seien (V. 20) oder der Hinweis V. 23, diese alle würden von Paulus' Anwesenheit erfahren – zu einem Zeitpunkt, als er, von den Brüdern freundlich aufgenommen, bereits eine Unterredung mit Jakobus und den Presbytern hatte.

Paulus ist sich keineswegs sicher, daß die Jerusalemer die Kollekte als Zeichen der Einheit mit ihm akzeptieren werden. Während er 1 Kor 16, 3 f. nur Delegierte der Gemeinden nach Jerusalem senden, selbst aber nur bei Bedarf reisen will, ist er Röm 15, 25 ff. bereits fest dazu entschlossen. Abgesehen davon, daß der Röm insgesamt unter dem Vorzeichen dieses Besuches steht, sieht Paulus der inzwischen zur Gewißheit gewordenen eigenen Reise mit größter Besorgnis entgegen; konkret: er fürchtet einerseits einen Anschlag von Juden auf sein Leben, andererseits die Ablehnung der Kollekte durch die Jerusalemer Gemeinde (V. 31). Beide Befürchtungen deuten auf dasselbe Motiv hin, und zwar gerade nicht auf seine Arbeit als Heidenmissionar (die könnte Juden noch einigermaßen gleichgültig sein), sondern seine Stellung zu den Judenchristen bzw. die Implikationen seiner Predigt für sie. Apg 21 bestätigt diese Vermutung: nach V. 21 werfen ihm die torastrengen Judenchristen vor, er lehre alle Diasporajuden Abfall von der Tora; V. 28 wiederholen Juden aus Asia im Tempel sinngemäß die Anklage; von Heidenmission ist nirgends die Rede. So sehr hier wieder Übertreibungen vorliegen (V. 21: πάντας; V. 28: πάντας πανταχῇ), so wenig geht dieser Vorwurf als solcher fehl. Zunächst: daß Paulus direkt Judenchristen zur Mißachtung von Toravorschriften anhielt, ist zwar nicht bezeugt und auch

---

[172] Haenchen, Apg 585; den historischen Ablauf zeichnet Haenchen 586 überzeugend, indem er alles, was jüdischen Bestimmungen widerspricht, wegläßt; danach sollte Paulus auf Vorschlag des Jakobus die Kosten für die Ausweihungszeremonien für vier arme Nasiräer der Jerusalemer Gemeinde bezahlen; da er aber wegen seines Auslandsaufenthaltes als levitisch unrein galt, konnte er der Zeremonie nur nach seiner am dritten und siebenten Tag nach der Anmeldung im Tempel erfolgenden eigenen Reinigung beiwohnen; Lukas habe den im Itinerar nicht erläuterten Unterschied zwischen ἁγνίζεσθαι (auf die Reinigung des Paulus bezogen) und ἁγνισμός (auf das Nasiräat bezogen) nicht verstanden und sei so zur Vorstellung gekommen, Paulus sei für die restlichen sieben Tage in das schon bestehende Nasiräat der Vier eingetreten.

unwahrscheinlich[173], ebenso unwahrscheinlich ist aber auch, daß Paulus selbst in seiner Zeit als Christ weiter nach seinen pharisäischen Maximen lebte[174]. Für Judenchristen, die in paulinischen Gemeinden lebten, ist eine strenge Toraobservanz ähnlich wie in Jerusalem ohnehin nicht anzunehmen, wie Paulus' Stellung zum antiochenischen Konflikt zeigt[175]. Daß manche dieser Judenchristen auch auf die Beschneidung ihrer Kinder verzichteten, ist durchaus denkbar[176], und daß diesbezügliche Nachrichten sowohl Juden als auch toratreue Judenchristen erbittern mußten, insbesondere, wenn sie durch Gerüchte noch weiter verstärkt wurden, bedarf keiner Erörterung. Weiters: Die paulinischen Aussagen über die Tora im Gal waren für einen Judenchristen, der in ihr immer noch einen effektiven Weg zum Heil sah, schlechterdings nicht akzeptabel, und daß der Inhalt dieses Briefes, vielleicht sogar sein Text, in Jerusalem bekannt wurde, ist durchaus wahrscheinlich (Paulus hat ja auch angesichts der Jerusalemreise im Röm sehr viel differenzierter über die Tora gesprochen)[177]. Die praktischen Implikationen dieser Gesetzeslehre galten selbstverständlich nicht nur für Heiden-, sondern ebenso für Judenchristen und mußten notwendigerweise, ob Paulus das wollte oder nicht, zu einer geringeren Bedeutung ritueller Toravorschriften für die Judenchristen führen. Der Kontakt zu einem solchen Mann war aber der Existenz- und Missionsmöglichkeit des palästinensischen Christentums sicherlich nicht förderlich [178]. All das zeigt, daß Paulus' Sorge um einen positiven Abschluß der Kollektenreise sehr begründet war und er seinerseits bemüht sein mußte, die gegebenen Schwierigkeiten nicht noch zu vergrößern.

3.1.7.2 Die Rolle des Jakobus

Um die Schwierigkeiten auszuräumen, die der Annahme der Kollekte seitens der Jerusalemer Gemeinde und damit der Verbundenheit mit den paulinischen heidenchristlichen Gemeinden entgegenstanden, schlug Jakobus Paulus vor[179], seine Treue zur Tora durch die Über-

---

[173] Kittel, ZNW 1931, 155; Schmithals, Paulus und Jakobus 74.

[174] Phil 3,5ff.; vgl. Bornkamm, Paulus 16. 35.

[175] Die Toraobservanz war in der Diaspora aufs ganze gesehen ohnehin lockerer als in Palästina. Für den judenchristlichen Bereich bezeugen dies die Vorgänge vor dem antiochenischen Konflikt.

[176] Schmithals, Paulus und Jakobus 74.

[177] Zur Veränderung der Gesetzesinterpretation des Paulus zwischen Gal und Röm vgl. Hübner, Gesetz passim.

[178] Vgl. Jasper, Jud. 1963, 147ff.

[179] Die Aufforderung τοῦτο οὖν ποίησον ὅ σοι λέγομεν (V. 23) drückt keine analog zu Apg 15 zu verstehende Unterstellung des Paulus unter die Befehlsgewalt des Jakobus und der Presbyter aus, wie Klein, Die zwölf Apostel 174 meint (anders v. Campenhausen, Kirchliches Amt 168), so daß Paulus nach lukanischem Geschichtsbild nicht nur den 12 Aposteln, sondern auch deren Nachfolgern an der sedes apostolica, Jakobus und den Presbytern, unterstellt wäre. Ein Apg 15 völlig analoger Fall liegt Apg 21 nicht vor. Dort wird eine Streitfrage, bei der sich Antiochener und Falschbrüder gegenüberstehen, von der Jerusalemer Gemeindeversammlung, an der Spitze die Apostel, in eigener Machtvoll-

nahme der Kosten für die Ausweihung von vier armen Nasiräern der Jerusalemer Gemeinde zu dokumentieren. Paulus akzeptierte diesen Vermittlungsvorschlag sicher ohne langes Zögern, denn er bedeutete für ihn keinen Verzicht auf seine theologischen Überzeugungen[180], galt aber andererseits als frommes Werk, das seine Toraobservanz allen Kritikern deutlich machen sollte.

Daß ein solcher *Vermittlungsvorschlag* überhaupt nötig war, zeigt (ebenso wie die Befürchtungen vor der Reise), daß eine durchaus einflußreiche Gruppe in der Jerusalemer Gemeinde paulusfeindlich eingestellt war (auch wenn die Rede von den Zehntausenden von judenchristlichen Eiferern für das Gesetz nur literarisches Stilmittel ist). Eine stärkere Toraobservanz der Jerusalemer Gemeinde gegenüber der Zeit des Konvents ist angesichts der toraobservanteren Haltung des Jakobus gegenüber der des Petrus und insbesondere infolge des immer stärker werdenden zelotischen Drucks anzunehmen[181]; daß die Judaisten aber die Oberhand gewonnen hätten[182], ist durch die Haltung des Führungskollegiums der Presbyter, Jakobus an der Spitze, ausgeschlossen – dabei sollte besser nicht von „Judaisten" gesprochen werden, denn von Forderungen dieser Leute an Heidenchristen ist gerade nicht die Rede, sondern nur von der judenchristlichen Toraobservanz[183]. Sowenig die Dar-

---

kommenheit entschieden; hier tritt Jakobus jedoch nicht als einer auf, der Anweisungen erteilt, sondern als einer, der Paulus einen eher freundschaftlichen Rat gibt, die Einwände gar nicht anwesender Gegner durch ein entsprechendes Verhalten von vornherein ad absurdum zu führen.

[180] Im Umgang mit Juden(christen) scheint Paulus nichts gegen die Einhaltung ritueller Toravorschriften eingewendet zu haben, besonders wenn sie um des Zusammenlebens willen nötig war; nicht nur aus Apg 21, sondern besonders aus 1 Kor 9,20 wird das deutlich. Er hat dabei der Tora freilich keinen (effektiven) soteriologischen Stellenwert beigemessen; ob das seine jeweiligen judenchristlichen Gesprächspartner auch nicht taten, sei dahingestellt; es durfte nur nicht thematisiert werden, sonst hätte Paulus wohl entsprechend seiner theologischen Überzeugung opponiert. Er konnte auch in diesen Fällen, wenigstens was seine Person betraf, über einen „Adiaphoron-Charakter der Tora" (Lüdemann, Paulus und das Judentum 37) nicht hinausgehen.

[181] Hengel, Geschichtsschreibung 95. 102; vgl. Haenchen, Apg 587. Davies, Origins 196 f. weist darauf hin, daß die Jerusalemer Gemeinde im Gegensatz zu Paulus keine Repressalien durch die Juden zu erleiden hatte, da man um Kompromisse bemüht war. Dies gilt jedoch nur bedingt. Denn eine Beziehung zu Paulus mußte eo ipso auch die Jerusalemer Gemeinde den Juden gegenüber verdächtig machen.

[182] Saß, Apostelamt 123. Daß eine zunehmende Toraobservanz „für die Mehrheit der Judenchristenheit vor 70" (Schmithals, Paulus und Jakobus 96) nicht galt, ist jedoch angesichts der Situation in Jerusalem vor der Kollektenreise des Paulus keineswegs so sicher.

[183] Gleichwohl werden viele von ihnen zu den Judaisten gezählt werden können, denn kurz zuvor noch machten diese Paulus allenthalben auf dessen Missionsgebiet Schwierigkeiten, und wenn die judaistischen Gegner wirklich Palästinenser waren, so ist es naheliegend, daß sie in Jerusalem einen Hauptstützpunkt hatten bzw. z.Z. der Kollektenreise immer noch haben. Daß keine Falschbrüder mehr in Jerusalem waren, wie Kittel, ZNW

stellung theologisch verschieden ausgerichteter Gruppen im Interesse
des Berichts Apg 21 liegt (alle seien Eiferer für das Gesetz, V. 20 – offenbar mit Ausnahme der gerade mit Paulus verhandelnden Presbyter
und Jakobus), so sehr kann immerhin eine starke torarigoristische und
antipaulinische Gruppe von einer vermittelnden Gruppe um den Herrenbruder Jakobus abgehoben werden.

Der Vorschlag des Jakobus zeigt seine Bereitschaft zur Annahme der
Kollekte und damit zur Gemeinschaft mit Paulus unter dieser Bedingung[184]. Jakobus zeigt sich hier wieder als „*Mann des Ausgleichs*"[185] *mit
kirchenpolitischem und theologischem Weitblick* (trotz seiner eigenen Toraobservanz). Kirchenpolitisch, insofern er nicht nur die Einheit mit
den paulinischen Gemeinden (trotz aller theologischen Differenzen)
aufrecht hielt und gleichzeitig als sich für das Wohl des Judenchristentums verantwortlich Wissender nicht durch voreilige Übereinkunft mit
Paulus die ohnehin dauernd gefährdete Situation der Urgemeinde in
der aggressiver werdenden Umwelt leichtfertig aufs Spiel setzte. Theologisch, insofern er von Paulus nichts verlangte, was dieser nicht zu lei-
sten imstande gewesen wäre, und so das paulinische Missionswerk auch
vom Jerusalemer Standpunkt aus rechtfertigte. Jakobus' Haltung ist, so-

---

1931, 155 meint, ist aus dem Fehlen eines Angriffs auf die paulinische Heidenmission keineswegs zu schließen. Die Annahme, in der ganzen Gemeinde habe über den Besuch des
Paulus eitel Freude geherrscht, und Gefahr und Ablehnung habe ihm nur von den Juden
gedroht (wie Munck, Paulus 235 f. aufgrund der Streichung von τῶν πεπιστευκότων V. 20
annimmt), hat keine Wahrscheinlichkeit für sich, da diese Streichung textkritisch nicht
gefordert und eine theologisch einheitliche und Paulus gewogene Urgemeinde historisch
nirgends erkennbar ist.

[184] Diese Bereitschaft des Jakobus wird in der Literatur weithin anerkannt: Haenchen,
Apg 587; Schmithals, Paulus und Jakobus 68; Georgi, Kollekte 89; Rinaldi, RivB 1966,
408 f.; Bornkamm, Paulus 292; Köster, Einführung 579; Eckert, FS
Mußner (1981) 79; Roloff, Apg 313. Die Ablehnung der Kollekte behaupten Betz,
Gal 103 (mit Vorsicht); Lüdemann, EvTh 1980, 447 f.; ders., Paulus II, 94 ff.; Rebell, Paulus 64 f.: nach Apg 21 sei keine Gelegenheit zur Übernahme gewesen, weiters hätte Lukas
eine Annahme sicher berichtet, und schließlich finde sich keine Spur einer Unterstützung
des Paulus durch die Jerusalemer Gemeinde während dessen Gefangenschaft. Diese Argumente beweisen jedoch nicht eine bewußte Ablehnung der Kollekte, schon gar nicht
durch Jakobus, sondern schließen nur eine *tatsächliche* Übergabe durch Paulus aus (die
Situation der Jerusalemer Gemeinde war ja nach der Verhaftung des Paulus viel prekärer
geworden); sie sind keineswegs ein Beweis der von vornherein fehlenden Bereitschaft der
Jerusalemer Gemeinde, insbesondere des Jakobus, zur Annahme der Kollekte. Der Grund
für Lk, das letztlich gescheiterte Unternehmen (außer 24, 17) überhaupt nicht zu erwähnen, dürfte in seinem Bemühen gelegen sein, „das für seine Theologie fundamentale Bild
einer einheitlichen Kirche aus Juden und Heiden" nicht in Frage zu stellen (Roloff, ebd.
313).

[185] Hengel, FS Kümmel (1985) 92. In dieser grundsätzlichen Bestimmung der Position
des Jakobus stimme ich mit Hengel voll überein. Trotz Festhaltens an seiner eigenen Position war die Frage der Einheit der Kirche für ihn eine ähnlich wichtige wie für Paulus.

weit sie sein erkennbares Handeln betrifft, durchaus identisch mit seiner Haltung auf dem Konvent – und doch ist nicht anzunehmen, daß er Paulus vor dessen Ankunft ebenso wohlgesinnt war; immerhin ging es jetzt nicht mehr um Fragen der Heidenchristen, sondern um seinen eigenen Verantwortungsbereich, das Judenchristentum; immerhin hatte er es mit dem Verfasser des Gal zu tun, und nicht zuletzt hätte Paulus seiner Reise mit größerer Zuversicht entgegensehen können, hätte er in Jakobus einen Mann gesehen, der im Ernstfall nicht gegen ihn entscheiden würde[186]. Wie auch auf dem Apostelkonvent das Einverständnis der Säulen erst erkämpft werden mußte (Gal 2,2), so scheint es gut möglich, daß Paulus sich auch diesmal erst die Zustimmung des Jakobus argumentativ und durch ein (vielleicht sogar selbst initiiertes) exemplarisches Handeln sichern mußte[187].

Eine *Paulusfeindschaft sollte Jakobus* z.Z. der Übergabe der Kollekte allerdings *nicht unterstellt werden.* Wie aus Apg 21,21 gefolgert werden kann, Jakobus habe „die judenchristlichen Gemeinden ganz planmäßig im antipaulinischen Sinne geschult"[188], bleibt schleierhaft. Nicht nur von den Judaisten z.Z. des Konvents und der Paulusbriefe unterscheidet sich Jakobus deutlich, sondern auch von den paulusfeindlichen Torarigoristen z.Z. der Kollektenreise – eine nicht unwahrscheinliche kritische Stellung zu Paulus vor dessen Reise ist noch lange keine Feindschaft, und noch dazu bekannte er sich durch die Bereitschaft zur Annahme der Kollekte unter der Kautele der Auslösung der Nasiräer ausdrücklich zu Paulus. Daß das Konventsabkommen von der Jerusalemer Gemeinde nicht länger als gültig betrachtet wurde und diese in überwiegendem Maße eine antipaulinische Haltung eingenommen habe, die durch die Ablehnung der Kollekte besiegelt worden sei und von der auch Jakobus nicht ausgenommen werden könne[189], verzeichnet mindestens in bezug auf Jakobus das Bild.

Auffälligerweise berichtet Lukas Apg 21 f. nichts von einer Unterstützung des Paulus oder einer Intervention seitens der Jerusalemer Gemeinde während dessen Gefangenschaft in Caesarea. Daraus jedoch zu folgern, man habe Paulus bewußt links liegen gelassen, weil man ihn wie bisher ablehnte[190], geht jedoch zu weit. Sollte man für Paulus inter-

---

[186] Von „personal friendship" zwischen Jakobus und Paulus zu reden (Patrick, James 208), ist von diesen Argumenten aus wohl kaum möglich.
[187] Das Urteil von Kittel, ZNW 1931, 157, daß weder die Position des Jakobus gegenüber der Zeit des Konvents „radikalisiert sei, noch daß sein Verhältnis gegen Paulus sich verschärft habe", ist, was letzteres betrifft, zumindest mißverständlich.
[188] Stauffer, ZRGG 1952, 205; ebd. auch die durch nichts zu beweisende Unterstellung, Paulus sei als „ein Opfer der Jerusalemer Diplomatie" gefangen genommen worden.
[189] Lüdemann, EvTh 1980, 447 f.; ders., Paulus II, 97 f.
[190] Stauffer, in: Roesle – Cullmann (edd.), Begegnung 371; Lüdemann, EvTh 1980, 447 f.

veniert haben, so jedenfalls ohne Erfolg – und ob Lukas bzw. seine Vorlage einen Fehlschlag berichtet hätten, ist immerhin zu fragen[191]. Sollte man sich jedoch nicht für Paulus eingesetzt haben, so wäre eine solche Haltung trotzdem nicht als Paulusfeindschaft zu interpretieren, sondern als Sorge für das Wohlergehen der Jerusalemer Gemeinde angesichts der gegenüber der Zeit vor der Verhaftung wesentlich gefährdeteren Situation – man war durch den Kontakt zu Paulus auf jeden Fall kompromittiert[192]. Diese Sorge bestand auch schon vor der Jerusalemreise des Paulus. Und *diese Sorge scheint ähnlich stark wie die theologische Differenz der Grund für die Zurückhaltung des Jakobus und der Jerusalemer Gemeinde Paulus gegenüber gewesen zu sein.* Die Jerusalemer sagten Paulus die Kirchengemeinschaft nicht auf, obwohl sie durch den Kontakt zu ihm Schwierigkeiten für die eigene Gemeinde zu befürchten hatten. Sie waren aber auch aus Sorge um das eigene Überleben genötigt, diese potentiellen Schwierigkeiten so gering wie möglich zu halten. Diese politische Motivation scheint eine immer größer werdende Bedeutung gewonnen zu haben. Ist sie z. Z. des antiochenischen Konflikts noch hinter theologischen Erwägungen zurückgestanden, so dürfte sie z. Z. des Besuchs in Jerusalem (also gut zehn Jahre später) ebenso bedeutsam geworden sein wie jene. Die politischen Verhältnisse wurden im Laufe der Fünfzigerjahre bedeutend schwieriger; für die Sorge des Jakobus um die Jerusalemer Gemeinde muß die Rücksichtnahme auf diese Situation notwendigerweise stärker in den Vordergrund getreten sein, als es vorher der Fall war.

Gerade an der Stellung zu Paulus zeigt sich die *Weite des angeblich so engen und rigoristischen Herrenbruders.* Obwohl er theologisch mit dem Heidenapostel keineswegs übereinstimmt[193], kommt er ihm soweit ent-

---

[191] Gaechter, Petrus 300.

[192] Hengel, Geschichtsschreibung 103 f. stellt die Frage, ob sich die Jerusalemer Gemeinde durch die paulinische Gesetzeskritik kompromittiert fühlte; das scheint durchaus wahrscheinlich, nur trifft es ja auch für die Zeit vor der Verhaftung zu, als man mit Paulus durchaus im Einvernehmen stand. Die Gesetzeskritik des Paulus kann allein also auf keinen Fall das entscheidende Motiv für eine Zurückhaltung gegenüber Paulus gewesen sein; dieses muß in etwa gleichem Maße in taktischen Überlegungen gesucht werden. Auf die Angst des Jakobus und der Ältesten, daß ihnen die Anwesenheit des Paulus Schwierigkeiten seitens der Juden wie der radikaleren Judenchristen einbringen könnte, weist Bruce, Paul 346 zu Recht hin.

[193] Schmithals, Paulus und Jakobus 86, A 1 zeichnet ein harmonisierendes Bild; auch wenn die theologischen Differenzen zwischen Paulus und Jakobus „keine kirchentrennende Bedeutung" (ebd.) hatten, konnte Jakobus die paulinische Gesetzeslehre nicht nur des Gal, sondern auch des Röm kaum so nachvollziehen. Daß die Urgemeinde wie Paulus „ihr Heil in Christus und nicht im Gesetz" (ebd.; vgl. S. 60, A 4) suchte, überträgt voreilig paulinische Aussagen auf die Jerusalemer Judenchristen und ist nur möglich bei dem (unbewiesenen) Postulat, für das Festhalten am Gesetz seien nicht theologische, sondern praktische Motive, nämlich solche des Überlebens in Palästina, ausschlaggebend (letztere

gegen, wie es ihm als einem palästinensischen Judenchristen, der sich für das Judenchristentum überhaupt verantwortlich weiß, nur irgend möglich ist. Auch macht er sich nach Ausweis sowohl der Paulusbriefe wie der Apostelgeschichte keines Übergriffes in ein ihm nicht zustehendes Gebiet schuldig (nicht einmal beim antiochenischen Konflikt). Er hält nicht nur selbst an der Toraobservanz fest und fordert sie auch von den anderen Judenchristen[194], sondern ist in allen Berichten als getreuer Sachwalter und Verantwortlicher für das Wohlergehen des Judenchristentums erkennbar.

3.1.8 Zusammenfassung

Weder Paulus noch die Apg berichten über Jakobus aus Interesse an seiner Person. Alle Berichte über ihn stehen im Zusammenhang mit Petrus bzw. Paulus. Für die durch diese Schriften repräsentierte und zur Großkirche hinführende Tradition ist mithin Jakobus nicht die entscheidende Figur der frühen Kirche (die er in Jakobuskreisen bereits zu seinen Lebzeiten und erst recht im Judenchristentum nach 70 n. Chr. war). Dennoch spiegelt sich sowohl in den Paulusbriefen wie in der Apg die fundamentale Rolle, die Jakobus in der frühen Kirche spielte, wider.

Jakobus nahm seit seinem Anschluß an die christliche Gemeinde eine stets bedeutsamer werdende Stellung in der Jerusalemer Gemeinde und darüber hinaus ein. Z. Z. des Besuchs des Paulus bei Kephas 30/31 gehörte er zwar als Apostel schon zum engeren Führungskreis, stand aber in der Rangordnung deutlich hinter Kephas. Z. Z. des Konvents Ende 43 gehörte er bereits zusammen mit Petrus und Johannes zur engsten Führungsspitze, dem Säulenkollegium, hatte aber nicht die führende

---

brauchen nicht geleugnet zu werden, doch sind sie nur von sekundärer Bedeutung, vgl. Hübner, Gesetz 25).

[194] Das Festhalten gerade auch am Ritualgesetz zeigt m. E., daß man der Tora weiterhin eine theologische, sprich: soteriologische Bedeutung beimaß. Der Tempel wurde kaum, wie Hengel, FS Kümmel (1985) 97 meint, bloß als Gebetsstätte, nicht aber mehr als Ort der Sühne für das Volk angesehen. Die theologische Übereinstimmung zwischen Paulus und Jakobus lag in der Wertung von Tod und Auferstehung Jesu als Heilsereignis (vgl. nur 1 Kor 15,3 ff.); die Differenz scheint mir aber die zu sein, daß Paulus die sich daraus ergebenden Konsequenzen für das Verständnis der Tora erkannte und denkerisch – theologisch – zu bewältigen suchte, während Jakobus' Umgang mit der Tora naiv blieb. Seine Wertung in der werdenden Großkirche scheint davon bestimmt zu sein, daß er diese Reflexion nicht leistete, nicht einmal in dem Maß, wie es etwa Matthäus tat, der die Tora im Liebesgebot erfüllt sah. Immerhin (und das sei zu seiner „Ehrenrettung" gesagt) dürfte das durch die konkrete Geschichtskonstellation Palästinas, in die er gestellt war, mit bedingt gewesen sein.

Position innerhalb dieses Kollegiums inne. Die entscheidenden Voraussetzungen für seinen beginnenden Aufstieg dürften Herrenbruderschaft, Christophanie sowie insbesondere seine kraftvolle Persönlichkeit und seine im Vergleich zu Petrus stärkere Gebundenheit an die Tora gewesen sein. Daß der Aufstieg eines nicht zum Jüngerkreis Jesu und zum ältesten Führungskreis der Dodeka Gehörigen völlig konfliktlos verlief, ist unwahrscheinlich; es muß eine (auch theologisch sich abhebende) Gruppe gegeben haben, bei der Jakobus sich besonderer Wertschätzung erfreute, und auf die gestützt Jakobus der Vorstoß zur Spitze gelang. Die Entstehung des Säulenkollegiums könnte mithin als eine Art Kompromiß zwischen der alten Petrus- und Dodekatradition und der jüngeren Jakobustradition bzw. Jakobusgruppe verstanden werden.

Theologische Differenzen zwischen Petrus/Johannes einerseits und Jakobus andererseits werden in den Berichten über den Konvent nicht sichtbar; es muß aber schon aufgrund der nach dem Konvent anzusetzenden Verfolgung unter Agrippa I, die zwar Petrus und die Zebedaiden, nicht aber den Herrenbruder Jakobus traf, auf eine größere Toraobservanz des letzteren geschlossen werden – kaum erst für die letzte Zeit, sondern überhaupt. Diese toraobservantere Haltung war, wie es scheint, der Grund, daß Jakobus nach 44 endgültig die Spitzenstellung in Jerusalem einnehmen und bis zu seinem Tod behaupten konnte (unterstützt von einer Presbytergruppe, deren Entstehungszeit nicht genau angegeben werden kann, die aber erst nach 44 zu größerer Bedeutung kam).

Eine judaistische Position vertrat Jakobus aber nie. Nicht nur akzeptierte er die gesetzesfreie Heidenmission auf dem Konvent, er war auch nicht spiritus rector der judaistischen Gegenmission in den paulinischen Gemeinden. Wohl aber wußte er sich in treuer Ausübung der Konventsbeschlüsse verantwortlich für die Judenchristen, die seiner Meinung nach weiterhin auf die Tora verpflichtet seien – aus diesem Grund auch die Intervention in Antiochien, aus diesem Grund auch die Beteiligung an der Erstellung der sog. Jakobusklauseln für die Heidenchristen in gemischten Gemeinden (eine Einmischung in fremdes Gebiet ist beide Male nicht gegeben) und ebenso die vermittelnde Haltung beim letzten Besuch des Paulus in Jerusalem, als er nicht nur Paulus, sondern auch den strengsten judenchristlichen Toraobservanten sowie paulusfeindlichen Juden gerecht zu werden suchte, um so das palästinensische Judenchristentum in einer ohnehin schwierigen Situation nicht noch von sich aus zu gefährden. Paulusfeindlich jedenfalls war Jakobus nie, auch wenn sein Verständnis für eine ihm sehr fremde theologische Position von Paulus jeweils erst erkämpft werden mußte. Daß er fähig war, Paulus auch in einer nicht ungefährlichen Situation nicht fallen zu lassen, zeigt nicht zuletzt eine starke und geradlinige Persönlichkeit, wenn auch mit einer theologischen Ausrichtung, die in der zur Großkirche führenden Tradition keine Zukunft mehr hatte.

3.2 Das judenchristliche[1] Jakobusbild

3.2.1 Vorbemerkung

In den oben Kap. 1 und 2 behandelten Quellen judenchristlicher Herkunft, der *Semeiaquelle* (Joh 2, 1 ff.; 7, 1 ff.), dem *Ev Naz 2* (bei Hier Pelag III 2 [PL 23, 570 f.]) und dem *EvHebr 7* (bei Hier VirInl 2 [TU 14, 1, 8]), war bereits deutlich das Wachsen einer Tradition, in deren Zentrum der Herrenbruder Jakobus steht, erkennbar. In der Semeiaquelle gehören die Familienangehörigen Jesu (entgegen der synoptischen Tradition) wie selbstverständlich zur engsten Gefolgschaft Jesu. Schon im Judenchristentum des 1. Jh.s, d. h. konkret in der Jerusalemer Tradition, ist das Wissen um die ursprüngliche Distanz zu Jesus nicht mehr akzeptabel. Der Weg zur späteren Glorifizierung ist damit ansatzweise beschritten. EvNaz 2 ist Jesu Familie schon vor seiner Taufe mit seinem öffentlichen Auftreten einverstanden und will es geradezu provozieren. Noch weiter fortgeschritten ist dieser Weg in

---

[1] Der Term „Judenchristentum" wird im folgenden nicht als Herkunftsbezeichnung verstanden (sonst würde z. B. auch Paulus dazugehören); der Term meint auch nicht die Gesamtheit der in der Großkirche aufgenommenen Inhalte jüdischer Provenienz (Daniélou, Theology; zur Kritik dazu vgl. Kraft, RSR 1972, 81 ff.); er wird im folgenden vielmehr als Bezeichnung für diejenigen Christen jüdischer Herkunft verwendet, die sich trotz ihres Bekenntnisses zu Jesus als dem Messias *in besonderer Weise jüdischen Traditionen verpflichtet wissen* und von daher ihr Verständnis von Theologie und Lebensgestaltung des Christentums formulieren; (ähnlich spricht Daniélou, Judenchristentum 8 vom Judenchristentum als dem Christentum „jüdischer kultureller Prägung"; vgl. auch Lindemann, Paulus 101: „Der Ausdruck ,Judenchristentum' faßt im folgenden in erster Linie solche Gruppierungen zusammen, die im Rahmen des christlichen Bekenntnisses an der jüdischen Tradition, insbesondere am alttestamentlichen Kultgesetz festhalten wollten"); daß dieses Judenchristentum dennoch keine ideologisch homogene Größe ist und keineswegs vollständig, gemessen am späteren großkirchlichen Maßstab, als häretisch zu bezeichnen ist, braucht nicht besonders betont zu werden (nicht nur verschiedene Termini für diese Gruppen weisen auf diese Komplexität hin, sondern auch unterschiedliche Auffassungen in Fragen der Christologie, Toraobservanz und Stellung zur Großkirche; vgl. dazu Strecker, in: Tröger (ed.), AT 261 ff.). Dennoch bestehen so viele Gemeinsamkeiten, daß die Verwendung des übergreifenden Terms „Judenchristentum" im vorliegenden Zusammenhang gerechtfertigt erscheint. – Der Bereich der Gnosis wird dabei ausgespart, da hier zusätzliche Motive mit eine Rolle spielen, auch wenn derselbe Traditionsstrom sich fortsetzt.

EvHebr 7: Jakobus ist hier nicht bloß beim letzten Mahl Jesu anwesend, ihm wird auch die Protophanie des Auferstandenen zuteil (noch dazu wegen eines persönlichen Problems: die Lösung von einem Entsagungsgelübde). Er wird so zum wichtigsten Zeugen des Auferstandenen und im Gefolge davon zur Zentralfigur des frühesten Christentums. Das EvHebr gehört damit aufs engste mit den von Hegesipp benützten Traditionen zusammen, soweit es die Ausgestaltung des Jakobusbildes betrifft.

3.2.2 Das Jakobusbild in den durch Hegesipp überlieferten Traditionen

3.2.2.1 Analyse der Hegesippfragmente

Von den zehn bei Euseb[2], Philippus Sidetes[3] und Stephanus Gobarus[4] überlieferten Fragmenten der ὑπομνήματα des Hegesipp kommen im vorliegenden Zusammenhang nur zwei in Betracht: Eus HE II 23,4 ff.; IV 22,4. Das darin über Jakobus Berichtete findet sich teilweise auch Epiph Pan XXIX, LXXVIII. Die Annahme, Epiphanius zitiere Hegesipp direkt, ja er habe sogar eine bessere Hegesipphandschrift zur Verfügung als Euseb[5], ist nicht völlig unmöglich, je-

---

[2] HE II 23,4–18; III 20,1–6; 32,3. 6; IV 8,2; 22,2 f. 4 ff. 7 (alle nicht näher gekennzeichneten Angaben über Werke Eusebs beziehen sich im folgenden auf die Kirchengeschichte).

[3] Ed. de Boor, TU 5,2.

[4] Bei Photius, Bibl. 232 (PG 103, 1096).

[5] Zahn, Forschungen VI, 258 ff. 269; ähnlich Lawlor, Eusebiana 5 ff. 7. Zahn argumentiert u. a. folgendermaßen: 1) Epiph Pan XXVII 6 bringe ein 1 Klem-Zitat aus zweiter Hand (ἔν τισιν ὑπομνηματισμοῖς, 6,4); da auch Hegesipp den 1 Klem kenne (Eus HE IV 22,1) und die Bezeichnung ὑπομνηματισμοί fast wörtlich mit ὑπομνήματα übereinstimme, könnten nur die ὑπομνήματα des Hegesipp die unbekannte Vorlage sein (258 f.). 2) Epiph Pan XXIX 7,7; XXX 2,7 u. ö. erwähne die Dekapolis; diesen schon zu Eusebs Zeiten veralteten Namen habe Epiphanius mithin aus einer alten Quelle, nämlich Hegesipp (270 f., A 3). Beide Argumente sind nicht überzeugend, da die betreffenden Sachverhalte auch durchaus anders erklärt werden können. ὑπομνηματισμοί verwendet Epiphanius auch in bezug auf Euseb und Clemens Alexandrinus (Pan XXIX 4,3 f.), muß also auch XXVII 6,4 nicht notwendigerweise auf die ὑπομνήματα Hegesipps anspielen. Den Namen Dekapolis kann er ebenso gut eingefügt haben, um seine Gelehrsamkeit zur Schau zu stellen. Nicht wirklich überzeugend ist auch ein weiteres, vermeintlich starkes Argument Zahns: εἰς ἡμᾶς im Zusammenhang des Auftretens der Karpokratianerin Marcellina in Rom Pan XXVII 6,1 sei im Munde des Epiphanius sinnlos, er habe also gedankenlos eine alte Quelle ausgeschrieben, nämlich Hegesipp (259 f.). Doch ist εἰς ἡμᾶς eher im Sinne von „es ist auf uns oder an uns gekommen, die Kunde ist an uns gelangt" zu übersetzen, da im Sinne von Zahns Interpretation eher πρὸς ἡμᾶς zu erwarten wäre (Holl, ed. Epiph I, z. St.). Daß Epiphanius eine Hegesipphandschrift vor sich hatte, ist folglich nicht bewiesen; aber selbst wenn das der Fall wäre, könnte er nicht zur Rekonstruktion des Hegesipptextes herangezogen werden (gegen Lawlor; richtig Munck, HThR 1959, 241); denn die betreffenden Texte des Pan sind gegenüber Eus HE II 23,4 ff. und IV 22,4 in Wortwahl und Wortfolge, Syntax und Satzfolge sehr verschieden, zudem bietet Epi-

denfalls aber nicht zu verifizieren. Epiphanius fällt daher für die Rekonstruktion des Hegesipptextes sowie dessen Quellen und Traditionen aus. Die durch Hegesipp überlieferten judenchristlichen Traditionen und deren Jakobusbild sind somit nur bei Euseb zugänglich.

Von den beiden genannten Stellen des Bischofs von Caesarea ist HE II 23, 4 ff. die ungleich wichtigere, auch wenn hier ein sehr depravierter und mit vielen Problemen behafteter Text vorliegt, der in der jetzigen Form sicher nicht den Hegesipps wiedergibt. An einigen Stellen lassen sich mit relativ großer Sicherheit Interpolationen erkennen. Zunächst § 4: μετὰ τῶν ἀποστόλων dürfte auf Euseb zurückzuführen sein[6]. Die Wendung ist ungeschickt in einem Satz, in dem einzig Jakobus Subjekt ist, so daß sich kaum der Eindruck vermeiden läßt, Euseb habe die Apostel in einen vorgegebenen Zusammenhang eingefügt (vgl. § 1, in dem Euseb in eigener Formulierung die Apostel ebenfalls im Zusammenhang der Übernahme des Bischofsstuhls in Jerusalem durch Jakobus nennt); sie kommen in keinem überlieferten Hegesippzitat vor. Charakteristisch ist vor allem auch die Parallele von der Wahl Symeons zum Nachfolger des Jakobus: während Hegesipp (Eus HE IV 22, 4) nur berichtet, Symeon sei gewählt worden (man kann aus dem Zusammenhang nur ergänzen: von der Jerusalemer Gemeinde), sind es im entsprechenden Eusebreferat (HE III 11) die Apostel und Verwandten Jesu.

Eine (voreusebianische) *Interpolation* liegt möglicherweise § 7 in καὶ δικαιοσύνῃ vor. Diese Worte stören den Zusammenhang und sind keine Interpretation von ὠβλίας wie περιοχὴ τοῦ λαοῦ und daher mit dieser Erläuterung auch kaum in einem Zusammenhang entstanden, sondern eher nachträglich in den Text gekommen, um damit die schon am Anfang von § 7 a gegebene inhaltliche Verknüpfung von δικαιοσύνη und ὠβλίας auch in der griechischen Erläuterung wiederzugeben.

Eine eusebianische Interpolation dürfte bei ἐν τοῖς Ὑπομνήμασιν § 8 vorliegen[7]; προγεγραμμένων bezieht sich eindeutig auf das zitierte Werk, eine Kennzeichnung desselben durch Euseb ist ungleich wahrscheinlicher als durch Hegesipp.

Möglicherweise ist auch das Syntagma Ἰουδαίων καί § 10 eine das Ausmaß des Aufruhrs steigernde Glosse voreusebianischen Ursprungs. Es ist als gleichgeordnetes Glied neben Pharisäern und Schriftgelehrten merkwürdig (obwohl bei explikativem Verständnis des καί diese Schwierigkeit zur Not zu beseitigen ist) und steht zudem in sinnlosem Gegensatz zu λαός[8].

---

phanius gegenüber Euseb teilweise einen so verkürzten Text, daß nur ein sehr freies Zitieren des Heg. durch Epiphanius anzunehmen wäre. Selbst bei größter Textverderbnis könnten die Hegesipphandschriften nicht so verschieden gewesen sein: z. B. finden sich zu Eus HE II 23, 4–7 die inhaltlichen und sprachlichen Parallelen Pan LXXVIII 7, 8 f.; 14, 2; 7, 7; 14, 1 f.; 13, 5; 7, 7; zu Pan LXXVIII 7, 7 f. wiederum Eus HE II 23, 7 (4 b). 5. 4 a (IV 22, 4).

[6] Kemler, Jakobus 2 ff.; Abramowsky, ZKG 1976, 325; Lüdemann, Paulus II 222; vgl. auch Eus HE II 23, 1; VII 19, wonach Jak. den Bischofsstuhl πρὸς (...) τῶν ἀποστόλων bekommen habe.

[7] Anders Vielhauer, Geschichte 767, der die Wendung auf Hegesipp zurückführt.

[8] Vgl. Schwartz, ZNW 1903, 53 ff. Die umfangreiche Textänderung, die Schwartz an dieser Stelle vornimmt, scheint jedoch nicht gerechtfertigt.

Interpolation in den Hegesipptext könnte auch der Hinweis auf die Steinigung des Jakobus § 16 f. sein: καὶ ἔλεγον ἀλλήλοις λιθάσωμεν Ἰάκωβον τὸν δίκαιον καὶ ἤρξαντο λιθάζειν αὐτόν sowie οὕτως δὲ καταλιθοβολούντων αὐτόν[9]. Der Text ist überfüllt: Steinigung als zusätzliche Hinrichtungsart erweckt den Eindruck, es sollte der Hegesipptext mit dem des Josephus ausgeglichen werden; auch erwähnt (der vielleicht von Hegesipp abhängige) ClAl die Steinigung nicht[10].

Textverderbnis durch eine in den (voreusebianischen) Text geratene Randglosse liegt mit großer Wahrscheinlichkeit in § 17 vor; die Wendung εἷς τῶν ἱερέων τῶν υἱῶν Ῥηχὰβ υἱοῦ Ῥαχαβείμ ist in der vorliegenden Form als Formulierung aus der Hand eines Judenchristen, der noch einigermaßen mit jüdischen Traditionen vertraut ist, kaum vorstellbar. Falls sie nicht auf Hegesipp selbst zurückzuführen ist (freilich unter der Voraussetzung, dieser sei Heidenchrist gewesen, was möglich ist[11]), legt sich die Annahme einer Glosse am ehesten

---

[9] Schwartz, ZNW 1903, 56 (vgl. Eisler, ΙΗΣΟΥΣ II, 587; Hyldahl, StTh 1960, 110 f.), der allerdings an dieser Stelle auch das Gebet des Jakobus (§ 16) sowie den Hinweis auf den protestierenden Rechabiten (§ 17) für interpoliert hält; doch fügen sich diese beiden Motive durchaus harmonisch in den Bericht vom Sturz des Jakobus von der Tempelzinne und der nachfolgenden Tötung durch eine Walker ein, so daß die Annahme einer nachträglichen Einfügung unnötig erscheint. Auch nach Hyldahl, 111 war der Hinweis auf den rechabitischen Priester bereits in dem Hegesipp vorliegenden Material enthalten. Schoeps, Theologie 249, A 5 meint, seine Erwähnung könnte auf Hegesipp zurückgehen, der damit das Nasiräertum des Jakobus deutlicher habe herausstreichen wollen.

[10] Schwartz, ZNW 1903, 56; freilich ist diese Interpolation unsicher. Nicht völlig auszuschließen, wenn m.E. auch unwahrscheinlicher, ist die Annahme, bereits Hegesipp hätte diese Koppelung der verschiedenen Hinrichtungsarten vollzogen. Hengel, FS Kümmel (1985) 80 leitet das dreifache Martyrium des Jakobus von jüdischen Parallelen ab (der langsame Tod des Gerechten, vgl. Mach, Zaddik 156 ff.). Die ursprüngliche Zusammengehörigkeit der drei Todesarten ist aber kaum anzunehmen (dazu im einzelnen unten 4.2).

[11] Wenn Munck, Paulus 110, A 89 aufgrund der unsinnigen Kombination Ῥηχὰβ υἱοῦ Ῥαχαβείμ Hegesipp nicht als Judenchristen ansieht, so hat er insofern mit ziemlicher Sicherheit recht, als diese Formulierung kaum von einem Judenchristen geschaffen sein wird. Aber daraus zu folgern, Hegesipp sei kein palästinensischer Judenchrist gewesen, setzt unbewiesen voraus, daß diese Formulierung von Hegesipp stammt. Gleiches gilt für den beliebten Versuch, in der Unkorrektheit der Wiedergabe palästinensischer Verhältnisse bzw. jüdischer Lebensweisen ein Argument gegen die jüdische Herkunft des Hegesipp zu sehen, vgl. nur v. Campenhausen, Kirchliches Amt 183 f., A 4; Hyldahl, StTh 1960, 107 f.; Telfer, HThR 1960, 144; Vielhauer, Geschichte 766. Hier ist weder die Möglichkeit späterer Interpolationen in Rechnung gestellt noch der Umstand, daß auch judenchristliche Tradition (z.B. aus theologischen Motiven) keineswegs historisch exakt berichten mußte. Ob Hegesipp jüdischer Abstammung war (Zahn, Forschungen VI, 251 f.; Schoeps, Theologie 15; ders., Aus frühchristlicher Zeit 120; Bauer, Rechtgläubigkeit 200; Herrmann, RUB 1936/37, 387; Ehrhardt, Succession 63; Gunther, EQ 1974, 25; Daniélou, Theology 70; Zuckschwerdt, ZNW 1977, 280 u.a.) oder nicht (siehe nur die oben Genannten), läßt sich nicht mit Sicherheit sagen, weil jede These von vorhergehenden, wiederum nicht gesicherten Thesen abhängig ist (schon Eusebs Auffassung, Hegesipp sei Judenchrist gewesen, HE IV 22,8 ist eine Schlußfolgerung). Vielleicht war er doch judenchristlicher Herkunft, sicherlich aber ein aus dem Osten stammender, großkirchlich aus-

nahe. Fraglich ist nur, welche Teile der gesamten Wendung auszuscheiden sind. *Schwartz* [12] nimmt υἱῶν Ῥηχάβ an, das nach der Einfügung in den Text mit Hilfe des weiteren Einschubes υἱοῦ in die Konstruktion eingefügt worden sei. Doch ist aufgrund des altertümlichen Charakters von υἱοὶ Ῥηχάβ eher υἱοῦ Ῥαχαβείμ als Glosse anzunehmen.

Weitere, teils sehr umfangreiche Interpolationen anzunehmen, wie es insbesondere *Schwartz* in den §§ 6, 7, 8 f., 10 f. und 18 tut, ist sehr unsicher. Dubletten und Mängel in der Textkohärenz deuten keineswegs so eindeutig auf Interpolationen hin wie *Schwartz* meint[13], sondern sind mindestens ebenso gut als ungeschickte Darstellungsweise des Verfassers (Hegesipp oder jemand vor ihm) zu verstehen. Die Motivation des Interpolators müßte an jeder Einzelstelle einigermaßen deutlich gezeigt werden können, was gerade bei Dubletten kaum möglich ist.

Sind so (mit größerer oder geringerer Wahrscheinlichkeit) Interpolationen im Hegesipptext aufgezeigt, so ist nun nach den von Hegesipp benützten *schriftlichen oder mündlichen Vorlagen* zu fragen. Häufig wird unbesehen Hegesipp für den Autor des bei Euseb (in depravierter Form) überlieferten Textes gehalten, bzw. es wird von Traditionen, von mündlichem Stoff, gesprochen[14]. Hegesipp scheint aber doch eine Quelle benützt zu haben: daß er erst ca. 180 schreibt, mithin eine schriftliche Vorlage für bereits lang zurückliegende judenchristliche Traditionen gehabt haben müsse[15], ist zwar bestenfalls ein unterstützendes Argument; wesentlich wichtiger ist aber folgende Überlegung: Hegesipp hatte aufgrund seiner antihäretischen, auf die Gegenwart bezogenen Interessen[16] kein spezifisches Interesse an Jakobus als Person, sondern nur an seiner διαδοχή, er hatte kein Interesse an der Geschichte der Jerusalemer Gemeinde an sich, gar aus spezifisch judenchristlicher Sicht, sondern nur an der durch Jakobus garantierten Reinheit der Lehre in dieser Gemeinde in der Frühzeit (Eus HE IV 22,4 ff.; vgl. II 23,4). Wäre Hegesipp für die erste schriftliche Fixierung verant-

---

gerichteter Christ (Eus HE IV 22,2 f.) mit großem Interesse für judenchristliche Tradition, insbesondere die Frühzeit betreffend.

[12] Schwartz, ZNW 1903, 56, A 2 (ebenso in der ed. min. Eus z. St.); vgl. auch Surkau, Martyrien 125, A 81.

[13] Schwartz, ZNW 1903, passim; richtig Surkau, Martyrien 122, A 66. Jedoch aufgrund der schwer aufzuhellenden Entstehungsgeschichte des Textes zu resignieren und nur dessen Tendenz zu suchen (Surkau ebd.), scheint als minimalistische Interpretation zu wenig.

[14] Eisler, ΙΗΣΟΥΣ II, 587; Munck, Paulus 197; Gustafsson, in: Cross (ed.), Studia Patristica III, 228; Hyldahl, StTh 1960, 108; Kemler, Jakobus 23 ff.; Strecker, in: Bauer, Rechtgläubigkeit 278.

[15] Telfer, HThR 1960, 146.

[16] Die ὑπομνήματα sind wohl als antihäretische Schrift zu bezeichnen, wenn auch von anderer Art als die späteren antignostischen Werke, angefangen von Irenäus, vgl. nur Vielhauer, Geschichte 770.

wortlich, so hätte er vermutlich die verwendeten mündlichen Traditionen viel stärker nach seinen eigenen Intentionen ausgerichtet, während der Bericht jetzt ganz stark auf die Glorifizierung der Gestalt des Jakobus hin ausgerichtet ist (wie im folgenden im einzelnen herausgearbeitet werden soll). Ist die Annahme der Benützung einer Quelle richtig, so kann diese nur eine griechische gewesen sein[17]: nicht nur das Zitat Jes 3,10 setzt die LXX voraus[18], vor allem ist die für das Jakobusbild höchst wichtige Parallelität zu Jesus vom (griechischen!) Neuen Testament her gestaltet.

Die griechische Vorlage enthielt die Dubletten bereits aller Wahrscheinlichkeit nach, da für Hegesipp kein besonderes Interesse, sie einzuarbeiten, namhaft zu machen ist. Ebenso wahrscheinlich aber basieren sie nicht auf einer zusätzlichen Quelle, die ein Redaktor vor Hegesipp zusammengefügt hätte: die Dubletten sind so zahlreich, daß sie die Annahme eines durchgehenden Parallelberichtes erfordern würden, wofür kein entsprechender soziokultureller Anhaltspunkt denkbar erscheint. Sie werden am ehesten mit einem weitschweifigen Stil des Autors zu erklären sein (ad maiorem Iacobi gloriam). Entstanden ist diese Quelle mit ziemlicher Sicherheit im griechisch sprechenden Judenchristentum Syriens oder Palästinas, vermutlich in der 1. Hälfte des 2. Jh.s; verarbeitet sind in ihr Traditionen der aramäisch sprechenden Jerusalemer Gemeinde vor 135, wobei die einzelnen Traditionen nicht nur verschiedenes theologisches Gewicht haben, sondern sicher auch zu verschiedenen Zeitpunkten entstanden sind.

3.2.2.2 Jakobus als Gemeindeleiter nach der von Hegesipp bezeugten Tradition

Nach dem von Hegesipp zitierten Bericht wird von Jakobus ausgesagt: διαδέχεται τὴν ἐκκλησίαν (Eus HE II 23,4). Auch wenn διαδέχεται auf Hegesipp zurückgehen sollte, wurde in seiner Quelle Jakobus als der erste Gemeindeleiter der ersten Gemeinde angesehen; es wird von keinem Vorgänger berichtet, und im Zusammenhang taucht (zwar in bezug auf den Titel δίκαιος, aber für die Gemeindeleitung gilt sicher Analoges) ausdrücklich die Wendung ἀπὸ τῶν τοῦ κυρίου χρόνων auf, d.h. aber: Jakobus ist wohl vom Auferstandenen selbst[19] als *erster Leiter der nachösterlichen Gemeinde* bestellt worden. Ein diese Leitungsfunk-

---

[17] Eine aramäische Quelle, wie sie z.B. Weiß, Urchristentum 554, A1; Kittel, ZNW 1931, 145; Lohmeyer, Galiläa 68, A4 postulierten, schließt sich von daher aus.

[18] Telfer, HThR 1960, 146.

[19] Vgl. die Protophanie des Jakobus EvHebr 7. Möglicherweise ist aber auch an den irdischen Jesus gedacht.

tion kennzeichnender Titel wird von der judenchristlichen Quelle nicht genannt, obwohl dies durchaus sinnvoll wäre, auch der aus der Sicht des 2. Jh.s nächstliegende Titel ἐπίσκοπος nicht; man wird vielleicht daraus schließen können, daß die dahinterstehende griechisch sprechende judenchristliche Gruppe, die ziemlich sicher erst ins 2. Jh. gehört, Jakobus noch nicht als ἐπίσκοπος bezeichnete, bzw. ihr dieser Titel noch nicht geläufig war. Ob in der vorausgehenden aramäischen Tradition Jakobus einen seine organisatorische Stellung kennzeichnenden Titel trug, muß dahingestellt bleiben[20]. Nichts ausgesagt wird auch über nebengeordnete Funktionsträger des Jakobus, die Apg 11,30; 14,23 u. ö. schon für eine recht frühe Zeit bezeugt sind. An ihnen haftet nicht einmal ein partielles Interesse der Quelle, sondern allein an Jakobus, der zudem τὴν ἐκκλησίαν übernommen habe, d. h. er ist *Leiter der Gesamtkirche*, nicht bloß der Jerusalemer Ortsgemeinde, so daß ihm gleichrangige Leiter anderer Gemeinden gegenüberstünden; die theologische Bedeutung, die ihm zugemessen wird, verbietet eine solche Einordnung des Jakobus in einen größeren, auf gleicher Stufe stehenden Personenkreis, auch wenn dies HE II 23,4 nicht im einzelnen ausgeführt wird, wie etwa in der pscl. Literatur (siehe unten). Jakobus ist in kirchenrechtlich-administrativer Hinsicht die entscheidende Gestalt der frühen Kirche; von größter Bedeutung ist, daß auch der Kreis der Zwölf oder der Apostel keine wesentliche Rolle zu spielen scheint. Im Rückblick der Gemeinde, auf die die Quelle zurückgeht, ist die Erinnerung an die Bedeutung der Zwölf längst verblaßt und die Rolle der Apostel noch nicht entscheidend ins Blickfeld getreten, ein Zeichen dafür, daß diese Gemeinde (wie auch Hegesipp selbst) zu jenen Gemeinden, in denen die „apostolische" Tradition gepflegt wurde, keine engere Beziehung hatte. Ein gewisser Zeitabstand zum Tod des Jakobus ist für die Bildung einer solchen Tradition über die organisatorische Spitzenstellung seiner Person sicher nötig. Wenn man EvHebr 7 mit in Erwägung zieht, könnte man an das Ende des 1. Jh.s denken.

Die Funktion des Jakobus wird Eus HE IV 22,4 mit ἐπίσκοπος charakterisiert: nach dem Martyrium des Jakobus wurde Symeon, ein Sohn des Klopas und Cousin Jesu, als zweiter Bischof eingesetzt[21], nachdem

---

[20] Stauffer, ZRGG 1952, 206 verweist auf sachliche Parallelen zu ἐπίσκοπος in den Qumranschriften: מבקר 1QS 6,12; CD 14,8; 15,14; פקיד 1QS 6,14, nimmt jedoch eine zu direkte Beziehung zwischen diesen und ἐπίσκοπος (bzw. den in der pscl. Literatur vorkommenden Titeln ἀρχιεπίσκοπος und episcopus episcoporum, dazu unten) an.

[21] Die Zusammengehörigkeit von δεύτερον und ἀνεψιόν wurde besonders von der älteren katholischen Exegese (vgl. noch Blinzler, Brüder 106 f.) behauptet und als Argument gegen die Annahme leiblicher Brüder benutzt. Doch ist „jener philogisch (sic) mögliche Sinn sachlich doch unmöglich, da Heg. den J. und seinen Bruder Judas niemals Söhne des Klopas, sondern immer nur Brüder des H., den Symeon aber andererseits nie-

er von allen vorgeschlagen worden war. Ἐπίσκοπος geht hier mit großer Wahrscheinlichkeit auf Hegesipp zurück, da er unmittelbar vorher
(IV 22,2 f.) von seiner Reise nach Rom mit der Erstellung einer διαδοχή der römischen Bischöfe bis hin zu Anicet spricht, weiters vom Bischof von Korinth, Primus, bzw. von der Sicherung der rechten Lehre
an einem Ort durch das Vorhandensein einer jeweiligen διαδοχή der
Bischöfe – also von seinem ureigensten antihäretischen Anliegen. Der
unter anderem in Korinth und Rom zu Hegesipps Zeiten übliche
Sprachgebrauch wird auf die Situation der frühen Jerusalemer Gemeinde übertragen. Jakobus als erster Bischof bezieht sich aber nach
diesem Zusammenhang nicht auf die ecclesia universalis, sondern nur
auf die Jerusalemer Gemeinde[22]. Die Bezeichnung des Jakobus als ἐπίσκοπος überträgt großkirchliche Strukturen auf Jakobus, er wird einge-
ordnet in die Reihe der monarchischen Bischöfe der frühkatholischen
Kirche, insofern macht Hegesipp mehr aus ihm als die judenchristliche
Quelle Eus HE II 23,4 ff., andererseits aber auch sehr viel weniger als
diese.

Beide jedoch, Hegesipp und seine Quelle, sind in der Frage der Bestimmung der kirchenrechtlichen Stellung des historischen Jakobus
nicht brauchbar. Weder war er ein ἐπίσκοπος im späteren Sinn, noch
war er der vom Auferstandenen eingesetzte erste Gemeindeleiter, auch
wenn er sehr früh wichtige Positionen innerhalb der Jerusalemer Führungsgarnitur innehatte. Berücksichtigt man aber, daß verständlicherweise Jakobus mehr als ein halbes Jh. nach seinem Tod nur noch als der
unbestrittene Führer der Jerusalemer Gemeinde in Erinnerung war, der
er die letzten zwei Jahrzehnte vor seinem Tod war, und sieht man von
der Rückprojektion dieses Lebensabschnittes ab, so ist seine Bedeutung
jedenfalls in diesem Punkt einigermaßen korrekt wiedergegeben.

3.2.2.3 Die theologische Position und Funktion des Jakobus
in der Hegesipptradition

Ungleich bedeutender als die Frage nach der organisatorischen Stellung des Jakobus in der Hegesipptradition ist die nach seiner theologischen Position. Diese wird in mehrfacher Weise thematisiert: in dem,
was über seine priesterliche und missionarische Tätigkeit ausgesagt
wird ebenso, wie in den ihm verliehenen religiösen Ehrenbezeichnungen und in der Einordnung seiner Person in einen größeren heils- und
unheilsgeschichtlichen Zusammenhang.

---

mals Br. d.H., sondern lediglich Sohn des Klopas und Vetter des H. nennt" (Sieffert, RE³
VIII,575, weiters Zahn, Forschungen VI,236 f.).
[22] Vgl. die Liste „Jerusalemer" Bischöfe Eus HE IV 5,3 mit Jakobus an erster Stelle.

3.2.2.3.1 Die priesterlichen und missionarischen Funktionen des Jakobus

Der Tempel spielt im Jakobusbild der Hegesipptradition eine sehr bedeutende Rolle. Danach pflegte Jakobus allein in den Tempel zu gehen und dort für das Volk auf den Knien um Vergebung zu bitten (§ 6); das Motiv des Liegens auf den Knien wird unmittelbar danach in legendarisch verstärkender Weise wieder aufgenommen: ständig sei er betend auf den Knien gelegen, so daß diese so hart geworden seien wie die eines Kamels (ebd.). Das Motiv der Fürbitte für das Volk wird gegen Ende des Berichts nochmals aufgenommen: als Jakobus nach dem Sturz vom πτερύγιον des Tempels wider Erwarten nicht tot war, erwiderte er diesen Mordversuch mit einem neuerlichen Gebet für seine Peiniger (§ 16). Die Intention dieses, den Martyriumsbericht umgreifenden Motivs ist eindeutig: Jakobus wird als der legitime Vertreter seines Volkes vor Gott hingestellt, der die Wegnahme der Sünden[23] bewirken soll – *der legitime Priester* mithin; denn dies Gebet geschieht im Tempel (und zwar nur dort), wie es ja Jakobus überhaupt allein gestattet gewesen sei, τὰ ἅγια zu betreten (§ 6). Mit dieser deutlich legendarischen Bemerkung ist kaum gemeint, Jakobus habe als einziger Nichtpriester die entsprechende Erlaubnis gehabt[24], vielmehr ist er vom Gefälle des Kontexts her überhaupt jedem Priester gegenüber gestellt als der einzig legitime Priester im Tempel[25], mithin auch als der einzig legitime Hohepriester[26]. Er vollzieht durch sein Gebet den legitimen Kult

---

[23] Hier ist in prophetischer Tradition allgemein an die Verfehlungen des Volkes gegenüber Jahwe gedacht, vom Standpunkt einer judenchristlichen Gemeinde aus wohl auch an die „Sünde des Volkes ... gegen Christus" (Munck, Paulus 108, A 75), kaum aber allein oder vorwiegend an letzteres (gegen Munck).

[24] Weiß, Urchristentum 554, A 1.

[25] Richtig Kemler, Jakobus 20.

[26] Hegesipps Quelle spricht nicht direkt vom Hohenpriester, auch redet er nur vom Hineingehen εἰς τὰ ἅγια, nicht ins Allerheiligste, doch die Intention scheint deutlich dorthin zu gehen, wie auch der lat. und syr. Übersetzer Eusebs, weiter Hier VirInl 2 (TU 14, 1, 7); Epiph Pan XXIX 4, 3 verstehen, die vom Eingehen ins Allerheiligste reden (v. Campenhausen, Frühzeit 141, A 28 hält es für wenig wahrscheinlich, daß Epiphanius mit seiner Beschreibung des Jakobus als Hoherpriester von Heg. abhängig ist – zu Unrecht). Die kryptische Formulierung bekommt bei diesem Verständnis einen guten Sinn, freilich ist es ein legendarisches Motiv, das nicht als historische Mitteilung mißverstanden werden sollte (gegen Eisler, ΙΗΣΟΥΣ II, 580 ff., der eine sehr phantasievolle Konstruktion errichtet: der historische Jakobus sei von zelotischen Gegnern der Priesteraristokratie nach Joh. d. T. und dem Lieblingsjünger Johannes, dem Zebedaiden, zum Hohenpriester gewählt worden, habe mit Hilfe von gleichgesinnten Priestern das Allerheiligste betreten und sei ein Opfer der sadduzäischen Priesteraristokratie geworden; nicht nur die Angaben Hegesipps, sondern auch die des Epiphanius werden von Eisler als historisch korrekte mißverstanden; letzteres Urteil gilt weithin auch gegen Leclercq, DACL VII, 2, 2110 (der Hegesippbericht „paraît indubitablement historique") und gegen Nicklin-Taylor,

im Tempel (und nicht mehr die opfernden Priester), ein Jakobusbild, das mit der vorliegenden Tempelkritik[27] von prophetischen Traditionen beeinflußt erscheint.

Ein weiterer Umstand soll die alleinige Priesterwürde des Jakobus herausstreichen: als Begründung dafür, daß Jakobus als einziger das Heilige habe betreten dürfen, wird angeführt, er habe nicht Kleidung aus Wolle, sondern aus Leinen getragen, d. h. die den Priestern vorbehaltene Kleidung (§ 6). Diese Bemerkung darf nicht als historische Reminiszenz mißverstanden werden[28], sie leistet auch nicht wirklich, was sie soll, paßt aber durchaus in die sonstige legendarische Ausgestaltung des Priestermotivs.

Eine letzte Begründung für das Priestertum des Jakobus liegt in seiner Beschreibung als lebenslänglicher Nasiräer: gerade weil er vom Mutterleib an ein Gottgeweihter war, konnte er eine das „Opfer-Priestertum" überflüssig machende Pontifex-Funktion ausüben. Zwar steht weder das zeitlich begrenzte noch das lebenslängliche Nasiräertum an sich im Gegensatz zum Priestertum, in der Hegesipptradition wird es aber durch die Verbindung mit letzterem sehr wohl zu einem solchen. Jakobus ist als lebenslänglicher Nasiräer beständig ἅγιος (§ 5), er allein darf also auch beständig das Heilige betreten (§ 6)[29]. Die Ri 13,1 ff. den lebenslänglichen Nasiräer kennzeichnende Heiligkeit von Geburt an mit Verzicht auf Weingenuß und Haarschnitt (§ 5) wird durch Zuwachs der Motive des Verzichtes auf Fleischgenuß (vgl. Genuß von Unreinem Ri 13), Öl und Bad ergänzt, die ursprünglich kultische Reinheit mithin stark zu einer asketischen Leistung gemacht[30]. Das Jakobus-

---

CQR 1948, 46 ff. – Auf priesterliche oder zumindest levitische Herkunft des Jakobus schließt auch Riesner, Jesus als Lehrer 214; der skizzierten Intention des Hegesippberichts wird man bei der Annahme der Historizität freilich nicht gerecht.

[27] Vgl. Lohmeyer, Galiläa 71. Simon, Recherches 199 meint, keine kultkritische Tendenz erkennen zu können.

[28] Gegen Eisler, IHΣOYΣ II, 581, nach dem die von Epiph Pan LXXVIII 13,5 behauptete priesterliche Verwandtschaft des Jak. diesen berechtigt habe, Priesterkleidung zu tragen. Zahn, Forschungen VI, 231 und Brandon, Zealots 122, A 2 verweisen auf Jos Ant XX 216, wonach Agrippa II zu Beginn der Prokuratur des Florus denjenigen Leviten, die Tempelsänger waren, die Erlaubnis zum Tragen des priesterlichen Leinengewandes gab. Auch dieser Bericht kann selbstverständlich die historische Möglichkeit des Tragens von Priesterkleidung durch Jakobus nicht aufzeigen. Priesterliche oder zumindest levitische Abstammung des Jakobus nehmen auch Stauffer, ZRGG 1952, 206; Blinzler, Brüder 96; Riesner, Jesus als Lehrer 214 an.

[29] Vgl. Zuckschwerdt, ZNW 1977, 280.

[30] Neben der alten Nasiräertradition (§ 5 init.) möchte Zuckschwerdt, ZNW 1977, 281 ff. zwei ursprünglich selbständige Reihen erkennen: I: § 5 e–6 a. 6 h (Thematik: Verzicht auf Öl und Bad; alleinige Befugnis, das Heilige zu betreten; Bitte um Vergebung); II: § 6 b–g (Thematik: Leinenkleidung; ständiges Gebet im Tempel für das Volk, so daß die Knie hart wie die eines Kamels wurden). Daß es nach keiner der beiden Reihen zur

bild ist auch in diesem Punkt stilisiert[31], der historische Jakobus war natürlich kein lebenslänglicher Nasiräer[32], möglicherweise nahm er einmal ein zeitlich beschränktes Nasiräat auf sich; nach Apg 21 war er ja einer solchen religiösen Übung gegenüber durchaus positiv eingestellt, doch bleibt die Annahme eines solch zeitlich beschränkten Nasiräats freilich bloß Vermutung. Das Motiv des lebenslänglichen Nasiräats ist mit großer Wahrscheinlichkeit jünger als das Tempelmotiv, da es nach Art einer Personallegende die Person des Jakobus herausstreicht, dagegen ist das Tempelmotiv mit seinen einzelnen Elementen (Gebet im Tempel, Tempelsturz, Zerstörung des Tempels als Strafe für den Tod des Jakobus) eher als älter anzusehen, da für die traditionsbildende Gemeinde das Problem der Tempelzerstörung erst noch gelöst werden mußte[33]; man könnte an die siebziger oder achtziger Jahre des 1. Jh.s denken.

Die soteriologische Funktion des Jakobus, die in der Hegesipptradition einerseits nach atl.-jüd. Kategorien als Priestertätigkeit beschrieben wird, wird andererseits nach genuin-christlicher Tradition als missionarische Tätigkeit bezeichnet. Neben den einzig legitimen (Hohen) Priester tritt *der exemplarische Missionar der ersten Gemeinde*. Beide Motive dürften durch ihre sachliche Zusammengehörigkeit als die beiden entscheidenden theologisch relevanten Aufgabengebiete des Jakobus in etwa derselben Zeit entstanden sein. Während aber das Priestermotiv nur am Anfang und Ende des Hegesippberichts auftaucht, ist das Missionarmotiv den ganzen Martyriumsbericht hindurch präsent, genauer: es ist sogar das zentrale Motiv desselben, denn gerade diese Tätigkeit ist es, die Jakobus die Feindschaft der Schriftgelehrten und Pharisäer einträgt, so daß sie seinen Tod beschließen. *Das Missionarmotiv und nicht irgendein anderes ist also das konfliktauslösende und somit wohl auch das wichtigste.*

Vergebung des Opferrituals bedarf, der lebenslange Nasiräer also der „wahre Hohepriester" ist, der Vergebung erwirkt, aber nicht mehr durch Opfer, sondern durch Gebet (Zuckschwerdt 285), ist richtig, nicht einleuchtend ist jedoch die These von den zwei Reihen. Entsprechend den obigen Ausführungen zur Analyse deuten die Dubletten nicht auf nebeneinander existierende Reihen, sondern auf den überladenen, sich langsam vorwärts tastenden Stil des Verfassers der judenchristlichen Quelle Hegesipps.

[31] Nach Pieper, Kirche 39 habe Hegesipp die Tendenz gehabt, „Jakobus zu einer Kopie des Täufers zu machen". Dieses Urteil ist einseitig am Täufer orientiert. Selbst wenn von der Täufertradition her Einflüsse vorliegen sollten, so ging es darum, Jakobus als den Heiligen schlechthin zu zeichnen.

[32] Richtig schon Patrick, James 34 ff.; gegen Eisler ΙΗΣΟΥΣ II, 581, A2; Nicklin – Taylor, CQR 1948, 50. Auch Daniélou, Theology 370 f. hält die nasiräischen Enthaltungen für historisch, da die von Hegesipp genannten Enthaltungen in dieser Kombination bei keiner bekannten Gruppe vorkämen; doch verkennt Daniélou hier die Gestaltungskraft der Legende. Der historische Jakobus kann nicht einfach zu einem Vertreter ebionitischer Askese gemacht werden, wie sie pscl. H XII 6 sichtbar ist.

[33] Vgl. Kemler, Jakobus 29.

Sicher ist hier ein historischer Anhaltspunkt gegeben, denn nach Gal 2,9 war Jakobus einer der Hauptverantwortlichen für die Mission unter den Juden und nach der alleinigen Übernahme der Führung in Jerusalem war er entsprechend auch der (jedenfalls in Jerusalem) Alleinverantwortliche für sie; nach Gal 2,11 ff. nahm er diese Verantwortung sogar über Jerusalem hinaus wahr. Aber auch das Missionsmotiv ist in der judenchristlichen Tradition Hegesipps legendarisch überhöht. Die ganze missionarische Kraft der frühesten Kirche ist gleichsam in Jakobus konzentriert: auf die Frage nach der Tür zum Heil, d.h. nach dem rechten Heilsbringer[34], weist er auf Jesus als den Messias hin. Daraufhin kommen etliche zum Glauben an Jesus[35], und zwar, wie ausdrück-

---

[34] Eine crux interpretum ist die Wendung θύρα τοῦ Ἰησοῦ. Die Annahme eines Abschreibfehlers θόρα statt θύρα (so Weiß, Urchristentum 554, A 1; Dibelius – Greeven, Jak. 13, A 3) ist unwahrscheinlich, da θύρα an zwei Stellen (§§ 8 und 12) vorkommt, die Umschrift θόρα sonst nicht bezeugt ist und nicht zuletzt θόρα schlecht in eine Frage paßt, die mit dem Hinweis auf Jesus (§ 8) bzw. den Menschensohn (§ 12), also personal, beantwortet wird; von diesen Erwägungen aus ist überhaupt die Annahme eines Abschreibfehlers unwahrscheinlich; von der Antwort her, die Jesus (!) zum Subjekt hat, liegt auch die Vermutung von Hengel, FS Kümmel (1985) 88, es sei nach der „Tür zu Jesus" gefragt, nicht nahe. Der Hinweis auf die Vorstellung vom (von den) Himmelstor(en) bzw. dem Tor des Lebens (vgl. Ps 118, 19 f.; äthHen 72 ff.; grBar 6, 13; Lev R 30 zu 23, 40 etc.; Schoeps, Theologie 414; Gustafsson, in: Cross [ed.], Studia Patristica III, 228 f.; Kemler, Jakobus 21 f.; Beyschlag, ZNW 1965, 167 f., A 32) oder der auf die Bildrede von der Tür Joh 10 (Schwartz, ed. min. Eus z. St.) sind zwar als Verweise auf den motivgeschichtlichen Kontext für die Interpretation sinnvoll, erklären aber noch nicht die singuläre Kombination θύρα τοῦ Ἰησοῦ. Die Entstehung dieses Syntagmas erklärt sich am besten durch Annahme eines Mißverständnisses (an einen „Übersetzungsfehler", so Zahn, Forschungen VI, 252 f., A 1 oder an einen Abschreibfehler, so Kohler, JE VII, 68 braucht nicht gedacht zu werden; das würde eine [wohl] aramäische Vorlage implizieren, die für einzelne Passagen der Hegesippvorlage zwar möglich wäre, doch läßt sich darüber nichts einigermaßen Sicheres sagen) des Syntagmas שער הישועה = die Tür zum Heil, wobei ישועה = Heil mit ישוע = Jesus verwechselt wurde (als Frage, allerdings abgelehnt, Weiß, Urchristentum 554, A 1; in neuerer Zeit Schoeps, Theologie 414, A 1; Brandon, Zealots 124, A 2; Bruce, Men 114 f.). Danach wäre ursprünglich nach dem Tor zum Leben gefragt gewesen. Diese Lösung wird auch dem Kontext weitaus gerechter als jeder Versuch einer Erklärung von θύρα τοῦ Ἰησοῦ: auf die Frage, wer die Tür zum Heil sei (§ 8), paßt sehr gut die Antwort τοῦτον εἶναι τὸν σωτῆρα (vgl. σωτήρ als Entsprechung zu ישוע = σωτηρία; daß τοῦτον statt Ἰησοῦν steht, ist kein Problem, da unmittelbar nach der irrtümlichen Schreibung von Ἰησοῦ eine Wiederholung dieses Wortes stilistisch ungeschickter wäre als das Demonstrativpronomen); und auch § 12 f. wird in der Antwort auf den Menschensohn verwiesen, also wieder auf eine personal gestellte Frage eine personale Antwort. Zudem ist auch auf die dem Hegesippbericht in vielem (z. B. Passazeit, Gewinnung vieler Christen durch Zeugnis des Jakobus von einem erhöhten Platz aus; Sturz des Jakobus, der noch nicht zum Tod führt, dazu genauer unten) parallele Darstellung des Martyriums des Jakobus in der pseudoklementinischen Quellenschrift AJ II zu verweisen, in der Jakobus von der soteriologischen Funktion Jesu redet.

[35] Vgl. den ingressiven Aorist. Der Text ist im übrigen sprachlich und sachlich unpräzise: Gesprächspartner sind zunächst τινὲς τῶν ἑπτὰ αἱρέσεων (§ 8; vgl. Eus HE IV 22, 5.

lich nochmals vermerkt wird, ὅσοι δὲ καὶ ἐπίστευσαν, διὰ Ἰάκωβον (§ 9), ja sogar πολλοὶ τῶν ἀρχόντων (§ 10) glauben nun an Jesus. Als Jakobus auf Aufforderung der Schriftgelehrten und Pharisäer hin erklären soll, Jesus sei nicht der Messias, sind nach seiner öffentlichen Martyria für Jesus viele von dem Gesagten überzeugt und brechen in Lobpreis aus (§ 14). Nach seinem Tod[36] wird von ihm gesagt, er sei für Juden und Heiden zu einem wahren Zeugen der Messianität Jesu geworden (§ 18). Das Motiv des überaus erfolgreichen Missionars, der seiner Martyria bis zu seinem Martyrium hin treu bleibt, bestimmt so wesentlich das Jakobusbild der vorhegesippischen Tradition.

3.2.2.3.2 Die dem Jakobus verliehenen Würdebezeichnungen

Abgesehen von dem alten neutestamentlichen Syntagma ἀδελφὸς τοῦ κυρίου (§ 4), der zunächst in erster Linie das Verwandtschaftsverhältnis zu Jesus bezeichnete, aber je länger desto mehr eine Auszeichnung implizierte[37], wird die religiöse Würdestellung des Jakobus durch zwei ihm verliehene Titel zum Ausdruck gebracht, δίκαιος und „ὠβλίας".

Nach der Hegesipptradition (§ 4) habe Jakobus den Titel δίκαιος erhalten, um ihn von anderen Trägern dieses Namens zu unterscheiden – eine deutlich späte Begründung, denn im Neuen Testament wird Jakobus entweder durch „Herrenbruder" näher bezeichnet (Gal 1,19) oder in der Regel überhaupt nicht (Gal 2,1 ff. 11 ff.; Apg 12,17; 15,1 ff.; 21,1 ff.). Als ebenso spät und legendarisch ist damit auch die Behauptung zu verstehen, er sei ἀπὸ τῶν τοῦ κυρίου χρόνων μέχρι καὶ ἡμῶν so bezeichnet worden. Den Traditionsträgern im 2. Jh. ist es schlechthin undenkbar, daß Jakobus einmal etwas anderes gewesen sein könnte, als er in ihren Augen war.

Die zweite Begründung für den Titel δίκαιος ist die ὑπερβολὴ τῆς δικαιοσύνης des Jakobus (§ 7). Diese Formulierung als solche erweckt einen schematischen Eindruck und ist als spät einzustufen. Möglicherweise stammt sie erst von Hegesipp. Sie deutet aber Richtiges an: Sie setzt ein Jakobusbild voraus, das geprägt ist von der asketischen Frömmigkeit des lebenslänglichen Nasiräers, die weit über das von der Tora von jedermann geforderte Verhalten hinausgeht (§ 6). Wie die Toraob-

---

7), dann ist von ἐξ ὧν τινες die Rede (§ 9), was sinnvollerweise nur eine Gruppe der vorhin genannten sein kann, worauf sofort folgt, daß die genannten Sekten als ganze weder an die Auferstehung noch an den Richter im zukünftigen Endgericht glaubten.

[36] Ἐμαρτύρησεν. Hier liegt bereits Märtyrerterminologie vor. Zur literarischen und theologischen Einordnung des Hegesippberichtes in die jüdische und frühchristliche Martyriumsliteratur vgl. Surkau, Martyrien 119 ff.

[37] Als Beleg ist nur auf die Wertschätzung der Herrenverwandtschaft in der judenchristlichen Tradition des ausgehenden 1. und des 2. Jh.s zu verweisen.

servanz des historischen Jakobus wirklich aussah, läßt sich von da aus nicht sagen. Daß er ein „Christian Pharisee"[38] gewesen sei bzw. nach den „strictest Jewish standards"[39] gelebt habe, ist unwahrscheinlich. Denn daß die relative Unbekümmertheit des irdischen Jesus im Umgang mit der Tora bei seinem Bruder überhaupt keine Konsequenzen gehabt haben sollte (auch wenn diese vielleicht nur geringfügig gewesen sein werden), ist nicht gut vorstellbar. Dennoch kann vermutet werden, daß die Toraobservanz des Jakobus einen Grad an Ernsthaftigkeit hatte, der unter den Zeitgenossen Aufsehen erregte[40] und von der Nachwelt noch entsprechend verklärt wurde – erst durch diese Verklärung entstand das Jakobusbild der judenchristlichen Tradition. Jakobus ist für sie der vorbildhafte Erfüller der Tora (wie es für Vertreter des rabbinischen Judentums der Hohepriester Simon ben Onias war, der denselben Titel erhielt, Av I 2; Jos Ant XII 43. 157[41]); er ist der exemplarische Gerechte. In ihm hat sich erfüllt, was eine lange Tradition vom Gerechten zu sagen wußte (vgl. nur Jes 3,10; 53,11; 57,1; 60,21; Ps 1,5f.; 5,13; 7,10; Spr 2,20; 4,18; 10,3ff.; Mk 2,17 parr; Mt 5,45; 10,41 u.ö.). Daß Jakobus noch dazu das Martyrium erlitt, prädestinierte ihn geradezu, als der leidende Gerechte im Bewußtsein späterer Generationen weiterzuleben. Die Verbindung zu Deuterojesaja dürfte also eine besondere Rolle bei der Wahl dieses Titels gespielt haben[42] (auch ὠβλίας deutet, wie im folgenden zu zeigen ist, in dieselbe Richtung). Was besonders wichtig ist: die Jakobustradition schließt bei diesem Titel an die Bezeichnung Jesu als des δίκαιος an (Mt 27,19; Lk 23,47; Apg 3,14; 7,52; 22,14; 1 Petr 3,18; 1 Joh 2,1)[43], wie überhaupt das Bild des Herrenbruders ganz stark nach dem Jesu gestaltet ist (unten 3.2.2.3.3).

---

[38] Carroll, BJRL 1961/62, 60; dagegen Ward, RestQ 1973, 179.

[39] Frend, Martyrdom 170.

[40] Patrick, James 40 meint, Jakobus habe das Zeremonialgesetz ignoriert. „He was much rather a man of the people, on whom the Pharisees would have looked down as accused because of his ignorance of the Law" (41). Der Gesetzeseifer des Jakobus sei nicht einmal so groß gewesen wie der eines durchschnittlichen Juden (229). Schon seine Intervention Gal 2,1ff. schließt eine solch eindeutig überzogene Interpretation aus; weiters der Umstand, daß er sich von allen leitenden Persönlichkeiten der Jerusalemer Gemeinde am längsten in Jerusalem behaupten konnte. Patrick wird u.a. dadurch zu diesem Urteil verleitet, weil er den Jakobusbrief für echt hält.

[41] Dazu vgl. Mach, Zaddik passim.

[42] Von diesem Hintergrund aus scheint sich das Urteil Wards (RestQ 1973, 183) nicht zu bestätigen, wonach der Titel ὁ δίκαιος zunächst mit Jakobus als Märtyrer verbunden wurde und erst später die Gesetzestreue hinzukam. Beide Momente gehören von Dtjes her unlösbar zusammen.

[43] Dazu Ruppert, FS Schick (1979) 319ff. Kein Titel liegt Kol 4,11 vor, da Ἰοῦστος dort Name ist, mit Munck, Paulus 108, A76 gegen Stauffer, ThLZ 1952, 203, A1 (gleiches gilt auch für Apg 1,23; 18,7; als Titel wäre δίκαιος zu erwarten).

Δίκαιος ist in der Hegesipptradition die stehende Bezeichnung für Jakobus (nicht etwa „Herrenbruder"). Sowohl in dem zweiten, Jakobus betreffenden Hegesippzitat kommt sie vor (Eus HE IV 22,4) als insbesondere II 23,4ff.: neben den §§ 4 und 7, in denen die Entstehung des Titels begründet wird, in den §§ 12, 15 (bis), 16, 17 und 18, meist ohne Namensnennung. Der Gebrauch des Titels nähert sich zumindest dem eines Eigennamens. Das ist immerhin für eine Quelle der ersten Hälfte des 2. Jh.s von Bedeutung, denn die erste Bezeugung dieses Titels findet sich in dem nur wenig älteren Hebräerevangelium (fr. 7). Daß er auch von dort her in die Hegesipptradition eingeflossen ist[44], ist möglich; wahrscheinlich stammt er aber ohne eine solche Vermittlung direkt aus der mündlichen Überlieferung und dürfte somit spätestens gegen Ende des 1. Jh.s entstanden sein.

Eine ausgesprochene Crux ist der Titel ὠβλίας. Der Schwierigkeit seiner Erklärung entspricht die Vielzahl der Lösungsvorschläge, die jedoch alle, wenn auch in größerem oder geringerem Maße, nicht mehr als Hypothesen sein können. Einig ist man sich nur in der Annahme eines dahinter stehenden aramäischen (bzw. hebräischen) Terms, der freilich völlig unterschiedlich bestimmt wird. Die Rückführungen auf שליח (= Gesandter)[45], עפלא (= Anhöhe)[46], אבלא (= Korbgeflecht, Palisade)[47] oder אבילא (= Trauernder, Asket)[48] sind jedoch sprachlich teils sehr weit hergeholt bzw. sachlich so umständlich mit Jakobus verbunden, daß sie unwahrscheinlich sind. Doch auch die Herleitungen aus עפל עם (= Schutzwall des Volkes)[49] und אב לעם = Vater des Volkes)[50], die beide in der Transkription ὠβλίαμ voraussetzen, haben die Schwierigkeit, eine Verschreibung von M zu C annehmen zu müssen, zudem hat letztere Lösung den weiteren großen Nachteil, keinen Bezug zu der „Übersetzung" περιοχή zu haben. Alle bisher genannten Lösungsversuche haben jedoch den Nachteil, den Zusammenhang des Terms ὠβλίας mit περιοχὴ τοῦ λαοῦ und gleichzeitig den Hinweis auf die Propheten

---

[44] Weiß, Urchristentum 553; Kittel, ZNW 1931, 146, A1.

[45] Schoeps, Aus frühchristlicher Zeit 120ff.; dort ein instruktiver Rückblick auf vorhergegangene Lösungsversuche.

[46] Stauffer, Jerusalem 134f., A11.

[47] Meyer–Bauer, in: NTApo I⁴,313.

[48] Gero, Muséon 1975, 440. Nach Gero sei der Term erst nachträglich in den Eusebtext interpoliert worden (435ff.). Abramowski, ZThK 1984, 446 denkt an „ein hebräisches Partizip mit einem theophoren Element aus: ʿobelyah = der vor Gott klagende oder trauernde".

[49] Lawlor, Eusebiana 8; Stauffer, ZRGG 1952, 206 (unter Hinweis auf Sir 49,15); Gustafsson, in: Cross (ed.), Studia Patristica III,231; vgl. außerdem Barrett, FS de Zwaan (1953) 15, A2, der hinter עבל (ל)עם eine Anspielung auf יסוד עולם Spr 10,25 zu erkennen meint.

[50] Schlatter, Chronograph 80; Eisler, ΙΗΣΟΥΣ II,583, A2; Surkau, Martyrien 123, A73.

nicht erklären zu können (auch wenn einige nicht eo ipso als unmöglich zu bezeichnen sind).

Als wahrscheinlichste Lösung bleibt die Annahme, ωΒΛΙΑC sei Textverderbnis aus ωΒΔΙΑC, so zuerst *Torrey,* weiters *Sahlin* und *Baltzer/Köster*[51]. Die Verschreibung von Δ in Λ ist überaus häufig[52] und auch sachlich ist diese Lösung gut verstehbar. Jakobus hätte dann den Ehrentitel ὠβδίας = Obadja[53] getragen. *Torrey* denkt als atl. Hintergrund an den königlichen Hofbeamten Obadja 1 Kön 18,3 ff., der die Jahwepropheten vor Ahab und Isebel schützte. Jakobus hätte den Titel bekommen, weil er als περιοξή für das Volk einen ähnlichen Dienst verrichtete wie sein Namensvorgänger für die Jahwepropheten. So sehr *Torrey* mit dem Verständnis von ὠβλίας als ὠβδίας Recht haben wird, so wenig genügt jedoch seine alleinige Bezugnahme auf 1 Kön 18,3 ff. zur sachlichen Erläuterung (doch ist es freilich gut denkbar, daß in der Schrift Bewanderte den Obadja der Ahabsgeschichte und seine Rolle in ihr mit assoziierten, wenn sie diesen Namen hörten).

Zumindest ebenso naheliegend ist jedoch der Verweis auf Obd 1, so *Baltzer/Köster*; die Verbindung von περιοχή und ὠβδίας ist so auch verbaliter (nicht bloß der Sache nach) gegeben und auch die Rede vom Prophetenzeugnis (§ 7) ist in bezug auf eine Interpretation von Obd 1 her durchaus sinnvoll. Zudem ist anzunehmen, daß Jakobus als herausragende Gestalt kaum durch Anlehnung an eine eher unbekannte Gestalt der atl. Geschichte charakterisiert werden sollte, sondern an die literarisch überhöhte Gestalt des Ebed Jahwe bei Deuterojesaja. Dieser wohl primär gegebene Bezug bei der Wahl der Ehrenbezeichnung Obadja für Jakobus stellt ihn in Analogie zum atl. Vorbild als den leidenden Gottesknecht dar, und dieser Zug paßt vorzüglich in einen Martyriumsbericht. Schließlich könnte auch das Präskript des Jak (1,1: ...θεοῦ...δοῦλος) auf den Bezug zur Ebed-Jahwe-Vorstellung hinweisen[54].

---

[51] Torrey, JBL 1944, 96; Sahlin, Bib. 1947, 152 f.; Baltzer–Köster, ZNW 1955, 141; ebenso Kemler, Jakobus 24; Hyldahl, StTh 1960, 108, A 106; vgl. auch Kraft, Entstehung 287 f.

[52] Vgl. die Lesarten Ἰωβήδ/Ἰωβήλ bzw. Ὠβήδ/Ὠβήλ Lk 3,32.

[53] Die griechische Schreibung des Namens Obadja wechselt: Ἀβδίας Obd 1; 2 Chr 17,7; 34,12; Ἀβδίου 1 Kön 18,3 ff.; Ἀβδία 1 Chr 3,21; 8,38; 9,16. 44; 12,10; Neh 10,6; Ἀβαδία Esra 8,9; Ὀβδία 1 Chr 7,3; Ὠβεδίας JosAnt VIII 329 ff. 335; IX 47.

[54] Immerhin kommt der Jakobusbrief aus einer judenchristlichen Tradition, für die Jakobus die entscheidende Figur der Vergangenheit ist; es ist also gut vorstellbar, daß die Titulatur Jak 1,1 aus dieser Tradition stammt. Eine Anspielung auf die paulinischen Briefpräskripte ist zwar möglich, doch kommt in diesen δοῦλος nur Röm und Phil vor (in der deuteropaulinischen Literatur nur Tit), während gewöhnlich ἀπόστολος verwendet wird (1/2 Kor, Gal, weiters Kol, Eph, 1/2 Tim, Tit, in Philem bezeichnet sich Paulus als δέσμιος, 1 Thess nennt er nur den Namen).

Die Deutung von ὠβλίας auf *Jakobus als Gottesknecht, der stellvertretend für andere leidet*, paßt nicht nur sehr gut in einen Martyriumsbericht, sie ergänzt ebensogut die Aussage dieses Berichts über die priesterliche Funktion des Herrenbruders wie über dessen Parallelität zu Jesus, wie noch zu zeigen sein wird. Aktivität und Titel stimmen überein – wohl ein Zeichen dafür, daß beides auf denselben Tradentenkreis und auf einigermaßen dieselbe Entstehungszeit zurückgeht. Falls der Bezug zu Jak 1,1 richtig ist, wäre an die siebziger oder achtziger Jahre des 1. Jh.s zu denken; eine recht frühe theologische Prägung des Jakobusbildes zwar, aber doch eine für diese Zeit denkbare, da der Tod des Jakobus immerhin 20 Jahre zurücklag, lang genug, um eine theologische Würdigung dieser so hervorragenden Figur der Jerusalemer Gemeinde vorzunehmen.

3.2.2.3.3 Die Parallelität von Jakobus und Jesus

Besonders auffällig ist die überaus enge Analogie zu Jesus in der Darstellung des Wirkens und Sterbens des Jakobus. Diese Analogie beschränkt sich nicht bloß auf thematische Anlehnung, sondern ist streckenweise wörtliche Übernahme. Auch des Jakobus Leben und Passion ist von der Schrift geweissagt (§§ 7; 15), steht also von vornherein in einem heilsgeschichtlichen Kontext, auch bei ihm ist der Erfolg seiner Verkündigung sowohl beim Volk wie bei den Herrschenden beträchtlich (§ 10; vgl. nur Mk 1,45 parr; Joh 12,42), seine Gegner sind ebenso Schriftgelehrte und Pharisäer (§§ 10; 12), er wird ebenso wie Jesus als δίκαιος bezeichnet (§ 4 u. ö.; vgl. Apg 3,14; 7,52; 22,14) und für unparteiisch gehalten (§ 10; vgl. Lk 20,21), und auch er widersteht von der Zinne des Tempels aus allen Versuchungen (§ 10, 12 ff.; vgl. Mt 4,5 ff. par). Wie Jesu Passion vollzieht sich auch sein Martyrium anläßlich eines Passafestes (§ 10; vgl. Mk 14,1 parr), der unmittelbare Anlaß des Todesbeschlusses ist auch bei ihm der Verweis auf das baldige Kommen des Menschensohnes zum Gericht (§ 13; vgl. Mk 14,62 parr; vgl. auch das Zitat Eus HE IV 22,4, wonach Jakobus aus den gleichen Gründen wie der Herr das Martyrium erlitten habe), und auch sein letztes Wort ist eine Bitte um Vergebung für die, die nicht wissen, was sie tun (§ 16; vgl. Lk 23,34). – Eine lange Reihe von Parallelen, die das Jakobusbild bewußt nach der Jesusdarstellung der Evangelien gestalten[55]. Nicht bloß „der Märtyrer ist ein vollkommener ‚imitator Chri-

---

[55] Auch ein wörtlicher Bezug zur Stephanustradition besteht (§ 16, vgl. Apg 7,60). Wie sehr jedoch die Jakobustradition Eus HE II 23 in Analogie zur Jesustradition gestaltet ist, zeigt bereits ein Blick auf die wesentlich weniger ausgeführte Parallele zwischen Apg 7 und den Evangelienberichten.

sti'"[56], auch nicht bloß der Märtyrer Jakobus, sondern Jakobus in seinem gesamten Wirken und Leiden.

Jakobus nimmt zwar auch nach der judenchristlichen Tradition Hegesipps nicht die Position Jesu ein: er ruft, anders als der johanneische Christus, nicht zum Glauben an sich selbst auf, sondern zum Glauben an Jesus als den Messias (§ 9 u. ö.). Von keiner frühchristlichen Gestalt aber werden so bedeutende theologische Aussagen gemacht. Jakobus steht für diese Tradition weit über allen anderen frühen Christen; er steht nicht mehr neben ihnen oder an ihrer Seite (auch nicht mehr gegen sie; Rivalität hat dieser Jakobus nicht mehr nötig, ein Zeichen für eine späte Ansetzung), sondern auf dem Podest des Heiligen, des Gerechten, des Gottesknechtes, des Märtyrers, der zu all dem noch Herrenbruder ist – *die Reinkarnation der atl. priesterlichen und prophetischen Mittlergestalten und der Repräsentant Jesu zugleich.*

3.2.2.3.4 Das Jakobusmartyrium und der Fall Jerusalems

Die exzeptionelle Bedeutung des Herrenbruders und seines gewaltsamen Todes wird in der Schlußwendung § 18 ausgesprochen: καὶ εὐθὺς Οὐεσπασιανὸς πολιορκεῖ αὐτούς. Als historische Mitteilung steht diese Aussage in Widerspruch zu Jos Ant XX 200, wonach das Martyrium in der Vakanz zwischen den Prokuratoren Festus und Albinus, also im Jahr 62, stattgefunden hat, während nach der Hegesipptradition an 66 bzw. 69 zu denken wäre, je nachdem, ob man darin das Eingreifen in den Jüdischen Krieg durch Vespasian oder den Beginn der Belagerung Jerusalems durch Titus im Jahre 69 angedeutet sieht – in beiden Fällen ist der Text in historischer Hinsicht unpräzise (vgl. dazu unten 4). Das zeigt bereits, daß diese Mitteilung nicht (zumindest nicht in erster Linie) als historische zu verstehen ist, sondern als theologische[57]; darauf deutet auch die hier wiedergegebene Parallele zur Passion Jesu. Beide Male kommt es als Folge des Todes zu erschreckenden Ereignissen: Zerreißen des Vorhangs im Tempel (Mk 15,38 parr), Erdbeben, Zerspringen von Felsen, Erscheinungen von Verstorbenen (Mt 27,51 f.), Sonnenfinsternis (Lk 23,44 f.) bei Jesus, Eroberung Jerusalems bei Jakobus.

Als Ursache für die Belagerung wird die göttliche Strafe für den Mord am Gerechten anzusehen sein; so ausdrücklich PsJos bei Orig KommMt X 17 (GCS Orig X,22); Cels I 47 (GCS Orig I,97); II 13 (GCS Orig I, 143) und bei Eus HE II 23,20 (dem sich auch Euseb § 19 anschließt); die Parallele zur Passionsgeschichte Jesu könnte ebenfalls

---

[56] Surkau, Martyrien 126.
[57] Vgl. bereits Schwartz, ZNW 1903, 58.

darauf hindeuten (Mt 27,25 sagt das Volk zu Pilatus: Jesu Blut komme
über uns und unsere Kinder)[58]. D. h. der Mord gerade an Jakobus, dem
Gerechten, darf nicht ungesühnt bleiben; die Verbindung mit dem Jüdischen Krieg erklärt gleichfalls das in judenchristlichen ebenso wie in jüdischen Augen unfaßbare Ereignis der Eroberung Jerusalems und der
Zerstörung des Tempels. Daß der Tempel zerstört wurde, weil mit Jakobus der einzig wahre Priester ermordet wurde und der Tempel kul-
tisch-rituell entweiht war[59], ist dazu kein Gegensatz, da auch hier das
Strafmotiv grundlegend zum Kausalzusammenhang zwischen dem
Mord an Jakobus und der Zerstörung Jerusalems gehört (zu PsJos und
der Kritik des Origenes an dieser exzeptionellen Bedeutung des Jakobus unten 3.4.2).

Die theologische Hochschätzung des Jakobus ist damit noch klarer
zum Ausdruck gebracht als in der Beschreibung seiner priesterlichen
und missionarischen Funktion, seiner Titel und seiner engen Verbindung zu Jesus. Eine stärker ausgebildete Jakobusideologie scheint
kaum denkbar; sie ist auch nicht mehr allzu sehr überboten worden.

3.2.2.3.5 Zusammenfassung

Alte judenchristliche Tradition liegt in den von Eus HE II 23,4 ff.
und IV 22,4 überlieferten Hegesippzitaten vor, von denen das erstere
(und bei weitem längere und wichtigere) mit großer Wahrscheinlichkeit
auf eine von Hegesipp benützte (und später interpolierte) griechische
judenchristliche Quelle zurückgeht, die Traditionen der aramäisch
sprechenden judenchristlichen, palästinensischen Gemeinde wiedergibt.

Was die kirchenrechtlich-organisatorische Seite betrifft, so wird die
Rolle, die Jakobus in seiner Spätzeit in der Jerusalemer Gemeinde
spielte, in die allerersten Anfänge der Kirche überhaupt zurückprojiziert: er gilt als der erste vom Auferstandenen selbst eingesetzte Bischof
der (Gesamt)Kirche, die Zwölf oder die Apostel treten daneben (zumindest in diesen beiden Texten) nicht in Erscheinung.

Mindestens ebenso stark von der Geschichtsbetrachtung eines nahezu jakobusgläubigen Judenchristentums ist das Bild des Jakobus geprägt, soweit es seine theologische Würdestellung betrifft: er ist der
wahre Priester Israels, der durch sein Gebet den herkömmlichen Tempeldienst ablöst, er ist der Missionar, auf den allein der große Erfolg
der Evangeliumsverkündigung in Jerusalem zurückgeht. Er ist würdig,
Titel wie Zaddik und Ebed Jahwe zu tragen, sowie durch (teils wörtli-

---

[58] Sowohl hinter der Hegesipptradition wie hinter PsJos könnte dieselbe Gruppe stehen.
[59] Kemler, Jakobus 20.

che) Verwendung von Jesustraditionen beschrieben zu werden, und sein Tod ist schließlich das Motiv für die Zerstörung Jerusalems.

Diese judenchristlichen Traditionen über Jakobus sind bereits weit von dem entfernt, was das Neue Testament über ihn berichtet. Als eigenständige historische Quellen sind sie nur in einzelnen Punkten in Kombination mit älteren Quellen benützbar[60]. Wohl aber zeigen sie die Jakobusverehrung (von einer solchen zu sprechen ist durchaus angebracht) des nachjakobinischen Judenchristentums. Wann die einzelnen Traditionselemente entstanden, ist nicht mit Sicherheit feststellbar. Ein allmähliches Wachsen ist wahrscheinlich. Zu den älteren Elementen gehören vermutlich die mit dem Tempel zusammenhängenden Motive (Gebet im Tempel, Tempelsturz, Untergang Jerusalems als Strafe für den Tod des Jakobus) oder die beiden Titel Zaddik und Ebed Jahwe, zu den jüngeren Elementen stärker personallegendarische Motive (Nasiräer, Walker, Parallele zu Jesus), das Motiv der Steinigung und das des paradigmatischen Verkündigers[61]. Eine zeitliche Einordnung ist nur bei allem Vorbehalt möglich. Man wird am besten an die zweite und dritte Generation nach dem Tod des Jakobus denken, also an ein Wachsen der Tradition in der Zeit ungefähr zwischen 80 und 140.

3.2.3 Das Jakobusbild der Pseudoklementinen [1]

F. C. Baur und seine Schüler hatten die Pseudoklementinen (PsCl) als primäre Geschichtsquelle zur Rekonstruktion der Geschichte der frühen Kirche herangezogen. Doch schon seit der vorigen Jahrhundertwende zeigte sich die Unhaltbarkeit dieser Position[2]; so sind von diesen Schriften auch keine unmittelbaren Aussagen über den geschichtlichen

---

[60] Der historische Wert des Hegesippberichts wird zu Recht (mit Ausnahme weniger Exegeten, z. B. Zahn, Forschungen VI, 253; Meyer, Rätsel 110; Eisler, ΙΗΣΟΥΣ II, 580 ff.; Carrington, Church I, 190 u. a.) als sehr gering angesetzt, vgl. nur Lohmeyer, Galiläa 68 f., A 4; Schoeps, Theologie 15; Kemler, Jakobus 25 f.; Brandon, Zealots 121 ff. 188 ff.; Bruce, Men 98 f. 114 ff. Schlicht negative Urteile über den historischen Wert der Jakobustradition Hegesipps insgesamt, wie sie insbesondere in der liberalen Theologie üblich waren (Schwartz, ZNW 1903, 58; Weizsäcker, Zeitalter 356; Weiß, Urchristentum 553; Meyer, Ursprung III, 73 f., A 2; Lietzmann, Geschichte I, 58; Kittel, ZNW 1931, 145; vgl. aber auch Munck, Paulus 107; Gustafsson, in: Cross (ed.), Studia Patristica III, 231, A 1; Gaechter, Petrus 309, A 118), werden hingegen einem differenzierten Verständnis der Hegesipptradition nicht gerecht.

[61] Ähnlich Kemler, Jakobus 23 ff.

[1] Der 2. Klemensbrief und die pscl. Briefe de virginitate gehören nicht in diesen Zusammenhang.

[2] Zur Forschungsgeschichte Hoennicke, Judenchristentum 1 ff.; Strecker, Judenchristentum 1 ff.

Herrenbruder Jakobus zu erwarten. Wohl aber geben sie eine Reihe wichtiger Aufschlüsse für das Jakobusbild judenchristlicher Kreise des 2. Jh.s.

3.2.3.1 Einordnung der Belege über Jakobus

Die in zwei Rezensionen, den Homilien (H)[3] und den Rekognitionen (R)[4], überlieferten Schriften erzählen als Rahmenhandlung Trennung und Wieder- findung der Familie des Clemens Romanus; im Hauptteil sind sie jedoch ein Bericht über die Predigten des Petrus, die dieser im Kampf gegen Simon (ge- meint ist Paulus) hielt, und die Clemens über Auftrag des Petrus an den Her- renbruder Jakobus senden sollte. Die beiden in das 4. Jh. gehörenden Rezensio- nen gehen, was als opinio communis betrachtet werden kann[5], auf eine gemein- same Grundschrift (G) zurück, die Mitte des 3. Jh.s anzusetzen ist, und in der das Motiv der Berichterstattung des Clemens an Jakobus, das sog. Clemens-Ja- kobus-Motiv, bereits enthalten ist!

Umstritten ist jedoch immer noch, ob und, wenn ja, welche Quellen der Au- tor der Grundschrift benutzte. Während seit der Untersuchung von *Waitz* über die PsCl[6] die Annahme einer Quellenschrift Κηρύγματα Πέτρου (ΚΠ) sich gro- ßer Beliebtheit erfreute[7], wird dies neuerdings von *J. Wehnert* und *G. Lüde- mann*[8] mit dem Hinweis in Frage gestellt, die ΚΠ wiesen gegenüber den ande- ren Partien der Homilien keine signifikanten Sprachmerkmale auf (was auch *Strecker* schon sah[9]). Doch ist dies wohl kein Beweis gegen die Annahme der ΚΠ-Quelle, da ja das sicher nicht geringe Ausmaß der doppelten sprachlich ni- vellierenden Arbeit durch den Autor der Grundschrift wie durch den der Ho- milien nicht außer acht gelassen werden darf. Auch daß – folgerichtig – die den Homilien vorangestellten und herkömmlich den ΚΠ zugeordneten Einleitungs- schriften Epistula Petri und Contestatio keine auffallenden Übereinstimmun- gen mit den für die ΚΠ reklamierten Passagen aufweisen[10], ist dementspre- chend kein Beweis gegen die Existenz bereits schriftlich vorliegender ΚΠ; auch nicht der Hinweis auf Antonius Diogenes, in dessen τῶν ὑπὲρ Θούλην ἀπίστων

---

[3] Ed. Rehm–Irmscher–Paschke, GCS 42².
[4] Ed. Rehm–Paschke, GCS 51.
[5] Vgl. nur Irmscher, in: NTApo II⁴, 373; anders noch Schwartz, ZNW 1932, 188.
[6] Waitz, Pseudoklementinen 78 ff.
[7] Ich nenne nur Schmidt, Studien 240 ff.; Cullmann, Problème 78 ff.; Schoeps, Theo- logie 45 ff.; ders., Urgemeinde 9 ff.; Goppelt, Christentum 171 ff.; Strecker, Judenchri- stentum 137 ff.; ders., Eschaton und Historie 299 ff.; ders., in: Tröger (ed.), AT 276 ff.; Lindemann, Paulus 104 ff.; Dassmann, Stachel 284.
[8] Wehnert, Stand passim; ders., ZNW 1983, 268 ff., bes. 291 ff.; Lüdemann, Paulus II, 229; die Forderung traditionsgeschichtlicher statt quellenkritischer Arbeit an den PsCl durch Wehnert nimmt auch Hengel, FS Kümmel (1985) 77, A 22 positiv auf (ebd. 100 spricht er allerdings – zumindest terminologisch ungenau – wieder von „Quellen der Pseudoclementinen").
[9] Strecker, Judenchristentum 220.
[10] Wehnert, ZNW 1983, 291 ff.; Lüdemann, Paulus II, 229.

λόγοι χδ´[11] „ebenfalls zwei Briefe in gewollter Inkongruenz an den Anfang bzw. an das Ende des Romans gestellt werden"[12]. Fehlt doch die ästhetisch effekt-volle Einrahmung einer Schrift durch Briefe in den PsCl – die beiden Briefe Epistula Petri (samt Contestatio) und Epistula Clementis sind den PsCl (bzw. schon der Grundschrift) vorangestellt. Was gegenüber sprachlichen Untersu-chungen wichtiger ist: die zwei Briefe setzen eine jeweils andere Situation vor-aus und tragen ein unterschiedliches theologisches Gepräge[13] – beides gilt auch für die Grundschrift im Gegenüber zu den aus ihr zu rekonstruierenden KΠ –, so daß die Annahme einer gleichzeitigen Entstehung von EpPetr und EpCl sich nicht nahelegt. Zudem ist nicht recht erklärbar, warum der Homilist (im 4. Jh.!) Jakobus so herausgestrichen haben sollte; bei einem Autor, für den betont ju-denchristliche Traditionen sonst keine Rolle spielten, wäre das doch merkwür-dig[14]. Sind diese Überlegungen richtig, dann lagen EpPetr und Cont dem Grundschriftautor[15] bereits vor und es kann durchaus, wie *Strecker* es tat[16], auf-grund der Einleitungsschriften EpPetr und Cont, die Rekonstruktion der dazu-gehörenden Quellenschrift KΠ, wenn auch mit großen Vorbehalten im einzel-nen[17], versucht werden; die EpPetr und Cont wären den KΠ zuzuordnen, die EpCl der Grundschrift[18].

---

[11] Bei Photius, bibl. 166 (Henry II, 140 ff.); vgl. Rohde, Roman 291.

[12] Wehnert, ZNW 1983, 297; vgl. ders., Stand 28. Einen einzigen Verfasser der EpPetr und EpCl nimmt auch Bagatti, Church 76 an.

[13] Daß EpPetr, Cont und EpCl „dieselbe theologische Tendenz" (Wehnert, ZNW 1983, 298) haben, ist unpräzise (dazu unten 3.2.3.3.2 und 3.2.3.4.2).

[14] Vgl. analog die richtige Kritik Lüdemanns, Paulus II,230 an der Spätdatierung des Antipaulinismus bei Rehm, ZNW 1938, 77 ff. bes. 139 ff., Rehm hatte die antipaulinischen Passagen in H sowie die, in denen das Jakobusmotiv aufscheint, für ebionitische Interpo-lationen in H erklärt (gegen die Interpolationsthese auch Wehnert, ZNW 1983, 294).

[15] Die Zugehörigkeit der EpCl zu G ist aufgrund des Jakobus-Clemens-Motivs in G wahrscheinlich. Eine spätere Entstehung von EpCl würde aber die von EpPetr und Cont ausgehenden Rekonstruktionsversuche der KΠ nicht tangieren.

[16] Strecker, Judenchristentum 137 ff.; ders., in: NTApo II[4], 65 f.

[17] Hierin scheint das Recht der Ausführungen Wehnerts zu liegen. Den sprachlich nicht einheitlichen Charakter der von Strecker für die KΠ reklamierten Passagen betont auch Rius–Camps, Pseudoclementinas 79 ff.

[18] In der älteren Forschung war es üblich, den Ansatzpunkt zur Rekonstruktion der KΠ in dem R III 75 überlieferten Verzeichnis der Titel der (angeblichen) zehn Bücher der KΠ zu sehen (Waitz, Pseudoklementinen 88 ff.; Schmidt, Studien 327; Schoeps, Theologie 49 ff.; [anders freilich jetzt ders., Studien 81 f.]; Daniélou, Theology 60). Doch kann der Katalog in der jetzigen Form kaum ursprünglich sein, da bestimmte Bücher (z. B. das 7., das von der im Tempel stattfindenden Diskussion der Zwölf bzw. des Jako-bus mit den Vertretern jüdischer Gruppierungen vor dem Volk berichtet, R I 33 ff.) dem Charakter der Kerygmata, der von Petrus auf Missionsreisen gehaltenen und dem Her-renbruder Jakobus geschickten Predigten, nicht entsprechen (man half sich mit der etwas mißlichen Auskunft einer Interpolation); vor allem spricht gegen die Authentizität des Katalogs, wie Strecker (Judenchristentum 59) gezeigt hat, daß R III 74, 3 ff. (also die Ein-leitung des Katalogs) auf den Rekognitionisten zurückzuführen ist: im Rahmen des Cle-mens-Jakobus-Motivs ist an einigen Stellen (EpCl 20; H I 20,2; R I 17,2; 74,4 f.; V 36) auf einen schon vor dem Bericht des Clemens an Jakobus abgesandten Bericht verwiesen. Der Verfasser dieses Erstberichtes ist nun nach EpCl 20 und H I 20,2 Petrus, nach den

Sollte die Annahme schriftlich vorliegender KΠ dennoch unberechtigt sein, so wäre das für die vorliegende Arbeit letztlich ohne Bedeutung. Denn in den Partien, in denen Jakobus vorkommt und die im folgenden den KΠ zugeschrieben werden, liegt alte Tradition vor. Nicht nur von dem in ihnen enthaltenen Antipaulinismus, sondern ebenso von dem in ihnen entwickelten Jakobusbild her ist das anzunehmen. So denkt auch *Lüdemann*, Paulus II, 255 für die von ihm traditionsgeschichtlich untersuchten antipaulinischen Passagen, zu denen sämtliche im folgenden den KΠ zugeschriebenen Jakobusstellen gehören, an das 2. Jh. und meint, die Träger dieser Traditionen seien im selben Milieu wie die Elkesaiten (vgl. HippRef IX 15) und die Gemeinde der R I-Quelle zu suchen, nämlich in Syrien oder – wahrscheinlicher – Transjordanien. Dagegen empfiehlt sich die Annahme *Wehnerts*, EpPetr und Cont gingen zusammen mit EpCl auf den Homilisten zurück[19], von den obigen Erwägungen aus nicht.

Neben den KΠ hat der Autor der Grundschrift auch andere Quellen benützt, von denen im vorliegenden Zusammenhang nur die in R I überlieferte über die Diskussion der Zwölf bzw. des Jakobus mit den jüdischen Sekten von Interesse ist. Auf das Vorhandensein dieser Quelle weist die in sich geschlossene Darstellung I 33–71, die mit dem Clemens-Jakobus-Motiv nicht korrespondiert (I 44,3–53,4a ist eine deutliche Interpolation von G in den vorliegenden Zusammenhang) und in mehrfacher Hinsicht Parallelen zu anderen literarischen Dokumenten (Hegesipp, Epiphanius, 2 ApJac [NHC V,3]) aufweist[20.21]. Die

---

R-Stellen (sowie EpCl 20 lat.) jedoch durchwegs Clemens. EpCl 20 und H I 20,2 sind hier gegen R als ursprünglich anzusehen; dies ergibt sich schon daraus, daß sie mit Ep Petr 1,2 ff.; Cont 1,1 übereinstimmen (nach denen ebenfalls Petrus seine Lehrvorträge selbst dem Jakobus schickte); R III 74,3 ff. stammt also von der Hand des Rekognitionisten und der Katalog R III 75 entfällt somit als Ansatzpunkt für die Rekonstruktion der KΠ.

[19] Wehnert, ZNW 1983, 297. 300. Die „weit überdurchschnittliche sprachliche Verwandtschaft zwischen EpPetr/Cont und EpCl" (ebd. 294) ist bei der bisherigen Annahme, EpCl sei nach dem Vorbild von EpPetr gestaltet, durchaus nicht auffällig.

[20] Diese Quelle wird wegen ihrer deutlichen Beziehung zu Epiph Pan XXX 16,6–9 (= AJ I-Quelle) im Anschluß an Strecker, Judenchristentum 221 ff. zumeist AJ II-Quelle genannt (Beyschlag, ZNW 1965, 149 ff.; Martyn, FS Dahl [1977] 265 ff.; vgl. Lindemann, Paulus 108 f.). Lüdemann redet von der R I-Quelle (Paulus II, 242 ff.); er identifiziert diese mit der von Strecker hinter AJ I und AJ II angenommenen AJ-Quelle (242). Sachlich ergibt sich keine wesentliche Differenz zu der Streckerschen Lösung der Frage des Traditionszusammenhanges.

[21] Zur Verwandtschaft mit Heg und 2 ApJac, die das Martyrium des Jakobus betrifft, siehe unten. Die Verwandtschaft mit der ebionitischen Schrift Ἀναβαθμοὶ Ἰακώβου (Epiph Pan XXX 16,6–9) ist in mehreren Punkten deutlich: Polemik gegen Tempel und Opferkult; Diskussion im Tempel; antipaulinische Ausrichtung. Doch sind auch die Differenzen beachtlich: Epiph spricht von mehreren Aufstiegen, R I nur von einem; jüdische Gruppierungen treten bei Epiph nicht auf; Paulus ist bei Epiph Antinomist, in R I ein Verteidiger des Gesetzes. Infolge dieser Verwandtschaft ist der Annahme Streckers von einer dahinterliegenden Quelle (= AJ) beizupflichten; der literarische Zusammenhang dürfte allerdings komplizierter sein, als Strecker anzunehmen scheint: daß AJ I und AJ II in gleicher Weise von AJ abhängen, ist insofern zu modifizieren, als zunächst die AJ I-Version, die Epiph immerhin erst 2 Jahrhunderte nach Entstehung der AJ II-Version

Abgrenzung dieser I 33 ff. verarbeiteten Quelle nach hinten ist mit dem Anschluß an den Clemensroman gut erkennbar: R I 72 ff. handelt vom Wirken des Petrus in Caesarea. Nach vorne ist die Abgrenzung nicht so deutlich; *Schoeps* [22] sieht den Beginn bei I 27 (27–32: Bericht über die Heilsgeschichte von der Schöpfung bis Abraham). Doch gewisse Unstimmigkeiten mit I 33 ff. legen den Beginn eher auf 33 nahe: die Generationenzählung endet I 32; I 33 ff. ist eine Parallele zu Apg 7,2 ff. (Heilsgeschichte nach Abraham); Abraham erhält einmal Offenbarungen durch einen Engel (I 32), dann durch den wahren Propheten (I 33); schließlich wurde das I 27–32 Berichtete von G auch H VIII 10–19. IX 3–7/R IV 9–13. 27–30 nochmals ausgeschrieben[23].

Gemessen an der Bedeutung, die dem Herrenbruder Jakobus in den PsCl zugeschrieben wird, taucht sein Name relativ selten auf. Es sind dies die folgenden Stellen: EpPetr 1,1; Cont 1,1; 5,1 (bis). 4; EpCl 1,1; 19,2; 20; H XI 35,4/ R IV,35,1; R I 14,1; 43,3; 44,1; 66,1. 2. 5; 68,2. 3; 69,1; 70,3. 8; 71,2; 72,1. 5; 73,1. 3; R III 74,4. Bevor das jeweils zum Ausdruck kommende Jakobusbild näher untersucht werden kann, ist es nötig, diese Stellen den verschiedenen Schichten der PsCl zuzuweisen. Nur so kann das oft stark differierende Bild des Herrenbruders im einzelnen herausgearbeitet werden.

Die Stellen *R I 43,3; 44,1; 66,1. 2. 5; 68,2. 3; 69,1; 70,3. 8* und *71,2* werden zu der *AJ II-Quelle* zu rechnen sein, da sie innerhalb dieses geschlossenen Textzusammenhanges auftreten, der sich dem Kontext gegenüber mit gewissen Unsicherheiten genau abgrenzen läßt. R I 72,1. 5; 73,1. 3 gehören jedenfalls nicht mehr zu dieser Quelle, da sie eine andere Situation voraussetzen: der erst in G auftretende Clemens setzt hier seinen Bericht über die Predigttätigkeit des Petrus fort.

Zu den *KΠ* zählen die in den Einleitungsschriften EpPetr und Cont vorkommenden Belege: *EpPetr 1,1; Cont 1,1; 5,1. 4.* Dazu kommt *H XI 35,4/R IV 35,1.* Hier wird stets auf die Kautelen Bezug genommen, die Petrus bei der Weitergabe der Kerygmen durch Jakobus beachtet wissen möchte.

Bestandteil der *Grundschrift* sind *EpCl 1,1; 19,2; 20;* weiters, wie erwähnt: *R I 72,1. 5; 73,1. 3* sowie *R I 14,1,* wo ebenfalls von Clemens die Rede ist!

R III 74,4 schließlich geht auf den *Rekognitionisten* zurück (siehe oben).

Daneben ist an etlichen Stellen Jakobus im Rahmen des Clemens-Jakobus-Motivs vorausgesetzt, wenn auch nicht mit Namen erwähnt:

---

vor sich hat, einen langen Traditionsprozeß hinter sich hat; der unterschiedliche Traditionsprozeß mit der jeweils verschiedenen Interessenslage der Tradenten (dies gilt auch für die AJ II-Tradition) dürfte der Grund für die Differenzen sein. – Warum de Santos-Otero, Evangelios Apocrifos 77 f. den Epiphaniustext als Fragment eines verlorengegangenen Evangeliums versteht, ist nicht recht deutlich.

[22] Schoeps, Theologie 385; ders., Studien 82.
[23] Strecker, Judenchristentum 221.

H I 6,1; 17,1; 20,2 f./R I 17,2 f.; H II 1,1; R V 36,5. Mit Ausnahme der letzten Stelle, deren jetzige Form dem Rekognitionisten zuzuschreiben ist (siehe oben), gehören alle zu G. Mit Ausnahme von H I 20,2 f./ R I 17,2 f., wo etwas genauere Ausführungen zu finden sind, wird der Bericht (bzw. werden die Berichte; R V 36,5) des Clemens an Jakobus, nur beiläufig angedeutet; diese Stellen sind somit für die Rekonstruktion der Jakobusvorstellung der betreffenden Schicht der PsCl irrelevant.

3.2.3.2 Jakobus in der AJ II-Quelle [24]

3.2.3.2.1 Die kirchenrechtliche Position des Jakobus

Die führende Rolle des Jakobus in der Jerusalemer Gemeinde ist für den Verfasser der AJ II-Quelle (bzw. für die sie repräsentierende Gruppe) eine so selbstverständliche Gegebenheit, daß sie schon wieder in einer geradezu zurückhaltenden Art und Weise gezeichnet werden kann.

Dies zeigt sich zunächst schon in den Titeln, die Jakobus beigelegt werden: Er ist der *episcopus Iacobus* (R I 66,2. 5; 70,3[25]); die damit ausgedrückte Führungsposition scheint so unbestritten zu sein, daß zumeist überhaupt nur von „Iacobus" gesprochen wird, R I 43,3; 44,1; 66,1; 68,2 f.; 69,1; 70,8; 71,2. Nähere Erläuterungen dazu sind nicht (mehr) nötig. Der Leser weiß, wen er vor sich hat; die betont schlichte Redeweise setzt die allgemein gültige Bekanntheit des bloß mit seinem Namen Genannten voraus. Titel wie *frater domini* oder *Iustus*, die in der Hegesipptradition eine so große Rolle spielen (siehe oben), fehlen. Eine Differenzierung von anderen Ἰάκωβοι ist nach dem Verständnis

---

[24] Die Bezeichnung ἀναβαθμοί ist gebildet aufgrund der (trotz aller gravierenden Differenzen) gegebenen Verwandtschaft zu der Epiph Pan XXX 16,7 bezeugten ebionitischen Schrift Ἀναβαθμοὶ Ἰακώβου, die ἀναβαθμοὶ καὶ ὑφηγήσεις des Jakobus enthalten habe. Eine Crux ist die Interpretation dieses Terms. Holl verweist auf R IV 36, wo von Stufen der Einweihung die Rede ist (ed. Epiph z. St.), Waitz, Pseudoklementinen 169 denkt an „Einleitung" (Waitz argumentiert dabei vom Zusammenhang mit ὑφηγήσεις her, doch ist dies nicht überzeugend, da die Nennung besonderer „Einleitungen" neben den darauffolgenden „Reden" unnötig ist). Ein wörtliches Verständnis ist bei Epiph zumindest ebenso wahrscheinlich wie ein übertragenes und von R I 53,4; 66,2 her ist es sogar naheliegender; Zahn, Apg I, 301, A 57 verweist auf Ps 120–134 (119–133 LXX: ᾠδαὶ τῶν ἀναβαθμῶν = Wallfahrtslieder), von woher sich ebenfalls ein wörtliches Verständnis nahelegt (so auch Schoeps, Theologie 383; Strecker, Judenchristentum 252; zurückhaltend Lüdemann, Paulus II, 241, A 44.
[25] Das Syntagma *episcoporum princeps* für Jakobus R I 68,2 ist ein Fremdkörper innerhalb der für AJ II charakteristischen Titel für Jakobus, korrespondiert jedoch mit den Aussagen der Grundschrift, ist also wohl dieser zuzurechnen (Strecker, Judenchristentum 235).

des AJ II-Verfassers im Gegensatz zur Hegesipptradition, die diesen Zweck ausdrücklich vermerkt (Eus HE II 23,4), nicht nötig[26]. Daß die AJ II-Quelle hier eine etwas spätere Traditionsschicht darstellt, dürfte klar sein, denn die Titel *frater domini* und *Iustus* waren seit langem in Gebrauch, die betonte Einschränkung deutet also nicht darauf hin, daß der Verfasser sie nicht kennt, sondern daß ein Weniger an Titeln hier ein Mehr an ihm zukommender Bedeutung anzeigt. Eine einzige Variante in der Benennung des Jakobus fällt noch auf, die geradezu auf eine gewisse Intimität des Umgangs mit ihm schließen läßt: R I 66,1; 69,1 ist von „unserem" Jakobus die Rede. Er ist nach dem AJ II-Verfasser somit nicht bloß der allgemein anerkannte, sondern auch der geliebte Führer.

Dies wird bestätigt durch das über Jakobus sonst in der AJ II-Quelle Berichtete, vor allem in bezug auf sein Verhältnis zu den Aposteln und zur Gemeinde. Während nach großkirchlichen Aussagen (dazu unten) die Apostel bei der Einsetzung des Jakobus zum Bischof eine Rolle spielen, ist dies hier nicht der Fall. Geradezu beiläufig wird (in einem Nebensatz) die Einsetzung zum Jerusalemer Bischof durch Jesus selbst betont: qui a domino ordinatus est in ea (sc. ecclesia Hierosolymitana) episcopus, R I 43,3. Als Ordinator ist an Jesus gedacht und nicht an Gott[27]; das ergibt sich eindeutig aus der Rede von der *passio domini* (43,3) oder der *eucharistia Christi domini* (63,3); es legt sich außerdem aus der besonderen Beziehung, die Jakobus dem Auferstandenen gegenüber in judenchristlicher Tradition einnimmt (vgl. EvHebr 7), nahe und entspricht nicht zuletzt den diesbezüglichen Aussagen der KΠ. Wann diese Ordination bzw. Installation stattgefunden hat, wird nicht gesagt; möglicherweise ist an eine judenchristliche Version der Himmelfahrtserzählung zu denken (die EvHebr 7 berichtete Protophanie vor Jakobus oder eine analoge Erzählung legt sich nicht nahe). Jakobus wäre dann vor den Augen aller Apostel in sein Amt eingesetzt worden. Eine nähere Charakterisierung seines Verhältnisses zu diesen ist damit nicht gegeben, nur eben, daß seine Autorität auch ihnen gegenüber von allem Anfang an klar gestellt ist (der historische Tatbestand, daß Jakobus keineswegs in den ersten Anfängen der Jerusalemer Gemeinde die dominierende Rolle spielte, ist hier längst vergessen). Selbstverständlich wurde Jakobus „nur" Bischof der *ecclesia dei in Hierusalem constituta*

---

[26] Diese Aussagen sind zwar insofern relativ, als wir nicht wissen, wie die Nomenklatur des Jakobus in anderen, ursprünglich eventuell vorhandenen Partien dieser Quelle lautete; doch ist es bezeichnend, daß in dem immerhin nicht ganz kurzen und, was kirchenleitende Verhältnisse betrifft, recht aussagekräftigen Stück I 33 ff. keine weiteren Titel auftauchen.

[27] So offenbar Martyn, FS Dahl (1977) 271, wenn er „dominus" mit „Lord" wiedergibt und gleichzeitig „ecclesia dei" (43,3) mit „Church of the Lord".

(43,3); seine, wenn auch nicht im strengen Sinne, rechtliche Bedeutung über Jerusalem hinaus wird aber, wie noch zu zeigen sein wird, in der AJ II-Quelle recht deutlich. Unmittelbar zuständig ist er für die Jerusalemer Gemeinde, und in bezug auf diese wird ihm ein hervorragendes Urteil über seine Arbeit ausgestellt: nicht nur war sie durch ihn auf das reichlichste gewachsen (hier ist die missionarische Bedeutung des Jakobus im Blick, weiteres dazu unten), sie wurde von ihm auch in bestmöglicher Weise geleitet (*rectissimis dispensationibus gubernata*, 43,3). Konkrete Belege dafür werden (zunächst) nicht gegeben (der später folgende Auftritt im Tempel wird aber die Richtigkeit des Behaupteten eindrücklich zeigen).

Sind die *duodecim apostoli* (44,1) nicht an der Ordination des Jakobus beteiligt, so ist ihr Verhältnis zu ihm dergestalt, daß sie ihm zwar nicht ausdrücklich untergeordnet (wie sonst z.T. in den PsCl), aber auch keinesfalls gleichgestellt sind. Sie treiben Mission außerhalb Jerusalems[28] und scheinen sich zu bestimmten Zeiten in Jerusalem zu treffen. Bei Gelegenheit eines Passafestes (44,1) erzählen sie auf die Frage des Jakobus vor versammelter Gemeinde über ihre Arbeit. Daß dieser Bericht „offensichtlich kein freiwilliger"[29] ist, läßt sich nicht bestätigen, auch nicht, daß die Zwölf als die „Emissäre des Jakobus"[30] auftreten. Sie haben zwar Jerusalem als Zentrum ihrer Missionsreisen, aber ihr Weggehen wie Zurückkommen ist freiwillig; es war zwar geregelt, aber nicht von Jakobus. Jakobus' Auftreten als Fragesteller hat nichts Auffallendes, da er als die herausragende Gestalt der Jerusalemer Gemeinde natürlich als erster dafür geeignet war. Das würde aber darauf hindeuten, daß die *Jurisdiktionsgewalt des Jakobus auf Jerusalem beschränkt* ist. Ausdrücklich wird er ja auch nur als Bischof der Jerusalemer Gemeinde bezeichnet. In dem Maße, in dem nach der AJ II-Quelle die Apostel von Jakobus unabhängig sind, wären es auch die von ihnen gegründeten Gemeinden.

Jakobus erweist sich im Verlauf der Erzählung als *der den Aposteln (zwar nicht rechtlich, wohl aber faktisch) überlegene* in eindrucksvoller

---

[28] Die Mission der Apostel richtet sich nur an Juden. Heidenmission (deren Berechtigung prinzipiell keine Schwierigkeiten bereitet, vgl. I 42) wird erst nach der Zerstörung des Tempels betrieben werden (64,2). Letztere erfolgt, weil man nicht einsehen will, daß die Zeit der Opfer vergangen ist (64,1). Die Begründung des Konnexes zwischen Tempelzerstörung und Heidenmission ist unklar, wie überhaupt das Außerachtlassen der vor 70 getriebenen Heidenmission merkwürdig anmutet. Das Motiv des Zornes Gottes über den überholten Tempeldienst erläutert zwar die Tempelzerstörung, nicht aber, warum vorher keine Heidenmission möglich und sinnvoll gewesen sein soll.

[29] Schmidt, Studien 324. Ähnlich betont Schoeps, Judenchristentum 37; ders., Studien 83 des öfteren, Petrus habe Jakobus Jahresberichte einzuschicken. Hier werden die verschiedenen Schichten der PsCl illegitimerweise durcheinander gebracht.

[30] Schmidt, Studien 324; Schoeps, Studien 83.

Manier (worauf der Titel ἀναβαθμοὶ Ἰακώβου schon hinweist). Der von jüdischer Seite (43,1: *sacerdotes*; 44,2: *Caiphas*) wiederholt geäußerten Bitte um eine Diskussion, ob Jesus der *Christus aeternus* sei, wird auf christlicher Seite zunächst von den Aposteln entsprochen (53,4b–66,1); erst als es zum Aufruhr kommt, setzt Gamaliel (der nur zum Schein die jüdische Seite vertreten habe, in Wahrheit aber Christ gewesen sein soll, 65,2) eine neuerliche Disputation fest, die nun Jakobus selbst (mit überwältigendem Erfolg, 69,8) führt (als seine Begleiter fungieren die Apostel und die ganze Gemeinde, 66,2). Die Zwölf waren zuvor zu Jakobus zurückgekehrt, hatten ihm berichtet und mit ihm gebetet, die folgende Disputation möge die Wahrheit des christlichen Glaubens aufzeigen (66,1). Wie selbstverständlich versammelte man sich im Haus des Jakobus (ebenso nach dem fast tragischen Ausgang, 71,2) – gedacht ist wohl an eine Kombination von „Amts-" und „Wohnsitz".

Eine Jakobus zugeordnete gemeindeleitende Gruppe wird nicht erwähnt; sicher nicht, weil es sie in der Gemeinde, aus der die AJ II-Quelle stammt, nicht gegeben hätte (das ist für das zweite Jahrhundert für eine judenchristliche Gemeinde ganz unwahrscheinlich), sondern, weil der Erzähler meint, sie nicht zu brauchen. Die Bedeutung des Jakobus kann dadurch sicherlich gut herausgestellt werden. *Im Grunde genommen ist nur er die Instanz, die wirklich etwas zu sagen hat.* Die Gesamtgemeinde hat demgegenüber kaum wirklich bestimmende Bedeutung. I 55,1 wird ihr Einverständnis mit der Disputation zwischen den Aposteln und den jüdischen Gruppen erwähnt *(omni ecclesiae placuit)*. Daraus zu folgern, die Gemeinde sei „als feste, stimmberechtigte Körperschaft vorausgesetzt"[31], kann wohl nicht heißen, sie wäre in der Lage, auf demokratische Weise Beschlüsse zu fassen und gegebenenfalls gegen Jakobus selbst durchzusetzen. Das *placuit* bedeutet nur Zustimmung zu einem schon gefaßten Entschluß – wobei freilich vorausgesetzt ist, daß von den Aposteln und erst recht von Jakobus nur Entschlüsse gefaßt werden, gegen die man auch nicht zu opponieren braucht.

3.2.3.2.2 Die theologische Position des Jakobus

Ausgangspunkt für die Darstellung der theologischen Position des Jakobus in der AJ II-Quelle ist die R I 69 vorliegende Zusammenfassung des von ihm bei den Diskussionen im Tempel Ausgeführten. Selbstverständlich ist das dem Jakobus in den Mund Gelegte nicht bloß repräsentativ für das Jakobusbild dieser judenchristlichen Gruppe des zweiten Jahrhunderts, sondern für deren theologisches Selbstverständ-

---

[31] Strecker, Judenchristentum 239.

nis überhaupt. Die Ausführungen des Jakobus stehen zudem in engstem Konnex mit denen der Apostel in den vorausgehenden Disputationen und müssen deshalb auch im Zusammenhang mit diesen gesehen werden.

Diskussionsgegenstand ist R I 68, 2 nach der Formulierung des Kaiphas die Frage, ob Jesus der Christus, der Messias, sei. Dies korrespondiert dem von den Priestern den Zwölfen vorgeschlagenen Diskussionsgegenstand, ob Jesus der von Moses verheißene Prophet, nämlich der *Christus aeternus* sei (43, 1; das auch 44, 2 und 63, 1 belegte Syntagma *Christus aeternus* läßt wohl auf Präexistenzchristologie schließen). Nach 43, 2 ist die Messianität Jesu die einzige Differenz zwischen Judenchristen und Juden. Die AJ II-Gemeinde weiß sich bewußt in engem Konnex zum Judentum (jedenfalls zu, gemessen am rabbinischen Standard, heterodox-jüdischen Gruppen, wie noch deutlich werden wird). Daß Jesus der Christus sei, habe Jakobus mit unzähligen Belegen aus den Schriften bewiesen[32], wobei er die zweifache Parusie lehre, eine vergangene in Niedrigkeit und eine zukünftige in Herrlichkeit. Ins Himmelreich könne dabei nur kommen, wer sich der Taufe unterziehe, die unter Anrufung der dreifachen Heiligkeit[33] geschieht und die die Sünden beseitigt. Damit sind die Themen der Jakobusrede auch schon erschöpft. Die theologische Position des Jakobus (bzw. der dahinterstehenden Gemeinde) wird aber etwas deutlicher, wenn die anderen sachlich dazugehörenden Partien der AJ II-Quelle mitberücksichtigt werden[34].

---

[32] Grundlegend ist die Tora; aus ihr haben die Propheten ihr Wissen (69,1); eine gewisse Distanz zu den Propheten liegt allerdings hier vor, da sie nur als Schrift zweiten Ranges akzeptiert werden; eine weit kritischere Haltung besteht aber zu den Königsbüchern, da es ausdrückliche Vorschriften für den Umgang mit ihnen gibt (69,2).

[33] Diese triadische Formulierung geht nicht auf die AJ II-Quelle zurück, sondern ist spätere Einfügung; R I 39,2 ist nur von der Taufe auf den Namen Jesu die Rede – ein Indiz für den archaischen Charakter dieser Quelle.

[34] Höchstwahrscheinlich ist der jetzige Text von I 69 nicht der ursprüngliche, da er – gemessen an der Bedeutung, die der Jakobusrede zuteil wird, und an den Folgen, die sie tatsächlich auch hat – einen recht fragmentarischen Eindruck macht. Die angeschnittenen Themen werden sämtlich auch an anderen Stellen (und zwar viel ausführlicher) behandelt. Der Autor der Grundschrift dürfte also Umstellungen vorgenommen haben (bestimmte Stoffe hat er auch in dem Zwischenstück I 44, 3 ff. untergebracht, z. B. die Lehre von der doppelten Parusie Jesu 49,2). Die mit der Sündenvergebungstaufe eng verbundene Kritik am Opferkult wird I 69 überhaupt nicht ausgeführt. Den Grund für diese Umstellung darin zu sehen, daß der G-Verfasser als großkirchlich orientierter Judenchrist Jakobus nicht zu sehr hervorheben wolle (Schoeps, Theologie 408, A 1) trifft angesichts der betonten Hervorhebung des Herrenbruders in G (dazu unten) sicher nicht das Entscheidende. Selbst wenn man berechtigterweise annehmen kann, daß der Grundschriftautor die Apostel stärker am Gespräch beteiligen wollte (R I 55 ff. könnte das Auftreten der Apostel, das parallel ist zu dem I 66 ff. von Jakobus geschilderten, auf G zurückzuführen sein), sind andere Gründe entscheidender. Welche das waren, läßt sich

Von Interesse sind hier einerseits die Implikationen des Taufverständnisses für die Opfervorstellung, andererseits die damit verbundene Stellung zur Tora: Ein Charakteristikum für die AJ II-Quelle ist die prinzipielle Ablehnung des Opferkults (und damit des Tempels)[35]; der jüdischen Auffassung, wonach er zur Vergebung der Sünden von Gott gegeben wurde (55,3 im Munde des Kaiphas), wird die Meinung gegenübergestellt, er sei von Moses nur gestattet worden, weil der Hang zum Opfern nicht ausrottbar sei, doch sollte er nur Gott allein gelten und zudem etwas Vorläufiges sein (36,1). Die endgültige Abschaffung dieses im Grunde untauglichen Mittels sollte der von Moses vorhergesagte Prophet bewirken: dieser, nämlich Christus, befahl, von den Opfern zu lassen und setzte statt dessen die Taufe als Sühnemittel ein (39,1f.; 54,1; vgl. auch 48,5, wo G denselben Gedanken im Anschluß an AJ II erwähnt). Ohne Taufe gibt es keinen Eingang ins Himmelreich, selbst bei vollkommenem Leben nicht (55,4). Ist vor dem Auftreten Jesu das Opfer noch eine (freilich ungern) geduldete Erscheinung, so erwecke es seitdem nur Gottes Zorn (64,1). Die Tradition vom Auszug der urchristlichen Gemeinde nach Pella anläßlich des Ausbruchs des Jüdischen Krieges wird antikultisch interpretiert: Wer Opfer darbringt, sollte vertrieben werden, wer aber an den Messias Jesus glaubt und in seinem Namen getauft ist, sollte vor den Zerstörungen des Krieges bewahrt bleiben und in die Himmel zurückkehren können (37,2; 39,3)[36]. Die Aufnahme prophetischer Kultkritik in der Gegenüberstellung von Opfer und Leben in Gerechtigkeit und Barmherzigkeit (37,4) sowie die Deutung der Taufe als des eschatologischen Sühnemittels bewirkten so eine streng gegen Opfer und Tempel gerichtete Haltung[37].

---

angesichts der Unsicherheit über das ursprüngliche Aussehen der AJ II-Quelle nicht mit Sicherheit sagen; kompositorische sind vielleicht am ehesten denkbar.

[35] Die Polemik gegen Opfer und Tempel ist auch charakteristisch für die Epiph Pan XXX 16,6–9 genannte Schrift Ἀναβαθμοὶ Ἰακώβου.

[36] In der AJ II-Quelle liegen die ältesten Belege über die Pellatradition vor (vgl. später Eus HE III 5,3. Euseb sagt nicht, woher er diese Information hat; da er aber HE IV 6,3 über den jüdischen Aufstand unter Hadrian berichtet und dabei Ariston von Pella als Informanten nennt, ist es wahrscheinlich, daß dies auch für III 5,3 zutrifft; ausführlich zur Pellatradition zuletzt Lüdemann, Paulus II, 265ff.). Sie vermischt freilich die Geschehnisse der Aufstände 66–70 n.Chr. und 132–135 n.Chr., da eine Vertreibung (39,3) erst nach letzterem stattfand, und zeigt damit einen nicht geringen Abstand von diesen Aufständen; für die Historizität des Auszugs nach Pella ist die hier vorliegende Tradition trotz ihres Alters somit kein sicherer Zeuge. Gegen diesen Auszug spricht aber vor allem das völlige diesbezügliche Schweigen der Evangelien und Hegesipps, so daß er eher als Legende zu bezeichnen ist; wenn überhaupt ein historischer Kern vorhanden ist, dürfte er darin liegen, daß – was durchaus denkbar ist – einzelne Judenchristen aus Jerusalem in und um Pella Zuflucht suchten.

[37] Eine Folge der Kritik an Opfer und Tempel ist die Verwerfung des Königtums. Die Könige, die eher Tyrannen genannt werden sollten, errichteten an dem für das Gebet be-

Die Kritik an Opfer und Tempel (und im Zusammenhang damit auch am Königtum) zeigte schon, daß *die hinter AJ II stehende Gemeinde Torakritik kannte*; ein Verständnis, nach dem alle Aussagen der Tora Jahwes Willen gleichermaßen entsprechen und daher zu beobachten seien, liegt mithin jedenfalls nicht vor. Die Frage ist nun, ob die nach außen hin besonders sichtbaren kultischen Übungen wie Beschneidung und Reinigungsvorschriften weiterhin geübt wurden bzw. welchen Stellenwert sie hatten. Auffallenderweise wird davon nur 33,3 ff. in einem historischen Bericht gesprochen: Inder und Ägypter hätten über die Araber[38] und Perser, die von den beiden ersten Söhnen Abrahams, Ismael und Elieser, abstammten, Beschneidung und Beobachtung von Reinheitsvorschriften gelernt, hätten aber zumeist das damit gegebene *argumentum et indicium castitatis* (33,5) in Gottlosigkeit verkehrt. Diese kultischen Übungen haben sicher nicht das Gewicht etwa des Dekalogs, der 35,1 ff. betont herausgestellt wird[39], daraus aber zu schließen, sie seien „nur ausschmückender Bestandteil der historischen Erzählung" und scheinen nicht mehr praktiziert worden zu sein[40], ist in dieser Form nicht mit Sicherheit möglich. Immerhin wird nirgends ihre ausdrückliche Verwerfung durch Jesus vertreten, was doch im Rahmen der Einsetzung der Taufe (die ja trotz aller theologischen Interpretation auch den Charakter eines Initiationsritus hatte) zu erwarten wäre, auch wenn auf die Dauer die starke Betonung der Taufe und die Kultkritik dazu führen mußten, daß die theologische Motivation der Beschneidung und der Reinheitsgebote in Frage gestellt wurde und diese kultischen Verrichtungen im Lauf der Zeit an praktischer Bedeutung verloren (diese Entwicklung gilt jedoch sicher erst für die Zeit nach 70 und hat mit dem historischen Jakobus nichts zu tun); inwieweit sie z.Z. der AJ II-Quelle überhaupt nicht mehr praktiziert wurden, läßt sich jedoch nicht sagen.

Die Wirkung des Jakobus ist eine gewaltige: in einer siebentägigen Disputation überzeugt er das ganze Volk und den Hohenpriester (!), so daß sie unverzüglich die Taufe begehren (69,8). Das hyperbolische Element ist auch sonst in der AJ II-Quelle häufig anzutreffen. So finden die Disputationen sowohl der Zwölf als auch des Jakobus vor einer zahlreichen Menschenmenge statt (44,1; 55,2; 57,3 f.; 66,2); ja der Bei-

---

stimmten Ort einen Tempel, und die Reihe der gottlosen Könige verführte schließlich auch das Volk zu größerer Gottlosigkeit (38,5). Auch hier wird alttestamentliche Kritik am Königtum fortgesetzt (wenn auch mit anderer Begründung); ein altes prophetisches Motiv liegt auch in der Rede vom Tempel als Bethaus vor (Jes 56,7; 60,7; vgl. Mk 11,15 ff. par).

[38] So der Syrer, der Lateiner liest barbarae gentes.
[39] Lüdemann, Paulus II,244.
[40] Lüdemann, ebd., im Anschluß an Molland, Opuscula Patristica 32.

fall *totius populi* (57,4) ist den Disputanten der christlichen Seite sicher. Wie sehr die Überlegenheit der eigenen Position Einfluß auf den missionarischen Erfolg hat, zeigen die Aussagen, die Judenchristen wären zahlreicher gewesen als die nichtchristlichen Juden (43,1; 71,1[41]; an ersterer Stelle ist sogar von *multo plures* die Rede). Für den Jakobus der AJ II-Gemeinde ist höchst bezeichnend, daß von ihm eine ungeheure missionarische Wirkung berichtet wird, von den Zwölfen hingegen nichts dergleichen. Die Ausbreitung des Bekenntnisses zu dem Messias Jesus ist somit in erster Linie das Werk des Jakobus, ein literarisches Motiv, das die hervorgehobene Position des Herrenbruders betont unterstreicht. Dieser missionarische Erfolg ist es dann auch, der zum Einschreiten des *homo quidam inimicus* (70,1) und zur Beinahe-Katastrophe des Jakobus führt (70,8). *Ebenso wie in der Hegesipptradition ist es auch hier der missionarische Erfolg, der den Mordversuch motiviert, und*

---

[41] 71,2 wird die Zahl der mit Jakobus nach Jericho Flüchtenden mit 5000 angegeben; diese Zahlenangabe trägt ebenfalls literarischen Charakter (aus Apg 4,4); überhaupt finden sich viele Anspielungen auf neutestamentliche Texte (z. B. Mt, Lk, Apg), die zeigen, daß diese Schrift in einem Milieu entstanden ist, in dem diese Texte in Gebrauch waren (genaue Belege bei Strecker, Judenchristentum 253). Die Flucht nach Jericho entspringt judenchristlicher Legende und ist nicht als historisch anzunehmen, gegen Eisenman, Maccabees 56, A 88; 62, A 105 und passim; allein die Datierung dieses Ereignisses in die Zeit Agrippas I (ebd. XV) ist von der paulinischen Chronologie her nicht zu verifizieren. Eisenman mißt überhaupt den judenchristlichen Traditionen über Jakobus einen sehr hohen historischen Wert bei, z. B. ebd. 4 ff., 44, A 26 (ders., James 1 ff. u. ö. zum Bericht über eine hohepriesterliche Funktion des Herrenbruders). Er zeichnet einen Jakobus, der aufs engste mit der Qumran-Gruppe verbunden ist: Die Wahl des zadokidischen Hohenpriesters dieser Gruppe durch Los auf der Basis vollkommener Gerechtigkeit spiegle sich in Ereignissen wie der messianischen Akklamation Jesu beim Einzug in Jerusalem und der Wahl des Jakobus zum Nachfolger seines Bruders. Weiters: „The confession of the sins of the people by such a priestly ‚Righteous One' in the Holy of Holies on Yom Kippur … could alone be considered soteriologically efficacious … It is the esoteric approach to the ‚Zadokite Priesthood', developed at Qumran in the context of ‚Righteous Teacher'/Zaddik/‚Zadok' theorizing, that provides us with the conceptuality necessary for understanding this process. It is at least one such ‚Zadokite' atonement … which very likely ultimately leads to James' judicial murder on a charge of blasphemy (i. e., pronouncing the ineffable name of God", Maccabees 38). Mit der Erkenntnis des auf weite Strecken legendarischen Charakters des judenchristlichen Jakobusbildes des 2. Jh.s fallen auch die weitreichenden Kombinationen Eisenmans; insbesondere trifft das auch seine These eines Bezuges von 1 QpHab auf Jakobus (James 1 ff. u. passim). Selbst wenn die Annahme der Abfassung von 1 QpHab z. Z. des Jüdischen Krieges (66–70) richtig sein sollte, wäre damit noch kein solcher Bezug erwiesen. Das Bild, das aufgrund neutestamentlicher Texte von Jakobus gezeichnet werden kann, ist doch ein wesentlich anderes als das der späteren judenchristlichen Tradition; letztere kann nicht dermaßen auf- und erstere abgewertet werden (z. B. James 18. 39 u. ö.), wie Eisenman es tut, um von da aus eine Identität des Lehrers der Gerechtigkeit von 1 QpHab und des Herrenbruders zu postulieren (James 10: „… fate and person of the Moreh-Zedek / Zaddik (Sperrung Eis.) James …"; ebd. 21: „… it now becomes possible to go through the Habakkuk Pesher passage by passage and signal its connections to the life and teachings of James the Just").

deshalb ist auch hier die entscheidende Charakteristik des Jakobus die des schlechthin vollmächtigen Verkündigers des Messias Jesus. Was theologische Einzelprobleme betrifft, unterscheidet er sich nicht von anderen, nur ist eben er die wirklich entscheidende und treibende Kraft zur Ausbreitung dieses so geprägten Christentums.

Das Auftreten des *homo quidam inimicus* [42] ermöglicht eine weitere Bestimmung der theologischen Position des Jakobus. Mit diesem Gegner des Jakobus ist eindeutig Paulus gemeint, wie aus dem Hinweis ersichtlich ist, er ziehe als Legat des Kaiphas mit Empfehlungsbriefen versehen zur Christenverfolgung nach Damaskus (71, 3 f.; vgl. Apg 9, 1 ff.). Zwar ist von keiner antipaulinischen Aktion des Jakobus die Rede (in den KΠ ist dies anders), sondern nur von einer antijakobinischen des Paulus, dennoch ist die *antipaulinische Ausrichtung* der AJ II-Quelle eindeutig – und mit dieser stimmt selbstverständlich auch der in ihr auftretende Jakobus überein[43]. Dieser Antipaulinismus ist insofern charakteristisch, als der vorchristliche (!) Paulus angegriffen wird, um den christlichen zu treffen[44]. Die Kritik an Paulus wird in inhaltlicher Hinsicht nicht deutlich, auch wird in dieser Schrift des 2. Jh.s nicht Paulus persönlich angegriffen, sondern Gruppen, die Paulus und seine Theologie (in welcher konkreten Form immer) rezipierten. Sie, die selbst universale Tendenzen hat in der ausdrücklichen Einbeziehung der Heidenmission bei gleichzeitigem, innerem Abrücken von jüdischen religiösen Äußerungen (wie der Beschneidung), ist gegen eine andere Form des Christentums gerichtet, die von spezifisch paulinischen (bzw. auch von Paulus verwendeten) Traditionen herkommt. Dies setzt ein Milieu voraus, in dem verschieden orientierte christliche Gruppen in der Frage, was als „christlich" zu gelten habe, noch im Wettstreit liegen; jedenfalls ein Gebiet, in dem das Judenchristentum den Kampf um die Heiden noch nicht aufgegeben hat[45].

---

[42] Der Ausdruck könnte von G aus den KΠ (EpPetr 2,3: ἐχθρὸς ἄνθρωπος) entlehnt sein (Strecker, Judenchristentum 249 spricht sogar von Wahrscheinlichkeit).

[43] Antipaulinismus ist (neben der Kritik am Opferkult) das zweite für die Ἀναβαθμοὶ Ἰακώβου, Epiph Pan XXX 16,6–9 charakteristische Motiv. Der Grieche (!) Paulus sei wegen mißglückter Pläne, die Tochter des (Hohen?) Priesters zu heiraten, Antinomist geworden und sei gegen Beschneidung, Sabbat und Gesetzgebung aufgetreten; also hier ein antinomistischer Paulus, während über die Motive des Paulus für seine Verfolgertätigkeit wie über seine Stellung zum Gesetz in der AJ II-Quelle nichts ausgesagt ist; ihn als Gesetzeseiferer zu verstehen (so Strecker, Judenchristentum 252; Lüdemann, Paulus II, 246) ist möglich, aber nicht beweisbar.

[44] In welcher Weise die Quelle gegen den christlichen Paulus polemisiert, bleibt mangels Texten im Dunkeln.

[45] Entstanden dürfte die AJ II-Quelle infolge der ältesten Bezeugung der Pellatradition in diesem Ort oder seiner Umgebung sein. Als Entstehungszeit könnte man an die 2. Hälfte des 2. Jh.s denken, da der Abstand zur Ausweisung der Juden aus Jerusalem

3.2.3.3 Jakobus in den Kerygmata Petrou

3.2.3.3.1 Die kirchenrechtliche Position des Jakobus in den Kerygmata Petrou

Die hervorgehobene hierarchische Position des Jakobus wird schon aus den auf ihn übertragenen Titeln deutlich (auch wenn die KΠ in dieser Beziehung noch wesentlich zurückhaltender sind, als es in G der Fall ist). H XI 35,4 ist nach alter Tradition von Jakobus als dem ἀδελφὸς τοῦ κυρίου die Rede (in der Parallele R IV 35,1 entsprechend: *frater domini*). In Cont 1,1; 5,1 (bis). 4 wird er nur mit seinem Namen genannt, wohl deshalb, weil diese Schrift ja die unmittelbare Fortsetzung der EpPetr ist, in der Jakobus, was Titel betrifft, ohnehin zu Ehren kommt: κύριος ist bezeugt im Präskript 1,1 sowie im Postskript 3,3. Es handelt sich hier um eine betonte Höflichkeitsformulierung; Schlußfolgerungen auf eine quasi autokratische Leitung der Jerusalemer Gemeinde bzw. auf ein Verhältnis der Überordnung Petrus gegenüber sind von diesem Titel allein her unzulässig (wie diese Verhältnisse tatsächlich liegen, wird durch den Kontext bzw. die dazugehörende Stelle H XI 35,4/R IV 35,1–3 noch deutlich werden). Dies zeigt schon die weitere Anrede des Jakobus durch Petrus: ἀδελφέ μου (1,2). Das Bewußtsein der Gleichrangigkeit ist damit viel eher ausgedrückt als das einer Unterordnung. Wie bei Hegesipp und in der AJ II-Quelle wird Jakobus auch in den KΠ als Bischof angeredet, genauer als ἐπίσκοπος τῆς ἁγίας ἐκκλησίας (1,1), d.h. der Jerusalemer Gemeinde: er ist damit betraut, ἐν Ἰερουσαλὴμ τὴν Ἑβραίων διέπειν ἐκκλησίαν (H XI 35,4). (Sein Einflußbereich geht freilich darüber hinaus, dazu weiter unten). *Die Einsetzung in dieses Amt scheint auf Jesus* [46] *zurückgeführt zu werden*, nicht auf Gott[47]. Cont 5,4 wird der gepriesen, der Jakobus zum Bischof eingesetzt und vorhergesehen hat, daß τολμηροὶ ἄνδρες (5,2) auftreten und das νόμιμον κήρυγμα verfälschen werden. Damit ist, wie H XI 35,3/R IV 34,4 f. zeigen, Jesus gemeint. Die KΠ vertreten somit bezüglich der Einsetzung des Jakobus dieselbe Anschauung wie die AJ II-Quelle; es ist gut denkbar, daß sie die geläufige im Judenchristentum des zweiten Jahrhunderts war.

---

durch Hadrian nicht allzu gering sein dürfte. Auch scheint gegenüber der Hegesipptradition eine etwas weiter fortgeschrittene Situation vorausgesetzt zu sein. Eine Ansetzung ca. um 150 (Beyschlag, ZNW 1965, 150) scheint in etwas zu frühe Zeit zu gehen. Gegen eine allzu späte zeitliche Fixierung spricht aber die Frische der Polemik gegen die Verehrer Johannes des Täufers I 54,8; 60,1–4.

[46] Mit Schoeps, Theologie 124, doch ist dessen Argumentation unbrauchbar; ein Verweis auf R I 43,3 bringt nichts, da diese Stelle einer anderen Quellenschicht zugehört. Schoeps sieht freilich die dort berichteten Ereignisse als Teil der KΠ an, nämlich des 7. Buches der KΠ (vgl. die – fingierte – Liste der KΠ-Bücher R III 75).

[47] Gegen Strecker, Judenchristentum 195.

Interessant ist in der Frage der kirchenrechtlichen Position des Jakobus der KΠ insbesondere die Rolle, die er bei der Weitergabe der ihm von Petrus übersandten Kerygmen spielt, und damit gleichzeitig sein Verhältnis zu diesem. Die EpPetr versteht sich als Begleitschreiben zu den an Jakobus übersandten Kerygmen. Da bereits Heidenchristen das νόμιμον κήρυγμα des Petrus verworfen und die gottlose und unsinnige Lehre des feindlichen Menschen vorgezogen hätten (2,3), da man weiters schon zu Lebzeiten des Petrus versuche, ihm die Worte im Munde umzudrehen (2,4) und dabei meine, ihn besser zu interpretieren, als er selbst dies könne (2,6), und da schließlich nach dem Tod des Petrus erst recht eine Verfälschung seiner Kerygmen zu befürchten sei (2,7), schickt er sie dem Jakobus mit der „inständigen Bitte", dafür zu sorgen, daß sie niemand vor einer Probezeit erhalte (3,1); nur einem Geprüften und für würdig Erachteten sollten sie in der Weise übergeben werden, wie Moses sein Lehramt den Siebzig übergab (3,2). Die Sicherung der Unverfälschtheit der Lehre erfolgt damit nicht durch argumentative Auseinandersetzung mit Gegnern, sondern durch kirchenrechtliche Aktionen. Die Festsetzung genauerer Durchführungsbestimmungen überläßt Petrus folgerichtig Jakobus[48]. Die wichtigsten Bestimmungen: die KΠ sollen nur einem guten und frommen Bewerber um das Lehramt übergeben werden, der als Beschnittener gläubig[49] ist, und zwar dem Lernfortschritt entsprechend (Cont 1,1); die Geheimhaltung soll streng gewahrt werden (2,1) und die Übergabe an einen Lehramtsanwärter erst nach mindestens sechsjähriger Probezeit im Einvernehmen mit dem Bischof erfolgen (2,2). Bei Reisen oder herannahendem Tod im Falle, daß kein geeigneter Nachfolger im Lehramt da ist, sollen die Bücher dem Bischof rückerstattet werden (3,3f.). Auffallend ist nicht nur, daß Jakobus diese Bestimmungen erläßt, sondern auch, daß der Bischof (eine Gebundenheit an den Jerusalemer Bischof besteht nicht) an zentraler Stelle steht. Was über „den Bischof" allgemein gesagt wird, gilt natürlich auch von Jakobus selbst. Seine Befugnis ist damit um so mehr betont. *Er übt das Aufsichtsrecht über den Lehrerstand aus.*

Das wird H XI 35,4/R IV 35,1f. noch deutlicher betont: Kein Apostel, Lehrer oder Prophet solle aufgenommen werden, der nicht zuvor sein Kerygma dem Jakobus vorgelegt hat und dessen *testimonium* –

---

[48] Die Anspielung auf Num 11,25 bringt inhaltlich nichts, da dort nur vom Herabkommen des Geistes auf die 70 von Moses Ausgewählten die Rede ist.

[49] Daß Heiden prinzipiell vom Lehramt ausgeschlossen wären (Lüdemann, Paulus II, 256), ist nicht gesagt, da EpPetr 3,1 ausdrücklich fordert, die KΠ „keinem Stammesgenossen und keinem Fremdstämmigen vor der Erprobung(!) zu überlassen, vielmehr erst dann, wenn der betreffende (τις) geprüft und für wert gefunden wurde". Auf die Volkszugehörigkeit fällt hier kein Gewicht, wie ja auch Petrus in den KΠ der Heidenmissionar (!) ist.

wohl ein Beglaubigungsschreiben[50] – vorweisen kann. Nur wer sich dem unterwirft, kann als *idoneus et fidelis ad praedicandum Christi verbum* (R IV 35,2) gelten. Jakobus ist hier in kirchenrechtlicher (und in abgeleiteter Form auch in theologischer) Hinsicht die entscheidende Figur. Seine Würde liegt darin, daß er die oberste Aufsichtsinstanz zur Reinhaltung des petrinischen νόμιμον κήρυγμα ist. Zwar wird ihm in dem von EpPetr und Cont dargestellten Prozeß *keine theologisch schöpferische Aufgabe* zugewiesen (die hat Petrus), aber er stimmt selbstverständlich mit der Theologie des Petrus überein und legitimiert sie durch sein Amt. D.h. *die Theologie der ΚΠ ist durch den Bezug auf Jakobus kirchenrechtlich abgesichert (darin besteht im eigentlichen die theologische Bedeutung des Jakobus*; wie sie sich inhaltlich im einzelnen darstellt, siehe unten). Jakobus' Einfluß ist dabei keineswegs auf das Judenchristentum beschränkt, sondern betrifft entsprechend der Konzeption der ΚΠ, die die Heidenmission betont einschließen, ja in den Vordergrund stellen, *auch das Heidenchristentum*, jedenfalls das, das (im Sinne der Kerygmen) das Prädikat Christentum verdient. (Weiteres zur theologisch bedingten polemischen Haltung der ΚΠ – und damit des Jakobus – unten).

Sind zwar die Lehrer des νόμιμον κήρυγμα dem Bischof unterstellt, so trifft dies dennoch nicht für Petrus zu, auch wenn er ebenfalls dieser Berufsgruppe zuzurechnen ist. Trotz aller Hochschätzung des Jakobus, die allein schon darin zum Ausdruck kommt, daß gerade ihm die ΚΠ geschickt werden, ist doch Petrus der theologisch Kreative, während Jakobus in theologischer Hinsicht nur eine katalysatorische Funktion zugeschrieben wird. Auch übersendet Petrus die Kerygmen völlig freiwillig, getrieben nur von dem Wunsch ihrer Reinhaltung (und die ist mit rechtlichen Sanktionen am besten zu gewährleisten); davon, daß Petrus Bericht zu erstatten hat[51], kann keine Rede sein. Zwar unterbreitet er seinen Wunsch nur als Bitte (3,1) und überläßt es Jakobus, das ihm richtig Scheinende auszuführen (3,3), doch zögert Jakobus keinen Augenblick, diesem Wunsch zu entsprechen. *Beide stehen gleichrangig nebeneinander und unterscheiden sich wesentlich durch ihre Aufgabenstellung. Etwas überspitzt: Der Missionar und Theologe Petrus steht neben dem Administrator Jakobus.*

Eindeutig ist das Autoritätsverhältnis des Jakobus zu den Presbytern. Er ruft sie zusammen, teilt ihnen das Schreiben des Petrus mit (Cont 1,1), teilt ihnen auch gleich seine Antwort mit, worauf sie zu-

---

[50] Schoeps, Theologie 124 redet von einem „Empfehlungsschreiben".

[51] Schoeps, Theologie 472; v.Campenhausen, Kirchliches Amt 142, A.4. Schmidt, Studien 323 spricht von einem gewissen Abhängigkeitsverhältnis. Hier werden jeweils die ΚΠ mit anderen Schichten der Pseudoklementinen vermischt; bei Schoeps und v.Campenhausen mit G, bei Schmidt mit AJ II.

nächst erschrecken (5,1), um nach einer kurzen Wiederholung seiner Ansichten plötzlich erleichtert zu reagieren (5,4). Beratende oder mitbestimmende Funktion haben sie nicht. Sie sind nur Staffage; ihr Verhalten gehört in eine Reihe anderer Umstände, die den auf literarische Effekte bedachten Autor der Einleitungsschriften zeigen[52]. Sie sind gleichwohl ein Ausdruck der Souveränität, die Jakobus zugeschrieben wird.

3.2.3.3.2 Die theologische Position des Jakobus nach den Kerygmata Petrou

Da Jakobus mit dem Inhalt der KΠ einverstanden ist und sie mit seiner Autorität deckt, sind sie auch ein Zeugnis für seinen theologischen Standort. Um diesen deutlich zu machen, ist es deshalb nötig, mit einigen Strichen ihre wichtigsten Aussagen zu skizzieren.

Die beherrschende Gestalt der Kerygmen ist der *wahre Prophet*, dessen letzte und entscheidende Inkarnation in Jesus stattfand. Seine Hauptaufgabe ist die Verkündigung des νόμιμον κήρυγμα (Ep Petr 2,3); dieses ist identisch mit dem Gesetz Mose, dessen ewige Gültigkeit von Jesus bestätigt (EpPetr 2,5) und von Petrus entgegen anders lautenden Verleumdungen niemals aufgelöst wurde (EpPetr 2,4). Moses schrieb das Gesetz allerdings nicht selbst auf, sondern übergab es den siebzig Ältesten mündlich zur Weitergabe (EpPetr 1,2; 3,2). Erst nach seinem Tod wurde es schriftlich fixiert (H III 47,1). Dabei kamen *falsche Perikopen* in das Gesetz (H II 38,1), die zu beseitigen mithin Aufgabe des wahren Propheten Jesus ist, der vom Patriarchen Jakob (H III 49,1) und von Moses vorhergesagt wurde (H III 53,3). Solche Fälschungen der Mosestora sind 1. anthropomorphe Aussagen über Gott. H III 39,3 z.B. polemisiert gegen Gen 3,22, da dort die Ansicht vorliege, Gott sei unwissend und neidisch. Anstoß erregen auch Aussagen über die Reue Gottes (Gen 6,6; H II 43,2 u.ö.), das Herabsteigen Gottes (Gen 18,21; H III 39,2 u.ö.) oder die Versuchung Abrahams (Gen 22,1 ff.; H II 43,1 u.ö.). Diese Kritik steht im Zusammenhang einer weitverbreiteten „rationalistischen" Schriftauslegung[53]. 2. Aussagen,

---

[52] Genaueres bei Strecker, Judenchristentum 137 ff.

[53] So wendet sich z.B. Philon gegen das Reden von der Reue Gottes (Imm 22), ClAl Strom V 68,3 (GCS ClAl II,371) gegen das wörtliche Verständnis der Rede von Händen, Mund, Füßen etc. Gottes; Orig Princ IV 3,1 (Görgemanns–Karpp 730. 732) betont, Gott habe natürlich nicht bei der Schöpfung wie ein Mensch, der Bäume pflanzt, gehandelt. Auch die Übersetzungen des Alten Testaments und die Targumim sind in der Regel bemüht, Anthropomorphismen auszuschalten bzw. durch harmlosere Termini zu ersetzen; z.B. wird נחם (= bereuen) Gen 6,6 von Symmachus mit ἀποστρέφειν übersetzt (Wevers, Genesis Sept. Gott. I, 109 f.), vom Targum Onkelos mit „umkehren", erweitert durch den Hinweis auf die Memra (= λόγος) Gottes (Aberbach–Grossfeld 53; engl.: turn back 52);

die Jahwe in der Versammlung von Göttern zeigen (Ps 81,1 LXX; H XVI 6,11). 3. Gewisse prophetische Äußerungen (EpPetr 1,4; die Rede von der Nichtauflösung von Gesetz und Propheten Mt 5,17 wird H III 51,2 unter Auslassung des Hinweises auf die Propheten zitiert). Dies entspricht der Unterordnung der Propheten unter die Tora (bHag 10 b; bTaan 9 a; vgl. 1 Klem 43,1) und der Reserve der Ebioniten bzw. aller Häretiker gegen die Schriftpropheten (Iren Haer I 26,2; IV 33,15). Schließlich gehören 4. zu den falschen Perikopen Aussagen über Opfer, Tempel und Königtum (H III 52,1; H II 44,2; letztere Stelle zeigt deutlich die Begründung der Kritik aus einem rationalistischen Gottesbegriff heraus). Auch hier besteht wieder ein enger Zusammenhang zur frühjüdischen und judenchristlichen, das Opfer abwertenden Haltung (slHen 45,3; Sib 4,24ff.; vgl. AJ II-Quelle; Iren Haer IV 14,3; Diog 3 u.ö.). Die Kritik an einzelnen Stellen der Tora ist für das sich als orthodox verstehende Judentum natürlich unmöglich (bestenfalls interpretiert man sie allegorisch, um sie für eine andere Bewußtseinsebene annehmbar zu machen); die KΠ sind somit, soweit sie jüdische Traditionen aufgreifen, als heterodox zu bezeichnen, auch wenn sie sich selbst, entsprechend ihrer von Jesus gereinigten Tora, des νόμιμον κήρυγμα, als wahres Judentum verstehen.

Mit Ausnahme der falschen Perikopen ist die Tora jedoch festzuhalten. Die Übernahme der ἄνομος διδασκαλία (EpPetr 2,3) soll abgewehrt werden. Dies impliziert (jedenfalls der Theorie nach) auch die Beibehaltung von Beschneidung und kultischen Waschungen. Letztere sind H XI 28 ff. als verbindlich erklärt (z.B. Waschungen nach Menstruation oder Kohabitation 30,1; 33,4); die Tochter der Syrophönizierin (Mk 7,24ff. par) wird erst nach Übernahme der νόμιμος πολιτεία (H II 20,1) geheilt. Unklarer ist, in welchem Maße die Beschneidung gültig bleibt. Eine generelle Gültigkeit auch für Heidenchristen[54] ist ebenso wenig wahrscheinlich wie eine Beschränkung auf die Judenchristen[55]. Cont 1,1 wird sie für die (judenchristlichen wie heidenchristlichen) Lehrer des νόμιμον κήρυγμα als verpflichtend angesehen. Ihre Geltung scheint also wenigstens für diese hervorgehobene Gruppe weithin aufrecht erhalten worden zu sein (aber selbst in bezug auf diese Gruppe redet die Parallelstelle EpPetr 3,1 bloß von der Forderung der

---

Gen 18,21 wird das Herabsteigen Gottes im Targum Onkelos mit „sich offenbaren" wiedergegeben (Aberbach – Grossfeld 109; engl.: reveal 108), ebenso im paläst. Pentateuchtargum: Cod. Neofiti 1 und Man. Add. 27031 (SCh 245,190f.; frz.: se manifester); Gen 22,1 ist von Symmachus die Versuchung Abrahams (נסה) in ein δοξάζειν umgewandelt (Wevers 213). Der Trend ist deutlich: das Gottesbild wird durch entsprechende Eingriffe bzw. Übersetzungen vergeistigt.

[54] Schoeps, Theologie 115.
[55] Lüdemann, Paulus II,256.

Prüfungszeit[56], scheint allerdings die Forderung Cont 1,1 nicht aufzuheben). Ähnlich wie in der AJ II-Quelle ist also auch in den KΠ eine *faktische Abnahme der Bedeutung der Beschneidung* festzustellen. *Der entscheidende Initiationsritus ist auch hier bereits die Taufe*, die als ἀναγέννησις verstanden wird (Cont 1,2; sie ist von Gott eingesetzt und bringt das Heil durch Verwandlung des ersten, durch die Begierde bestimmten Seins H XI 26,1/R IV 9,1; insgesamt zur Tauflehre der Kerygmen H XI 21 ff./R VI 6 ff.).

Was die Radikalisierung von im Judentum vorhandenen Ansätzen einer *Torakritik* betrifft, so stehen die KΠ in einem (noch näher zu charakterisierenden) *Zusammenhang zur Gnosis.* Nach den Valentinianern stammen einige Schriftstellen aus der obersten Region, andere aus der Mitte, die meisten jedoch vom Demiurgen, von dem auch die Propheten gesandt wurden (Iren Haer IV 35,1). Eine ähnliche Kritik findet sich auch im Brief des Ptolemäus an die Flora (Epiph Pan XXXIII 4,1 f.), bei Kerinth (Filastr XXXVI 1) und beim Gnostiker Justin (Hipp Ref X 15,5). Die Eliminierung ganzer Partien des Alten Testaments stellt die KΠ in eine bestimmte Relation zur Gnosis; von einer Totalverwerfung des AT ist in ihnen freilich nicht die Rede. Der Schöpfungsglaube wird festgehalten, auch der für die Gnosis grundsätzliche Dualismus zwischen höchstem Gott und dem Demiurgen fehlt. Ein ausgesprochenes Nahverhältnis der Kerygmen zur Gnosis besteht daher nicht, auch wenn an einigen weiteren Punkten eine Berührung vorliegt. Ich nenne nur: 1. Jesus als der wahre Prophet hat die Aufgabe, die νόμιμος γνῶσις (H XI 19,3) zu bringen. Die Auffassung vom Gestaltwandel des wahren Propheten (er durchläuft die Zeit H III 20,2; Moses verkündete „der ganzen Weltzeit" das Gesetz Gottes, H II 52,3; Adam und Jesus sind vertauschbar und als „der wahre Prophet" identisch H III 17 ff.) hat nahe Parallelen in der Gnosis (Epiph Pan XXXIX 1,3; Hipp Ref V 26).

2. Dem wahren Propheten steht eine weibliche Syzygos gegenüber (H III 22,1; II 15–17). Beider Verhältnis zueinander ist wie das der Sonne zum Mond, des Lichts zum Feuer (H III 22,1). Die weibliche Syzygos ist die πρώτη προφῆτις (H III 22,2), doch ihre Lehre führt in Irrtum und Tod (III 24,3 f.). Polytheismus, Opferkult, Königtum etc. stammen von ihr (III 24,1 f.). Die Verkündigung der weiblichen Prophetie gehört zum jetzigen Kosmos (III 23,2), das Weibliche kann geradezu mit ihm identifiziert werden (H II 15,3). Diese negative Wertung

---

[56] Strecker, in: Bauer, Rechtgläubigkeit, 269 betrachtet Cont 1,1 gegenüber EpPetr 3,1 als im wesentlichen bloß literarische Steigerung, doch warum ist gerade die Beschneidung zur „Steigerung" herangezogen worden? Freilich, intensiv ist der Kampf um ihre Beibehaltung gerade nicht.

des Weiblichen wie überhaupt das Nebeneinander eines männlichen, positiven und weiblichen, negativen Syzygospartners hat zahlreiche Entsprechungen in der Gnosis (Simonianer: Hipp Ref VI 18; Valentinianer: Iren Haer I 30,12; Hipp Ref VI 30 f.; Baruchbuch des Gnostikers Justin: Hipp Ref V 26; – vgl. auch Texte aus Nag Hammadi: AJ BG 36,16 ff./NHC III, 14,9 ff.; bzw. NHC II,9,25 ff./NHC IV, 15,1 ff.; HA NHC II,94,5ff.; SJC NHC III,101,9 ff. u. ö.[57]). Ein in dem Maße ausgebautes gnostisches System wie bei den eben Genannten ist für die KΠ jedoch aufgrund des festgehaltenen Schöpfungsglaubens und des (wenn auch gereinigten) Alten Testaments nicht gegeben. Wohl aber zeigen die genannten Parallelen deutlich ein *gewisses Nahverhältnis zur Gnosis*, so daß man die Kerygmen einem gnostisierenden Christentum zuordnen kann[58].

Die theologische Position der KΠ und damit des Jakobus wird im besonderen durch den *Antipaulinismus* [59] geprägt. In verschiedenen Zusammenhängen wird dies ausgeführt: Zunächst initiieren die Einleitungsvorschriften den Schutz des νόμιμον κήρυγμα gegen die ἄνομος καὶ φλυαρώδης διδασκαλία des ἐχθρὸς ἄνθρωπος (EpPetr 2,3), die bei den Heiden Anklang gefunden hat. Die unmittelbar folgende Anspielung auf Gal 2,11 ff. zeigt, wer gemeint ist. Deshalb solle auch keiner anerkannt werden, der nicht zuvor sein Kerygma dem Jakobus zur Approbation vorgelegt habe (H XI 35,4/R IV 35,1 f.). Da Paulus dies nicht getan habe und kein Beglaubigungsschreiben von ihm besitze, sei er auch kein wahrer Apostel, muß man folgern. R IV 35,3 weist mit Hinweis auf die zwölf Monate eines Jahres die Möglichkeit eines dreizehnten Apostels zurück; der Kampf des Paulus um seinen Apostolat ist hier deutlich im Blick: An dieser Stelle wird Jakobus direkt in die Abwehr des paulinischen Kerygmas einbezogen. Und er übernimmt diese Aufgabe auch ohne Zögern. Antipaulinisch ist weiter die Syzy-

---

[57] Zum Sophia-Mythos, in dem die Syzygienvorstellung eine große Rolle spielt, vgl. Niederwimmer, Askese 127 ff.

[58] Diese gnostisierende Linie der Kerygmen wurde von Schoeps, Studien 97 ff. bestritten (ebenso Urgemeinde 61 ff.); in Studien 94 anerkennt er dagegen „gnostische Anleihen" und sieht sie in der Syzygienlehre und der krassen Abwertung des weiblichen Prinzips gegeben.

[59] Parallelen bestehen hierin zu den Kerinthianern (Epiph Pan XXVIII 5,3), Ebionäern (Iren Haer I 26,2), Elkesaiten (Orig HomPs 82 bei Eus HE VI 38) und anderen frühchristlichen Gruppen. Doch dürfen diese Parallelen nicht zur Annahme einer allzu großen Nähe der KΠ zu diesen Gruppen führen. Zu den Elkesaiten bestehen z. B. Beziehungen in der Frage der Anrufung der Elemente als Schwurzeugen (Cont 2,1; 4,1; – Hipp Ref IX 15,5 f.), zur Unterscheidung zwischen männlichem und weiblichem Prinzip (Hipp Ref IX 13,3) und zur Beschneidung (Hipp Ref IX 14,1), doch bestehen in diesen (wie in anderen) Punkten so gewichtige Differenzen, daß der Verfasser der KΠ sicher nicht als Elkesait anzusehen ist.

gienkette H II 16, 3 ff. ausgerichtet. In einer Reihe von sieben Syzygien-
paaren[60] wird stets das vorhergehende Negative dem nachfolgenden
Positiven gegenübergestellt: Kain und Abel, der Rabe des Noah und
dessen Taube, Ismael und Isaak, Esau und Jakob, der Hohepriester und
der Gesetzgeber, Johannes und Jesus[61], Simon und Petrus (letzteres
17, 3); Simon kam als erster zu den Heiden und Petrus folgte ihm wie
das Licht der Finsternis, die Gnosis der Unwissenheit, die Heilung der
Krankheit (17, 3). Da die Gestalt des Simon in den KΠ nicht verankert
ist (auch nicht als Deckname für Paulus), kann ursprünglich nur von
diesem die Rede gewesen sein[62]. Finsternis, Unwissenheit und Krankheit sind die dem paulinischen Kerygma zuzubilligenden Attribute.
Schließlich wird auch die Frage der Herkunft des Kerygmas gegen Paulus ausgespielt. Während dieser sich bloß auf Gesichte und Träume
stützen könne (H XVII 13 ff., die auch durch Dämonen bewirkt sein
können [XVII 14, 4]), kann Petrus auf einen langen Umgang mit Jesus
verweisen (XVII 19, 2). Eine Reihe von Anspielungen u. a. auf die Paulusbriefe (1 Kor 2, 9 ff.; 15, 8; 2 Kor 12, 1 ff.; Gal 1, 1 ff.; 2, 11 ff.), die
Apostelgeschichte (9, 1 ff.) und Mt 16, 13 ff. zeigt den literarischen Charakter dieses Umgangs mit Paulus. Ein eigenständiger Traditionszusammenhang mit den historischen Paulusgegnern[63] braucht dabei nicht
bestritten zu werden, läßt sich aber kaum nachweisen. Der Antipaulinismus ist in den Kerygmen ein sozusagen sekundärer; das νόμιμον
κήρυγμα *kommt bei seiner Verbreitung notwendigerweise in Konflikt mit
paulinischen Anschauungen. Die Kerygmen stehen damit im Gegensatz
bzw. in Konkurrenz zu einer positiven Paulusrezeption in heidenchristlichen Gemeinden.* Dieser Konkurrenz dürften sie auch ihre Entstehung
verdanken, wobei an das griechisch[64] sprechende Syrien[65] der zweiten

---

[60] Strecker, Judenchristentum 190 hält, wohl m. R., die achte Syzygie Antichristus –
Christus für sekundär.

[61] Ebenso wie in der AJ II-Quelle wird also auch in den Kerygmen gegenüber den Anhängern des Täufers eine Abgrenzung vollzogen. Hier scheint sie aber nicht mehr wirklich aktuell zu sein.

[62] Simon würde dann auf den Autor der Grundschrift zurückzuführen sein. Gegen Simon Magus gerichtete Polemik liegt im besonderen H II 22 ff./R II 7 ff. vor, ein Abschnitt, der mit den KΠ nichts zu tun hat. Von hierher dürfte der Verfasser der Grundschrift diesen Decknamen für Paulus eingeführt haben; vgl. Strecker, Judenchristentum
154, A 1; 259.

[63] Schoeps, Theologie 129 ff.

[64] Die Zitierung des AT nach der LXX sowie die Benutzung neutestamentlicher
Schriften zeigt dies.

[65] Die Benutzung neutestamentlicher Schriften weist in diesen Raum. Die KΠ kennen
ebensowenig wie die syrische Didaskalia die katholischen Briefe und die Offb (Strecker,
in: Bauer, Rechtgläubigkeit 261). Auch ist gerade für diesen Raum ein starkes Judenchristentum charakteristisch, das eine Konkurrenz zu anders geprägten christlichen Gruppen
nicht scheute.

Hälfte des 2. Jh.s zu denken ist (gegenüber AJ II ist infolge der gnostischen Tendenzen eine etwas spätere Zeit anzunehmen).

3.2.3.4 Jakobus in der Grundschrift

3.2.3.4.1 Die kirchenrechtliche Position des Jakobus in der Grundschrift

Der Autor der Grundschrift zeigt seine Abhängigkeit ebenso wie seine Eigenständigkeit gegenüber den von ihm benutzten Quellen schon in den für Jakobus verwendeten Titeln. Eine Reihe von solchen sind identisch mit denen der Quellen: die Höflichkeitsanrede κύριος/ *dominus* (EpCl 1,1; 20; R I 14,1) wird ebenso weiterverwendet wie die ein besonderes Verhältnis der Nähe zu ihm ausdrückende Bezeichnung *frater noster* (die freilich gleich durch die Hinzufügung des Adjektivs *honorabilis* noch besondes aufgewertet wird R I 73,1); auch die Rede vom *Iacobus episcopus* (R I 72,1) ist bereits ebenso vertraut wie die einfache Nennung seines Namens (R I 72,5) oder seine Hervorhebung als ἀδελφὸς τοῦ κυρίου (EpCl 19,2). Weithin unterscheidet sich also der Verfasser der Grundschrift in bezug auf die dem Herrenbruder zugeschriebenen Titel nicht von seinen Vorlagen; an einigen Stellen weicht er jedoch in sehr auffälliger Weise davon ab, so daß sich schon von daher die Vermutung nahe legt, damit sei seiner Meinung nach die Bedeutung des Jakobus in adäquater Weise zum Ausdruck gebracht: EpCl 1,1; R I 68,2; 73,3.

An diesen Stellen ist stets die kirchenregimentlich oberste Position des Jakobus in der Gesamtkirche ausgesprochen. Dies wird auch dadurch nicht eingeschränkt, daß der Verfasser der Grundschrift bewußt literarisch gestaltet[66]: er steigert die Aussage seiner Vorlage. Während die EpPetr an Ἰακώβῳ τῷ κυρίῳ καὶ ἐπισκόπῳ τῆς ἁγίας ἐκκλησίας (scil. Jerusalems) gerichtet ist (1,1), heißt es im Präskript der EpCl überschwenglich: Ἰακώβῳ τῷ κυρίῳ καὶ ἐπισκόπων ἐπισκόπῳ, διέποντι δὲ τὴν Ἱερουσαλὴμ ἁγίαν Ἑβραίων ἐκκλησίαν καὶ τὰς πανταχῇ θεοῦ προνοίᾳ ἱδρυθείσας καλῶς, σύν τε πρεσβυτέροις καὶ διακόνοις καὶ τοῖς λοιποῖς ἅπασιν ἀδελφοῖς (1,1). In dreifacher Hinsicht wird hier, worauf bereits C. *Schmidt* hingewiesen hat[67], eine Steigerung zum Ausdruck gebracht: Zum einen ist aus dem Jerusalemer Ortsbischof der Bischof der Bischöfe geworden. Die Übersetzung mit „Metropolit"[68] ist nicht ausrei-

---

[66] Rehm, ZNW 1938, 156; Strecker, Judenchristentum 258.
[67] Schmidt, Studien 328 ff.
[68] Schmidt, ebd. 329. Eine solche Übersetzung würde bestenfalls das archiepiscopus R I 73,3 wiedergeben, doch ist diese Bezeichnung von den anderen her zu korrigieren; zudem wäre sie aus dem Zusammenhang gerissen, wo sie dem Hohenpriester korrespondiert und insofern gerade nicht einschränkend gemeint ist.

chend; neben dem Metropoliten Jakobus würden andere Metropoliten stehen; und das ist gerade nicht ausgesagt, wie auch die zweite Hinzufügung vollends deutlich macht: Jakobus ist nicht bloß eingesetzt, die Jerusalemer Gemeinde zu leiten, sondern die, gemäß göttlicher Vorhersicht, überall entstehenden Gemeinden. Die dritte Erweiterung zeigt Jakobus als Mittelpunkt der hierarchischen Struktur der Jerusalemer Gemeinde. Neben ihm stehen Presbyter und Diakone, in weiterem Abstand alle übrigen Gemeindeglieder. Das voll entfaltete Leitungsgremium der frühkatholischen Kirche ist hier in die Jerusalemer Frühzeit zurückprojiziert: Während die KΠ nur von Presbytern sprachen, sind jetzt auch Diakone genannt[69]. Jakobus ist mit diesem Präskript keineswegs bloß als „Oberbischof der gesamten judenchristlichen Gemeinden"[70] angesprochen; es ist vielmehr „der Papst der ebjonitischen Phantasie"[71]. Das gilt schließlich auch für R I 68,2, wo Jakobus als *episcoporum princeps* bezeichnet ist; der Titel ist sachlich ident mit ἐπισκόπων ἐπίσκοπος.

Analog zu Jakobus wird auch Petrus in der EpCl in ungewöhnlicher Weise hervorgehoben. Im Proömium (1,2f.) wird ihm treuer Glaube und völlig korrekte Darstellung der Lehre attestiert, weshalb er auch zum Fundament der Kirche eingesetzt wurde; er ist der Erstberufene Jesu, der Erste der Apostel; ihm offenbarte der Vater als erstem den Sohn, ihn pries Jesus selig; er ist der berufene, auserwählte, mit Jesus zu Tisch liegende und umherziehende, gute und bewährte Jünger; er wurde schließlich als der würdigste von allen dazu berufen, den finsteren Teil dieser Welt, den Westen, zu erleuchten, und er wurde auch ausgerüstet, dies zu vollbringen.

Diese Lobrede auf Petrus zeigt den Hang des Verfassers der Grundschrift zur literarischen Steigerung übernommener Aussagen. Die Beschreibung des Petrus Cont 1,1 als „unser Petrus" nimmt sich dagegen sehr bescheiden aus. Dennoch erklärt dieses hyperbolische Motiv nur zum Teil die Hervorhebung des Jakobus. Denn einerseits stammen diese Aussagen über Petrus sämtlich aus dem Neuen Testament (wobei verständlicherweise weniger günstige Aspekte getilgt wurden) bzw. aus den dem Verfasser vorliegenden Quellen. Das Moment der Steigerung liegt nur in der konzentrierten Aneinanderreihung. Andererseits wird das in den Quellen noch einigermaßen in der Schwebe gehaltene Ver-

---

[69] Weitere Ämter sind Katecheten (EpCl 14) und Witwen (H XI 36,2/R VI 15,5). Ähnlich sind die Ämter in Didask 9 (Vööbus I 101,1ff.): Bischof, Presbyter, Diakone, Lektoren und Witwen.

[70] Schmidt, Studien 108, A 2; 107 spricht er in ähnlicher Weise vom „Universalepiskopat des Jacobus über die Kirche der Hebräer mit dem Sitze Jerusalem"; 330 sieht er jedoch, daß die Heidenkirche eingeschlossen ist.

[71] Zahn, Forschungen VI,280.

hältnis des Jakobus zu Petrus nun eindeutig zugunsten des Jakobus festgelegt.

Petrus ist in G der Jakobus Untergebene und hat dessen Befehle auszuführen. H I 20,2 f./R I 17,2 f. motiviert Clemens seinen Bericht an Jakobus mit dem Hinweis, Petrus hätte von diesem den Auftrag bekommen, die in jedem Jahr gehaltenen Predigten und Taten niederzuschreiben und ihm zu übermitteln. Es handelt sich nicht um eine freundschaftlich vorgetragene Bitte, sondern um ein ausdrückliches Gebot: ἐντολή (H I 20,3) bzw. *mandatum* (R I 17,3). Dieselbe Forderung wird R I 72,7 ausgesprochen, wobei auf jedes siebente Jahr besonders Wert zu legen ist. Unterordnung unter Jakobus liegt auch vor, wenn Petrus nach Caesarea geschickt wird, damit er Zachäus auf dessen Bitte hin im Kampf gegen Simon Magus unterstütze. Petrus ist in der Grundschrift trotz aller erfolgreichen Arbeit in der Mission nur von untergeordnetem Rang. Selbst in der Mission, die in den KΠ und (in gewissem Sinn auch) in der AJ II-Quelle seine (bzw. der anderen Apostel) ureigene Domäne ist, ist er Jakobus untergeordnet. Der Herrenbruder ist nicht bloß der umsichtige Gemeindeleiter Jerusalems, sondern als Oberhaupt der Gesamtkirche auch für deren gedeihliche Entwicklung zuständig. Ihm werden Schwierigkeiten auf dem Missionsfeld berichtet und er ergreift die nötigen Initiativen, um sie zu beseitigen. Eine stärkere Betonung der rechtlichen Vollmachten des Jakobus ist kaum möglich. Mit literarischen Ambitionen des Grundschriftautors allein ist dies nicht zu erklären. Sie scheinen nicht einmal das ausschlaggebende Motiv gewesen zu sein, wie die Darstellung des Verhältnisses von Jakobus und Petrus zeigt, die von der in den Quellen vorliegenden stark abweicht. *Der Autor muß konkrete kirchenpolitische Gründe gehabt haben, gerade Jakobus auf Kosten (unter anderem) des Petrus so hervorzuheben.* Welche das sein könnten, ist erst nach umrißhafter Darstellung einiger wesentlicher theologischer Leitlinien der Grundschrift im Zusammenhang der Frage nach dem historischen Ort derselben näher zu erörtern.

3.2.3.4.2 Theologische Aspekte der Grundschrift

In den G zugehörenden Jakobusstellen finden sich keine direkten Aussagen über die theologische Position des Herrenbruders. Wie in den KΠ und der AJ II-Quelle wird aber auch hier die des Autors für ihn charakteristisch sein.

Die Grundschrift ist gegenüber ihren Quellen durch eine weit größere Offenheit für das stärker großkirchlich orientierte Christentum gekennzeichnet. Nicht nur ist der Heidenchrist und Römer Clemens der Begleiter und Mitarbeiter des Petrus und wird seine Einsetzung in die cathedra Petri dem Jakobus angezeigt (EpCl 19); auch werden aus der griechischen Philosophie stammende Anschauungen wie die von der Unsterblichkeit der Seele herangezogen (H II 13,1 ff./R III 39,1 ff.); insbesondere wird jedoch der *Antipaulinismus der Quellen* „durch die Beziehung auf Simon (besonders deutlich in der Syzygienlehre H II 17,3 par, und in der Diskussion über die Offenbarungsweisen: H XVII 13–19) bzw. Simon-Markion (R II 47 ff. par) oder durch die Einführung des unverfänglicheren homo inimicus"[72] *zu überdecken versucht. Die Polemik gegen Paulus sollte nicht so deutlich sein. Das Motiv des Grundschriftautors ist es, zur heidenchristlichen Kirche, die Paulus rezipiert hatte, ein positives Verhältnis herzustellen. Gleichwohl ist er nicht frei von einer gewissen Reserve dem Heidenapostel gegenüber.*

Diese Distanz ist auch in theologischen Entwürfen vorhanden, die (u.a. durch Paulus repräsentiert) in der heidenchristlichen Kirche bestimmend wurden. So fehlt in der Grundschrift (wie überhaupt in den PsCl – und das ist überaus auffällig) jeder Versuch, den Tod Jesu theologisch zu deuten. Auch die kultische Verehrung Jesu als Kyrios (die ebenfalls schon im Neuen Testament vorliegt) spielt keine Rolle; „wenig katholisch"[73] ist die Beschreibung der Verkündigung Jesu H I 7,2 ff./R I 7,3 ff.: Der Sohn Gottes trat in Judäa auf, um allen das ewige Leben anzukündigen, die nach dem Willen des Vaters leben (7,2/7,3); die Betonung der Hinwendung vom Schlechten zum Guten, vom Vorläufigen zum Endgültigen (7,3/7,4) und die Folgen des jeweiligen Verhaltens mit dem Eingehen in den zukünftigen Äon bzw. dem Hineingeworfenwerden ins Feuer (7,5 f./7,6) erinnern ebenso an jüdische Traditionen (Zwei-Wege-Lehre) wie die Betonung des εἷς θεός und dessen Gerechtigkeit (7,4/7,5). Das verantwortungsvolle Handeln wird dabei besonders durch den Blick auf das Jüngste Gericht motiviert (EpCl10,2 ff.; 11,1 f.; H XI 17/R V 35 u.ö.), bei dem gestorum causa geurteilt wird (R II 20,5). Judenchristlichen Einfluß verrät der Grundschriftautor auch in der Erwähnung von (wenigstens gelegentlichen) Bädern des Petrus vor dem Essen (H VIII 2,5/R IV 3,1) oder einer positiven Einstellung zur Beschneidung bei den Juden, die, obwohl cultus divinus, von anderen Völkern in götzendienerischer Weise depraviert wurde (R VIII 53,2 f.; in Anlehnung an die AJ II-Quelle R I 33,5). Eine Aussage über Sinnhaftigkeit bzw. eventuelle Vollziehung der *Beschneidung* in seinem kirchlichen Umfeld ist dabei freilich nicht gemacht. Sie *scheint für ihn und seine Gemeinden keine Bedeutung mehr gehabt zu haben.* Dagegen ist die Taufe (in der Nachfolge der KΠ) mit der triadischen Formel längst Selbstverständlichkeit (H XIII 4,3/R VII 29,3).

---

[72] Strecker, Judenchristentum 259.
[73] Strecker, ebd. 257.

3.2.3.4.3 Der historische Kontext der Titel des Jakobus

Da die EpCl die in Rom durch Petrus erfolgte Ordination des Clemens zum Bischof dieser Stadt dem Jakobus mitteilt, zudem die Grundschrift Rom als Ausgangs- und Endpunkt hat, könnte man an die hier erfolgte Abfassung dieser Schriften denken[74]. Doch lassen sich eine Reihe von Umständen damit nicht in Einklang bringen: den Westen als den dunkleren Teil der Welt zu bezeichnen, paßt schlecht für einen Römer; ebenso Clemens als direkten Nachfolger des Petrus; von letzterem wird EpCl 1,2f. trotz aller schmückenden Epitheta doch recht allgemein gesprochen, keineswegs den Ansprüchen Roms um die Mitte des 3. Jh.s entsprechend; EpCl 2,4 wird im Anschluß an Mt 16,19 die Binde- und Lösegewalt des Bischofs mit dem κανὼν τῆς ἐκκλησίας begründet, nicht mit der Sonderstellung des Petrus[75]; insbesondere ist die prononcierte Unterordnung des Petrus unter Jakobus nicht verständlich[76]. Man wird daher besser an (West)Syrien als Ursprungsort denken[77], wie etliche Argumente nahelegen: das Pseudonym Clemens Romanus wurde dort auch sonst verwendet[78], auch verweist eine gewisse Verwandtschaft mit der Didaskalia[79] wie das Ineinander von „Katholizismus" und „Judenchristentum" (wofür ebenfalls die Didaskalia ein Beispiel ist) in dieses Gebiet.

Den Autor der Grundschrift als Katholiken (judenchristlicher Herkunft) zu bezeichnen[80], ist angesichts seiner skizzierten Position kaum möglich. Er verharrt zwar nicht in der paulusfeindlichen Haltung seiner Quellen und zeigt damit eine Aufgeschlossenheit für eine andersgeprägte kirchliche Tradition und eine Bereitschaft, sich ihr anzunähern; gleichwohl bleibt er eben darin seinem eigenen Überlieferungsgut noch

---

[74] Für Rom tritt Waitz, Pseudoklementinen 75 ein.

[75] Schmidt, Studien 109, A2.

[76] Damit ist auch die These Ullmanns (JThSt 1960, 295ff.; ders., in: Cross [ed.], Studia Patristica IV,2, 330ff.) nicht zu halten, EpCl sei erst vor oder nach H entstanden und habe den Zweck gehabt, den Rechtstitel des römischen Bischofs für die Nachfolge Petri zu liefern. Zudem gehören EpCl und G ursprünglich zusammen, wie aus der unmittelbaren Fortsetzung der EpCl in H I/R I (= G) ersichtlich ist.

[77] Schmidt, Studien 289f.; Rehm, ZNW 1938, 156; Strecker, Judenchristentum 260; Schoeps, Studien 97 u.a.

[78] Vgl. die pscl. Briefe deVirg, dazu Niederwimmer, Askese 183, A80.

[79] Vgl. nur die Nähe in der Gliederung der kirchlichen Hierarchie (siehe oben), die Unterscheidung von Klerikern und Laien (EpCl 5; Didask 6 [Vööbus I 56,6] u.ö.), oder die Mahnung zur Frühheirat (EpCl 7; Didask 22 [Vööbus II 203,17ff.]). Freilich gibt es auch gravierende Differenzen, etwa in der Frage des Grades an Katholizität. Die Didaskalie hat hier bereits eine wesentlich weitere Entwicklung durchgemacht.

[80] Waitz, Pseudoklementinen 366; ders., ZNW 1929, 247; ders., ZKG 1940, 340; Schmidt, Studien 286f.; Rehm, ZNW 1938, 155f.; Schoeps, Theologie 38 u.a.; dagegen mit Recht Strecker, Judenchristentum 258; Schoeps, Studien 97.

durchaus treu; er will dieses in den Katholisierungsprozeß der Kirche (West) Syriens als Erbe der spezifisch judenchristlich geprägten Gemeinden einbringen. In diesem Kontext scheint auch die Entstehung der Titel zu liegen, die den Herrenbruder zum Oberhaupt der Gesamtkirche machen.

Waitz leitete die Titel vom sog. Indulgenzedikt des römischen Bischofs Kallist (217/18) ab, in dem nach Tert Pudit 1,6 der Ausdruck *episcopus episcoporum* vorkomme[81]. Tertullian nennt alledings den Namen des von ihm angegriffenen Bischofs nicht, er bezeichnet ihn nur als „Pontifex … maximus, quod ⟨est⟩ episcopus episcoporum" (1,6)[82] und deutet auch nicht an, daß episcopus episcoporum in dem von ihm zitierten „edictum … propositum, et quidem peremptorium" (1,6) tatsächlich gestanden ist; dies deutet eher auf eine ironisierende Formulierung Tertullians selbst hin[83].

Entfällt so die Kallisthypothese und damit die Herleitung der Titel von außen, so werden sie am besten aus den Quellen (bzw. ihrer Auswertung in der konkreten kirchlichen Situation z. Z. der Abfassung der Grundschrift[84]) abzuleiten sein, freilich nicht unmittelbar von den dort vorhandenen Titeln des Jakobus[85], sondern von der Bezeichnung des Kaiphas als *sacerdotum princeps* (R I 68,2)[86], wozu noch die Rede von Gamaliel als dem *princeps populi* kommt (R I 65,2). Da nach Meinung des Grundschriftautors die Bedeutung des Jakobus innerhalb seiner Gruppe der des Kaiphas bzw. des Gamaliel in deren Bereich in nichts nachsteht, mußte auch ihm ein dementsprechender Titel zugesprochen werden. Und da sowohl in den Quellen wie erst recht in der *Grundschrift die Heidenmission selbstverständlich war, implizierte dieser Titel (bzw. seine Variationen) auch die Einbeziehung der Heidenkirche in seinen Amtsbereich.* Dabei ging es freilich nicht um einen Vergleich des Jakobus mit Kaiphas oder Gamaliel, diese gaben nur das Stichwort, um die Bedeutung des Herrenbruders voll zum Ausdruck zu bringen. Auch

---

[81] Waitz, Pseudoklementinen 69.

[82] Ob hier Kallist gemeint ist, ist unsicher (nach Altaner – Stuiber, Patrologie 159 wendet sich Tertullian gegen Bischof Agrippinus von Karthago).

[83] So bereits Rolffs, Indulgenz-Edict 20; Schmidt, Studien 107.

[84] Entstehungszeit dürfte ca. die Mitte des 3. Jh.s sein. Term. a quo ist die Schrift des Bardesanes Περὶ Εἱμαρμένης, auf die R IX 19–29 zurückgeht (Rehm, Philologus 1938, 218 ff.), term. ad quem die Entstehung der Homilien. Die Zeitangabe differiert im einzelnen: an ±260 denken v. Harnack, Geschichte II, 533; Strecker, Judenchristentum 267; Schoeps, Judenchristentum 21, A 3; an die erste Hälfte des 3. Jh.s Irmscher, in: NTApo II⁴ 374; Schoeps, Studien 80; Beyschlag, Simon Magus 48, A 81; an 220/30 denken Waitz, Pseudoklementinen 366; Schmidt, Studien 304; Cullmann, Vorträge 228, um nur einige zu nennen.

[85] Wie Waitz, Pseudoklementinen 68 f. richtig sieht.

[86] Schmidt, Studien 108; Strecker, Judenchristentum 235.

wenn literarische Motive (der Bezug auf diese Repräsentanten des Judentums wie auf die Jakobus in den Quellen gegebenen Titel) eine Rolle spielen, so können sie doch kaum die entscheidenden gewesen sein. Sie müssen einen Sitz im Leben in einer ausgeprägten Jakobusverehrung gehabt haben, die nicht bloß das Bild des allseits Verehrten in idealisierter Form in die Vergangenheit zurückprojizierte, sondern von dieser Projektion (anders wäre sie ja nutzlos) auch eine entsprechende Stärkung der eigenen Position erwartete. Die Herausstreichung des Jakobus dient kaum bloß dazu, dem „Werke einen würdigen Abschluß bzw. Eingang, oder, besser gesagt, eine passende Umrahmung zu geben"[87], vielmehr konnte der Grundschriftautor dadurch um so stärker seine Theologumena in seiner kirchlichen Umgebung zur Geltung bringen. Es steht also (wohl in erster Linie) eine *kirchenpolitische Tendenz* dahinter: zwar nicht dem Jerusalem des 3. Jh.s einen Vorrang einzuräumen, wohl aber *die eigene Form des Christentums neben und in Konkurrenz zu einer anderen soweit wie möglich durchzusetzen.*

3.2.3.5 Zusammenfassung

Wie bei Hegesipp zeigt die Jakobustradition auch in den verschiedenen hier in Frage kommenden Schichten der Pseudoklementinen (AJ II-Quelle, Kerygmata Petrou und Grundschrift) bereits ein (wenn auch unterschiedlich) fortgeschrittenes Stadium.

Interessant ist vor allem die administrative Rolle des Jakobus. Er ist bereits in der ältesten Schicht, der AJ II-Quelle (ca. 150–170), die von Anfang der Urgemeinde an entscheidende Figur. Von Jesus selbst zum Bischof der Jerusalemer Gemeinde eingesetzt, sind ihm zwar die Apostel nicht ausdrücklich rechtlich untergeordnet, in ihrer faktischen Bedeutung stehen sie aber deutlich hinter ihm. Er ist der wirklich erfolgreiche Missionar, der riesigen Zulauf zur Gemeinde bewirkt und damit die gegnerischen Aktionen auslöst; auch die Gemeinde selbst hat nur zustimmende Funktion; mehr ist nicht nötig, da Jakobus sowieso in bestmöglicher Weise agiert. In vielem ähnlich ist Jakobus in den KΠ (ca. 2. Hälfte des 2. Jh.s) gezeichnet: er ist von Jesus in sein Amt als Jerusalemer Bischof eingesetzt. Die ihn umgebenden Presbyter dienen nur als Staffage; ihre Mitverantwortung beschränkt sich auf Zuhören und Zustimmen. Obwohl er das Aufsichtsrecht über alle Missionare hat, steht ihm der Missionar Petrus dennoch völlig frei gegenüber. Dieser schickt ihm seine Kerygmen, um durch entsprechende kirchenrechtliche Sanktionen deren Unversehrtheit zu sichern. Obwohl er selbst nicht als Missionar und Theologe auftritt, sichert er doch die Theolo-

---

[87] Schmidt, Studien 334.

gie des Petrus kirchenrechtlich-administrativ ab. In der Grundschrift wird die schon in den Quellen implizierte Zuständigkeit über Jerusalem bzw. das Judenchristentum hinaus mit aller Deutlichkeit zum Ausdruck gebracht. Er ist der erste der Bischöfe, der Bischof der Bischöfe. In Jerusalem selbst ist die frühkatholische kirchliche Hierarchie voll ausgebildet. Jakobus hat auch das Weisungsrecht über Petrus, indem er ihn aussendet und über sein Tun Berichte fordert. Er stützt nicht bloß kirchenrechtlich die missionarische Tätigkeit des Petrus ab, sondern ist selbst oberster Organisator der gesamtkirchlichen Mission. Diese ausgeprägte Hervorhebung, die in nichts mit dem im Neuen Testament über Jakobus Ausgesagten übereinstimmt, hat ihren Grund nicht in schriftstellerischen Bemühungen des Grundschriftautors, sondern in dessen Versuch, in dem sich langsam abklärenden Katholizismus der syrischen Kirche der Mitte des 3. Jh.s den judenchristlichen Standpunkt möglichst wirkungsvoll zu vertreten.

Theologisch ist Jakobus ein Repräsentant der hinter den einzelnen literarischen Schichten stehenden Gemeinden. Unmittelbare Äußerungen werden ihm nur in der AJ II-Quelle in den Mund gelegt: er lehrt hier eine zweifache Parusie Jesu und die Heilsnotwendigkeit der Taufe; damit ist im Zusammenhang eine Kritik am Opferkult und Königtum verbunden; weiters ist, bei aller Offenheit für die Heidenmission, eine antipaulinische Haltung charakteristisch (auch wenn Jakobus selbst keine unmittelbar antipaulinische Aktion nachgesagt wird, sondern nur Paulus eine antijakobinische). In den Kerygmen ist er wie Petrus Repräsentant des νόμιμον κήρυγμα, das ein Festhalten an der von späteren Fälschungen (z. B. anthropomorphe Gottesaussagen, Polytheismus, Opferkult) gereinigten Tora bedeutet. Gnostische Anschauungen (Gestaltwandel der wahren Propheten; Abwertung des Kosmos etc.) sowie ein betonter Antipaulinismus sind damit auch für das Jakobusbild des Autors der Kerygmen kennzeichnend. Beschneidung und kultische Reinigung scheinen (wie in der AJ II-Quelle und in der Grundschrift) infolge der Betonung der Taufe keine besondere praktische Bedeutung gehabt zu haben. Als theologische Ausrichtung des Jakobus der Grundschrift kann (entsprechend den Intentionen des Verfassers derselben) eine größere Nähe zum großkirchlich geprägten Christentum mit einer Zurückdrängung des Antipaulinismus angenommen werden, wobei man (wie die Darstellung der Verkündigung Jesu, der Christologie und die Betonung paränetischer Anliegen zeigt) von einem paulinisch geprägten Christentum freilich recht weit entfernt ist und im wesentlichen auch zu bleiben gedenkt. Nicht eine paulinisch geprägte Position soll übernommen, sondern die eigene soll durchgesetzt werden.

3.3 Das Jakobusbild der Gnosis

Der Herrenbruder Jakobus wurde nicht bloß im (mehr oder minder) nomistisch ausgerichteten Judenchristentum als die entscheidende Gestalt der christlichen Frühzeit betrachtet und entsprechend verehrt, sondern auch in einer Reihe von Gruppen, die einen (im einzelnen freilich verschieden großen) Gnostisierungsprozeß durchgemacht hatten. Dieser Prozeß war schon in den Kerygmata Petrou (siehe oben 3.2.3.3) festzustellen; er setzte sich bei den jetzt zu behandelnden Texten teilweise verstärkt fort. In deren Endfassung ist Jakobus stets als gnostischer Heros zu verstehen; es lassen sich jedoch z.T. Vorstufen feststellen, in denen die judenchristliche Tradition noch keine solche Prägung bekommen hatte. In folgenden Originaldokumenten aus Nag Hammadi wird Jakobus genannt: Thomasevangelium (EvThom), Epistula Iacobi Apocrypha (EpJac), erste und zweite Jakobusapokalypse (1 ApJac; 2 ApJac), in gewisser Weise auch im Ägypterevangelium (EvÄg); darüber hinaus bei den Naassenern und Manichäern.

3.3.1 Das Thomasevangelium (NHC II, 2)

Eine hervorragende Rolle spielt Jakobus im EvThom. Neben dem eigentlichen Heros dieses Evangeliums, Thomas (genannt im Prolog, in log 13 und im Postskript), sowie Petrus (log 13; 114), Matthäus (log 13) und den beiden Frauen Maria (log 21; 114) und Salome (log 61) ist er die einzige Gestalt der frühen Kirche, deren Name in diesem Evangelium überliefert ist (log 12). Mit Ausnahme von Thomas werden alle Genannten weniger deutlich herausgestrichen als Jakobus.

3.3.1.1 Die kirchenrechtliche Stellung des Jakobus

Log 12 lautet: „Die Jünger sagten zu Jesus: ‚Wir wissen, daß du uns verlassen wirst. Wer ist es, der über uns groß werden wird?' Jesus sagte ihnen: ‚Da, wo ihr hingegangen sein werdet, werdet ihr zu Jakobus, dem Gerechten gehen, für den Himmel und Erde gemacht sind.'"[1] Eine ähn-

---

[1] Nach Puech, in: NTApo I⁴,209. Der erste Teil der Antwort Jesu ist eine Crux. Im Sinne Puechs übersetzen z.B. Leipoldt, ThLZ 1958, 483; ders., Evangelium 29; Guillaumont u.a. (edd.), Evangelium 9; Doresse, Livres Secrets II,92; Grant–Freedman, Geheime Worte Jesu 126; van Unnik, Evangelien 65; Cullmann, ThLZ 1960, 329; Wilson, Studies 125; Haenchen, Botschaft 16; Schippers, Evangelie 23; Kasser, Évangile 45; de Suarez, Évangile 174; Ménard, Évangile 57; Lambdin, in: Nag Hamm. Libr. in English 119. – Für „woher ihr auch immer gekommen seid" entscheiden sich Walls, NTS 1960/61,

liche Frage wird auch Mk 9, 33 parr. gestellt; während Jesus diese aber ebenso wie die Bitte der Zebedaiden Mk 10, 35 ff./Mt 20, 20 ff.[2] strikt verneint, beantwortet er sie EvThom 12 ohne Zögern positiv. Trotz gleicher Problemstellung wird also hier eine wesentlich andere Lösung geboten als in der synoptischen (und das heißt gleichzeitig: in der von der Großkirche rezipierten) Tradition. Noch in einer anderen Hinsicht ist eine entscheidende Differenz gegeben. Während die synoptische Tradition Petrus als die entscheidende Gestalt der frühesten Kirchengeschichte herausstellt (womit auch das paulinische Zeugnis übereinstimmt Gal 1, 18; 1 Kor 15, 5), ist nach der EvThom 12 vorliegenden judenchristlichen Tradition der Herrenbruder Jakobus von Anfang an dominierend. Die innere Unausgeglichenheit dieser letzteren wird dabei deutlich sichtbar: denn einerseits ist (anders als etwa EvHebr 7) festgehalten, daß Jakobus nicht zu den Jüngern des irdischen Jesus gehörte (und in diesem Punkt besteht auch keine Differenz zur synoptischen Tradition), andererseits übernimmt er sofort nach Jesu Weggang die Leitung der verwaisten Schar, steht also gleichsam nur auf Abruf bereit und muß gar nicht erst für den neuen Glauben gewonnen werden. EvThom 12 nimmt jedenfalls an diesem Punkt die EvHebr 7 vorliegende Darstellung der Stellung des Jakobus nicht auf und verringert dennoch nicht dessen Bedeutung bereits für die erste Zeit der Kirche[3]. Er ist, obwohl kein unmittelbares Glied des Jüngerkreises, doch der bereits vom irdischen Jesus zu seinem Nachfolger Bestellte, der designierte vicarius Christi (ähnlich auch die AJ II-Quelle der PsCl R I 43 ff.).

Damit nimmt Jakobus, wie auch sonst in der judenchristlichen Geschichtsbetrachtung, den Platz ein, der nach der synoptisch-paulinischen Tradition Petrus zukommt. Auch wenn man[4] keine direkte Anspielung an

---

266; Gärtner, Theology 57; Böhlig–Labib, Apokalypsen 27; Böhlig, Mysterion 102; Schenke, in: Umwelt des Urchristentums II, 372. – Erstere Übersetzung scheint vorzuziehen zu sein, da dem Bezug auf die Zukunft in der Jüngerfrage ein ebensolcher Bezug in der Antwort Jesu entspricht; bei letzterer ist es nicht deutlich, warum Jesus zunächst auf die Vergangenheit der Jünger verweist. Die verständlichste (wenn auch freie) Übersetzung bietet Lambdin („Wherever you are, …").

[2] An der Parallelstelle spricht Lk ebenso wie Mk 9, 33 ff. parr von der Frage aller Jünger nach dem Größten unter ihnen.

[3] Nach der Endfassung von EvThom gehört Jakobus nicht einmal zum ersten nachösterlichen Kreis von Jesusanhängern, da die Frage ja an den Auferstandenen gestellt wird. Nach der dahinterliegenden judenchristlichen Tradition kann sie aber nur an den Irdischen gestellt worden sein, da sonst der Hiatus zu der Behauptung der Protophanie des Jakobus (einem der Grundpfeiler der judenchristlichen Jakobusverehrung) zu groß wäre.

[4] Für Bezug auf Mt 16, 16 ff.: Grant–Freedman, Geheime Worte Jesu 196; Cullmann, ThLZ 1960, 329; Dinkler, ThR 1961, 35 f.; Klein, Rekonstruktion und Interpretation 86; Schoeps, in: Bianchi (ed.), Origini 528; Smith, Controversies 108.

Mt 16,16 ff. postuliert[5], ist doch die Ablehnung des darin gegebenen Anspruches deutlich. Man wird auch nicht umhin können, dies als bewußte Negierung der Rolle des Petrus bereits für die allerersten Anfänge der Kirche zu verstehen. Ähnlich jedoch wie EvHebr 7 ist auch hier die Führerrolle des Jakobus als selbstverständlich hingestellt. Er braucht sie sich nicht zu erkämpfen, sie fällt ihm durch das Herrenwort von vornherein und ohne eigenes Bemühen zu. Petrus ist nur einer von vielen; seinen Namen zu nennen, wird nicht als nötig empfunden. Die Rolle des Jakobus ist in dieser Geschichtsbetrachtung schon so gefestigt, daß sie nicht einmal mehr als Konkurrenz zu Petrus empfunden werden mußte (auch wenn aus großkirchlicher Sicht ein solches Konkurrenzverhältnis überdeutlich erscheinen mußte). Ein Primat über die ganze Kirche ist zwar damit nicht direkt ausgesprochen[6], insofern liegt ein älterer status quaestionis vor als in der Grundschrift der Pseudoklementinen; die Entwicklung geht freilich eindeutig in diese Richtung.

Kaum exakt zu beantworten ist die Frage nach der Herkunft dieses Logions. Öfters wurde das Hebräerevangelium als Quelle angesehen[7] oder wenigstens als wahrscheinliche bzw. mögliche[8]. Nun ist in diesem zwar Jakobus die durch die Protophanie ausgezeichnete Gestalt der Urgemeinde, so daß eine Parallele zur Jakobusverehrung der hinter EvThom 12 liegenden Tradition gegeben ist; die Annahme einer literarischen Abhängigkeit ist aber dabei kaum mehr als ein unbeweisbares Postulat, sie ist sogar eher unwahrscheinlich, da die Frage der Zugehörigkeit des Jakobus zur Anhängerschar des irdischen Jesus EvHebr 7 positiv, EvThom 12 dagegen negativ beantwortet ist[9]. Auch an anderen Stellen läßt sich eine Abhängigkeit des EvThom von EvHebr nicht beweisen[10]. Die Ähnlichkeiten bei den gleichzeitig gegebenen Differenzen

---

[5] Die Frage einer Abhängigkeit des EvThom von den Synoptikern kann in diesem Zusammenhang offen gelassen werden.

[6] Gegen Quispel, Gnostic Studies II, 150.

[7] Van Unnik, Evangelien 65; Quispel, Makarius 98; ders., NTS 1965/66, 378.

[8] Puech, in: NTApo I⁴,214; Grant–Freedman, Geheime Worte Jesu 127; Wilson, in: Cross (ed.), Studia Evangelica III,2, 459; Ménard, Évangile 5.

[9] So richtig Haenchen, ThR 1961, 164. Eine Harmonisierung wäre zwar durch die Annahme möglich, Jakobus sei zeitlich nach der EvThom 12 geschilderten Situation, also noch vor dem letzten Abendmahl, ein Jünger Jesu geworden. Doch auch das scheitert wohl am Umstand, daß Jakobus in EvThom 12 zwar Stellvertreter Jesu nach dessen Weggang (Passion in der judenchristlichen Tradition; Himmelfahrt im jetzigen Kontext des EvThom) ist, kaum jedoch schon vorher zum Jüngerkreis gehörte.

[10] Log 2 findet sich ebenso wie EvHebr 4 a.b ein gnostischer, die Stufen des Heilswegs beschreibender Kettenspruch, doch besteht auch hier nur eine teilweise Übereinstimmung („erschüttert sein" fehlt in EvHebr; „ruhen" in EvThom). Die übrigen von Quispel, NTS 1965/66, 378 ff. aus dem EvHebr hergeleiteten Logien lassen sich nicht sicher für dieses Evangelium nachweisen (zur Rekonstruktion des EvHebr vgl. nur Vielhauer, in: NTApo I⁴,104 ff.) Dennoch liegt in einer Reihe von Logien judenchristliche Tradition

deuten eher auf gemeinsame Tradition hin, wobei EvThom 12 nicht einmal in jedem Fall einer jüngeren Traditionsschicht angehören muß; soweit es nur den Aspekt der Zugehörigkeit des Jakobus zum Jüngerkreis betrifft, reflektiert dieses Logion sogar einen älteren Stand. EvThom 12 und EvHebr 7 entstammen also wohl verschiedenen Ausprägungen der judenchristlichen Jakobustradition, die in Einzelpunkten eine verschieden weit entwickelte Jakobusverehrung zum Ausdruck bringen.

Im jetzigen Kontext des EvThom ist zwar Jakobus (ebenso wie Petrus, nota bene!) immer noch eine bedeutende, aber ebensowenig wie Petrus die wirklich entscheidende Figur. An ihre Stelle ist – aufgrund einer anderen Traditionsbildung – Thomas getreten.

3.3.1.2 Die theologische Bedeutung des Jakobus

Das Hingewiesenwerden der Jünger zu Jakobus hat zunächst organisatorisch-rechtliche Aspekte. Er ist als Nachfolger und Stellvertreter des scheidenden Christus die neue sichtbare organisatorische Mitte dieser Gruppe. Er ist aber damit implizit auch die theologisch bestimmende Gestalt. Seine theologische Position hat selbstverständlich auch für die ihm nun Unterstellten Geltung – wie immer sie nach Auffassung der Tradenten dieses Spruches auch ausgesehen haben mag. Daß neben der seinen andere, vielleicht sogar entgegenstehende Konzeptionen bestehen könnten, liegt durchaus außerhalb des Gesichtskreises. Jakobus ist wie der rechtlich, so auch der theologisch Bestimmende und Verantwortliche. Wie diese theologische Position freilich inhaltlich aussah, läßt sich eher nur vermuten als genauer bestimmen. Da es verschiedene Akzentuierungen der theologischen Position des Jakobus im Judenchristentum des 2. Jh.s gab, wie die Quellen der Pseudoklementinen zeigen, wäre eine Festlegung in dieser Hinsicht praktisch reine Willkür. Vielleicht geht man nicht fehl, wenn man eine (wie immer näher zu definierende) antipaulinische Haltung des Tradentenkreises und damit ihres Jakobusbildes annimmt. Ob sie schon von Gnosis affiziert war[11], läßt sich nicht sagen, auch wenn es durchaus möglich ist, wie das aus einer verwandten Tradition stammende log 2 andeuten könnte.

Die einzige Charakterisierung des Jakobus liegt in der Wendung vor, Himmel und Erde seien seinetwegen geschaffen worden. Diese zunächst merkwürdige Aussage wird verständlich, wenn sie in den Kon-

---

vor; eine Aufzählung bei Quispel, Colloque International 242 ff. (Quispel ist hier in der konkreten Zuordnung vorsichtiger geworden).

[11] Cullmann, ThLZ 1960, 328 nimmt als (vielleicht) älteste Stufe des EvThom eine streng judenchristliche Sammlung an, die aber auch bereits gnostischen Charakter hatte.

text entsprechender jüdischer (und dann auch christlicher) Analoga gesetzt wird[12]. Noch allgemeineren Charakters im Rahmen der Schöpfungsthematik überhaupt ist die Aussage, die Welt sei um der Menschheit willen geschaffen worden (SyrBar 14,18 f.) bzw. sogar um jedes einzelnen Menschen willen, da jeder den Stempel des ersten Menschen an sich trage (San IV,5); sie sei aber vor allem um Israels willen entstanden (4 Esr 6,55; Gen.R 1,4; Midr Hohel 2,2; 7,3) bzw. genauerhin der Menschen wegen, die in besonderer Weise ein toragemäßes Gottesverhältnis hatten, wie Abraham, Moses, David, der Messias (Gen.R 1,7; 12,9; bSan 98b; folgerichtig kann auch die Tora selbst als Grund für die Entstehung der Welt angegeben werden, AssMos 1,12). bBer 61b wird die jetzige Welt um Ahabs willen geschaffen, die zukünftige um Chaninas ben Dosa willen (d.h. um des exemplarisch Bösen bzw. Frommen willen)[13]. Auch das Weiterbestehen der Welt habe seine Ursache in bestimmten Menschen: Moses, Aaron (bHul 89a), Chanina ben Dosa (bTaan 24b) oder der, der bei einem Streit seinen Mund halte (bHul 89a). Es besteht also eine große Vielfalt in der Frage, wer durch diese Aussage in besonderer Weise hervorgehoben wird. Sofern jedoch Namen genannt werden, sind es stets herausragende Personen, die in der Heilsgeschichte Gottes mit seinem Volk an wichtiger Stelle stehen. Deren Wirken wird für die ganze Welt (!) als so entscheidend angesehen, daß von ihnen gesagt werden kann, ohne ihr zukünftiges Auftreten hätte es für Gott gar keinen Sinn gehabt, die Welt entstehen zu lassen.

Diese außerordentlich hohe Wertung des Jakobus wird noch deutlicher, wenn die Adaptionen dieser Aussagen im christlichen Bereich betrachtet werden. So ist nach Herm Vis II 4,1 die Welt um der Kirche willen entstanden, oder es wird vom Christen allgemein gesagt, er sei von größerer Bedeutung als die ganze Welt (Cypr Epist ad Don 14 [CSEL 3,1,15]) und auf ihn sei die Bewahrung der Natur zurückzuführen (Just Apol II 7 [*Goodspeed* 83]). Eine Bestimmung der theologischen Position des Jakobus ist von dieser Ehrenaussage aus insofern möglich, als (mit Ausnahme von Syr Bar 14,18 f.; San IV,5, die in einem allgemeinen schöpfungstheologischen Zusammenhang stehen) stets ein Bezug zur Toraobservanz besteht (auch wenn dieser nicht jeweils in derselben Deutlichkeit artikuliert wird). Man wird also nicht fehlgehen, auch im Jakobus der judenchristlichen Tradition von EvThom 12 den *exemplarischen Frommen zu sehen, dessen Verdienste nicht bloß der sich auf ihn beziehenden Gruppe zugute kommen, sondern der gesamten Welt über-*

---

[12] Vgl. Ginzberg, Legends V,65 ff., bes. 67 f.

[13] Voraussetzung solcher Aussagen ist die Würde, die ein Mensch beim Tun des Willens Gottes empfängt. Ein solcher Mensch kann die ganze Welt aufwiegen, vgl. ARN 31 (Goldin 125).

haupt. Auch δίϰαιος ist im Zusammenhang damit kaum als abgeschliffener Titel zu verstehen, sondern bringt dasselbe judenchristliche Bild von Jakobus zum Ausdruck.

Daß EvThom 12 die „beginnende legendarische Ausschmückung" des Jakobusbildes zeigt[14], ist viel zu zurückhaltend ausgedrückt (eine solche liegt vielmehr in ersten Ansätzen schon in der Semeiaquelle des Johannesevangeliums vor). Andererseits geht die Aussage, hier liege „the strongest description of the place of James in the Salvation story" vor[15], wiederum zu weit, wenn man das Jakobusbild zumindest der 2ApJac von Nag Hammadi berücksichtigt. Daß er gar in Analogie zu einer der beiden Rezensionen des EvÄg von Nag Hammadi zu einem himmlischen Befehlshaber wird, ist selbst als Vermutung[16] durch nichts gerechtfertigt und zu Recht abgelehnt worden[17].

Im jetzigen Kontext des EvThom hat das Jakobusbild von log 12 gegenüber der judenchristlichen Tradition eine nicht unbedeutende Metamorphose durchgemacht. Ebenso wie Thomas ist auch Jakobus de facto ein gnostischer Offenbarungsmittler geworden, auch wenn das nicht besonders akzentuiert ist und auch wenn die im EvThom vorliegende Gnosis noch wenig entwickelt ist (deutlich ist sie es dann in den im folgenden zu behandelnden Jakobusschriften von Nag Hammadi wie bei den Naassenern, die enge Berührungen mit dem EvThom aufweisen[18] und die Jakobustradition aufgegriffen haben, dazu unten). Außerdem ist Jakobus *im jetzigen Kontext* – und das ist eine deutliche Akzentverschiebung gegenüber der vorausgehenden Jakobustradition – de facto *eine antijüdische Gestalt*: so lehnt log 53 die Beschneidung ab, log 52 die Propheten, log 39 und 102 wenden sich gegen die Pharisäer, da sie ungeeignete Führer seien; log 43 spricht ähnlich undifferenziert wie Joh von „den Juden", nach log 71 wird niemand mehr den Tempel aufbauen, auch werden u. a. Fasten (log 6; 14; 27) und Gebet (log 14) in der herkömmlichen Form abgelehnt. Von dieser theologischen Haltung des EvThom ist nolens volens auch das Jakobusbild betroffen, auch wenn log 12 selbst nichts unmittelbar dazu sagt. Der Verfasser des EvThom übernahm zwar judenchristliche Tradition, die aber eine deutliche Akzentverschiebung erfuhr; dies geschieht hier noch ohne direkten Eingriff, während das in der späteren gnostischen Jakobusliteratur

---

[14] Hyldahl, StTh 1960, 105, A 100.

[15] Munck, NTS 1959/60, 106, A 3. Ähnlich meint Cullmann ThLZ 1960, 329, in EvThom 12 sei ebenso wie in den PsCl Jakobus „in einer nicht zu überbietenden Weise verehrt".

[16] Doresse, Livres Secrets II, 140; ders., JA 1968, 321. 355, A 164.

[17] Walls, NTS 1960/61, 267; Haenchen, ThR 1961, 315; Grant–Freedman, Geheime Worte Jesu 127.

[18] Vgl. Ménard, Évangile 26.

der Fall ist. Stets wurde Jakobus jedoch zu einem Gnostiker, wenn auch verschiedenen Typs.

Die Endgestalt von EvThom 12 wird (mit dem EvThom) wohl etwa in der Mitte des 2. Jh.s n. Chr. in Ostsyrien anzusetzen sein[19], die vorausliegende judenchristliche Tradition vielleicht zu Beginn des 2. Jh.s[20].

3.3.2 Die Epistula Iacobi Apocrypha (NHC I, 2)

Von den drei pseudepigraphen Jakobusschriften von Nag Hammadi, der Epistula Iacobi Apocrypha (NHC I, 2) und den beiden Jakobusapokalypsen (NHC V, 3 und 4) macht EpJac sowohl in bezug auf den allgemeinen Grad an Gnostisierung wie auf das in ihr zum Ausdruck kommende Jakobusbild den am wenigsten fortgeschrittenen Eindruck. Sie dürfte mithin die älteste dieser drei Schriften sein.

Obwohl Jakobus in der ganzen Schrift aktiv oder passiv in Erscheinung tritt, taucht sein Name doch nur 1, 1[21]; 1, 35; 2, 34; 8, 32 und 14, 1[22] auf; diese Stellen scheinen freilich nicht derselben literarischen Schicht anzugehören. Aufgrund literarischer und inhaltlicher Unebenheiten dürfte die Annahme gerechtfertigt sein, EpJac habe eine Quelle verarbeitet. Auffällig ist schon, daß in einer Jakobusschrift innerhalb des eigentlichen Offenbarungsberichtes Petrus durchaus gleichberechtigt neben Jakobus steht. Von den genannten Stellen dürften 8, 32 und 14, 1 in einen bereits vorliegenden Text[23] eingefügt worden sein; sowohl 8, 31–36 wie 13, 38–14, 1 stören, wie *Schenke*[24] beobachtete, nicht nur den Zusammenhang, auch paßt die in diesen Versen vorliegende alleinige Herausstreichung des Jakobus nicht zum Kontext der Offenbarungsrede, wohl aber zum Rahmen; sie dürfte mithin vom selben Verfasser sein, nämlich dem Autor der EpJac[25].

---

[19] Vgl. Cullmann, ThLZ 1960, 327; Gärtner, Theology 271 f.; Klijn, VC 1961, 146; Vielhauer, Geschichte 621; Quispel, Colloque International 237 u. ö. An die 2. Hälfte des 2. Jh.s denken Leipoldt, Evangelium 17 und Koester, in: Nag Hamm. Libr. in English 117. Eine Frühansetzung auf 45–70 n. Chr. versucht Davies, BA 1983, 14, was allerdings nicht überzeugt.

[20] Dinkler, ThR 1961, 37 denkt an Syrien nach 70 n. Chr.; dies scheint freilich etwas früh, wenn man die doch schon fortgeschrittene Verklärung des Jakobusbildes berücksichtigt, die einen nicht allzu geringen zeitlichen Abstand vom Tod des Jakobus nahelegt.

[21] Diese Stelle ist erschlossen, der Text hat hier eine Lücke.

[22] Die Zitation richtet sich nach den Seiten und Zeilen des jeweiligen NH-Codex; der Einfachheit halber werden im folgenden jeweils nur Seiten und Zeilen genannt, nicht der jeweilige Codex.

[23] Dieser umfaßt (mit Ausnahme interpolierter Stellen) vermutlich die Offenbarungsrede Jesu (2, 39–15, 6 eventuell mit Einleitung 2, 7 ff.) und den Entrückungsbericht des Jakobus und Petrus (15, 6–27); auf eine Einfügung deutet auch die Schwierigkeit 15, 27 ff. hin, wonach die Jünger das Hinaufsteigen der beiden Entrückten in den Bereich der Größe selbst verhindert hätten; die Gleichheit der Subjekte 27 und 28 f. ergibt sich erst im jetzigen Kontext; als ursprüngliches Subjekt dieser Verbindung sind wohl ebenso wie EpApost 19 (30) himmlische Mächte anzunehmen (vgl. Kirchner, Epistula 202 ff.).

[24] Schenke, OLZ 1971, 128 f.; ebenso Kirchner, Epistula 172.

[25] Kirchner, ebd.

3.3.2.1 Der kirchenrechtliche Standort des Jakobus

Wenn die literarkritischen Erwägungen richtig sind, wären *in der ver-arbeiteten Tradition Jakobus und Petrus von gleicher Bedeutung*. Beide wären *gleichberechtigte Offenbarungsempfänger und -vermittler*. Daran ändert die öftere Erwähnung des Jakobus (4,22; 5,35; 6,21. 32. 35) ge-genüber Petrus (3,39; 13,26) nichts, da meist von beiden in der 1. Per-son Plural gesprochen wird (11,6 ff.; 12,18 ff.; 13,37; 14,3 ff.; 15,6 ff. [7: Ich und Petrus]). Beiden wird also die gleiche Auszeichnung und Aufgabe zuteil, beide werden gleicherweise einer Entrückung gewür-digt[26]. Da die (anderen) Jünger nicht näher ins Blickfeld kommen, kann über ihr Verhältnis zu Jakobus und Petrus nur soviel gesagt werden, daß sie ihnen nachgeordnet sind. Sie empfangen Offenbarungen nur aus zweiter Hand. Ob Jakobus nach dieser Tradition zu den Jüngern gehört, ist unsicher. In den Gemeinden, die sie weitergaben, müssen so-wohl petrinische, großkirchliche wie jakobinische, judenchristliche Tra-ditionen wirksam gewesen sein; man könnte im Nebeneinander des Pe-trus und Jakobus einen Kompromiß beider vermuten; sachgemäß dürfte aber vielleicht die Annahme sein, die alte (im weiteren Sinne ja auch „judenchristliche") Petrustradition sei hier noch nicht völlig ver-drängt worden. Wenn die Entwicklung einigermaßen folgerichtig ver-laufen ist, müßte, da in der Endgestalt der EpJac eindeutig Jakobus im Zentrum steht, *in der vorhergehenden Traditionsstufe zunächst eher Petrus eine Rolle gespielt haben, zu dem erst sekundär Jakobus dazugetreten wäre.* Da Namen in solchen Traditionen sehr resistent sind gegenüber Über-malungen, ist der des Petrus zunächst als gleichberechtigter stehenge-blieben und auch in den Rahmenstücken der Endgestalt mit Rücksicht auf die folgende Offenbarung nicht völlig verdrängt worden (1,12; 2,34).

In der Endfassung der EpJac ist Jakobus im Unterschied zur verarbeiteten Tradition eindeutig die dominierende Gestalt. In mehrfacher Hinsicht ist dies ausgedrückt: 1. Er ist es, der den vorliegenden Brief auf Bitte des Adressaten ...thos[27] hin verfaßte. Er ist also die eigentliche Autorität

---

[26] 15,6 ff. werden drei Himmel vorausgesetzt; zum frühjüdischen und christlichen Hintergrund vgl. Bill. III, 531 ff.; Bietenhard Welt.

[27] Schenke, OLZ 1971, 119 vermutet aufgrund des vorhandenen Raumes Κήρινθος; ebenso Berliner Arbeitskreis für koptisch-gnostische Schriften, in: Tröger (ed.), Gnosis und Neues Testament 27; Weiß, in: Tröger (ed.), AT 84; Vielhauer, Geschichte 687 f.; Kirchner, Epistula 109 ff.; Heldermann, in: Wilson (ed.), Nag Hammadi and Gnosis 37. Zu den Auffassungen Kerinths, wie sie Iren Haer I 26,1 äußert (insbesondere Differen-zierung zwischen Demiurgen und höchstem Gott sowie eine doketische Christologie) be-steht allerdings in EpJac keine Parallele. Falls tatsächlich dieser Kerinth gemeint ist, so ist der Zusammenhang nur mehr ein recht loser. Daß Kerinth (wie die Ebionäer, Iren Haer III 21,1; V 1,3) die Jungfrauengeburt leugnete, ist ebenfalls kein Zeichen für eine beson-dere Nähe zum Judenchristentum der EpJac, da in dieser davon nicht die Rede ist.

und verbürgt die Korrektheit der allein ihm und Petrus zuteil gewordenen Offenbarung. Er teilt auch entsprechende Auflagen bei der Weitergabe mit (vgl. die EpPetr der PsCl). Dies hebt nicht nur die Bedeutung des Mitgeteilten, sondern auch die des Mitteilenden, ebenso wie auch 2. der Hinweis auf eine zweite, schon zehn Monate früher an denselben Adressaten gesandte Geheimoffenbarung. Darin ist wohl nicht eine andere, reale Schrift der hinter EpJac stehenden Gruppe zu sehen[28]; es dürfte sich vielmehr um einen formgeschichtlichen Topos handeln, der nicht (bloß) das Gesagte herausstreicht (ähnlich wie Arist 6)[29], sondern ebenso den Übermittler der Offenbarung, der ja zweimal einer solchen Auszeichnung gewürdigt wurde. Die organisatorisch-administrative Rolle des Jakobus in der Geschichtsauffassung der EpJac-Gruppe kommt schließlich 3. aufs deutlichste in seinem Verhältnis zu den Jüngern zum Ausdruck; genauer: zu den übrigen Jüngern, denn Jakobus wird EpJac 1,24 f. selbst zu den Zwölfen gerechnet. Es ist immerhin erstaunlich, was in dieser Hinsicht aus den diesbezüglichen synoptischen Aussagen geworden ist – obwohl EpJac synoptisches Traditionsgut durchaus kennt[30]. Mit welchem Mitglied des Zwölferkreises Jakobus identifiziert wird (oder wen er verdrängte), ist nicht recht deutlich, da außer Petrus niemand genannt ist[31]; man wird vielleicht am ehesten an den Zebedaiden Jakobus denken können (eine Vermischung dieser beiden Iacobi liegt möglicherweise auch in der von ClAl bei Eus HE II 1, 4 zitierten Tradition vor). Allen anderen Jüngern, einschließlich Petrus, ist Jakobus übergeordnet, wie der Schlußteil 16,5 ff. herausstreicht. In (wenigstens formaler) Analogie zur Grundschrift der PsCl schickt Jakobus die Jünger an entfernte Orte – allerdings nicht, wie dort, aus missionarischen Gründen, sondern um sie vor Gefährdung zu sichern. Das Motiv ist also Fürsorge, nicht Mission. Er allein geht nach Jerusalem und betet dort um seinen Anteil am Heil. Das Jerusalem-Motiv weist eindeutig auf den Herrenbruder als Verfasser, was nach dem vorhergehenden Text nicht völlig deutlich war[32]; das Gebets-Motiv erinnert an den Hegesippbericht Eus HE II 23, 4 ff., wobei freilich dort das Heil anderer, hier hingegen sein eigenes der Grund ist – eine auffallende Ver-

---

[28] Wie Haenchen, ThR 1964, 46 f.; Rudolph, ThR 1969, 170; Schenke, OLZ 1971, 128 meinen. Die Schwierigkeiten einer Identifizierung hat Puech in: Malinine u. a. (edd.), Epistula XXII f. deutlich gesehen.

[29] Kirchner, Epistula 127: „Das ‚zweimalige Schreiben' bekräftigt das einmalige Schriftstück."

[30] Vgl. nur 8,6 ff., wo auf eine Reihe von Gleichnissen verwiesen wird, die bei den Synoptikern bezeugt sind.

[31] Die übrigen Jünger dienen gleichsam nur als Hintergrund, von dem sich die Gestalt des Jakobus um so deutlicher abhebt.

[32] Van Unnik, Sparsa Collecta III, 195 meint merkwürdigerweise, der Zebedaide sei ebensogut möglich.

schiebung, die sich wohl nur aus dem besonderen Verhältnis des Offenbarungsmittlers zu jenen erklärt, denen letztlich die Offenbarung gilt
(vgl. unten 3.3.2.2).

Die Hervorhebung des Jakobus in der Rahmenhandlung findet sich
ebenso in den Interpolationen 8, 31–36 und 13, 38–14, 1. Beide sprechen
innerhalb eines an Jakobus und Petrus gleicherweise gerichteten Kontexts von einer früheren privaten Unterweisung des Jakobus durch Jesus. Nach 8, 31 ff. wird er in besonderem Sinn zur Nachfolge berufen.
Der unmittelbar hinzugefügte Hinweis auf das Verhalten vor den Be-
hörden läßt unter Nachfolge das Aufsichnehmen des Martyriums vermuten[33].

3.3.2.2 Der theologische Standort des Jakobus

Da EpJac sich als Jakobustradition versteht, kommt die theologische
Position des Jakobus nicht bloß in allen ihm konkret in den Mund gelegten Äußerungen zutage, sondern in der gesamten theologischen Ausrichtung des Briefes. Jakobus ist *der paradigmatische Vertreter der Theologie der EpJac-Gruppe.*

Er ist nach der übergreifenden Charakterisierung seiner theologischen Aufgabe *der entscheidende Offenbarungsempfänger und -vermittler.*
Er ist hineingenommen in den gesamten, erst in den Empfängern der
EpJac zum Abschluß kommenden Heilsprozeß, wobei sein Heil (und
das seines Adressaten) von dem der Empfänger, der Geliebten (16, 10),
der dreifach Seliggepriesenen (14, 41 ff.), abhängig ist. Erst der zu seinem Abschluß gekommene Heilsprozeß sichert auch das Heil des Jakobus[34].

Die nicht sehr systematische und im einzelnen oft widersprüchliche[35]
Schrift beschäftigt sich zentral mit der Thematik Nachfolge, Verfolgung, Leiden, Martyrium (bes. 4, 25 ff.; 5, 31 ff.)[36]. Dabei will der Verfasser gegenüber Versuchen, dem Leiden auszuweichen, mit Bezug auf
den Tod Jesu *die Bereitschaft zum Leiden und zum Martyrium wecken,*
auch wenn diese nicht von sich aus gesucht zu werden brauchen. Der
Angst vor dem Leiden wird die Sorge um das (wahre) Leben gegenübergestellt (5, 31 f.). Eine nahe Parallele liegt in der ähnlich marty-

---

[33] Ähnlich deutet Kirchner, Epistula 172 das „Folgen" (8, 33 f.) auf das Martyrium.
[34] Die Aussage, Jakobus und der Adressat seien mit weniger Offenbarungsverständnis
ausgerüstet als die nachfolgenden Geliebten (Kirchner, Epistula 112), ist zumindest mißverständlich (ebenso die, der Empfänger sei Jakobus übergeordnet, Vielhauer, Geschichte
688, A 15). Der Vorzug der Nachfolgenden besteht lediglich darin, den Vollzug des Ge-
offenbarten bereits überblicken zu können.
[35] Vgl. Puech in: Malinine u. a. (edd.), Epistula XV ff.
[36] Ebd. XV; Rudolph, ThR 1969, 172.

riumsfreundlichen Haltung der EpApost vor (15[26]), zu der auch sonst etliche Parallelen bestehen (Briefcharakter, Offenbarung an bestimmte Auserwählte, Auftauchen des Kerinthos im Prolog). Diese Tendenz der Offenbarungsrede Jesu wird in der Interpolation 8,31 ff. noch verstärkt durch die Anspielung auf das Martyrium des Jakobus. Das Wissen um dieses Martyrium ist nicht bloß ein ausgezeichnetes Argumentationsmittel, um in der EpJac-Gruppe den Mut zum Leiden zu stärken; es zeigt andererseits, daß deren Jakobusbild in theologischer Hinsicht wesentlich durch die Vorstellung des paradigmatischen Märtyrers bestimmt ist[37].

Jakobus ist im vorliegenden Zusammenhang ein gnostischer Offenbarungsmittler. So selbstverständlich aber, wie dies scheint, ist es gar nicht. Zwar tauchen eine Reihe von Termini auf, die in der Gnosis eine besondere Rolle spielen (ich nenne nur ein paar ohne vollzählige Stellenangabe: Gnosis 8,26 f.; 9,19. 27; Füllung 2,35; 4,6 ff.; Pneuma 5,22; 9,28; 14,34; Licht 9,11; Leben 3,25; Erwähltsein 6,14; Nüchternsein 8,29; Trunkenheit 3,10 vid; Schlaf 9,33; Krankheit 3,26 ff.); aber typische gnostische Lehren wie der kosmische Dualismus, die Emanationsserien, Sünde als Unwissen, die verschiedenen Menschenklassen, Passierworte beim Aufstieg der Seele u.a. fehlen[38]. Die in EpJac vorliegende Gnosis ist also noch recht wenig entwickelt und läßt sich nicht mit den großen Systemen der christlichen Gnosis identifizieren, obwohl gewisse Motive auch bei Valentinianern, Ophiten[39] und speziell Karpokratianern[40] vorkommen. Auf judenchristlichen Hintergrund deuten neben der Herausstreichung des Jakobus z.B. auch die Parallele in der Christologie von EvHebr 2. 3 und EpJac 6,20, die Verbindung der Werke mit dem Glauben und der Liebe zu einer Trias (8,12 ff.) und die Anspielung auf die Pellatradition (11,20 ff.). Eine unmittelbare Auseinandersetzung mit dem Judentum fehlt allerdings, auch das Alte Testament wird nicht zitiert, so daß man den Eindruck hat, das eigentliche

---

[37] Andere, weniger wichtige Themen sind Belehrungen u.a. über Propheten (6,28 ff.), das Himmelreich (7,22 ff.) und besonders über soteriologische Fragen (passim).

[38] Van Unnik, Sparsa Collecta III,194 f. Daraus den Schluß zu ziehen, das System der EpJac sei überhaupt nicht gnostisch (ebd.), berücksichtigt aber doch nicht genügend das in ihr vorhandene gnostische Selbstverständnis der Erwählten, die durch die Kenntnis besonderer Offenbarungen gerettet werden; für eine, wenn auch vorsichtig formulierte Einstufung der EpJac als gnostisch treten u.a. ein: Puech, in: NTApo I[4],249; Rudolph, ThR 1969, 173; Schenke, OLZ 1971, 117; Kirchner, Epistula 8; Williams, in: Nag Hamm. Libr., in English 29; ders., in: Attridge (ed.), Nag Hamm. Cod. 20. 22.

[39] Z.B. der Zeitraum zwischen Ostern und Himmelfahrt, der nach EpJac 2,19 f. 550 Tage ausmacht, nach den Valentinianern (Iren Haer I 3,2) ebenso wie nach den Ophiten (Iren Haer I 30,14) 18 Monate – AscJes 9,16 nennt 545 Tage.

[40] Z.B. in Soteriologie (EpJac 8,11 ff. vgl. Iren Haer I 25,5) oder Ethik (EpJac 6,19; 7,13 ff.; vgl. Iren Haer I 25,2); genauer Kirchner, Epistula 109 ff.

Interesse der EpJac liege in der gnostischen Daseinsauffassung und -bewältigung, so sehr auch judenchristliche Traditionen durch die zur Gnosis übergehende EpJac-Gruppe verarbeitet wurden. Jakobus ist von ihr in einer Situation[41] als Heros beibehalten worden, als sie den Schritt zur Gnosis machte; *er legitimiert mit dem ganzen Gewicht, das er nach judenchristlicher Vorstellung hat, diesen Schritt, indem er selbst als der wahre Pneumatiker dargestellt wird.*

3.3.3 Die erste Jakobusapokalypse (NHC V, 3)

In 1 ApJac liegt gegenüber EpJac eine Weiterentwicklung vor; diese betrifft sowohl die gnostische Systembildung im allgemeinen, wie damit zusammenhängend die Entwicklung der Jakobustradition im besonderen. Die 1 ApJac gliedert sich in zwei Dialoge Jesu mit Jakobus, einen kürzeren zu Lebzeiten Jesu (24,10–30,11) und einen längeren nach der Auferstehung (31,2–42,19). Daneben stehen als Verbindungsstück ein Bericht über die Zeit zwischen den beiden Dialogen (30,11–31,1) sowie ein Bericht über abschließende Aktivitäten des Jakobus[42]. Hauptthema ist die Belehrung über den Weg zum Heil, um so die Angst vor dem Tod und der Bedrohung durch die Archonten zu beseitigen; die dabei gemachten kosmologischen Aussagen stehen im Dienst einer soteriologischen Zielsetzung[43].

3.3.3.1 Die rechtliche Stellung des Jakobus

Diese Seite des Jakobusbildes wird kaum thematisiert, auch wenn recht deutliche Vorstellungen zu erschließen sind. Jakobus gehörte *schon zu Lebzeiten Jesu* zu dessen Anhängerschar: der erste Dialog fin-

---

[41] Zeit und Ort lassen sich nur mit Vorbehalten angeben. Die noch wenig entwickelte Gnosis deutet auf eine nicht zu späte Entstehung; nach Köster, Überlieferung 4 ff.; ders., EvTh 1979, 547 ist das Motiv des Sich-Erinnerns (vgl. Apg 20,35; 1 Klem 13,1; 46,7; Polyk 2,3) an die Worte Jesu (EpJac 2,10 f.) ein traditionsgeschichtlich frühes; etwa 150 (so Heldermann in: Wilson [ed.], Nag Hammadi and Gnosis 43; – Puech, in: NT Apo I⁴ 249 denkt ans 2. Jh., van Unnik, Sparsa Collecta III, 197 an die 1. Hälfte des 2. Jh.s, Rudolph, ThR 1969, 175 an die 2. Hälfte des 2. Jh.s, Williams in: Nag Hamm. Libr. in English 29; ders., in: Attridge [ed.], Nag Hamm. Cod. 27 an das 3.Jh.) scheint angemessen. Als Ort ist Ägypten von den genannten Parallelen her (EvHebr, Gnostische Schulen) nicht unglaubwürdig (so z. B. auch Rudolph, ThR 1969, 175; Heldermann, ebd.; Williams, ebd.).

[42] Ob anschließend das Martyrium des Jakobus erzählt wird, ist unsicher (Böhlig–Labib, Apokalypsen 52 mit Fragezeichen); vielleicht ist doch eher der Tod Jesu berichtet worden, da nachher noch von einem Gehen des Jakobus die Rede ist; freilich kann damit auch der Aufstieg des Jakobus in das Lichtreich gemeint sein.

[43] Zur Frage einer möglichen literarischen Entstehung vgl. Kasser, Muséon 1965, 78 ff.; Brown, James 70 ff.

det vor Jesu Tod statt; er ist schon in dieser Zeit *die allein dominierende Figur*, weitere Anhänger Jesu treten weder persönlich auf, noch werden ihre Namen genannt oder ihre Probleme thematisiert (es sind vielmehr allein die des Jakobus – bzw. der sich auf 1 ApJac berufenden Gnostiker) – insbesondere fällt natürlich das völlige Schweigen von Petrus auf. Er spielt eine ebenso große, oder besser: geringe Rolle wie alle anderen auch.

Nach der Auferstehung ist die Situation eine durchaus vergleichbare. Zwar erwarten alle eine Erscheinung (30,16); doch wird einzig Jakobus mit einer ausgezeichnet (31,2), obwohl er zusammen mit Jesu Jüngern den Berg Gaugela bestiegen hatte (30,18 ff.). Bereits am Ende des ersten Dialogs hatte Jesus Jakobus allein eine Offenbarung angekündigt (29,19 ff.), im Unterschied zu dessen Erwartung einer Christophanie vor allen (29,13 ff.). Jakobus ist hier nicht bloß der Empfänger der Protophanie des Auferstandenen (wie bereits EvHebr 7), er scheint auch der einzige geblieben zu sein, da weitere Erscheinungen nicht berichtet werden und im Duktus der Apokalypse auch gar nicht nötig sind – ein Tatbestand, der auch für die 2 ApJac gilt und diese Schriften in diesem Punkt recht weit von den neutestamentlichen Berichten über Christophanien entfernt. Ähnliche Aufgaben wie in der EpJac oder der Grundschrift der PsCl hat Jakobus auch hier: Er „wies die Zwölf zurecht" (42,21 f.); er gehört also nicht zu diesem Kreis, sondern steht ihnen als der vom Auferstandenen Bevollmächtigte gegenüber. Sein Verhalten den Zwölfen gegenüber ist mit „zurechtweisen" recht dunkel formuliert. Möglicherweise ist an die Erteilung bestimmter Aufträge gedacht.

3.3.3.2 Die theologische Funktion des Jakobus

Einige aus der judenchristlichen Tradition stammende Würdebezeichnungen tauchen auch 1 ApJac auf: *Bruder Jesu* und *Gerechter*. Jesus tritt als Herr auf (24,10; 26,6. 16 u. ö.) und wird von Jakobus entweder mit diesem Titel (30,10) oder mit Rabbi (25,10; 26,2. 13 u. ö.) angeredet; die Differenz zwischen dem Offenbarer und dem Offenbarungsmittler wird also deutlich festgehalten; gleichwohl wird Jakobus, judenchristlicher Tradition entsprechend, als Jesu Bruder bezeichnet (24,13. 14), freilich sofort eingeschränkt: nicht als Bruder der ὕλη nach. Da dies der irdische Jesus sagt, wird die Annahme, Jakobus sei als Adoptivbruder verstanden[44], wohl zutreffend sein (ähnlich ist Jakobus in 2 Ap Jac als „Milchbruder" vorausgesetzt: 50,16 ff., gleichwohl ist er hier ein leiblicher Verwandter, Z. 23). Dahinter steht vermutlich die Differenzierung zwischen Jesus und Jakobus bezüglich ihrer physischen Be-

---

[44] Wilson, Gnosis und Neues Testament 125; Böhlig–Labib, Apokalypsen 29 f.

schaffenheit: doketische Aussagen (31,18 ff.) werden nur von ersterem gemacht, so daß vom gnostischen Standpunkt aus eine seinsmäßige Differenz zwischen beiden bestehen bleibt. Das leibliche Bruderverhältnis wird also aufgrund gnostischer Prämissen zu einem pneumatischen spiritualisiert[45]. Alte Tradition liegt auch im Titel δίκαιος vor (32,3; präzisiert 32,6f.: Gerechter Gottes[46]). Beide Male wird in einem Begründungssatz dargelegt, warum Jakobus so bezeichnet wird. 32,3 ff. geht es um das Nüchternwerden in der unmittelbaren Begegnung mit dem Auferstandenen[47] und im Ablassen von dem vorher gesprochenen Gebet. Die Offenheit für die gnostische Offenbarung zeichnet den Gerechten Gottes aus – eine spezifisch gnostische Einbettung dieses Titels. (Eine Begründung ist damit freilich nur im Sinne eines Erkenntnisgrundes gegeben; Jakobus ist als Gerechter besonders für den Offenbarungsempfang geeignet). Auch 32,1 f. erklärt mit der kausalen Einleitung „deswegen" den Titel δίκαιος. Da der Text gegen Ende von p. 31 jedoch nur sehr fragmentarisch überliefert ist, fällt eine Antwort schwer. Von Jakobus war zuletzt 31,13–17 die Rede. Dort trägt ihm Jesus auf, er solle sich weder Sorgen um ihn, Jesus, noch um das Volk machen. Letzteres erinnert an die Hegesipptradition von der Fürbitte des Jakobus für das Volk (Eus HE II 23,6). In diesem Eintreten für das Volk könnte also der Verfasser der 1 ApJac den Grund für den Titel gesehen haben. – Ob auch das 32,1 auftauchende „Knecht" mit Jakobus in Beziehung zu bringen ist[48], ist infolge der Textverderbnis unsicher. Wenn es der Fall ist, wäre damit ein weiterer in der Hegesipptradition bekannter Titel des Jakobus aufgegriffen (Ὠβδίας) und unmittelbar mit δίκαιος verbunden – freilich noch unklarer als dort. Der Titel scheint jedenfalls für den Verfasser der 1 ApJac nicht konventionell zu sein.

Wie jede gnostische Offenbarungsschrift hat auch 1 ApJac den primären Zweck, Wissen zu vermitteln, das Rettung vor den Mächten garantiert, die diese Welt beherrschen. Vermittler dieses Wissens ist Jakobus. Charakteristisch ist im vorliegenden Zusammenhang die starke Bedeutung der Erlösung des Jakobus selbst; das Wissen um sein Martyrium und die Notwendigkeit, beim Aufstieg die Sphären der Archonten durchschreiten zu müssen, erfüllt ihn mit großer Angst, die „zu beseitigen … der tiefste Sinn" der 1 ApJac ist[49], jedenfalls, was die Erzähl-

---

[45] Durchaus andere Prämissen führen im großkirchlichen Bereich zu ähnlichen Problemlösungen.

[46] Ob die Angehörigen der hinter 1 ApJac stehenden Gruppe sich selbst „Gerechte Gottes" nannten, kann man mit Kasser, Muséon 1965, 81, fragen.

[47] Nach Brown, James 99, A 37 möglicherweise ein valentinianischer Zusatz. Der Text ist hier so allgemein gnostisch, daß dies reine Vermutung bleibt.

[48] So Böhlig – Labib, Apokalypsen 42.

[49] Böhlig – Labib, Apokalypsen 58, A 3.

ebene der Apokalypse betrifft (gleichzeitig wird mit dem Mitgeteilten natürlich auch die Angst des Lesers beseitigt)[50]. Ihm wird als erstem zugesagt, durch Abstreifen des blinden Denkens, der Fessel des Fleisches, zum Seienden zu gelangen, ja zu diesem zu werden (27,3ff.). Nicht Versklavtsein von den Archonten, sondern Identifikation mit Gott selbst ist sein Ziel als das eines wahren Gnostikers. Freilich ist Jakobus nicht der Offenbarer selbst. In einem (eventuell schon vorliegenden) Hymnus wird 28,5ff.[51] die Differenz zwischen ihm und Jesus herausgestellt: während dieser unbefleckt blieb und ihm die Erinnerung an die himmlische Heimat nicht entschwand (5ff.), zog Jakobus „alles von ihnen" an (21f.), obwohl „nicht von ihrer Art" (21), und fiel in Vergessen – der gnostische Mythos liegt hier recht deutlich ausgeprägt vor.

Als Offenbarungsmittler bekommt Jakobus eine wichtige, soteriologisch qualifizierte Funktion zugeteilt; er soll die Offenbarung Jesu weitergeben: zunächst den in seiner Umgebung sich befindenden Zwölfen, bei denen als Folge davon Zufriedenheit eintritt (42,23)[52], im weiteren – und eigentlichen Sinn – jedoch den Gnostikern der 1ApJac-Gruppe, vermittelt durch Addai (36,15f.), der sie zehn Jahre später aufschreiben sollte, um sie hernach seinen(?) zwei Söhnen zu übergeben, von denen der Jüngere als der Größere es im Alter von siebzehn Jahren weiter offenbaren sollte (ein umständlicher und geheimnisvoller Auftrag, der das Besondere der Offenbarung hervorheben will). 29,20ff. bringt diese Hauptaufgabe des Jakobus unter Heranziehung des Pistis-Motives zum Ausdruck[53]: Jesus verspricht, nach seiner Auferstehung Jakobus alle Dinge zu offenbaren „nicht allein um deinetwillen, sondern um der Ungläubigkeit der Menschen willen, damit [Glaube] unter ihnen entstehe. Denn eine Menge wird [gelangen] zum Glauben" (21–27 Übers. *Böhlig – Labib*). Andere Mittlergestalten der Offenbarung Jesu gibt es nicht. Glaube und Gnosis sind so ohne Jakobus nicht möglich.

Seine Einzigartigkeit als *Offenbarungsempfänger und -vermittler* wird noch herausgestrichen durch das *Motiv des Leidens* des Jakobus. *Nicht bloß die gemeinsame Aufgabe, sondern auch das gemeinsame Leiden rückt Jesus und Jakobus sehr zusammen* (32,10ff.). Das Leiden ist auch bei Jakobus ursächlich mit seiner Aufgabe verknüpft (32,10ff., bes. 17f.). Ihn stimmt zwar die Voraussage seines Leidens zunächst traurig, aber er nimmt es dann doch bewußt als mit seiner Aufgabe verbunden auf sich.

Schwierig ist eine genaue Einordnung der 1ApJac innerhalb der Gnosis. Zwar finden sich 33,5–36,11 valentinianische Vorstellungen, so

---

[50] Eine zentrale Rolle spielen dabei die mitgeteilten Paßworte (33,2ff.).

[51] Böhlig–Labib, Apokalypsen 30ff.; Brown, James 97.

[52] Weiteres ist an dieser Stelle nicht auszumachen; zwischen 42,24 und 43,14 befindet sich eine Lücke. Z. 24 erscheint der Term γνῶσις.

[53] Πίστις ist hier ein Parallelbegriff zu γνῶσις.

daß auf jeden Fall die Endgestalt einzuordnen ist[54], doch liegt hier sicher eine Überarbeitung vor, da die martyriumsfreundliche Haltung der 1 ApJac nicht zur valentinianischen Ablehnung des Martyriums (Iren Haer IV 33,9; ClAl Strom IV 16,3; Tert Scorp 10 [CCL 2,1087 ff.]) paßt[55]. Parallelen finden sich u.a. auch zu EvThom 114 (1 ApJac 38,16 ff.), zu LibThom 145,5 ff. (1 ApJac 27,3 ff.)[56], oder den Oden Salomos (7; 41 u.ö. vgl. 1 ApJac 28,11 ff.). Von solchen Parallelen und insbesondere vom Traditionsträger Addai aus (36,15 ff., vgl. Eus HE I 13; DoctrAdd) ist wohl an Syrien als Ursprungsort der 1 ApJac zu denken[57]. Hier spielte die judenchristliche Jakobusverehrung eine große Rolle[58], der Verfasser der 1 ApJac war möglicherweise selbst Judenchrist[59], freilich einer, bei dem dieses Erbe nur noch als Material verwendet wird, um ganz anders geartete Ideologien zu legitimieren. Denn primär ist Jakobus in 1 ApJac selbstverständlich ein Gnostiker, ja der *Prototyp des wahren Gnostikers schlechthin; grundlegende Motive, die in der frühen judenchristlichen Tradition eine Rolle spielten, etwa seine Stellung zur Gesetzesobservanz oder bestimmte kultische Motive, spielen jetzt entweder überhaupt keine Rolle mehr oder sind bloß Vehikel und werden dem neuen Kontext entsprechend auch anders motiviert.*

3.3.4 Die zweite Jakobusapokalypse (NHC V, 4)

Ebenso wie EpJac und 1 ApJac ist auch 2 ApJac eine gnostische Offenbarungsschrift, die eine Sonderoffenbarung Jesu an Jakobus zum Inhalt hat. Das Besondere in literarischer Hinsicht ist die mehrfache Verschachtelung der Offenbarungsrede Jesu. Sie ist eingerahmt in einen Erscheinungsbericht, der einen Teil der Jakobusrede bildet, die ihrerseits nur ein Teil eines Berichtes ist, den der Priester Mareim ein paar Tage später dem Vater des Jakobus, Theudas, gibt; er will diesen bewegen, auf den Tempelplatz mitzukommen, um Jakobus, der sich durch

---

[54] Dies entspricht der opinio communis, vgl. nur Wilson, Gnosis und Neues Testament 125; ders., TRE III,340; Böhlig–Labib, Apokalypsen 27; Puech, in: Malinine u.a. (edd.), Epistula XVI; Rudolph, ThR 1969, 158; Schenke, in: Kopt. Studien in der DDR 127; Schoedel, in: Parrott (ed.), Nag Hamm. Cod. 66 f.

[55] Brown, James 99, A 37 sieht in einer Reihe weiterer Passagen valentinianische Überarbeitung. Doch ist im Einzelfall ein Urteil häufig sehr unsicher, da die betreffenden Aussagen zu wenig spezifisch dieser einen Schule zugeordnet werden können.

[56] Hier liegt platonische Tradition vor (Krat 400 C; Phaed 66 B; Phaedr 250 C).

[57] Schoedel, in: Parrott (ed.), Nag Hamm. Cod. 67.

[58] Eine Reihe judenchristlicher Motive bei Böhlig, Mysterion 103 ff.; zur allerdings nur z.T. berechtigten Kritik daran Brown, James 100 ff.

[59] Böhlig, Mysterion 193; das Daseinsverständnis des Verfassers ist jedenfalls primär ein gnostisches.

eine neuerliche Rede in eine gefährliche Situation gebracht hat, zu retten; ein Vorhaben, das freilich durch den Fortgang der Ereignisse überholt wird. Die Apokalypse besteht, wie *Funk* zu Recht gegen die Gliederung *Böhligs*[60] herausarbeitet, aus zwei ursprünglich getrennten Teilen, der eigentlichen Apokalypse und einem angehängten Martyriumsbericht[61]. Letzterer hat enge Parallelen in der judenchristlichen Tradition; sein Informationsgehalt ist im vorliegenden Abschnitt, in dem es um die Darstellung der kirchenrechtlichen und theologischen Position des Jakobus geht, sehr gering, ganz im Gegensatz zu der vorangehenden Apokalypse.

3.3.4.1 Die kirchenrechtliche Position des Jakobus

Die Frage der Stellung des Jakobus zu den Jüngern Jesu bzw. zu Petrus[62] wird in der 2 ApJac nicht thematisiert, auch nicht seine Rolle als (langjähriges) Oberhaupt der Jerusalemer Gemeinde. Letztere wird allerdings vorausgesetzt, und zwar sowohl in der Apokalypse wie im Martyriumsbericht. Beide Male tritt nur Jakobus auf, andere Jünger oder die Jerusalemer Gemeinde werden nicht erwähnt, auch nicht beiläufig. Einzig um die ihm zuteil gewordene Offenbarung bzw. um sein Martyrium geht es. Insofern ist wenigstens das Bewußtsein der bedeutenden Rolle des Jakobus in der Frühzeit der Kirche noch gegeben, wie diese aber ausgesehen hat, scheint dem Verfasser (bzw. den Verfassern) weder bekannt zu sein, noch ihn (bzw. sie) zu interessieren. Um so mehr interessiert die Rolle des Jakobus in theologisch-soteriologischer Hinsicht.

3.3.4.2 Die theologische Position und Aufgabe des Jakobus

Zahlreiche Würdebezeichnungen streichen die Bedeutung des Jakobus heraus. Traditionell ist die Rede von ihm als dem *Gerechten*

---

[60] Böhlig – Labib, Apokalypsen 57.

[61] Funk, Apokalypse 194 f.; ders., in: Nagel (ed.), Studia Coptica, 147 ff.; weiters Brown, James 133 f. (dort auch Kritisches zu der Analyse Kassers, Muséon 1965, 85 ff.); ders., NT 1975, 226 f.; Hedrick, in: Parrott (ed.), Nag Hamm. Cod. 107. Die wesentlichsten Argumente: 1. Die (erste) Rede des Jakobus fand mindestens einen Tag vor dem Besuch Mareims bei Theudas statt (61,7 f.), der wiederum dem Martyrium vorangeht. 2. Titel (Apokalypse des Jakobus, 44,11 f.) und Untertitel (Das ist die Rede … 44,13 ff.) passen nur für den ersten Teil, nicht für den Martyriumsbericht. 3. Letzterer ist im Stil knapper und ohne persönliche Teilnahme erzählt. 4. Nach den präsentischen Formulierungen 45,9 ff. kann das Martyrium nur als noch zukünftiges verstanden werden.

[62] Petrinische Tradition wird zwar vorausgesetzt, so daß das Jakobusbild der 2 ApJac Züge eines Konkurrenzverhältnisses aufweist, doch betrifft dies nur theologische Aspekte.

(44,14). Die Bezeichnung ist trotz aller Konventionalität[63] nicht sinn-
entlehrt, wenn einfach vom Gerechten gesprochen wird (44,18; 59,22;
60,12; 61,14), der trotz dieser seiner Charakteristik keine Richterfunk-
tion ausübt (59,22)[64].

Traditionell ist weiters die Bezeichnung *Bruder*. 50,11f. spricht der
erscheinende Jesus Jakobus zweimal mit „mein Bruder" an, was diesen
erschreckt (50,16) und dessen (ebenfalls anwesende) Mutter zu der Erklärung veranlaßt, Jesus gebrauche diese Anrede deshalb, weil er mit
ein- und derselben Milch gesäugt worden sei (und entsprechend rufe
auch Jesus sie „meine Mutter"). Ebenso wie in 1 ApJac wird die Vorstellung einer leiblichen Bruderschaft abgelehnt: nach 50,23 werden Jesus
und Jakobus wohl als Cousins vorgestellt[65]. Das Bruderverhältnis wird
wie in 1 ApJac durch das Motiv der gnostischen Verwandtschaft überla-
gert. Jesu (himmlischer) Vater wurde auch dem Jakobus zum Vater
(51,21f.). Jakobus ist, was viel mehr als leibliche Bruderschaft zählt,
Jesu pneumatischer Bruder, wobei in dieses Bruderverhältnis auch alle
Gnostiker eingeschlossen werden: nach 51,4f. kam Jesus zu einer großen Menge von Brüdern; zwar ist „Bruder" an dieser Stelle wegen
Textverderbnis konjiziert, doch 46,22 und 48,22f. spricht Jesus ebenfalls von sich als Bruder – man kann sinngemäß nur ergänzen – der
Pneumatiker, die seine Stimme hören und verstehen.

Eine dritte Ehrenbezeichnung des Jakobus liegt vor, wenn Jesus ihn
mit „*mein Geliebter*" anredet (56,16; 57,5). Dies ist keine inhaltlich
konventionelle Anrede; Jakobus ist der Geliebte als der, der gewürdigt

---

[63] Konventionell ist dieser Term deshalb, da er 1. gehäuft und 2. ohne jede nähere Begründung verwendet wird.

[64] Brown, James 165 postuliert aufgrund von 60,12ff. einen unmittelbaren Zusammenhang zwischen dem Beinamen „der Gerechte" und der Zerstörung des Tempels. Dies
läßt sich in dieser Form jedoch nicht halten; nicht die fehlende Anerkennung des Ge-
rechtseins des Jakobus führte zur Katastrophe, sondern die verweigerte Zustimmung zu
seiner Verkündigung. Auch der Konnex zwischen dem Tod des Jakobus und der Zerstörung Jerusalems (Heg bei Eus HE II 23,18) fehlt. Man könnte bestenfalls einen mittelba-
ren Zusammenhang herstellen, da alle diese Traditionen in 2 ApJac vorhanden sind. Ein
ähnlicher Kausalkonnex wie bei Heg fehlt jedoch.

[65] So Funk, Apokalypse 121. Wie Funk richtig betont, liegt die in großkirchlichen
Kreisen (genauer unten) verbreitete Vorstellung, Jakobus sei ein Sohn Josefs aus 1. Ehe,
also ein Halbbruder Jesu, in 2 ApJac nicht vor (u. a., weil hier gerade die Mutter des Jakobus, nicht die Jesu, auftritt). Kemler, Jakobus 49 bestreitet zu Unrecht auch für 2 ApJac
die leibliche Verwandtschaft überhaupt (vgl. NHC V, 50,23: „er ist der Bruder⟨sohn(?)⟩
dei[nes] Vaters", Übers. Funk 23). Daß 2 ApJac, was die Frage der Art der Verwandtschaft betrifft, „is closer to the Helvidian view, rather than that of Epiphanius or Jerome"
(Ward, RestQ 1973, 187), ist insofern richtig, als die Position des Epiphanius (Jakobus als
Sohn Josefs aus erster Ehe) keine leibliche Verwandtschaft, die des Hieronymus (Jakobus
als Sohn des Bruders Josefs) keine gemeinsame Erziehung voraussetzt (davon unten
3.4.3). Die Position der 2 ApJac ist also nur unwesentlich näher zu der des Helvidius als
die des Epiphanius oder Hieronymus.

wird, die volle Offenbarung zu empfangen, wie im Zusammenhang beider Stellen betont wird. Hier könnte „eine Art Lieblingsjüngerkonzeption"[66] vorliegen; Jesus küßt Jakobus auf den Mund und umarmt ihn (56,14 f.) und fordert ihn ebenfalls zur Umarmung auf (57,11). *Aus dem unbekannten Lieblingsjünger des Johannesevangeliums wäre dann der bekannte Lieblingsjünger einer bestimmten gnostischen Gruppe geworden.* Eine direkte Beeinflussung durch Johannes ist zwar dadurch noch nicht wahrscheinlich gemacht, immerhin weisen auch ein paar andere Umstände auf eine wenigstens motivliche Verwandtschaft: die Aufforderung, Jesus zu umarmen, wird von Jakobus mißverstanden; nicht physische Umarmung ist gemeint, sondern pneumatische (57,13 ff.); ähnliches liegt bei den sog. joh. Mißverständnissen vor. Zudem finden sich in Sprache und Stil gewisse Übereinstimmungen (vgl. den Hinweis auf die Stunde, die jetzt da ist: 63,24 f.; Joh 17,1). In ein besonderes Nahverhältnis zu Jesus ist Jakobus insofern gerückt, als alle diese drei Würdebezeichnungen, Gerechter, Bruder und Geliebter, von Jesus selbst gebraucht werden (48,22; 49,8 f.)[67].

Von besonderer Bedeutung sind die Aussagen, die Jakobus' Wirken in soteriologischen Kategorien beschreiben[68]. Zunächst sind einige weitere Würdebezeichnungen zu nennen: *Erlöser* (55,15. 18: *rĕfsōtĕ* von *sōtĕ* = erlösen; griechisches Äquivalent λυτρωτής), *Helfer* (55,16; 59,24: griechisches Fremdwort: βοηθός) und *Erleuchter* (55,17: *rĕftōōtĕ* von *tōōtĕ* = erleuchten, griechisches Äquivalent: φωστήρ). Alle drei Termini könnten durchaus auch auf Jesus angewandt werden. Das Wirken des Jakobus wird in ihnen also außerordentlich stark herausgestrichen; in den bisher behandelten Texten fehlen ähnlich betonte Aussagen. Zwar wird der charakteristische Term für den gnostischen Erlöser, σωτήρ, nicht verwendet (ein Gespür für das bei aller Hyperbolik der Ausdrucksweise von Jakobus legitim nicht Aussagbare ist vorhanden), aber die verwendeten Titel sind doch Grenzaussagen, die die soteriologische Funktion des Jakobus so sehr betonen, daß nur noch eine geringe (wenn auch bewußt gebliebene) Trennwand zur Funktionsbe-

---

[66] Funk, Apokalypse 151 f.; Kuß auf den Mund als Ausdruck eines besonderen Nahverhältnisses zum Soter Jesus auch EvPhil 55 (NHC II, 64,34 ff.).

[67] Unter der Voraussetzung, daß NHC V,48 tatsächlich Jesusrede vorliegt.

[68] „Soteriologisch" meint hier (wie auch sonst in der vorliegenden Arbeit) natürlich nicht eine unmittelbar heilschaffende Tätigkeit, wie sie von Jesus (oder in der Gnosis von anderen Heilsbringern) ausgesagt wird; wohl aber bekommt Jakobus in dem Prozeß, in dem sich die Zueignung des Heils vollzieht, eine eminent wichtige Position. Soteriologisch meint also „das Heil betreffend". – Der Abschnitt 48 f. wird für die Darstellung des Jakobusbildes nicht verwendet, da hier möglicherweise eine Jesusrede vorliegt (so Schenke, in: Probleme der koptischen Literatur, 112; Funk, Apokalypse 108; anders Böhlig – Labib, Apokalypsen 68; nach Brown, James 141 wurden ursprünglich christologische Aussagen sekundär auf Jakobus übertragen).

schreibung Jesu selbst bestehen bleibt; insbesondere beim ersten der
drei Termini ist dies der Fall. λυτρωτής wird in Ps 18,15; 77,35 LXX
von Gott selbst ausgesagt, Apg 7,35 von Mose Tätigkeit bei der Her-
ausführung aus Ägypten; auch wenn letztere Stelle nicht unmittelbar
als Vorbild für 2 ApJac angesehen werden muß, scheint doch eine ähnliche Vorstellung zugrunde zu liegen: der mit höchster Vollmacht ausge-
rüstete Mann Gottes befreit die Seinen aus Knechtschaft. So wie dort
Moses wird auch hier Jakobus nicht grundsätzlich über das von einem
Menschen Aussagbare hinausgehoben; Jakobus ist kein vom Himmel
kommender, sondern nur der auf der Erde autorisierte Erlöser, gleichsam *ein Erlöser abgeleiteten, sekundären Charakters* [69]. Zwar entstammt er
dem Himmel und wird das himmlische Kleid wieder anziehen („du
wirst werden, wie du warst", 56,11 f.), aber er gehört doch zu denen, deren Selbst vom Demiurgen in irdische Leiber gebannt wurde und die
erst den Offenbarungsruf des Erlösers hören müssen [70]; freilich, er erhält ein Wissen, das alle Archonten einschließlich des Demiurgen nicht
haben (56,17 ff.). Es dient zum einen für seine eigene Erlösung
(57,6 ff.), zum anderen zur Weitergabe an die zu rettenden Gnostiker;
da auch diese (von sich aus) das erlösende Wissen nicht haben, ist es
nötig, daß sie „zur Erkenntnis kommen durch dich (sc. Jakobus)"
(51,13, Übers. *Funk*). Jakobus soll ihnen die Offenbarung bringen und
so Gutes wirken unter ihnen allen (55,20 ff.) [71]. Durch ihn wird ihnen
die gute Tür geöffnet. Er ist nicht selbst die Tür zum Heil (wie der joh.
Christus, Joh 10,9; vgl. Heg bei Eus HE II 23,8. 12), wohl aber der, der
diese Tür öffnet – ob symbolisch durch Vermittlung der Gnosis oder
konkret durch Öffnen bzw. Offenhalten der Tür beim Aufstieg durch
die Archontensphären [72], ist nicht mit Sicherheit entscheidbar [73]. *Wie*

---

[69] Nach Funk, Apokalypse 147, A5 ist Jakobus „ein Musterbeispiel" für „den Typus
des Sekundärerlösers, der Erlöserfunktion und eigene Erlösungsbedürftigkeit in seiner
Person vereint", zu vergleichen mit Gestalten wie Poimandres oder dem Sprecher in Od-
Sal 17.

[70] Das gilt selbstverständlich für alle Gnostiker, wie 54,10 ff. ausführt: Der Demiurg
nahm die vom Vater Stammenden gefangen und machte sie in Gestalt sich gleich. Jesus
erkannte ihre Art wieder, als er von der Höhe aus Ausschau hielt, und bringt ihnen nun
durch Jakobus das erlösende Wissen.

[71] Die entsprechende Aussage im Martyriumsbericht, die das Wirken des Jakobus charakterisiert und als Motivation für das Martyrium dient, ist die öffentliche Verkündi-
gungstätigkeit (63,22).

[72] So Funk, Apokalypse 144; Hedrick, in: Parrott (ed.), Nag Hamm. Cod. 108.

[73] Eine gewisse Parallele liegt in der Betonung der Schlüsselgewalt des Petrus
(Mt 16,19) bzw. aller Jünger (Mt 18,18) vor (vgl. Hedrick, in: Parrott [ed.], Nag Hamm.
Cod. 108). Während aber hier eschatologisches Recht geltend gemacht wird, geht es 1 Ap
Jac nur um soteriologisches Handeln. Rivalität zu petrinischen Traditionen (Hedrick,
ebd.) liegt implizit sicher vor; Rivalität zu anderen Konzeptionen ist aber prinzipiell und
stets dort gegeben, wo eine Person ganz in den Mittelpunkt gerückt wird.

EvThom 12 ad maiorem Iacobi gloriam protologische Aussagen gemacht werden, so hier eschatologische: Innerhalb der Jakobusakklamation 55,15–56,12 wird gesagt: um Jakobus willen werden die Gnostiker belehrt, gelangen sie zur Ruhe, zur Herrschaft, werden sie Könige[74], um seinetwillen wird ihnen das göttliche Erbarmen zuteil (56,2ff.). Weil es Jakobus gibt als den, der er ist, der so handelt, wie er handelt, geschieht all das. Der Gedanke des Verdienstes bestimmter Menschen, das anderen zugute kommt, scheint hier ebenso zugrunde zu liegen wie in EvThom 12 und den frühjüdischen Parallelen dieses Logions – ein traditionelles Motiv also, das das konkrete Verhalten des Jakobus nicht näher erläutert, sondern nur in seinen soteriologischen Konklusionen herausstellt[75]. Entsprechend wird Jakobus, dem auch besondere Krafttaten zuzuschreiben sind (55,22f.), von den Himmeln seliggepriesen (55,24f.) und – als Gegensatz dazu – vom Demiurgen eifersüchtig betrachtet (55,25ff.), was in seinem Martyrium den gewaltsamen Höhepunkt findet (52,19ff.)[76].

Historischen Wert haben diese Aussagen nicht. Zwar liegt auch 2Ap Jac eine Erinnerung der bedeutenden Stellung des Jakobus innerhalb der frühen Kirche zugrunde; es weist auf judenchristliche Tradenten, daß gerade er als Heros aufscheint, die Art, in der er gezeichnet ist, ist aber eindeutig die eines Gnostikers. Sein Daseinsverständnis ist ein gnostisches, selbst wenn der Verfasser judenchristlicher Herkunft war: Es besteht ein Dualismus von höchstem Gott und Demiurgen (56,20ff.); Rettung vollzieht sich durch Offenbarung einer dem Demiurgen nicht zugänglichen Gnosis (56,16ff.); die Christologie ist eine doketische (49,18ff.)[77]. Diese Kennzeichen sind freilich zu allgemein, um eine exakte Zuordnung zu einer bekannten gnostischen Schule zuzulassen[78]. Auch Zeit und Ort der Entstehung sind unsicher; von der vorzugsweisen Verbreitung der Jakobustradition aus wird man an Syrien denken können; als Zeit scheint wegen der insgesamt recht zurückhaltenden, auf weitgehende mythologische Spekulationen verzichtenden Form von Gnosis die Mitte des 2. Jh.s einigermaßen plausibel[79]. Deutlich ist jedoch wieder die *antijüdische Akzentuierung des Jakobusbil-*

---

[74] Vgl. die Parallelen EvThom 2; EvHebr 4 a.b.

[75] Das „Verdienst" des Jakobus ist sicherlich nicht nur seine Tätigkeit als Offenbarungsmittler, denn dann wäre statt „um deinetwillen" ein „durch dich" zu erwarten.

[76] Auch hinter dem Tod Jesu stehen (wie EpJac 5,10ff.) die niederen Mächte.

[77] Genauerhin eine gemäßigt doketische: die Identität von Gekreuzigtem und Auferstandenem wird aufrechterhalten.

[78] Böhlig–Labib, Apokalypsen 28; Schenke, in: Kopt. Studien in der DDR 127; Rudolph, ThR 1969, 160; Brown, NT 1975, 231; Funk, Apokalypse 3 f.; Hedrick, in: Parrott (ed.), Nag Hamm. Cod. 108; ders. in: Nag Hamm. Libr. in English 249.

[79] Funk, Apokalypse 209 denkt an 100–150.

des, wie nicht nur die gegen den Tempel gerichtete Weissagung
(60,14 ff.) zeigt, sondern vor allem die Identifikation des alttestamentlichen Schöpfergottes mit dem Demiurgen (56,20 ff.).

3.3.5 Das Ägypterevangelium von Nag Hammadi (NHC III, 2 und IV, 2)

Im Ägypterevangelium von Nag Hammadi taucht der Name des Jakobus einmal auf, allerdings nur in einer der beiden Versionen. III,
64,12 ff. ist Jakobus mit dem Beinamen „der Große" zusammen mit
Theopemptos und Isabel ein himmlischer στρατηγός. In der Parallel-
version ist vom „großen Jakob" die Rede (IV, 75,28). Zunächst meinte
man, der Herrenbruder Jakobus sei damit gemeint[80]. *Böhlig*[81] zeigte jedoch, daß es sich ursprünglich um den Patriarchen Jakob handelte: zum
einen sei die Bezeichnung „der große Jakobus" auffällig (eher wäre „Jakobus der Gerechte" zu erwarten); zum anderen habe Codex IV im allgemeinen eine treuere Übersetzung[82]; insbesondere jedoch sei die Vorstellung Jakobs als Heerführer in jüdischen und manichäischen Texten
bezeugt, teilweise sogar im selben Sinn wie IV, 75,28 als himmlischer
Stratege. Er tritt Jub 37,1 ff.; 38,1 ff.; 4 Esr 6,7 ff. als Kämpfer gegen
Esau auf, wird Philon All 3,88 ἄρχων, ἡγεμών und δεσπότης genannt
und im Gebet Josefs Orig Komm Joh 2,190 (GCS Orig IV,88) in den
Himmel versetzt als ἀρχάγγελος und ἀρχιχιλίαρχος. Als Engelkom-
mandant erscheint er auch in M 4 b und M 43 der Manichäischen Texte
von Turfan[83]. Hier liegen also durchaus parallele Aussagen zur Charakterisierung des Patriarchen Jakob im EvÄg vor, während über den Herrenbruder Jakobus nichts derartiges belegt ist.

Im vorliegenden Zusammenhang ist EvÄg III, 64,12 f. also nur durch
die Nennung eines Ἰάκωβος interessant, auch wenn diese nach unkor-
rekter Wiedergabe der Vorlage zustandekam. Ob unabsichtlich oder
bewußt geändert wurde, läßt sich nicht sagen; nur im letzteren Fall läge
ein Beleg für eine „Jakobustradition" vor[84], freilich in einer Aussage,
die, trotz aller Hochschätzung des Jakobus in bestimmten gnostischen
Kreisen, recht deutlich den Rahmen des sonst Bekannten übersteigt;
gleichsam eine „Tradition ohne Hintergrund". Möglicherweise hatte
der Übersetzer oder ein späterer Abschreiber auch keine rechte Kennt-

---

[80] Doresse, Livres Secrets II,140; ders., JA 1968, 350, A 140; Böhlig – Wisse, Gospel
194; Wilson, in: Livingstone (ed.), Studia Patristica XIV,3, 248; Funk, Apokalypse 144.

[81] Böhlig, in: Wilson (ed.), Nag Hammadi and Gnosis 122 ff.

[82] So auch Böhlig – Wisse, Gospel 12; Wilson, FS Jonas (1978) 443 f.

[83] Müller, Handschriftenreste 55 ff., 78 f.

[84] Daß der Herrenbruder Jakobus gemeint ist, dürfte von dessen Rolle in gnostischen
Kreisen her deutlich sein.

nis der biblischen Schriften, so daß er Ἰακώβ und Ἰάκωβος identifizierte. Deren Funktion läßt sich aus dem Zusammenhang wenigstens andeutungsweise erkennen: deutet der Term στρατηγός auf einen militärischen Befehlshaber, so dürfte der Kontext diese Funktion im Sinne eines heilbringenden Tuns näher bestimmen. Damit ergibt sich eine entfernte sachliche Beziehung zur oben behandelten Jakobustradition, auch wenn EvÄg mit seinen hochmythologischen Interessen und seiner barbelognostisch-sethianischen Herkunft[85] von diesen Schriften weit entfernt ist. Hier liegt die absolute Spitzenaussage über Jakobus vor; ein unmittelbares Interesse an ihm scheint aber dennoch nicht dahinter zu stehen. Die Sache trägt zu sehr den Charakter der Zufälligkeit, was die Entstehung und Eigenwilligkeit, was den Inhalt betrifft.

3.3.6 Die Naassener

Ähnlich zufällig wie die „Jakobustradition" des EvÄg entstanden ist, scheint sie auch von den Naassenern benützt worden zu sein. Hipp Ref V 7,1; X 9,3 berichtet, die Naassener hätten ihre Anschauungen durch Vermittlung der Mariamme vom Herrenbruder Jakobus erhalten (was Hippolyt freilich beide Male als Verleumdung bezeichnet). Nun fällt es tatsächlich schwer, einen Bezug zwischen den naassenischen Anschauungen und einzelnen Vorstellungen der Jakobustradition herzustellen. Keines der von Hippolyt erwähnten naassenischen Ideologumena (Schlangensymbolik, Anthroposmythos, Unterscheidung von dreierlei Wesen im All bzw. von drei Kirchen, Integration von Gedankengut insbesondere aus den Mysterien)[86] spielt in der quellenmäßig belegten Jakobustradition eine Rolle; ein mögliches Verständnis des Jakobus als Offenbarungsträger durch die Naassener genügt noch nicht, einen Konnex zu der sonstigen gnostischen Jakobusliteratur herzustellen; auch hat sich bei keiner der oben behandelten, unter dem Namen des Jakobus umlaufenden Schriften eine naassenische Herkunft erkennen lassen. Entsprechend finden sich bei den Naassenern auch keine spezifischen Aussagen der judenchristlichen Jakobustradition, wie Bezug zum Gesetz oder zum Kult, zu judenchristlichen christologischen Besonderheiten oder Aussagen, die in irgendeiner Weise die Stellung des Jakobus in der frühen Kirche bzw. zur eigenen Tradition reflektieren. Ein unmittelbarer Bezug der Naassener zur Jakobustradition liegt also

---

[85] Böhlig, Ägypterevangelium 13 ff.; Wilson, in: Livingstone (ed.), Studia Patristica XIV, 3, 243 ff.
[86] Zur naassenischen Ideologie vgl.: Foerster, in: Bianchi (ed.), Studia 21 ff.; Drynjeff, Studier.

nicht vor. Dann fragt sich aber, wieso sie Jakobus als ihren geistigen Ahnherrn bezeichnen konnten. *Das missing link könnte das Thomasevangelium sein*; die Verwandtschaft bestimmter Motive im EvThom und bei den Naassenern ist schon früh beobachtet worden[87], z. B. die besondere Nuancierung der Rede von dem im Menschen liegenden Himmelreich (EvThom 3; Hipp Ref V 7,20); das Essen von Totem, das lebendig wird (EvThom 11; Hipp Ref V 8,32); die Rede von den drei wichtigen Worten (EvThom 13; Hipp Ref V 8,4); die Ablehnung sexueller Differenzierung (EvThom 22; Hipp Ref V 7,15); die Verbindung von Bewegung und Ruhe in soteriologischer Hinsicht (EvThom 50; Hipp Ref V 8,22). Auch wenn das EvThom nicht als naassenische Schrift betrachtet werden kann[88], so ist doch die Annahme einer Benutzung (und eventuell sogar Bearbeitung) nicht von der Hand zu weisen. Wenn das tatsächlich der Fall ist, ist es als Folge davon gut denkbar, daß die Naassener bzw. eine Gruppe von ihnen von EvThom 12 aus Jakobus zu ihrem Heros gemacht haben. *Die Beziehung zu ihrem „Ahnherrn"* kann aber nach dem vorhin Gesagten *kaum mehr als eine äußerliche* und künstliche gewesen sein.

3.3.7 Die Manichäer

Bezeugt ist schließlich die Jakobustradition, soweit es den Bereich der Gnosis betrifft, auch in der manichäischen Literatur: koptisch manichäisches Psalmenbuch 142,25 f.; (192,8 f.); 194,14[89]. Die erste der genannten Stellen befindet sich in einer Sammlung mit dem Titel „Psalmen der Wanderer"[90]. Im Makrokontext geht es um die Qualifizierung des Daseins in dieser Welt als Zeit des (notwendigen) Leidens, aus dem die Geduld hervorgeht, was exemplarisch gezeigt wird an einer Reihe von Gestalten, angefangen vom Urmenschen bis hin zu den Schülern Manis (141,4 ff.). Innerhalb der Zeugenreihe christlicher Apostel (142,17 ff.) wird neben Petrus, Andreas, den Zebedaiden, Johannes, Thomas und Paulus auch ein Jakobus genannt. Seine Kennzeichnung „he was stoned and killed. They all threw their stone at him that he

---

[87] Schoedel, VC 1960, 225 ff.; Cornelis, VC 1961, 83 ff.

[88] Schoedel, VC 1960, 233 versteht EvThom als „Naassene document, i. e. that it was either composed or thoroughly redacted by members of this sect". Nur die letztere Möglichkeit ist akzeptabel.

[89] Zitiert nach Allberry, Psalm-Book (Seite und Zeile dieser Edition). Die genannten Stellen gehören nicht zu den durchnumerierten Psalmen, sondern zu eigenen, angefügten Sammlungen, sind also nicht Bestandteil des „Gesangsbuch(es)" der ägyptischen Manichäer" (Adam, Psalmen des Thomas 29).

[90] Dazu Nagel, OLZ 1967, 123 ff.

might die beneath the storm" (*Allberry* 142,25 f.) weist eindeutig auf den Herrenbruder. *Jakobus* gehört hier in die ausgezeichnete Reihe derer, die prototypisch das Leben des auf seine Erlösung zugehenden Menschen leben; er *ist ein wahrer Manichäer.* Ob man ihn „irrtümlich unter die Apostel geraten"[91] sein läßt, ist allerdings fraglich. Zwar liegt eindeutig Jakobustradition vor, doch dürfte der Verfasser den Herrenbruder nicht streng vom Zebedaiden Jakobus getrennt, sondern eher mit ihm identifiziert haben, worauf der Kontext hinweisen könnte: nach den Zebedaiden (142,22) werden Johannes (142,23) und Jakobus (142,25) nochmals genannt. Darauf weist auch die Übertragung der Jakobustradition auf den Zebedaiden in einem Psalm aus einer der Sammlungen, die dem Manischüler Herakleides zugeschrieben wurden (191,18–193,12); dort ist vom Zebedaiden in ähnlicher Formulierung wie 142,25 f. ausgesagt: „he died beneath the storm of stone" (192,9). Es wäre also durchaus möglich, daß der Verfasser von 142,25 f. den Zebedaiden Jakobus meint, doch in Unkenntnis der wirklichen Verhältnisse die ihm bekannte Tradition von der Steinigung des (Herrenbruders) Jakobus auf ihn überträgt. Eine wirklich lebendige Jakobustradition liegt also nicht mehr vor, sondern nur ein vages Wissen von der Todesart des Herrenbruders, der aber als solcher kein eigenes Profil mehr hat.

Das gleiche gilt auch für den, derselben Sammlung von Herakleidespsalmen zugehörigen Psalm 193,13 ff.; in einem schönen hymnischen Lobpreis auf das Tun und Leiden des Gottessohnes (= Jesus Christus) und die Wirkung seiner Botschaft auf seine Leidensnachfolger wird im Rahmen einer Jüngerliste von „The other James ..., the true brother of the Lord" gesprochen (194,14). Der Herrenbruder wird hier nicht mit dem Zebedaiden Jakobus identifiziert (dieser ist vielmehr Z. 10 genannt), sondern mit Iacobus Alphaei, wie aus der Stellung zwischen Thomas (Z. 13) und Simon, dem Kananäer (Z. 15) hervorgeht. (An derselben Stelle der Apostelliste 192,5 ff. ist Z. 17 von Alphäus [!] die Rede.) Neben dem *Martyrium* des Jakobus ist hier seine *Herrenbruderschaft* im Gedächtnis der Tradenten haften geblieben. *Jakobustradition im Sinne der Heraushebung des Jakobus liegt freilich nicht mehr vor* (und ist im Rahmen der manichäischen Tradition auch nicht zu erwarten). So liegt in diesen wohl in den ersten Jahrzehnten des 4. Jh.s entstandenen Psalmen[92] ein letzter Nachklang der Jakobustradition vor; einzelne ihrer Motive sind in einer Umgebung weitergegeben worden,

---

[91] Nagel, ebd. 129.
[92] Nach Allberry, Psalm-Book XX, ist das Psalmenbuch in der endgültigen Form ca. 340 entstanden. Originalsprache ist Syrisch (ebd. XIX).

in der der in ihnen gegebene und mit ihnen verbundene Gesamtanspruch der früheren Tradentenkreise seine Geltung längst verloren hatte.

3.3.8 Zusammenfassung

Das gnostische Jakobusbild ist die Um- und Neudeutung der judenchristlichen Jakobustradition aufgrund des gnostischen Selbst- und Weltverständnisses. Wesentliche Aspekte des bisherigen Jakobusbildes fallen dabei weg, andere, für die neue Situation wesentliche, kommen dazu. Diese Umgestaltung kann teilweise innerhalb einzelner Schriften beobachtet werden.

Zunächst zum kirchenrechtlich-organisatorischen Bereich: Ev Thom 12 liegt eine mit EvHebr verwandte, aber wohl unabhängige und im einzelnen verschieden weit entwickelte Ausprägung der gleichen Tradition vor. Jakobus ist zwar kein Jünger Jesu, dominiert aber als vicarius Christi (ähnlich wie in der AJ II-Quelle der PsCl) von Anfang an. Implizit ist er antipetrinisch ausgerichtet, entsprechend einem Geschichtsbild, das dem der werdenden Großkirche entgegengesetzt ist. Im jetzigen Kontext des EvThom ist Jakobus zwar noch eine bedeutende, aber nicht mehr die entscheidende Gestalt. – In der von der Ep Jac benutzten Tradition stehen Jakobus und Petrus gleichberechtigt nebeneinander; die Jakobustradition dürfte dabei sekundär zur petrinischen hinzugekommen sein, wobei letztere (noch) nicht verdrängt wurde. Dies ist aber der Fall in der Endgestalt der EpJac, in der Jakobus zwar einer der Jünger ist, die ihm aber alle unterstellt sind und über die er Weisungsbefugnis hat, ebenso wie er auch für die Weitergabe der EpJac Bedingungen nennt (beide Motive finden sich auch in den PsCl). Dasselbe gilt im wesentlichen auch für die beiden Jakobusapokalypsen. Jakobus ist Anhänger Jesu schon zu dessen Lebzeiten, alle anderen Jünger treten völlig hinter ihn zurück und sind ihm unterstellt.

Wesentlich mehr Gewicht haben die Aussagen, die Jakobus in theologischer Hinsicht charakterisieren: dabei geht es nicht so sehr um seine eigene theologische Position, sondern um die theologische Wertung seiner Person und seines Auftretens selbst. Dies zeigt sich schon sehr deutlich in der EvThom 12 vorliegenden Tradition. Es wird hier nicht die theologische Position des Jakobus thematisiert, wohl aber wird über ihn eine Aussage gemacht, die ihn in eine Linie mit den Heroen Israels stellt und ihn als einen zeigt, der wahrhaft toragemäß lebt. Im jetzigen Kontext des EvThom ist Jakobus zu einer de facto antijüdischen Figur geworden. Die entscheidende theologische Qualifizierung des Jakobus in gnostischen Texten ist aber die eines Offenbarungsmittlers (EpJac; 1 ApJac; 2 ApJac; Naassener), teils zusammen mit Petrus (in der Vorlage der EpJac), gewöhnlich aber allein. Jakobus wird jeweils zum Prototyp des Gnostikers, der durch sein Tun nicht bloß das zum Heil nötige Wissen weitergibt, sondern auch Identifikationsfigur in Zeiten der Verfolgung ist (EpJac; 1 ApJac). Trotz Aufnahme judenchristlicher Tradition erfolgt jedoch keine Auseinandersetzung mit dem Judentum mehr und ist das Interesse an seiner Person ganz auf seine Funktion im Rahmen der gnostischen Daseinsbewältigung konzentriert. Mitunter werden traditionelle Ehrenbezeichnungen weitergegeben (Bruder Jesu, Gerechter: 1 ApJac; 2 ApJac) oder neue gebildet (Geliebter, Erlöser, Helfer, Erleuchter: 2 ApJac). Das Verwandtschaftsverhältnis zu Jesus (1 ApJac: Adoptivbruder; 2 ApJac: Cousin) wird gnostisch überhöht im Sinne pneumatischer Verwandtschaft. Die Grenze zu Jesus wird aber trotz aller Hochschätzung als Erlöser, Helfer oder Erleuchter, der die Tür zum Heil aufmacht (2 ApJac), nicht verwischt: er ist kein Soter, auch wenn über ihn sowohl im Rahmen der Protologie (EvThom 12) wie im Rahmen der Eschatologie (2 ApJac) qualifizierende Aussagen gemacht werden können.

Gewissermaßen neben diesem klassischen gnostischen Verständnis des Jakobus wird er in einer der beiden Fassungen des EvÄg von Nag Hammadi als himmlischer Befehlshaber bezeichnet. Gemeint ist ursprünglich der Patriarch Jakob, wohl durch mangelndes Wissen kommt der Herrenbruder hier zu Ehren, die ihm bei aller Hochschätzung in bestimmten gnostischen Kreisen sonst doch nicht zugebilligt wurden. Mangelndes Wissen verhalf der Jakobustradition schließlich auch im koptisch-gnostischen Psalmenbuch zur schriftlichen Bezeugung. Teils wird Jakobus mit dem Zebedaiden identifiziert, teils mit Jakobus, dem Sohn des Alphäus, teils wird die Todesart des Herrenbruders auf den Zebedaiden übertragen. Martyrium und Herrenbruderschaft sind so stark im Gedächtnis haften geblieben, daß sie selbst bei einer gnostischen Gruppe bekannt waren, die sonst kein sehr exaktes Wissen von den Anfängen des frühen Christentums mehr hatte.

Hervorzuheben bleibt schließlich noch, daß *bei keiner dieser im einzelnen so verschiedenen gnostischen Gruppen Jakobus eine antipaulinische Einstellung hat* – ein Zeichen dafür, daß die genuin judenchristliche Tradition, wie sie in den Pseudoklementinen (inklusive ihrer gnostisierenden Quelle KΠ) erkennbar ist, nicht das entscheidende Moment für die Ideologiebildung dieser gnostischen Gruppen war. Dem entspricht auch das durchgängige Fehlen eines Bezuges zur Toraobservanz. Von den gnostischen Voraussetzungen aus mußte dieser, der judenchristlichen Tradition so wichtige Aspekt, fallen gelassen werden. Der Jakobus der Gnosis ist gegenüber dem des nomistischen Judenchristentums ein durchaus anderer geworden.

3.4 Das großkirchliche Jakobusbild

Jakobus spielte in der Geschichte des Urchristentums eine bedeutende Rolle. Das Wissen darüber schlug sich schon im Neuen Testament in einer Reihe von Stellen nieder. Es ist daher von vornherein zu erwarten, daß der Herrenbruder auch für die sich herausbildende Großkirche interessant sein mußte. Neben den neutestamentlichen Berichten lagen ihr aber auch judenchristliche Traditionen vor, die sie aufgriff, ebenso wie dies im gnostischen Bereich der Fall war. In der Art, wie dies geschah, zeigt sich nicht nur die verschiedene theologische Position der Rezipientenkreise, sondern auch deren Bild von der Frühzeit der Kirche. Judenchristen, Gnostiker und Vertreter der Orthodoxie berufen sich jeweils auf diese Frühzeit und zeichnen ihr Bild von ihr; keines dieser Bilder hat ohne weiteres Anspruch auf Richtigkeit; jedes ist geprägt von der jeweiligen Gruppe; und alle stehen in gewisser Weise in einem Konkurrenzverhältnis, da sie sich nebeneinander entwickelten (wenn auch mit einer gewissen zeitlichen Verschiebung, da frühe judenchristliche Traditionen sowohl im Gnostizismus wie in der Großkirche Verwendung fanden). Die konkrete Ausgestaltung des Jakobusbildes der Großkirche soll im folgenden dargestellt werden.

3.4.1 Die kirchenrechtliche Position des Jakobus

Die Jakobustradition entstand weder in großkirchlich orientierten Kreisen, noch wurde sie zunächst in ihnen tradiert. Bei den Apostolischen Vätern und den Apologeten fehlt sie völlig; erst ab der Mitte des 2. Jh.s taucht sie im Protev Jac, bei Clemens von Alexandrien und indirekt bei Tertullian[1] auf. Ein kirchenrechtlich interessanter Beleg findet sich für diese (relativ) frühe Zeit (außer Iren Haer III 12,15 [SCh 211, 248]: circa Iacobum apostoli, dazu unten 3.4.2) nur bei ClAl Hyp VI (bei Eus HE II 1,3). Danach sollen, wie Clemens berichtet[2], Petrus, Ja-

---

[1] Tertullian spricht nur Marc IV 3,3 (CCL 1,548) von Jakobus, sonst von den Brüdern Jesu, vgl. unten.

[2] Nach Zahn, Forschungen VI,273 deutet das φησι auf eine schriftliche Quelle des Clemens, nämlich auf die Hypomnemata des Hegesipp, die er bei seinem Aufenthalt in Palästina ca. 180 kennengelernt und nach Alexandrien mitgenommen habe. Brown, James 243f. meint, Clemens habe im Herrenbruder Jakobus die entscheidende Gestalt der frühen Kirche gesehen. Dieses Urteil läßt sich kaum aufrecht halten. Denn Hyp VI (Eus HE II 1,3) bekommt er die Bischofswürde ja von Petrus, Jakobus und Johannes, ist ihnen also sachlich nachgeordnet; und Hyp VII (Eus HE II, 1,4) hat er nicht einfach „(the) first place in the chain of gnostic teachers" (ebd. 244), sondern er teilt den ersten Platz mit Petrus und Johannes.

kobus und Johannes nach der Himmelfahrt Jesu, weil sie von diesem
schon mit besonderen Ehren ausgezeichnet worden wären, nicht um
Geltung gestritten, sondern Jakobus den Gerechten zum Bischof von
Jerusalem gewählt haben. Daß hier judenchristliche Tradition im Hintergrund steht, dürfte schon der von EvHebr 7 her bekannte Titel „Gerechter" zeigen, der auch an der unmittelbar danach von Eus HE II 1,4
zitierten Stelle aus Hyp VII des Clemens vorkommt. Außerdem stimmen der Bericht des Clemens und der ebenfalls judenchristliche Tradition verarbeitende Bericht Hegesipps in einem wichtigen Punkt überein: dem des Sturzes von der Tempelzinne und der Tötung durch den
Walker (Heg bei Eus HE II 23,4 ff.; ClAl Hyp VII bei Eus HE II 1,4).
Für die Frage des Episkopats trifft das aber nicht zu[3]. Zwar setzen
Heg[4] wie Clemens Jakobus als Bischof voraus; Hegesipp (Eus HE
II 23,4) redet aber nur von einer Übernahme der Kirche durch Jakobus:
Jakobus ist, wie es scheint, vom Auferstandenen selbst in sein Amt eingesetzt worden. Apostel spielen dabei keine Rolle, weder in ihrer Gesamtheit, noch in einem auserwählten Kreis[5] – ganz im Unterschied zu
Clemens. Auch bei ihm ist Jakobus von allem Anfang an Bischof – als
Terminangabe nennt er ausdrücklich „nach der Himmelfahrt". Aber er
muß als Glied der Großkirche, die das sich herausbildende Neue Testament rezipierte, diese Stellung des Jakobus mit der der Apostel (d.h. in
diesem Fall der Zwölf) in Einklang bringen. Das Ergebnis ist eine Kombination judenchristlicher und neutestamentlicher Motive; es entspricht
freilich nicht den Verhältnissen der ersten fünfzehn Jahre nach Jesu
Tod und ist in dieser Hinsicht aufschlußreich für das Geschichtsbild
der werdenden Großkirche (die immerhin Gal und Apg kennt!), die die
episkopale Struktur der Kirche in die frühesten Anfänge zurückreichen
läßt und die in der dominierenden Figur der Jerusalemer Gemeinde
nach dem Apostelkonvent diesen *ersten Bischof* sieht. Aufnahme judenchristlicher Tradition einerseits und Interesse an der episkopalen Struktur andererseits scheinen hinter dieser Rückprojizierung zu stehen. *Das
judenchristliche Jakobusbild wird aufgenommen und gleichzeitig in zweifa-
cher Weise neutralisiert.* Einerseits durch *Einordnung in die apostolische
Sukzession* (daß Jakobus unabhängig von den Befugnissen der Apostel,
ja ihnen vielleicht sogar übergeordnet ist, kann die Großkirche nicht
akzeptieren); andererseits durch die *lokale Fixierung des Zuständigkeits-
bereiches des Jakobus.* Entgegen judenchristlichem Verständnis ist Jako-

---

[3] Gegen Zahn, Forschungen VI, 271 f.

[4] Bei Eus HE IV 22,4; Jakobus ist indirekt Bischof genannt, wenn von seinem Nachfolger Symeon als dem zweiten Bischof gesprochen wird.

[5] Auch bei der Wahl Symeons treten sie nach Heg (Eus HE IV 22,4) nicht auf (im
Unterschied zu Eusebs eigener Meinung, HE III 11).

bus Bischof einer konkreten Gemeinde, Jerusalems[6]; er steht als solcher nicht über den Bischöfen anderer Ortsgemeinden. Er steht selbstverständlich auch nicht über den Aposteln; seine Aufgabe besteht lediglich in der Leitung der Jerusalemer Gemeinde, während die Apostel nach diesem Geschichtsbild alsbald diese Stadt verlassen, um Mission zu treiben, Gemeinden zu gründen und dort wieder Bischöfe einzusetzen.

Wie wenig allerdings Clemens die Einordnung des Jakobus in die apostolische Sukzession gelungen ist, zeigt die schon erwähnte Stelle *Hyp VII (Eus HE II 1, 4 f.)*: Der Herr übergab nach seiner Himmelfahrt Jakobus dem Gerechten, Johannes und Petrus die Gnosis; die drei gaben sie den übrigen Aposteln weiter, diese wiederum den Siebzig (als jüdische Parallele vgl. Av I 1). Jakobus wird hier zwar in die apostolische Tradition ein-, nicht aber den (oder bestimmten) Aposteln untergeordnet. Vielmehr steht er in diesem Traditionsprozeß im gleichen Verhältnis zum Kyrios wie Petrus und Johannes. Das Leitungsgremium der Jerusalemer Gemeinde z. Z. des Apostelkonvents (Gal 2, 9) wird hier christologisch begründet und zurückprojiziert in die Anfänge der Gemeinde. Jakobus ist wie Petrus und Johannes gleichen Rechts; er hat die gleiche Bedeutung für die Grundlegung der Kirche. Den historischen Verhältnissen entspricht zwar auch dies nicht; aus der zeitlichen Entfernung der werdenden Großkirche verschwimmen die Nuancen, und des Jakobus große Bedeutung in der späteren Zeit wird ihm auch für seine Anfänge beigelegt.

Das Bild der *missionierenden Apostel* und des *in Jerusalem residierenden Jakobus* liegt auch *Didask 24* (Vööbus II 214 ff.) vor, der nächsten Stelle, an der von organisatorischen Funktionen des Jakobus berichtet wird. Hier stellt die im 3. Jh. im nördlichen Syrien[7] in griechischer Sprache entstandene Schrift den Apostelkonvent in Jerusalem (Gal 2/ Apg 15) dar. Als infolge der Einhaltung ritueller Vorschriften in der Kirche die Häresie drohte, kamen die zwölf Apostel in Jerusalem zu Beratungen zusammen. Als Teilnehmer auf Jerusalemer Seite werden genannt: Jakobus, der Herrenbruder, samt seinen Presbytern und Diakonen und der ganzen Kirche. Das Ergebnis der Beratung ist die Sendung einer Delegation und eines Briefs nach Antiochien durch „die Apostel und Bischöfe und Presbyter und die ganze Kirche". Im vorliegenden Zusammenhang ist einerseits die Einfügung der Bischöfe in die Aufzählung Apg 15, 22 von Interesse, die durch die vorherige Nennung des Bischofs Jakobus motiviert sein dürfte; andererseits die Beschrei-

---

[6] Insofern kann nicht gesagt werden „This same attitude (d. h. die Herausstreichung der Vorrangstellung des Jakobus gegenüber Petrus in der judenchristlichen Literatur) also found in the writings of Clement of Alexandria" (Carroll, BJRL 1961/62, 66).

[7] Vööbus, Didascalia I (Übersetzungsband) 23*; Altaner – Stuiber, Patrologie, 84.

bung der Jerusalemer Hierarchie. An der Seite des Bischofs Jakobus stehen seine (!) Presbyter und Diakone. Apg 15 ist weder von einem Bischof noch von Diakonen die Rede. *Der ausgeführte monarchische Episkopat der Großkirche gilt auch schon für die Frühzeit der Kirche.* Die Führungsposition des Jakobus in Jerusalem ist für den Verfasser der Didaskalia unbestritten; über das rechtliche Verhältnis zu den Aposteln ist jedoch nichts Genaueres gesagt. Die Bedeutung seiner Person scheint aber nur darin begründet zu sein, daß er Bischof Jerusalems ist. Denn an diesem, von der neutestamentlichen Tradition ausgezeichneten Ort treffen sich die 12 Apostel, um über die Häresie zu beraten, und beschließen schon vor der Kontaktnahme mit der örtlichen Gemeindeleitung, die Didaskalia zu verfassen (24 init., Vööbus II 214), was sie schließlich wiederum allein durchführen (24 fin.; Vööbus II 219).

Erster Bischof der Jerusalemer Gemeinde zu sein ist in der Folgezeit das Charakteristikum des großkirchlichen Jakobusbildes schlechthin, soweit es rechtlich-institutionelle Belange betrifft. Dies gilt insbesondere auch für den altkirchlichen Theologen, bei dem sich die meisten Belege in dieser Frage finden, *Euseb von Caesarea* in der Chronik des Hieronymus (202. olymp., GCS Eus VII, 175; 210. olymp., GCS Eus VII, 182 f.), im Jesajakommentar und der Theophanie (KommJes 70 [GCS Eus IX, 109]; KommJes 72 [GCS Eus IX, 116]; Theoph IV 15 [GCS Eus III, 2, 189]); KommPs 68, 8.9 (PG 23, 737) und insbesondere in der Kirchengeschichte (II 1, 2; 23, 1; III 5, 2; 7, 8; IV 5, 3; VII 19). Der Zeitpunkt der Einsetzung ins Bischofsamt ist nach HE III 5, 2 μετὰ … τὴν τοῦ σωτῆρος ἡμῶν ἀνάλημψιν. Euseb schließt sich hier Clemens von Alexandrien an und entspricht damit auch Hegesipp, den er in der Kirchengeschichte zitiert (II 23, 4). Judenchristliche Tradition und großkirchliche Rückschau arbeiten hier Hand in Hand. Wie sehr Euseb Jakobus positiv sieht, zeigt KommPs 68, 8.9 (PG 23, 737), wo er ihn als einen der treuesten Jünger Jesu bezeichnet (!). Völlig klar ist für Euseb auch der Zuständigkeitsbereich des Jakobus. Es ist die Jerusalemer Gemeinde, wie alle vorhin genannten Stellen es als etwas Selbstverständliches zum Ausdruck bringen. Als Bischof von Jerusalem umgibt ihn zwar der Glanz, den dieser Ort auch in den Augen der späteren heidenchristlichen Kirche hat; zudem ist er, da in Jerusalem sich die erste Gemeinde konstituierte, auch der chronologisch erste Bischof überhaupt; er steht aber dennoch als *„gewöhnlicher" Leiter einer Gemeinde neben denen anderer Gemeinden*: Petrus in Antiochien (HE III 36, 2) und in Rom (HE III 4, 8), Markus in Alexandrien (HE II 24), Dionysius in Athen (HE III 4, 10), Timotheus in Ephesus (HE III 4, 5) usf.[8] Wie an ande-

---

[8] Ob diese Gemeindeleiter Bischöfe genannt werden oder nicht, ist in diesem Zusammenhang ohne Bedeutung.

ren Orten gibt es auch in Jerusalem eine Reihe von Bischöfen; die Suk-
zessionen sind jeweils unabhängig voneinander, sowohl in ihrer Begründung wie in ihrer Weiterführung. Information über Jakobus als
ersten Bischof Jerusalems hatte Euseb nicht bloß durch Hegesipp und
Clemens von Alexandrien, sondern auch durch die Jerusalemer Bischofsliste (HE IV 5,3), die für die Zeit bis zum Aufstand unter Hadrian fünfzehn judenchristliche Bischöfe in Jerusalem aufzählt und die
Euseb nach eigenen Angaben (HE IV 5,2) aus ἔγγραφα, wohl seiner
Meinung nach solchen aus Jerusalem, hat[9].

Von besonderem Interesse ist Eusebs Stellung in der Frage, durch
wen Jakobus eingesetzt wurde. Die judenchristliche Tradition Hegesipps redet nur von einer Übernahme der Gemeindeleitung, wie es
scheint, aus der Hand des Auferstandenen selbst (HE II 23,4), wenn die
oben begründete Einfügung von μετὰ τῶν ἀποστόλων an dieser Stelle
richtig ist. Diese Auffassung, die die Apostel völlig außer acht läßt, ist
in dieser Form für Euseb so wenig wie schon vorher für Clemens akzeptabel. Die Interpolation ist also naheliegend, obwohl dann ein Nebeneinander der Apostel und des Bischofs Jakobus entsteht, ein unge-
klärtes Verhältnis, das nicht Eusebs eigener Meinung entspricht, wie die
Stellen zeigen, an denen Euseb selbst formuliert[10]. Nur der Sache, nicht
aber dem Wortlaut nach, vertritt Euseb eine einheitliche Linie, die auf
eine zeitliche Voranstellung der Apostel, mithin die Einsetzung des Jakobus durch sie hinausläuft: in der Einleitung des Hegesippzitats
(HE II 23,4 ff.) heißt es (II 23,1), πρὸς τῶν ἀποστόλων sei ihm der Bi-
schofsthron in Jerusalem anvertraut worden; in der Chronik des Hieronymus (202. olymp., GCS Eus VII, 175) wird dasselbe ausgesagt: *Ecclesiae Hierosolymarum primus episcopus ab apostolis ordinatur Iacobus frater
Domini*. Die zeitliche Voranschaltung der Apostel ist auch in der Bemerkung unmittelbar nach der Anführung der Bischofsliste zu finden,
wenn Euseb schreibt, dies seien die Bischöfe Jerusalems von den Aposteln an (HE IV 5,4). Kein Widerspruch dazu ist die Einsetzung πρὸς

---

[9] Euseb selbst sieht die Schwierigkeit der Liste, da Symeon erst unter Trajan hingerichtet wurde (HE III 32,6), für die restlichen dreizehn Bischöfe also nur wenige Jahre
zur Verfügung stehen, und versucht, sie dadurch zu beseitigen, daß nach der Tradition
die Amtszeiten jeweils nur kurze Zeit gedauert hätten (HE IV 5,1). Eine Lösung scheint
darin zu liegen, daß auch judenchristliche Bischöfe Palästinas, die außerhalb Jerusalems
residierten, aufgenommen sind, so schon Zahn, Forschungen VI, 300 (der Hinweis auf
HE V 24,6 ist allerdings kein Argument, da Polykrates von Ephesus hier nur seine Verwandten, die Bischöfe waren, zählt, nicht jedoch eine der Jerusalemer Liste vergleichbare
Bischofsukzession überhaupt aufstellen will); Weiß, Urchristentum 561 weist auf den an
vierter Stelle stehenden Zachäus hin, der nach PsCl H III, 63 ff. als Bischof von Caesarea
auftritt. Sollte hier dieselbe Person gemeint sein, so wäre ein Zusammenwachsen verschiedener judenchristlicher Traditionen durchaus denkbar.

[10] Gegen Kemler, Jakobus 14.

τοῦ σωτῆρος καὶ τῶν ἀποστόλων (HE VII 19); hier wird die juden-christliche Vorstellung auch verbaliter aufgenommen, aber sofort durch die großkirchliche ergänzt und interpretiert; dieses Verständnis scheint auch im Jesajakommentar (KommJes 72 [GCS Eus IX 116]) vorausge-setzt zu sein, wenn nur von einer Einsetzung durch den Soter geredet wird. Hier verleugnet nicht Euseb seine eigene Position, sondern for-muliert abgekürzt, so daß man ergänzen wird können: vom Soter einge-setzt durch die Apostel. Das Schema, wonach die Apostel in ihren Mis-sionsgebieten Bischöfe einsetzen und somit die apostolische Sukzession begründen, wird auch auf die Jerusalemer Gemeinde angewandt. Das Interesse Eusebs an der Beteiligung der Apostel gerade an der Jerusale-mer διαδοχή zeigt auch seine Wiedergabe der Einsetzung des Symeon. Während nach Hegesipp (Eus HE IV 22,4) von der Ernennung auf-grund eines Vorschlags aller – und das heißt im Kontext: der gesamten Jerusalemer Gemeinde – die Rede ist, erfolgt sie nach Eusebs eigener Meinung durch eine eher umständliche Prozedur: alle beim Tod des Ja-kobus noch lebenden Apostel und Jünger sollen von allen Seiten her zu-sammengekommen sein und mit den leiblichen Verwandten Jesu über die Nachfolge beraten haben, worauf einstimmig Symeon für würdig erklärt worden sei (HE III 11). Ohne Beteiligung der Apostel kann sich Euseb diesen Akt der Weitergabe des Bischofsamtes nicht vorstellen, solange noch Apostel leben. Im System der apostolischen Sukzession wäre eine solche Beteiligung nicht nötig, da die Verantwortung für die Nachfolge auf die einmal Eingesetzten bzw. deren Gemeinden über-geht.

Euseb läßt Jakobus wie einen Bischof seiner eigenen Zeit regieren [11]. In welcher Weise damit die Funktion des historischen Jakobus korrekt wiedergegeben ist, ist gar nicht im Blick, auch nicht die Frage, ob Jako-bus eine unmittelbare Bedeutung für die Herausbildung des Monepi-skopats hatte[12]. Er hat um sich die voll ausgebildete Hierarchie, ist

[11] Jakobus sitzt natürlich auf dem θρόνος, Chronik, 210. olymp. (GCS Eus VII,183); Theoph IV 15 (GCS Eus III,2,189*); IV 17 (GCS Eus III,2,191*); KommPs 68,8.9 (PG 23,737); HE II 1,2; 23,1; III 5,2; VII 19 u,ö. Nach der zuletzt genannten Stelle sei der Thron noch zu Eusebs Zeit erhalten gewesen und von den Jerusalemer Christen ständig verehrt worden.

[12] Letzteres wird negativ zu beantworten sein (das entspricht der Rückprojektion der späteren kirchlichen Struktur in die Frühzeit); Dassmann, JAC 1974, 75 spricht von Jako-bus als „Sonderfall einer monarchischen Gemeindeleitung", Neumann, TRE VI,653 von der „atypischen Stellung des Jakobus in der Jerusalemer Urgemeinde"; die in der Ver-wandtschaft gegebene unmittelbare Nähe zu Jesus spielte bei ihm ebenso eine besondere Rolle wie seine Christophanie und die Bindung an Jerusalem: „Das Bischofsamt ist aus sehr viel bescheideneren Ansprüchen erwachsen" (Beyer – Karpp, RAC II,400); immerhin: eine wichtige „Vorstufe" für den Monepiskopat kann man mit Hengel, FS Kümmel (1985) 104 in der Position des Jakobus sehen; ob sie „vielleicht die entscheidende Vor-stufe" (ebd.) war, bleibt mir allerdings sehr fraglich.

selbst aber den Aposteln zeitlich nachgeordnet – und damit letzten Endes auch der Bedeutung nach. In diesem Punkt trifft das kirchliche Jakobusbild bei allem sonstigen Anachronismus die Stellung des Jakobus in den Anfängen der Kirche korrekt, jedenfalls insofern er in dieser Zeit nicht die Führungsposition innehatte, auch wenn er in der Auszeichnung durch eine Christophanie den anderen Auferstehungszeugen durchaus gleichgestellt war.

Interessant ist bei Eusebs Darstellung auch die Methodik: er benützt eine Quelle, die nicht seiner eigenen Auffassung entspricht und paralysiert die ihm nicht genehmen Aussagen durch kleine Interpolationen und insbesondere durch die Art, wie er das Zitierte in eigenen Worten wiedergibt und deutet, bzw. was er für wert hält, in eigenen Worten wiederzugeben. Er nimmt die Quelle, konkret Hegesipp, positiv auf (HE IV 8, 1 wertet er Hegesipp ausdrücklich als orthodox), übernimmt aber doch nicht das Dargestellte in dessen eigener Intention, sondern ordnet es seinem eigenen Vorstellungshorizont und dem seiner Zeit ein. Er beschreibt Jakobus nicht in seiner historischen Einmaligkeit, sondern behandelt ihn wie einen Zeitgenossen. Historisches Denken im heutigen Sinne fehlt bei Euseb.

Die Einsetzung des Jakobus zum Jerusalemer Bischof ist in den ca. 390 in Syrien (oder Konstantinopel) entstandenen *Apostolischen Konstitutionen* in genau der gleichen Weise vorgestellt wie bei Euseb: sie erfolgte durch die Apostel; VII 46, 2 (*Funk* I, 452) ist Jakobus in einer Aufzählung zuerst genannt (diese Spitzenstellung drückt nur die Autorität des zeitlich ersten „Bischofs" aus, der noch dazu in Jerusalem residierte). VIII 46, 13 (*Funk* I, 560) wird der Einsetzung des Jakobus durch die Apostel die der letzteren durch Jesus vorangestellt, *während er selbst wieder* (ebenso wie Clemens von Rom u. andere) *kirchliche Amtsträger einsetzt*: Priester, Diakone, Subdiakone, Lektoren[13], d. h. unter ihm Stehende, so daß auch Jakobus als Bischof den Aposteln nicht wirklich gleichgesetzt ist. Sachlich nicht im Gegensatz zu diesem Ordo Jesus – Apostel – Bischöfe (mit Gefolge) ist die Einsetzung durch den Kyrios und die Apostel (VIII 35, 1 [*Funk* I, 542. 544]), da hier keine Umgehung der Befugnis der Apostel intendiert wird. Für die Kirche (und das heißt aus der Sicht des 4. Jh.s) für die Gesamtkirche relevante Entscheidungen fällen die Apostel[14], allerdings „im Beisein" (VIII 4, 1 [*Funk* I, 472]) bzw. „zugleich mit" (II 55, 2 [*Funk* I, 157]; VI 12, 1 [*Funk* I, 327]; 14, 1

---

[13] VIII 10, 6 (Funk I, 488) ist bereits das entwickelte System vorausgesetzt, wonach der Bischof seine Parochianen neben sich hat (Jakobus in Jerusalem, Clemens in Rom, Euodius in Antiochien), vgl. dazu Bagatti, Church 77 f.

[14] Gemeint sind die Zwölf und Paulus, wobei teils die Zwölf von sich als einer Gruppe sprechen (II 55, 1 [Funk I, 155. 157]; VIII 4, 1 [Funk I, 470]), bzw. Paulus als συναπόστολος bezeichnet ist (VIII 4, 1 [Funk I, 472]).

[*Funk* I, 335]) den Jerusalemer Hierarchen mit Jakobus an der Spitze[15]. Eine Entscheidung der Apostel ohne oder gar gegen Jakobus ist nicht beabsichtigt. VI 14, 1 bindet Jakobus sogar eng an die Zwölf und Paulus, die „alle" sich versammelt und die katholische Didaskalie zur Belehrung der Empfänger verfaßt hätten.

Erster Bischof Jerusalems ist die gängige Vorstellung von Jakobus, die die griechischen Kirchenväter der nacheusebianischen Zeit haben. Euseb von Emesa (zu Gal 2, 9 [*Staab* 48]), teilt sie ebenso wie nach ihm *Epiphanius von Salamis* (Pan XXIX 3, 9; LXVI 19, 7; 20, 1; LXXVIII 7, 8) *Chrysostomus* (HomMt 5, 3 [PG 57, 58]; HomJoh 48, 2 [PG 59, 270]; Hom Apg 33, 1 f. [PG 60, 239 f.]; 46, 1 [PG 60, 321]; Hom 1 Kor 38, 4 [PG 61, 326])[16] oder *Theodor von Mopsuestia* (zu Gal 2, 11 ff. [*Swete* I, 21]). Seine Tätigkeit wird ausdrücklich als *Herrschaft* beschrieben (Eus v. Emesa zu Gal 2, 9; Chrys Hom Apg 33, 1 f.; TheodMop zu Gal 2, 11 ff.). Er gilt als von Jesus selbst in sein Amt eingesetzt (Epiph Pan LXXVIII 7, 8; Chrys Hom 1 Kor 38, 4). Eine Negierung der Tradition, die die Apostel hier einschaltet, wird darin nicht zu erblicken sein, sondern eine Herausstreichung der Würdestellung des μακάριος Ἰάκωβος (Belege unten); die Patina des Heiligen beginnt sich an der Gestalt des Jakobus anzusetzen (deutlich wird dies vor allem im nächsten Abschnitt hervortreten, in dem vom sittlichen Standard des Jakobus die Rede sein wird).

Gleiches wie für die griechischen gilt auch für die lateinischen Kirchenväter (bzw. Schriften) der späteren Zeit (bis zur Mitte des 4. Jh.s finden sich bei den Lateinern keine für die Darstellung der kirchenrechtlichen Funktion des Jakobus relevanten Aussagen). Auch bei ihnen ist Jakobus als der *erste Bischof Jerusalems* in Erinnerung: Ambst zu Gal 1, 19 (CSEL 81, 3, 15 f.); Hier KommGal I 1 (PL 26, 354 f.); Jov 1, 39 (PL 23, 265)[17]; VirInl 2 (TU 14, 1, 7); Aug ExposGal 15, 6 (CSEL 84, 70); Cresc II 37, 46 (CSEL 52, 406 f.); Petil II 51, 118 (CSEL 52, 88); Ep 36, 22 (CSEL 34, 2, 51); PetrChrys Sermo 49, 4 (CCL 24, 273). Seine Funktion wird als

---

[15] In unterschiedlicher Weise ist die Jerusalemer Gemeindeleitung dargestellt: Jakobus, die 72 Jünger und die 7 Diakone (II 55, 2 [Funk I, 157]); Jakobus und die Presbyter (VI 12, 14 [Funk I, 333]; die Vorlage dazu ist Didask 24 [Vööbus II, 214 ff.]: beide Male liegt ein Referat von Apg 15 vor); Jakobus, die Presbyter und die 7 Diakone (VIII 4, 1 [Funk I, 472]). Daß Jakobus nur für Jerusalem (und Umgebung) zuständig ist, ist so selbstverständlich, daß dies nur ein paarmal erwähnt wird (VI 14, 1 [Funk I, 335]; VII 46, 2 [Funk I, 452]; VIII 35, 1 [Funk I, 542. 544]).

[16] Zu Chrysostomus vgl. insbesondere Lyonnet, RSR 1939, 335 ff.

[17] An dieser Stelle präzisiert Hieronymus: der judenchristlichen Kirche – das Wissen, daß Jakobus keine für die Heidenchristen entscheidende Figur war, tritt hier deutlich zutage. Es entspricht der eigenen, von Petrus, Paulus, Johannes etc. hergeleiteten Tradition, trifft aber auch den historischen Sachverhalt recht genau; zu Hieronymus vgl. weiter Lyonnet, RSR 1939, 344 ff.

Herrschaft beschrieben: rexit (Hier VirInl 2 [TU 14,1,8]; Aug Cresc II 37,46; PetrChrys Sermo 49,4) oder praefuit (Hier KommGal I 1; Aug ExposGal 15,6) sind die entsprechenden Stichwörter. Dem Episkopat des Jakobus in Jerusalem entspricht der des Petrus in Rom (Aug Petil II,51,118; Ep 36,22) oder des Johannes in Ephesus (Aug Ep 36,22). Er wird von den Aposteln in sein Amt eingesetzt (Ambst zu Gal 1,19; Hier VirInl 2); z.Z. des ersten Besuches des Paulus in Jerusalem (Gal 1,19) ist er schon im Amt; nach Hier VirInl 2 erfolgte die Inthronisation durch die Apostel sogleich nach dem Leiden des Herrn – dennoch bleibt er, wie Hieronymus an derselben Stelle (streng genommen in Widerspruch dazu) ausführt, zeitlich den Aposteln nachgeordnet: im Referat des Hegesipptextes aus Euseb gibt er die Interpolation Eusebs μετὰ τῶν ἀποστόλων durch post apostolos wieder, ersetzt also das an dieser Stelle bei Euseb gegebene Nebeneinander der Apostel und des Jakobus durch ein klares Nacheinander. *Die Autorität der Apostel ist trotz der frühestmöglichen Einsetzung des Jakobus nicht angetastet.* Das Modell, das vor Augen steht, ist wieder folgendes: *Jakobus leitet (im Stile eines späteren Bischofs) die Jerusalemer Gemeinde, während die Apostel Missionsarbeit treiben* und gelegentlich nach Jerusalem zurückkehren.

3.4.2 Die theologische und ethische Position des Jakobus

Der wohl älteste Beleg, der die theologische Position des Jakobus aus großkirchlicher Sicht darstellt, liegt *Irenäus von Lyon*, Haer III 12,14f. (SCh 211,238ff.) vor, wo dieser auf die Ereignisse Gal 2/Apg 15 zu sprechen kommt. Nach recht ausführlicher Zitierung von Apg 15, bei der auch die Jakobusrede Apg 15,13ff.[18] nicht fehlt, folgt gegen Ende von III 12,14 die Nutzanwendung des Irenäus: das Berichtete zeige deutlich, daß die Beteiligten nicht die Existenz eines anderen Gottes als den des primum Testamentum lehrten (III 12,15 init.). Irenäus führt weiter aus: die um Jakobus herum[19] versammelten Apostel erlaubten zwar den Heiden, libere agere, sie selbst blieben aber in pristinis obseruationibus, wie das Verhalten des Petrus und Barnabas auf die Intervention der Jakobusleute hin zeige (daß Petrus und Barnabas zunächst eine durchaus freiere Einstellung hatten, wird nicht weiter beachtet).

---

[18] Die Kautelen sind, entsprechend der Lesart des sog. westlichen Textes, keine kultischen, sondern moralische: sie betreffen Götzendienst, Mord und Unzucht und werden mit der goldenen Regel abgeschlossen.

[19] Circa Iacobum apostoli: Haer III 12,15 (SCh 211,248); Jakobus ist gleichsam als der Hausherr vorgestellt (obwohl nach Gal 2/Apg 15 Petrus und Johannes durchaus noch in Jerusalem leben) – das typische großkirchliche Bild von der von Anfang an gegebenen Gemeindeleitung des Jakobus in Jerusalem scheint sich hier sehr nahe zu legen.

Wichtig für die Apostel ist nur: religiose agebant circa dispositionem legis quae est secundum Moysen, und damit bekennen sie, daß die Tora von ein und demselben Gott stammt, den sie auch a Domino gelehrt bekommen haben. Der Gott Jesu Christi ist also der Gott des Alten Testaments, wie Irenäus in *antignostischer Frontstellung* betont. *Dafür ist Jakobus einer der wesentlichen Zeugen.* Eine nähere Untersuchung der Frage nach der Geltung der Tora in seinem Leben liefert Irenäus nicht; denn nicht darum geht es ihm, sondern um Zeugen für das Festhalten des Alten Testaments; dafür ist der Herrenbruder gerade deswegen ein wichtiger Zeuge, weil er wie die um ihn versammelten Apostel an der Tora festhält, obwohl diese den Heidenchristen nicht in gleichem Sinne auferlegt ist, was für die Großkirche auch nicht akzeptabel wäre. Im antignostischen Kampf ist Jakobus einer der Kronzeugen; *genau das Gegenteil von dem, wie ihn Gnostiker zu sehen pflegten.*

In der Reihe der *Säulen der Kirche* sieht auch *Tertullian* Jakobus (Marc IV 3,3 [CCL 1,548]); diese mußten freilich von Paulus getadelt werden, da sie nicht festen Schrittes nach der Wahrheit des Evangeliums wandelten (Marc IV 3,2 [CCL 1,548]); konkret: da sie das gemeinsame Essen von Heiden- und Judenchristen aufgegeben hatten[20]. Nur dieses mangelnde Convivere wirft ihnen Paulus vor (IV 3,3.4 [CCL 1,548 f.]), nicht jedoch ein Versagen bei der Bewahrung und Weitergabe des unverfälschten Evangeliums; daß sie in diesem Punkt nichts versäumten, wird ihnen gerade attestiert (IV 3,4 [CCL 1,549]). Ein pervertere (IV 3,2 [CCL 1,548]) bzw. interpolare (IV 3,4 [CCL 1,549]) gilt nur für die Pseudoapostel, die sich eingeschlichen hatten (vgl. Gal 2,4). Zusammen mit Petrus und Johannes gehört Jakobus also gerade nicht zu denen, die einer Verfälschung des Evangeliums verdächtigt werden können. Auch bei Tertullian ist Jakobus orthodoxer Christ; er steht nicht auf der Seite von Häretikern, sondern gehört zu den *Ahnherren der Großkirche.*

In antihäretischer Frontstellung steht Jakobus auch bei *Clemens von Alexandrien.* Im 7. Buch seiner Hypotyposen (Eus HE II 1,4 f.) stellt Clemens Jakobus in einen Traditionszusammenhang, der später zur Großkirche führte. Ihm, Johannes und Petrus (in dieser Reihenfolge) habe der Herr nach seiner Himmelfahrt die Gnosis mitgeteilt, diese drei hätten sie den übrigen Aposteln mitgeteilt, diese wieder den Sieb-

---

[20] Tertullian kontaminiert hier die Berichte Gal 2,1 ff. und 11 ff., so daß das Petrus Vorgeworfene auch Johannes und Jakobus vorgeworfen wird; Petrus–Johannes–Jakobus ist hier die Reihenfolge der Säulen; Marc V 3,6 (CCL 1,669) ist sie Petrus–Jakobus –Johannes; auch hier spielt Tertullian auf Gal 2,9 an. Er gibt allerdings nicht zweifelsfrei zu erkennen, daß er mit Jakobus den Herrenbruder meint. Die Umstellung von Petrus und Jakobus ist gut bezeugt; es liegt wieder der westliche Text vor: D G F 629 1175 a b vg^mss Tert Ambst Pel.

zig. Jakobus führt den Beinamen „der Gerechte", was ihn von den anderen Trägern dieses Namens unterscheidet[21] – der Titel wird nicht weiter erklärt und als traditionell behandelt. Γνῶσις ist hier Parallelbegriff zu κήρυγμα oder εὐαγγέλιον; in der Wahl gerade dieses Terms verrät Clemens die antignostische Ausrichtung der werdenden Großkirche und projiziert sie in die erste christliche Generation zurück – historisch unzutreffend, da damals noch nicht diese Problemstellung gegeben war; sachlich jedoch legitim, da die Anliegen der frühen Christen von den Gegnern des Clemens nicht in angemessener Weise aufgenommen worden waren. Nicht die, die sich „Gnostiker" nennen, besitzen die wahre Gnosis, sondern die apostolische Kirche[22]. Es ist möglich, daß Clemens mit der pointierten Vorordnung des Herrenbruders, von dem er im folgenden als einzigem weitere Aussagen macht, auch gegen die gnostische Jakobustradition polemisiert, die in seiner Zeit immerhin bereits deutlich genug ausgeprägt war. Die Zuordnung zu Petrus und Johannes sowie die Einordnung in die apostolische Tradition läßt aber eher darauf schließen, daß er primär gegen die Gnostisierung der kirchlichen Verkündigung überhaupt Stellung nimmt.

Die grundlegende Bedeutung des Jakobus für die Großkirche wird auch von *Origenes* deutlich zum Ausdruck gebracht. In HomEx 9, 3 (GCS Orig VI, 239) zitiert er in der Auslegung von Ex 26 (Bau der Stiftshütte) Gal 2, 9 und spricht von der Kirche als dem Heiligtum, das wir bauen, so daß Jakobus zwar nicht wörtlich, dem Sinn nach aber Säule der Kirche genannt ist[23]. Derselbe Gedanke ist Schol 21 (nach Offb 3, 12 a [TU 38, 3, 29 f.]) zum Ausdruck gebracht, da Jakobus (ebenso wie Kephas und Johannes) zu denen gehört, die τὰ πρῶτα τῆς ἐκκλησίας zu tragen fähig sind, d. h. das Höchste der Kirche, die grundlegenden Charakteristika ihres Seins: das Zitat von Ps 74, 4 LXX (ich befestigte ihre = der Erde Säulen) zeigt schon diese kirchentragende Funktion des Stylos, noch deutlicher die direkte Aussage, daß die Styloi im Tempel Gottes (d. h. der Kirche) fest und unbeweglich stehen, gewurzelt und grundgelegt in Liebe (Zitat Eph 3, 17). Wieso und inwiefern die Säulen die Kirche tragen, wird mit einem apokryphen Zitat ausgesagt (dessen Herkunft unklar ist): sie erheben sich mit den Federn

---

[21] Merkwürdigerweise habe es nach dieser Stelle bei Clemens nur zwei Träger dieses Namens gegeben (er denkt offenbar an den Herrenbruder und an den Zebedaiden); dies bedeutet wohl nur, daß Clemens die beiden bedeutendsten Träger dieses Namens hier herausgreift, ohne auf Exaktheit aus zu sein.

[22] Von einer gnostischen Schlagseite des clementinischen Jakobus zu sprechen (Brown, James 104) ist durchaus unangebracht.

[23] Die Reihenfolge der drei Säulen ist Petrus, Jakobus und Johannes; mit Jakobus ist kaum der Zebedaide gemeint, da er in Schol 21 (nach Offb 3, 12 a [TU 38, 3, 29]) mit der Reihenfolge Jakobus, Kephas und Johannes praktisch sicher den Herrenbruder meint.

der εὐσέβεια und ἀρετή. Hier wird ein Motiv genannt, das erstmals bei Origines für das kirchliche Jakobusbild greifbar ist und dieses in der Folge noch außerordentlich stark prägen wird: *die Frömmigkeit und Tugend des Herrenbruders*. Besonders herausgestrichen wird dabei Jakobus nicht, da es an dieser Stelle der Scholien zur Apokalypse nicht um Jakobus allein geht, also keine spezifische Jakobustradition vorliegt. Er wird vielmehr zusammen mit Kephas und Johannes paradigmatisch als Säule der Kirche angesehen; das Säule-Sein wird nicht einmal auf diese Trias beschränkt[24], auch nicht auf eine bestimmte Gruppe führender Männer in der frühen Kirche, sondern auf jeden ausgedehnt, der δι᾽ ἐνεργειῶν ἀρετῆς zum Soter kommt.

Das Motiv des hohen sittlichen Verhaltens wird in judenchristlicher Tradition mit dem Martyrium des Jakobus verbunden. Nicht nur die Hegesipptradition bezeugt dies (Eus HE II 23,18), sondern insbesondere Pseudo-Josephus, eine Interpolation in den Text der Antiquitates[25] des Josephus, die Origenes an mehreren Stellen überliefert: Komm Mt X 17 (GCS Orig X,22); Cels I 47 (GCS Orig I,97); II 13 (GCS Orig I,143). Zunächst zum Matthäuskommentar: Der Tod des wegen seiner hervorragenden Gerechtigkeit im Volk überaus berühmten Jakobus sei der Grund gewesen für das Leiden des Volkes und die Zerstörung des Tempels. Diese Katastrophen sind für PsJos also Ausdruck des Zornes Gottes über das, was Jakobus angetan wurde[26]. Die δικαιοσύνη des Jakobus ist so groß, daß seine Hinrichtung das göttliche Strafgericht zur Folge hat, was nach PsJos nicht nur die Meinung des Josephus, sondern auch die des Volkes ist. Das Strafgericht steht in keinem Verhältnis zur vorausgesetzten Tat. Diese Unvergleichlichkeit hat selbstverständlich nicht den Zweck, Gott eine besondere Härte anzulasten, sondern allein den, die Schwere des Verbrechens an dem einen herauszustellen und damit die Bedeutung dieses Mannes zu betonen. Sie ist so groß, daß ein Vergreifen an seiner Person adäquat ist dem folgenden Strafgericht. – PsJos wird hier von Origenes nur zitiert, Origenes nimmt nicht unmittelbar kritisch Stellung dazu. Immerhin ist be-

---

[24] Das geschieht übrigens auch Gal 2,9 nicht ausdrücklich und wäre vom Standpunkt der Großkirche aus auch gar nicht möglich, da diese sich ja in einem hohen Maße gerade auch auf andere Apostel gründet. So spricht z.B. Aphr Demonstr 23,12 (Parisot I,2,36, lat. Übers. 35) von Petrus als dem Fundament und den beiden Zebedaiden als Säulen der Kirche.

[25] Daß Origenes PsJos in den Antiquitates las, sagt er nicht ausdrücklich; immerhin redet er zweimal im Zusammenhang dieses Josephustextes von den Antiquitates (Komm Mt X 17 [GCS Orig X,22]; Cels I 47 [GCS Orig I,96 f.]). Eine genaue Stellenangabe gibt er ebensowenig wie sein Schüler Euseb, der ebenfalls PsJos allgemein aus „seinen (d.h. des Josephus) Schriften" (HE II 23,20) entnahm.

[26] Verursacher sind allgemein die Juden; die Texte setzen also eine Distanz zum Judentum voraus.

reits auffällig, was er selbst an den (nicht wörtlich wiedergegebenen) Bericht anfügt, denn das zeigt, was ihm besonders wichtig war: er geht nicht mehr auf den Schuld-Sühne-Zusammenhang ein, sondern gibt seiner Verwunderung Ausdruck, daß Josephus, der Jesus nicht als Messias anerkannte, dennoch Jakobus eine solche Gerechtigkeit bescheinigte. Der hohe sittliche Standard scheint also der entscheidende Punkt zu sein, auf den Origenes an dieser Stelle des Matthäuskommentars Wert legt.

Das wird durch die beiden genannten Stellen aus dem Buch gegen Celsus bestätigt. Origenes distanziert sich hier von der These, der Tod des Jakobus sei die Ursache für die Zerstörung Jerusalems. Er anerkennt zwar, Josephus habe unabsichtlich die Wahrheit nicht allzu weit verfehlt, betont aber doch nachhaltig, Josephus hätte hier nicht von Jakobus' Tod, sondern dem Jesu reden sollen (Cels I 47 bis)[27]. *Er lehnt also die judenchristliche Tradition in diesem Punkt als für die Großkirche nicht akzeptabel ab*[28]. Das Moment des hochstehenden Ethos wird freilich ungeschmälert beibehalten; Cels I 47 spricht Origenes nicht nur wie selbstverständlich von Jakobus dem Gerechten (so auch II 13), sondern erkennt ihm auch das Prädikat δικαιότατος zu. Bezeichnend ist vor allem die Deutung des Herrenbrudertitels. Er beziehe sich nicht so sehr auf Blutsverwandtschaft oder gemeinsame Erziehung, sondern auf τὸ ἦθος καὶ τὸν λόγον des Jakobus (ebd.). Der Aspekt der leiblichen Verwandtschaft (wie immer sie genau zu verstehen ist, dazu unten) wird nicht geleugnet, wichtiger aber ist (auch in bezug auf den Titel) *das hochstehende, vorbildhafte Ethos* und die *theologische Qualifizierung* als eines rechten Trägers des Wortes. Beide Motive, wovon das letztere hier nur eben angedeutet wird, sind *für das großkirchliche Jakobusbild überaus charakteristisch.*

Jakobus als orthodoxer Kirchenführer ist auch das Bild der *Didaskalie.* Nach Kap. 24 (Vööbus II, 214) kommt es zum Apostelkonvent in Jerusalem und der Abfassung der Didaskalie, weil die Kirche in Gefahr

---

[27] Eine unmittelbare Anlehnung an Mt 23, 37 ff. liegt nicht vor; das dort ausgesprochene Motiv dürfte aber hinter der Kritik des Origenes stehen. Eine nicht näher reflektierte antijudaistische Äußerung liegt beide Male vor; sie ist aber in der Form des Pseudojosephus eher noch stärker, da der gegenüber Jesus sicher stärker toratreue Jakobus mit der Unheilsgeschichte des Judentums in einen Konnex gebracht wurde. Der weitere Hintergrund ist die prophetische Ankündigung der Strafe für Jahwes ungetreues Volk. Während aber dort innerjüdische Kritik vorliegt, ist dies im Judenchristentum des Mt und des PsJos kaum mehr der Fall (nur deshalb und in diesem Sinne ist die Rede von „antijudaistisch" am Platz).

[28] Von daher scheint der Matthäuskommentar vor der Schrift gegen Celsus anzusetzen zu sein; beide Schriften gehören aber nach Eus HE VI 35; 36, 1 f. in die Zeit der Regierung des Philippus Arabs (244–249) und wurden von dem damals über 60jährigen Origenes verfaßt.

war, in Häresie zu verfallen. Jakobus tritt (entsprechend Gal 2/Apg 15) gegen die Beschneidung der Heidenchristen auf und vertritt, ohne sich hierin von den Aposteln zu unterscheiden, die theologische Position des Verfassers dieser Schrift; d. h. er steht in der Reihe der Zeugen der sich bewußt als katholisch (vgl. z. B. den Titel und passim) verstehenden Didaskalie; er wendet sich somit eo ipso auch *gegen Christen, die am alttestamentlichen Zeremonialgesetz festhalten.* Da in der Didaskalie eine Differenzierung zwischen Juden- und Heidenchristen fehlt, *vertritt Jakobus hier eine Position, die er jedenfalls für Judenchristen in Wirklichkeit nie teilte.*

Ganz typisch für die großkirchliche Stellung zu Jakobus ist *Euseb von Caesarea.* Er hatte immerhin lange Passagen des judenchristlichen Hegesippberichts übernommen, sich aber nicht eo ipso mit allen Einzelheiten desselben identifiziert; sein eigenes Jakobusbild zeigen nicht nur die Aussagen, die er von Hegesipp übernimmt, sondern vor allem die, die er gerade nicht mehr wiederholt. Ein erstes Motiv Eusebs ist die Betonung des *hohen sittlichen Standards* des Jakobus. Er ist ein Paradebeispiel für den sittlich vollkommenen Menschen: Er war bewunderungswürdig und bei allen (mit Ausnahme seiner verblendeten Gegner) ἐπὶ δικαιοσύνῃ gefeiert (HE II 23,19); er wurde von allen als δικαιότατος angesehen δι' ἀκρότητα ἧς μετῄει κατὰ τὸν βίον φιλοσοφίας τε καὶ θεοσεβείας (HE II 23,2). Seine hohe sittliche Lebensführung im Kontext seiner Gottesfurcht ist eines der Motive, die Euseb an diesen beiden Stellen in der Rahmung des Hegesippberichts (II 23,4–18) hervorhebt. Die diesbezüglichen Motive Hegesipps (im besonderen Nasiräat und hohepriesterliche Rechte) werden nicht ausdrücklich distanziert, de facto aber doch durch Verschweigen in den Hintergrund gedrängt. Seine eigenen Interessen decken sich aber offensichtlich nicht mit denen seiner judenchristlichen Vorlage. Wie sehr Euseb Jakobus als *großkirchlichen Heiligen* zeichnet, zeigen eine Reihe weiterer Stellen, in denen der Tugendbegriff herangezogen wird, um das Besondere des Jakobus herauszustreichen; stets wird dabei auf den Titel δίκαιος Bezug genommen: HE II 1,2 hat er ihn δι' ἀρετῆς προτερήματα, Dem Ev III 5,64 (GCS Eus VI,122) διὰ τὰ τῆς ἀρετῆς πλεονεκτήματα, Theoph IV 15 (GCS Eus III,2,189*) „wegen der Größe seiner Tugenden", Theoph V 31 (GCS Eus III,2,241*) „wegen der gewaltig in ihm vorhandenen Tugend" (Übers. *Greßmann*).

Ein zweites wichtiges Motiv, das Euseb dem Hegesippbericht entnimmt und betont herausstellt, ist das *Zeugnis des Jakobus für die Gottessohnschaft Jesu,* das nach Hegesipp wie nach Euseb ursächlich mit dem folgenden Martyrium zusammenhängt: HE II 23,2; DemEv III,5,64 (GCS Eus VI,122); Theoph V 31 (GCS Eus III 2,241*). Dieses Zeugnis zeigt nicht nur die *missionarische Wirkung* des Jakobus, sondern auch

seine *theologische Orthodoxie* – vom Standpunkt der Großkirche aus gesehen. Jakobus steht in der Reihe derer, die den christlichen Glauben
korrekt weitergeben. Irgendetwas, das mit dem Standpunkt der Großkirche nicht vereinbar ist, ist in den Eusebreferaten nicht zu entdecken.

Ein drittes Motiv, das Euseb seinen diesbezüglichen Quellen (Heg
ClAl, Jos) entnimmt, ist das des *Martyriums* (HE II 23,2f. 19; III 11;
DemEv III 5,64 [GCS Eus VI,122]; Theoph IV 15 [GCS Eus III,
2,189*]; V 31 [GCS Eus III,2,241*]). Meist weist er an diesen Stellen
nur allgemein auf das Martyrium hin, z.T. läßt er aber genauere Aufschlüsse für sein Verständnis erkennen. Theoph IV 15 zählt christliche
Märtyrer in Jerusalem und Judäa auf und nennt u. a. Stephanus, den Zebedaiden Jakobus und den Herrenbruder Jakobus. Das Martyrium ist
ja eine der Gegebenheiten, die bezüglich Jakobus am deutlichsten im
Gedächtnis der nachfolgenden Generationen haften geblieben sind,
nicht nur in dem des Judenchristentums, sondern auch in dem der werdenden Großkirche sowie in dem der Gnosis. Indem die Großkirche Jakobus in ihre Märtyrerlisten einreiht, bringt sie seinen Tod und dessen
Wertung in engen Konnex zu dem aller anderen Märtyrer. Euseb hebt
in der Theophanie das Martyrium des Herrenbruders gegenüber dem
der anderen Genannten nicht hervor. Sein Tod ist hier nicht anders
qualifiziert als der der anderen auch. Eine besondere Wertung des
Martyriums des Jakobus liegt nur HE II 23,19f.; III 11 vor; Stellen, die
allerdings früher verfaßt wurden[29] und zudem HE II 23,19 durch den
Hegesippbericht sowie HE II 23,20 durch Pseudojosephus bedingt
sind. Euseb übernimmt dabei den Kausalkonnex zwischen dem Martyrium des Jakobus und der Zerstörung Jerusalems im Jüdischen Krieg;
anders als Origenes (vgl. oben) distanziert er sich nicht davon. Und
doch vertritt Euseb nicht schlechthin den judenchristlichen Standpunkt
seiner Quellen: Er gibt den Konnex nicht ausdrücklich als seine eigene
Meinung aus, sondern als die „der Juden, soweit sie noch imstande waren, klar zu denken" (II 23,19) und schwächt dann noch ab: „Auf jeden
Fall trug Josephus kein Bedenken …" (II 23,20); auch dient dieser Zusammenhang bei Euseb zur zeitlichen Einordnung des Martyriums[30],
und insbesondere liegt die Intention Eusebs gar nicht am Tat-Folge-
Zusammenhang selbst, sondern – und hier trifft er sich mit Origenes –
an der Betonung der Bewunderungswürdigkeit und Beliebtheit des Jakobus infolge seiner Gerechtigkeit; er zielt also gerade auf ein für die

---

[29] Die Kirchengeschichte erschien in einer ersten Fassung schon vor 303, die Theophanie setzt jedoch die Praeparatio evangelica und Demonstratio evangelica voraus,
dürfte also frühestens in die zwanziger Jahre gehören, vgl. Altaner – Stuiber, Patrologie
219ff.

[30] So richtig Kemler, Jakobus 8.

Großkirche interessantes Motiv. Eine gewisse Distanzierung liegt auch im Fehlen der parallelen Deutung des Todes von Jakobus und Jesus, wie es Hegesipp (Eus HE IV 22,4) mit ἐπὶ τῷ αὐτῷ λόγῳ ausdrückte[31]. Euseb distanziert Jakobus von Jesus und reiht ihn dafür *in die Reihe der (natürlich verehrungswürdigen) christlichen Märtyrer ein*, er gibt ihm aber nicht die exzeptionelle Bedeutung, die er im Judenchristentum hatte.

Ganz großkirchlich ist Jakobus auch in den *Apostolischen Konstitutionen* gesehen. In theologischer Hinsicht stimmt er völlig mit den Zwölfen und Paulus überein. Letztere wissen nach II 55,2 (*Funk* II,157), „was der Wille Gottes ist, was gut, wohlgefällig und vollkommen ist"; da Jakobus bei den entsprechenden Beratungen anwesend ist, gelten diese Aussagen indirekt auch für ihn. Wenn nach VIII 4,1 (*Funk* II, 470. 472) in seinem Beisein die Zwölf Anordnungen über „die ganze kirchliche Weihe" erlassen, ist sein Einverständnis wiederum vorausgesetzt. Er steht wie sie im Kampf gegen die Häresie (VI 12,1 ff. [*Funk* II, 327 ff.] die Parallele ist Didask 24, vgl. oben) und ist entsprechend mit ihnen und Paulus an der Abfassung der katholischen Didaskalie (VI 14,1 [*Funk* II,335]) beteiligt. Was die Lehre betrifft, berufen sich die Konstitutionen also auch auf Jakobus. Differenzierte Aussagen über die theologische Position des Jakobus, wie sie in neutestamentlichen Texten sichtbar werden, liegen hier nicht mehr vor. Seine Einordnung in die großkirchliche Sicht der Geschichte zeigt auch V 8,1 f. (*Funk* II,263), wo er, der μακάριος Ἰάκωβος, zusammen mit Stephanus in martyrologischem Zusammenhang genannt wird. Er wird mit dem Glanz des Märtyrers umgeben, von dem ebenso wie von allen anderen Märtyrern gilt: rein von jeglichem Fehler, der Sünde nicht zugetan, beharrlich im Guten, ohne Zweifel höchsten Lobes würdig (8,2 [*Funk* II, 263]). Da das hochstehende Ethos des Jakobus ja stehender Topos war, konnte er dementsprechend sehr gut als paradigmatischer Vertreter dieser herausgehobenen Gruppe von Christen aufscheinen.

Umfangreichere Angaben über Jakobus macht in der Zeit nach Euseb bei den griechischen Vätern nur noch *Epiphanius von Salamis*. Wie er ausdrücklich sagt (Pan XXIX 4,4), ist er von Euseb, Clemens und anderen abhängig. Er übernimmt viele Aussagen Eusebs, was die konkrete Lebensführung des Jakobus betrifft: Jakobus lebte vegetarisch (Pan LXXVIII 13,3; 14,2), badete nicht (ebd.), ließ sich das Haar nicht scheren (Pan LXXVIII 13,3), benützte nicht Woll-, sondern Leinenkleidung (Pan LXXVIII 13,3; 14,1); er bekam vom andauernden Gebet

---

[31] Dies gilt, egal ob λόγος mit Rechtstitel, Grund wiedergegeben (so Zahn, Forschungen VI,236 und Kraft in der Übersetzung der Kirchengeschichte des Euseb) oder als Prophetenwort verstanden wird (so Kemler, Jakobus 8). Erstere Deutung dürfte wegen des formelhaften Charakters der Wendung vorzuziehen sein.

auf den Knien Schwielen wie die eines Kamels (Pan LXXVIII 14,1); er war Nasiräer (Pan XXIX 4,2; LXXVIII 7,7; 13,5), was Epiphanius mit ἡγιασμένος (Pan XXIX 4,2) bzw. ἅγιος (Pan LXXVIII 7,7) interpretiert. Er versteht das freilich nicht mehr im ursprünglichen kultischen Sinn, sondern im Sinn überragender Sittlichkeit: Pan LXXVIII 14,1 rühmt er die ὑπερβολὴ εὐλαβείας des Jakobus, 14,2 meint er, noch vieles wäre περὶ τοῦ ἀνδρὸς ... καὶ τῆς ἐναρέτου αὐτοῦ πολιτείας zu sagen. Über Euseb hinaus weiß Epiphanius tatsächlich so manches: so habe er mit 96 Jahren, 24 Jahre nach der Himmelfahrt Jesu, das Martyrium erlitten (Pan LXXVIII 13,2; 14,5f.), er ist also ein Paradebeispiel für die Standhaftigkeit im Glauben und die Wirksamkeit in der Gemeinde bis ins höchste Alter hinein. Er habe all diese Jahre in sexueller Abstinenz verbracht (Pan LXXVIII 13,2) sowie anderen asketischen Verhaltensweisen gehuldigt: Verzicht auf den Besitz eines zweiten Untergewandes[32] (Pan LXXVIII 13,3), Gebrauch eines leinenen, abgenützten Überwurfes (ebd.), Verzicht auf die Benützung von Schuhen (Pan LXXVIII 14,2). Dies alles sieht eher nach bewußter Ausgestaltung des Bildes vom asketisch lebenden Jakobus durch Epiphanius aus als nach der Übernahme alter, neben Euseb benützter, judenchristlicher Tradition. Die große Frömmigkeit des Jakobus zeigt sich auch bei seinem Tod: er habe das ihm zugefügte Unrecht nicht als Beleidigung empfunden, sondern noch in der letzten Stunde seines Lebens für seine Peiniger gebetet (Pan LXXVIII 14,5f.; im Anschluß an Heg bei Eus HE II 23,16ff.); seine Frömmigkeit ist so groß, daß es bei einer Dürre auf sein Gebet hin sofort zu regnen begann (Pan LXXVIII 14,1). Es wird sich kaum entscheiden lassen, ob dieses letzte Motiv alter Tradition entstammt[33] oder aus Jak 5,17f. herausgesponnen ist. Selbst wenn ersteres der Fall sein sollte, so identifiziert sich Epiphanius auf jeden Fall mit dieser Aussage und sagt dennoch nichts, was vom großkirchlichen Standpunkt aus nicht über Jakobus gesagt werden könnte.

Epiphanius' Aussagen gegenüber ist freilich Vorsicht geboten. Er weiß auch sonst manches, das keiner Nachprüfung standhalten kann: so versucht statt des rechabitischen Priesters (Heg bei Eus HE II 23,17) der Cousin und Nachfolger des Jakobus in der Jerusalemer Gemeindeleitung, Symeon, der Steinigung Einhalt zu gebieten (Pan LXXVIII 14,6); auch weiß Epiphanius von zwei Schwestern des Jakobus und kennt sogar ihre Namen: Anna und Salome (Ancor 60,1 [GCS Epiph I, 70]). Auch in der Frage der hohepriesterlichen Stellung des Jakobus macht er Aussagen, die sich so bei Hegesipp nicht finden: danach war

---

[32] Zu interpretieren, daß Jakobus „niemals sein Unterkleid wechselte" (Zahn, Forschungen VI,230), ist einseitig.
[33] So Zahn, Forschungen VI,265.

er ausdrücklich Hoherpriester, da er das πέταλον, das goldene Stirn-
blatt des Hohenpriesters (vgl. Ex 28,36; 29,6 u.ö.), tragen (Pan
XXIX 4,4; LXXVIII 14,1) und einmal im Jahr das Allerheiligste[34] betreten durfte (Pan XXIX 4,3; LXXVIII 13,5). Daß er aus priesterli-
chem Geschlecht stammt[35], ist dann nur noch folgerichtig (Pan
LXXVIII 13,5). Epiphanius schmückt den Hegesippbericht aus, er geht
aber, was die Funktion des Jakobus betrifft, nicht über Hegesipp hinaus; die Ausschmückungen sind also wohl nur auf die „Gelehrsamkeit"[36] des Epiphanius zurückzuführen; die zurückhaltende Art, in der
Hegesipp den theologischen Gedanken ausdrückte, Jakobus sei der
wahre Hohepriester gewesen, liegt bei Epiphanius nicht vor. Er histori-
siert im Sinne einer tatsächlichen Amtsführung; das spezifische Moment der hohepriesterlichen Tätigkeit des Jakobus nach Hegesipp,
nämlich das Gebet im Tempel, kommt bei Epiphanius nicht mehr zur
Geltung, genauer: es ist nicht mehr Beschreibung von Jakobus als Ho-
hempriester. Dennoch liegt hier keine Verstärkung einer mit Jakobus
argumentierenden Theologie vor; für Epiphanius ist Jakobus nicht
Kronzeuge für diese, er ist vielmehr eingereiht in die herausgehobene
Schar der ersten Zeugen der Kirche, deren Bedeutung er auch in unüb-
licher Weise herausarbeitet[37].

*Die späteren griechischen Kirchenväter bleiben im wesentlichen im Rah-
men des bis dahin herausgebildeten Jakobusbildes der Großkirche*, wobei
einzelne Aspekte freilich noch deutlicher akzentuiert werden. So betont
Chrysostomus das asketische Leben des Jakobus und steigert noch die
Aussagen Hegesipps: die Glieder des Jakobus sollen durch die strenge
Askese wie abgestorben gewesen sein und durch das beständige Gebet
soll die Haut seiner Stirn(!) so hart geworden sein wie die der Knie eines Kamels (HomMt 5,3 [PG 57,58 f.]). Jakobus sei ein großer und be-
wundernswerter Mann gewesen (Chrys HomApg 46,1 [PG 60,321];
Theod. v.Kyros, zu 1 Kor 15,7 [PG 82,349] führt das auf die ihm ei-
gene Tugend zurück). Jakobus bekommt immer stärker die Züge eines
Heiligen; er wird μακάριος Ἰάκωβος (*Did. d. Blinde*, KommSach V 193
[SCh 85,1078]; Chrys HomJoh 48,2 [PG 59,270]) genannt, und er ge-

---

[34] So in Korrektur des hegesippschen τὰ ἅγια (Eus HE II 23,6).
[35] Aparterweise begründet Epiphanius (Pan LXXVIII 13,5) dies mit der Verwandtschaft Marias und Elisabeths (Lk 1,36); Maria ist nach Epiph Pan LXXVIII 7,6 freilich
nicht die leibliche Mutter des Jakobus.
[36] Vgl. das Urteil Zahns, Forschungen VI,263.
[37] Das Tragen des Petalons durch Johannes behauptete nach Eus HE III 31,3 Polykrates von Ephesus in einem Brief an Viktor von Rom. Auch hier steht diese hohepriesterliche Auszeichnung im Kontext der Aussage, Johannes sei Presbyter, Glaubenszeuge
und Lehrer gewesen. Diese Auszeichnung dient also ebenfalls zur Betonung der Bedeutung dieses Christuszeugen.

hört zu denen, die bereitwillig ihr Leben für ihren Glauben an Christus einsetzen (Chrys HomMt 5,3 [PG 57,59]). Jakobus ist einer der bewunderten und verehrten *Heiligen* der Kirche. Neben diesen Aspekt tritt noch ein anderer, eng damit verbundener, der des *Theologen* Jakobus. Did. d. Blinde, KommSach V 54 (SCh 85,998) spricht vom ϑεολόγος Ἰάκωβος, nach Chrys KommGal 2,5 (PG 61,641) war er ὁ διδάσκαλος in Jerusalem. Auch in diesem Punkt wird die ältere großkirchliche Tradition aufgegriffen, nach der Jakobus in Jerusalem wirkt wie andere Bischöfe und Lehrer an anderen Orten. Zwar kann er von Didymus (zu Jak 1,1 [PG 39,1749]) als Apostel der Beschnittenen bezeichnet werden, aber dabei ist nur auf die Aufteilung der Missionsgebiete Gal 2,7 ff. angespielt und Jakobus ebenso wie Petrus der großkirchlichen Tradition gerade nicht entzogen. Der Theologe Jakobus ist geprägt durch σύνεσις (Chrys HomMt 5,3 [PG 57,59]; HomApg 33,1 [PG 60,239]), der in entscheidenden Momenten klug handelt (Bezug auf Apg 21 und 15). In der letzteren Stelle preist Chrysostomus Jakobus für seine Schriftgelehrsamkeit und seine Redekunst, durch die er den Konflikt auf dem Konvent zu einem guten Ende bringt. Eine theologische Differenz zu Paulus und Petrus (die freilich auch Gal 2/Apg 15 nicht aufscheint, obwohl sie gegeben war) gibt es nicht. Dabei kommt nun Chrysostomus auf das Gesetzesverständnis des Jakobus zu sprechen: Da die Heidenchristen nicht dem Gesetz gehorsam gewesen seien, hätte er ihnen absichtlich etwas vom Gesetz auferlegt, damit es nicht so scheine, als sei es außer Kraft. Andererseits scheine es auch nur, als hätte er das Gesetz gehalten; doch da er etwas (und nur das allein) herausnehme, löse er es de facto auf; das Gesetz, das er gehalten habe, sei nicht das Gesetz des Moses gewesen, sondern das der Apostel (!). Eine genauere Ausführung über die theologische Position des Jakobus liegt nicht vor, immerhin ist soviel deutlich, daß Jakobus, wie ausdrücklich vermerkt ist, mit Petrus und Paulus übereinstimmte. An einer genaueren Differenzierung liegt ihm nicht, es genügt ihm, *Jakobus wie Petrus und Paulus als Ahnherrn großkirchlicher Theologie* zu charakterisieren[38].

Gegenüber dieser positiven Sicht des Jakobus bei griechischen Kirchenvätern ist bei lateinischen eine z. T. betonte Ablehnung bezeugt. So insbesondere bei Marius Victorinus. In seinem Galaterkommentar (KommGal I [PL 8,1155f.]) kommt er am ausführlichsten in der Auslegung von

---

[38] Nicht mit letzter Sicherheit kann man den Herrenbruder als gemeint annehmen, wenn von Aposteln als Säulen die Rede ist: Ephraem, zu Gal 2,9 (ed. Patr. Mek. 128) bezeichnet Petrus, Jakobus und Johannes als precipui ex Apostolis, qui revera columnae erant Ecclesiarum; TheodMop, zu Gal 2,9 (Swete I,19) nennt als probatissimi apostolorum Iacobus et Iohannes et Cephas.

1,19 auf Jakobus zu sprechen. Er distanziert ihn dabei vollkommen – gegenüber allem bisherigen großkirchlichen Usus. Der Grund ist die überragende Stellung des Jakobus bei der judenchristlichen Gruppe der Symmachianer[39], die ihn nach MVict (ebd.) geradezu zum 12. Apostel machten. Indem MVict die Symmachianer ablehnt, die zum Glauben an Christus die Beobachtung des Judentums hinzufügen (ebd.), distanziert er sich auch von Jakobus als dem Urheber der Symmachianer, der als erster in Jerusalem eine solche Hinzufügung eingeführt habe[40], da er nicht nur Christus gepredigt, sondern wie ein Jude gelebt und alles getan habe, was das Gesetz der Juden vorschreibt (KommGal I [PL 8, 1162]). MVict stützt sich auf paulinische Aussagen und mißbraucht sie in völlig unzulässiger Weise: da Paulus Jakobus Gal 1,19 Bruder des Herrn nenne, negiere er ihn als Apostel; da Jakobus aber kein Apostel gewesen sei, sei er in haeresi (KommGal I [PL 8, 1156]); da Paulus Jakobus in Jerusalem gesehen habe, habe er auch dessen Treiben miterlebt; er habe dessen Meinung kennengelernt, obwohl er ihr natürlich nicht gefolgt sei (ebd.). Die differenzierte Stellung zum Gesetz in der frühen Kirche wird hier nicht mehr gesehen; daß Jakobus die gesetzesfreie Heidenmission akzeptierte, für Judenchristen aber an einer viel strengeren Toraobservanz festhielt, ist Marius Victorinus unbekannt. *Die Berufung der Symmachianer auf Jakobus und die unhistorische Betrachtung der frühesten Kirchengeschichte führen so zu einer totalen Ablehnung des Herrenbruders.* Er wird rein polemisch distanziert.

Eine ambivalente Haltung zu Jakobus nehmen auch der sog. *Ambrosiaster* und *Augustin* ein. Ersterer führt zu Gal 2,12 ff. aus: die von Jakobus kamen, waren Nacheiferer des Gesetzes, die das Gesetz und Christus als gleichen Rechts verehrten, was gegen die Ordnung des

---

[39] Die Symmachianer haben ihren Namen vom judenchristlichen Bibelübersetzer Symmachus (wobei der historische Zusammenhang unklar ist). Sie werden nur von lateinischen Autoren des 4. und 5. Jh.s erwähnt: Praktizierung der Beschneidung (neben der Taufe) sowie überhaupt Befolgung der Tora, Ablehnung der Gottheit Christi, Christus als der Adam redivivus und ähnliche Theologumena sind für sie charakteristisch (vgl. Ambst, Prolog zu Gal [CSEL 81,3,3 ff.]; Aug Faustum XIX 17 f. [CSEL 25,514 ff.]; Cresc I 31 [CSEL 52,355 f.]; MVict KommGal I ([PL 8,1162 f.]).

[40] Die Hinzufügung, vor der Paulus auch die Galater warnte, wurde von keiner der Säulen, die die Kirche tragen, akzeptiert, wie MVict KommGal I (PL 8,1160) zu Gal 2,7 ff. ausführt; Jakobus ist hier sicher nicht der Herrenbruder; auffälligerweise fehlt er im Zitat Gal 2,9 überhaupt und auch sonst ist die Reihenfolge Petrus–Jakobus–Johannes bzw. Petrus–Johannes–Jakobus. Der hier genannte Jakobus wird mit keinem Wort getadelt. Welcher Jakobus das ist, läßt sich nicht mit Sicherheit sagen, wahrscheinlich der Zebedaide. Mit Sicherheit kann dies dagegen von Ambst zu Gal 2,9 (CSEL 81,3,24) und Aug ExposGal 13,4 f. (CSEL 84,67 f.) gesagt werden, die beide die drei Säulen in der Reihenfolge Petrus–Jakobus–Johannes aufzählen und auf die Anwesenheit bei Jesus, insbesondere bei dessen Verklärung Bezug nehmen.

Glaubens ist (CSEL 81,3,26). Zwar wurde Jakobus nicht direkt getadelt, sondern nur die Jakobusleute; es ist auch nichts von einer Sendung durch Jakobus gesagt; er wird vielmehr als erster von den Aposteln eingesetzter Bischof durchaus anerkannt. Eine indirekte Kritik an ihm, genauer: an seinem Involviertsein in den antiochenischen Zwischenfall, ist aber kaum zu übersehen. Noch deutlicher ist dies bei Augustin. Auch er anerkennt den Episkopat des Jakobus in Jerusalem, er betont Ep 36,22 (CSEL 34,2,51) eine Lehrtätigkeit in Jerusalem und parallelisiert sie mit der des Johannes in Ephesus und der des Petrus in Rom. Und doch sei er von Paulus getadelt worden, weil er den Heiden durch seine Abgesandten die Sitte der Juden habe auferlegen wollen (ExposGal 15,7 [CSEL 84,70]). Diese Interpretation von Gal 2,12 ff. ist freilich nicht richtig, da Jakobus' Kritik in diesem Zusammenhang nicht das Verhalten der Heiden-, sondern der Judenchristen betraf. Jakobus wird von Augustin durch diese Interpretation auf eine Stufe mit den Judaisten gestellt – und damit mußte er wohl oder übel kritisiert werden. Ambrosiaster und Augustin distanzieren gleichwohl Jakobus nicht prinzipiell, sondern sein Verhalten in einer bestimmten Situation. Das Prädikat apostolus[41] oder die Auszeichnung durch beatus[42] oder sanctus[43] ist wie im Osten so auch im Westen geläufig und zeigt die bei aller Kritik positive Stellung zu Jakobus.

Ein durch und durch positives Jakobusbild zeichnet *Hieronymus*. Es ist das Bild eines großen und bewundernswerten Heiligen. Sanctitas ist ein durchgängiges Motiv in dieser Charakteristik (KommGal I 1 [PL 26,355]; VirInl 2 [TU 14,1,7]; Jov 1,39 [PL 23,265]). Sie wird genauerhin erläutert durch egregii mores (KommGal I 1 [PL 26,354]), tanta iustitia und perpetua virginitas (Jov 1,39 [PL 23,265])[44]. Sein Ansehen im Volk sei so groß gewesen, daß man die Fransen seiner Kleidung zu berühren wünschte (KommGal I 1 [PL 26,355]) bzw. daß sogar Josephus die Zerstörung Jerusalems als Strafe für seine Ermordung gedeutet hatte (Jov 1,39 [PL 23,265]). Diese Begründung der Zerstörung Jerusalems übernimmt Hieronymus ebenso wie Euseb (im

---

[41] Z.B. Ambros ExposLk II 91 (CSEL 32,4,94); Hier KommJes V 17 (PL 24,175); Aug Retract I 25,77 (CSEL 36,129); II 71,1 (CSEL 36,184), Gelasius I., Ep 97,41 (CSEL 35,1,417) etc. Mit apostolus Iacobus wird sehr häufig ein Zitat aus dem Jakobusbrief eingeleitet.

[42] Hier KommGal I 1 (PL 26,355); Gaudentius, Tract XV 21 (CSEL 68,135); XVIII 26 (CSEL 68,160); Gelasius I., Ep 97,41 (CSEL 35,1,417) u.ö.

[43] Aug NatGrat 15,16 (CSEL 60,243); Genn EcclDogm 36 (PL 58,989).

[44] Jakobus wird Jov 1,39 (PL 23,266) als virgo bezeichnet; er lehre auf geheimnisvolle Weise die Jungfrauschaft: Hieronymus verweist auf Jak 1,17, wo jede gute Gabe als vom Himmel kommend bezeichnet wird und folgert, hier sei die Virginität gemeint, da es im Himmel keine Ehen gebe (!).

Unterschied zu Origenes) ohne Kritik von Pseudojosephus. Das *immer deutlichere Bild von Jakobus als einem Heiligen* dürfte für diese kommentarlose Übernahme verantwortlich sein. Die Singularität, die Jakobus in judenchristlicher Vorstellung zuerkannt wird, ist dabei nicht mehr gegeben, da er in einer Reihe anderer „viri inlustres" steht; auch das Motiv der Berührung der Fransen seiner Kleidung, das an Mk 5,27 ff. erinnert, hebt ihn nicht über andere geehrte und bewunderte Männer der christlichen Vergangenheit hinaus. Eine explizite Charakterisierung der Theologie des Jakobus fehlt bei Hieronymus. Er spricht nur von seiner incomparabilis fides und seiner sapientia non media (KommGal I 1 [PL 26,354]). Es ist jedenfalls ein Glaube und eine Weisheit, die großkirchlichem Standard entsprechen. Er steht in einer Reihe mit den Zwölfen und Paulus, wenn er KommJes V 17 (PL 24,175) *der dreizehnte von insgesamt vierzehn Aposteln* ist.

3.4.3 Die Verwandtschaft von Jakobus und Jesus

Die Verwandtschaft des Jakobus (bzw. der Brüder und Schwestern Jesu überhaupt) wurde in der Alten Kirche in verschiedener Hinsicht verstanden: leiblicher Vollbruder Jesu, Stiefbruder aus einer ersten Ehe Josefs und Cousin Jesu.

Die erste Auffassung, die die neutestamentlichen Texte nahelegen, hielt sich trotz heftiger Polemik sehr lange und wurde nur durch Verketzerung verdrängt. Positiv belegt ist die Ansicht eher selten, aber darüber hinaus des öfteren zu erschließen oder wenigstens wahrscheinlich zu machen[45]. *Leibliche Verwandtschaft* setzt mit größter Wahrscheinlichkeit *Hegesipp* voraus. Er macht nirgends „die geringste Andeutung davon ..., daß die Titel ‚Bruder, Vetter, Onkelssohn, Enkel' ungenau oder irgendwie uneigentlich gemeint seien"[46]. Auch spricht er (Eus HE III 20,1) von Judas als dem κατὰ σάρκα λεγόμενος ἀδελφός. Die gleiche Rede von Jakobus als dem Bruder Jesu dem Fleische nach liegt

---

[45] Riesner, Jesus als Lehrer 216 behauptet, nach der ältesten Überlieferung sei Jakobus kein leiblicher Bruder Jesu gewesen. Er legt freilich keine Argumente vor und läßt es zudem unklar, welche Schriften er unter der ältesten Überlieferung versteht.

[46] Zahn, Forschungen VI,319f. Die Meinung Blinzlers, Brüder, 130, Hegesipp habe „Brüder" im Sinne von Cousins verstanden, ist nicht zutreffend. „Mit zunehmendem zeitlichen und örtlichen Abstand vom apostolisch-palästinischen Traditionskreis ist die Kenntnis dieser Zusammenhänge natürlich mehr und mehr verlorengegangen" (Blinzler, ebd.). Man kann hier nur fragen, warum denn das geschehen sein soll, da doch diese Auffassung mit der sich herausbildenden Theorie der semper virgo völlig im Einklang steht. Wenn eine Kenntnis „verlorengegangen" ist, dann ist es die der leiblichen Brüderschaft, und dieser Vorgang ist nicht so sehr ein „Verlorengehen" als ein Verdrängtwerden, wie das dogmatische Interesse an der beständigen Virginität Marias zeigt.

auch Didask 24 (*Vööbus* II,215) und ApostConst VIII 35,1 (*Funk* II,
542) vor; letzte Sicherheit läßt sich aufgrund dieser Terminologie nicht
gewinnen; immerhin verweisen diese Schriften nach Syrien; gerade dort
waren judenchristliche Traditionen besonders lebendig und im Judenchristentum (zumindest) ebionitischer Prägung vertrat man mit größter
Wahrscheinlichkeit die Annahme der Vollbruderschaft, nach Epiph Pan
XXX 14 sind die Ebioniten der Auffassung, Jesus sei leiblicher Sohn Josefs und Marias; die virginitas post partum kann also für sie erst recht
kein Postulat sein.

Vollbruderschaft nimmt ausdrücklich *Tertullian* an (bzw. setzt sie
voraus): Marc IV 19,7 (CCL 1,592); Carne 7,1 ff. (CCL 2,886 f.);
23,2 ff. (CCL 2,914); Monog 8, 2 (CCL 2,1239). Die entscheidende Begründung dafür sieht er im Auftreten der Mutter und Brüder Jesu; die
Benachrichtigung von ihrer Anwesenheit, die Weigerung Jesu, seine
leiblichen Verwandten anzuerkennen, und die übertragene Verwendung von „Mutter" und „Brüder" sei nicht anders zu interpretieren[47].
Diese sehr polemisch vorgetragenen Aussagen Tertullians zeigen, daß
zu seiner Zeit die Annahme der leiblichen Verwandtschaft keineswegs
mehr die schlechthin selbstverständliche Lösung war, obwohl sie, wie
Orig KommMt X 17 (GCS Orig X,21) durchblicken läßt, auch noch zu
dessen Lebzeiten die am weitesten verbreitete Auffassung war: das Verständnis der Brüder als Söhne Josefs aus erster Ehe ist bloß die Behauptung einiger (τινες), der sich Origenes selbst anschließt (dazu genauer
im folgenden); eine andere Lösung als diese beiden gab es zu seiner
Zeit noch nicht, so daß dieser indirekte Hinweis nur auf leibliche Verwandtschaft als der am meisten vertretenen Auffassung gedeutet werden kann.

Im selben Sinne deuteten das Verwandtschaftsverhältnis auch die
von Epiphanius so genannten *Antidikomariamiten*, die behaupteten,
Maria habe nach der Geburt Jesu mit Josef ehelichen Verkehr gehabt
(Epiph Pan LXXVII 36,2 ff.; LXXVIII 1,1 ff.)[48]. Ausgegangen sei diese
Auffassung von Apollinaris von Laodizea bzw. einigen seiner Schüler,
was Epiphanius allerdings bezweifelt (Pan LXXVIII 1). Epiphanius
sieht darin Feindschaft gegen Maria und die Absicht, ihren Ruhm zu
schmälern, getrieben von Neid und Wahnsinn; er wirft ihnen Unverständnis der Schrift und Verwerfung der ἱστορία, d. h. der betreffenden

---

[47] Vgl. die Aussage über Maria: uirgo, quantum a uiro, non uirgo, quantum a partu
(carne 23,2 [CCL 2,914]); Tertullian bekämpft das semper virgo, betont aber das uirgo
(in bezug auf die Geburt Jesu) et uniuira (nach der Geburt Jesu); vgl. Monog 8,2 (CCL
2,1239).

[48] Pan LXXVIII 1,3; 7,1 spricht Epiphanius von ihnen als von τινες. Der Eindruck
drängt sich auf, daß Epiphanius die Zahl der Vertreter der leiblichen Brüderschaft bewußt herunterspielt.

kirchlichen Tradition vor (Pan LXXVIII 7,1). D.h. aber: sie vertraten
wie Tertullian ihre Auffassung aufgrund von Schriftexegese. Die weite
Verbreitung dieser Auffassung gibt Epiphanius Pan XXIX 4,1 selbst
zu: sie werde an vielen Orten vertreten. Die nach Jesu Geburt vollzogene Ehe Josefs und Marias behaupteten auch die Arianer *Eunomius*
und *Eudokius* (Philostorgius HE VI 2 [GCS Philost 71]). Auch bei ihnen wird man nicht fehlgehen, wenn die Brüder und Schwestern Jesu
als leibliche verstanden werden.

Auch für die spätere lateinische Kirche ist die Annahme der leiblichen Verwandtschaft bezeugt. Nach Hier Helv 17 (PL 23,201) hat
sich Helvidius auf Tertullian und *Victorin von Pettau* als Vertreter seiner Auffassung berufen. Hieronymus erwidert, Victorin hätte nur wie
die Evangelisten von Brüdern Jesu, nicht aber von Söhnen Marias gesprochen und hätte Brüder im weiteren Sinne von Verwandten gemeint[49]. Ob Hieronymus hier recht gegeben werden kann, ist sehr zweifelhaft. Gegen Ende des 3. Jh.s waren mariologische Aussagen kaum
schon so verfestigt, daß dieses Verständnis dem Bischof Victorin nicht
zugemutet werden dürfte; Hieronymus' Aussagen sehen hier sehr nach
Apologetik aus[50].

Sicher an leibliche Brüder denkt der römische Laienchrist *Helvidius*,
der ca. 380 eine Schrift verfaßte, die von Hieronymus mit der Gegen-
schrift „de perpetua virginitate b. Mariae adversus Helvidium" (PL
23,183 ff.) beantwortet wurde. Helvidius begründet seine Auffassung
durch Schriftexegese: Mt 1,18 (bevor sie zusammengekommen waren),
1,25 (bis sie geboren hatte), Lk 2,7 (Erstgeborener) werden ebenso geltend gemacht wie die Bezugnahme auf Jesu Mutter und Brüder. Hieronymus zeigt in dieser Schrift außerordentlichen Scharfsinn, wenn er mi-
nutiös aufweist, daß die von Helvidius vorgebrachten Argumente keinen stringenten Nachweis der vollzogenen Ehe Josefs und Marias und
damit der leiblichen Brüderschaft darstellen – freilich lassen diese Stellen die leibliche Verwandtschaft als das Nächstliegende und somit historisch Wahrscheinlichste erkennen[51]; die Argumentation des Hieronymus hat keineswegs die von ihm angenommene Schlüssigkeit. Die
ganze Schrift zeigt, daß er keineswegs unvoreingenommen die Thema-

---

[49] Der betreffende Victorin-Text ist nicht erhalten.

[50] Zahn, Forschungen VI,319: „Vergleicht man, mit welcher unwahren Dreistigkeit
Hier. als seine Bundesgenossen Ignatius, Polykarp, Justin und Irenäus anführt, so hat
man allen Grund, in bezug auf Victorin dem Ketzer Helv. mehr zu glauben als dem heiligen Hier." Vgl. auch Koch, Virgo Eva 83. Mit Zahns Argument fällt auch die Aussage
Blinzlers, Brüder 142, Hieronymus hätte sich gegen Helvidius, da er mit dessen Gegen-
schrift rechnete, gewiß keine Blöße gegeben.

[51] Dazu unten; vgl. auch Koch, Virgo Eva, passim, auch wenn dessen Sicherheit des
Urteils nicht in dem angenommenen Maße nachvollzogen werden kann.

tik behandelt: die überaus auffälligen persönlichen Invektiven gegen Helvidius lassen auf ein dahinterstehendes Motiv schließen, das dann Hieronymus noch deutlich herausstreicht: es ist die „durch fromme Überlieferung gefestigte" (Helv 2 [PL 23,185]) Auffassung der *perpetua virginitas*: da Josef und Maria schon vor Jesu Geburt geschlechtlich nicht miteinander verkehrten, hätten sie es nachher erst recht nicht getan (Helv 7 [PL 23,190]); Josef habe es nicht wagen können, Maria zu berühren, nachdem sie Jesus geboren hatte (Helv 8 [PL 23,191]); Helvidius habe den Tempel des Herrenleibes in Brand gesteckt wie Herostrat den Artemistempel in Ephesus und habe dadurch die Mutter Jesu gelästert (Helv 16 [PL 23,199 f.]).

Die Vertreter leiblicher Brüderschaft waren im 4. Jh. offensichtlich noch recht zahlreich. Hilarius spricht in seinem Matthäuskommentar 1,3 (PL 9,921) von ihnen als plures. Auch nach der Kritik des Hieronymus verschwand die Auffassung keineswegs bald: Augustin nennt ihre Vertreter Haer 84 (PL 42,46) Helvidiani; der bekannteste dieser Gruppe war Bischof *Bonosus von Sardica*, der auf einer Synode von Capua 391 verurteilt wurde: Ep IX des Papstes Siricius I. an Anysius von Thessalonich, PL 13,1176[52]; von einem Bischof (der wohl mit Bonosus identisch ist) spricht Ambrosius auch Virg 5,35 (PL 16,314). Die Verurteilung dieser Auffassung hat sich gegen Ende des 4. Jh.s bei den führenden Theologen freilich durchgesetzt; die Begründung formulierte Augustin TractJoh 10,2 (CCL 36,101) geradezu klassisch: Illa femina mater esse potuit, mulier esse non potuit. Dieses mariologisch motivierte Urteil spiegelt sich in einer Reihe von Termini, mit denen man die Annahme leiblicher Verwandtschaft bzw. ihre Vertreter distanzierte: Hil KommMt 1,3 (PL 9,921): irreligiosi; Ambst zu Gal 1,19 (CSEL 81,3,16): insania; Ambros Virg 5,35 (PL 16,314): sacrilegium; Ep IX Sir ad Anys 3 (PL 13,1177): perfidia; Gennad VirInl 33 (TU 14,1,73): perversitas[53].

Schon im 2. Jh. werden die Geschwister Jesu als *Söhne und Töchter aus einer ersten Ehe Josefs* gedeutet. Erstmals ist dies in der Mitte des Jh.s in *Protev Jac* 9,2; 17,1.2; 18,1 der Fall. Von Jakobus wird direkt nicht gesprochen, nur allgemein von Söhnen Josefs, die nach 9,2 bei der

---

[52] Der Brief stammt wahrscheinlich nicht von Siricius, sondern von Ambrosius, vgl. Denzinger–Schönmetzer (edd.), Enchiridion 74.

[53] Auf die Frage Blinzlers, Brüder 130: „Wenn Jesu Brüder in Wirklichkeit seine Vettern waren, wie ist es dann zu erklären, daß von altchristlichen Schriftstellern so oft und so lange ganz andere Auffassungen über die Herrenbrüder vertreten worden sind?" ist zu antworten: Weil Jesu Brüder leibliche Brüder waren und weil das Bewußtsein dieser leiblichen Verwandtschaft so fest verankert war, daß es im Zuge der Entwicklung der Mariologie erst nach langen Bemühungen verdrängt werden konnte, teils durch die Stiefbrüder-, teils durch die Cousintheorie.

Verlobung Josefs mit Maria bereits als erwachsen vorauszusetzen sind.
Diese Lösung wird fester Bestandteil der nachfolgenden *apokryphen Literatur über die Kindheit Jesu*; ich nenne nur die ältere: Kindheitserzählung des Thomas 16,1 f. (*Tischendorf*, Evang. apocr. 154 f.); arab. Kind-
heitsevangelium 35,1 (*Peeters*, Evang. apocr. II,42 f.); 43 (ebd. 54); Geschichte von Josef dem Zimmermann 2,3 f. (TU 56,2; nach 14,4 [TU
56,6 f.] sei Josef bei seiner ersten Heirat 40 Jahre gewesen, nach weiteren 49 Jahren sei die Frau gestorben, drei Jahre später Jesus geboren;
beim Tod der ersten Frau sei Jakobus noch ein kleines Kind gewesen,
2,4 [TU 56,2], 4,4 [TU 56,3], er habe zu den beiden jüngeren Söhnen
Josefs gehört [vgl. die Reihenfolge Judas, Josetos, Jakobus und Simon
2,3 [TU 56,2]). Nicht nur in der apokryphen Literatur wurde diese Lösung Gemeingut, auch in der patristischen wurde sie für lange Zeit zur
favorisierten Lösung: Erstmals redet *ClAl* AdumbrJud (GCS ClAl III,
206 f.) von den Söhnen Josefs: Judas ist Bruder des Jakobus, aber nicht
Jesu. *Origenes* hat dieselbe Position; nach KommMt X 17 (GCS
Orig X,21) werde sie von „einigen" vertreten (d. h. noch nicht von der
Mehrheit der Christen zu seiner Zeit) und gehe auf das EvPetr[54] und
ProtevJac zurück. Origenes schließt sich dieser Auffassung als einer
sinnvollen an. Marias auserwählter Leib könne nicht den Umgang mit
einem Mann kennengelernt haben; ja, es sei ein Sakrileg, einer anderen
als Maria die Erstlingsschaft der Virginität zuzuschreiben (ebd., GCS
Orig. X,22)[55]. Die Voraussetzung für diese Lösung der Herrenbrüder-
frage liegt also in den asketischen Tendenzen der Alten Kirche mit ihrem Bestreben, die These der perpetua virginitas Mariae zu sichern. Die
Stiefbrüdertheorie setzte sich insbesondere in der griechischen Kirche
immer mehr durch; bei *Euseb* ist Jakobus ὁ τοῦ κυρίου λεγόμενος ἀδελφός (HE IV 5,3; vgl. I 12,5; Theoph IV 15 [GCS Eus III,2,189*]) und
wird παῖς Ἰωσήφ genannt (HE II 1,2); Euseb formuliert zurückhaltend,
läßt aber seine Meinung doch deutlich genug durchblicken[56]. Anhänger
dieser Auffassung sind weiters *Titus von Bostra* (Schol zu Lk 8,19 ff.
[TU 21,1,174]) und insbesondere *Epiphanius* (Ancor 60,1 [GCS Epiph
I,70]; Pan XXVIII 7,6; XXIX 3,9; 4,1 f.; LI 10,8; LXVI 19,7 f.;
LXXVIII 7 ff.). Bruder Jesu sei Jakobus genannt worden wegen der gemeinsamen Erziehung (Pan LXVI 19,8; LXXVIII 7,9; 13,4), er sei also
nicht Bruder der Natur, sondern der Gnade nach (Pan LXXVIII 7, 9),
im selben Sinne, wie Josef Jesu Vater genannt wird (Pan LXXVIII
7,11). Er sei der Erstgeborene Josefs gewesen (Pan XXIX 4,2) und von
Josef in einem Alter von 40 Jahren gezeugt worden, d. h. er habe bei der

---

[54] Die entsprechende Stelle des EvPetr ist nicht überliefert.
[55] Vgl. auch Orig HomLk 7 (GCS Orig IX,44); FragmJoh 31 (GCS Orig IV,506 f.).
[56] So auch Zahn, Forschungen VI,315, A 1.

Verlobung des 80jährigen Josef mit Maria ebenfalls 40 Jahre gezählt (Pan LXXVIII 8,1 f.)[57]. Die Stiefbrüdertheorie wurde wohl auch von *Basilius d. Gr.* vertreten, wenn er betont, Maria sei allezeit Jungfrau geblieben (Hom 18,5 [PG 31,1468 f.]); mit Gewißheit gilt dies von *Gregor von Nyssa* (ResurrOr II [PG 46,648]) sowie von *Cyrill von Alexandrien* (KommJoh IV 5 [PG 73,637]), und wahrscheinlich auch von *Chrysostomus*, nach dem Matthäus die Herrenmutter „Mutter des Jakobus" nenne (HomMt 88,2 [PG 58,777]).

Im Westen vertreten die Stiefbrüdertheorie *Hilarius von Poitiers* (KommMt 1,3 f. [PL 9,921 f.]), der *Ambrosiaster* zu Gal 1,19 (CSEL 81,3,16) und als mögliche Lösung *Ambrosius*, Virg 6,43 (PL 16,317) und *Augustin*, ExposGal 8,5 (CSEL 84,63).

Eine andere, bis in die Gegenwart vertretene Lösung[58] taucht bei *Hieronymus* auf. Gegenüber der Meinung einiger (VirInl 2 [TU 14,1,7]: nonnulli; KommMt II 653 [CCL 77,100]: quidam), die der auf die Legendenbildung des 2. Jh.s zurückgehenden Stiefbrüdertheorie anhingen, stellte er erstmals in der Streitschrift gegen Helvidius auf rein exegetischem Weg die These auf, die Herrenbrüder seien *Cousins Jesu* gewesen. Er argumentierte dabei mit einer Reihe von Identifikationen (Helv 13 f. [PL 23,195 ff.]): Jakobus sei identisch mit Iacobus minor (Mk 15,40 parr) sowie, da er nach Gal 1,19 ein Apostel (d. h. nach Hieronymus ein Mitglied des Dodekakreises) gewesen sei, mit Iacobus Alphaei (Mk 3,18 parr)[59]. Er sei weiters Sohn der Maria Cleophae (Joh 19,25). Seine Mutter Maria (Mk 15,40) sei identisch mit Maria Cleophae, der Schwester der Herrenmutter (Joh 19,25) und der Gattin des Alphäus.

Wie unsicher diese Identifikationen sind, zeigt insbesondere die des Herrenbruders Jakobus und Iacobus Alphaei: Joh 7,5 (der Hinweis, die Brüder Jesu hätten nicht an ihn geglaubt) verträgt sich nicht damit. Die Auskunft, die Brüder hätten nur anfangs nicht an Jesus geglaubt bzw. nur einer hätte es getan, ist eine verzweifelte Notlösung[60]. Hieronymus sah dies wohl auch bald ein, denn die Identifikation fehlt in späteren Schriften. VirInl 2 (TU 14,1,7) wiederholt er die Identifikation des Jakobus mit dem Sohn der Maria Cleophae, der Schwester der Herrenmutter (Joh 19,25), nach KommMt II 657 ff. (CCL 77,101) sind die Herrenbrüder Kinder der Maria Cleophae, der Schwester der Herren-

---

[57] In der mit Epiphanius immerhin etwa zeitgleichen Geschichte von Josef d. Zimm. (siehe oben) ist Jakobus hingegen zu diesem Zeitpunkt noch ein kleines Kind – die Legende nimmt es mit den Zeitangaben nicht zu genau.

[58] Als Beispiel für viele: Blinzler, Brüder 145 u. passim.

[59] Dieselbe Identifikation vertreten in neuerer Zeit auch noch Prentice, FS Johnson (1951) 150; Eisenman, Maccabees 21. 101.

[60] Vgl. schon Zahn, Forschungen VI,323.

mutter (Joh 19,25), die die Mutter von Iacobus minor, Josef und Judas (sic) sei (Mk 15,40). Diese letzte Identifikation von Maria Cleophae und Maria, der Mutter Jakobus' des Jüngeren und Josefs, die Hieronymus schon Helv 14 (PL 23,196f.) nicht weiter diskutieren wollte, gibt er Ep 120,5 (CSEL 55,483) ausdrücklich auf. Damit bricht nach *Zahn* „das ganze Gebäude zusammen"[61] – vorsichtiger gesagt: Jakobus ist auch hier noch identisch mit Iacobus minor, das Cousin-Verhältnis aber kann nicht mehr über Maria Cleophae hergestellt, sondern muß anders begründet werden: nach *Blinzler* z.B.[62] ist Maria, die Mutter des Jakobus und Josef, oder ihr Mann mit der Herrenmutter (in einer nicht mehr genau zu ermittelnden Weise) verwandt.

Das Cousin-Modell (egal in welcher Nuancierung) steht und fällt mit den durchaus nicht gesicherten Identifikationen, die die Brüder, deren Mutter sowie Klopas/Alphäus betreffen; selbst wenn sie (wenigstens z.T.) als formal möglich angesehen werden, so müßte doch erst ihre Wahrscheinlichkeit erwiesen werden. Auch der Versuch, bei Hegesipp ein Argument für die Cousin-These zu finden (Eus HE IV 22,4)[63], scheitert, da Hegesipp, wie oben unter 3.4.1 erwähnt, nicht die Cousins Jesu, sondern die Jerusalemer Bischöfe zählt. Nach *Blinzler*[64] handelt es sich bei den Mk 6,3 genannten vier Brüdern um zwei Brüderpaare, die beide mit Jesus verwandt seien, aber verschiedene Eltern hätten. Das wird Mk 6 aber in keiner Weise angedeutet. *Blinzlers* Lösung ist eine komplizierte Kombination, die durch Identifikation von zweien der Herrenbrüder (Jakobus und Josef) mit dem Brüderpaar gleichen Namens (Mk 15,40) nötig gemacht wird. – Die Schwierigkeit, die Frage der Art der leiblichen Verwandtschaft zu klären, liegt darin, daß keine der Lösungen (Stiefbrüder-[65] oder Cousintheorie bzw. Annahme leiblicher Verwandtschaft) stringent beweisbar ist; über den Grad an Wahrscheinlichkeit der einen oder anderen Lösung kann man verschiedener Meinung sein. Mt 1,18 (bevor sie zusammengekommen waren), 1,25 (bis sie geboren hatte) und Lk 2,7 (Erstgeborener) lassen am ehesten an leibliche Brüder denken; und das Auftreten von Brüdern (und Schwestern) spricht erst recht in erster Linie für diese Lösung: im Griechischen stünde für Cousin ja der Term ἀνεψιός zur Verfügung (der von Heg bei Eus HE IV 22,4 für das Verhältnis Symeons zu Jesus auch ver-

---

[61] Zahn, ebd.

[62] Blinzler, Brüder 145.

[63] Z.B. Blinzler, Brüder 105ff.

[64] Z.B. Blinzler, Brüder 73ff. 94ff.

[65] In der phantasievollen Form des Epiphanius führt sich diese Theorie selbst ad absurdum. Prinzipiell jedoch ist sie nicht unmöglich, sie wäre zudem nicht mit den vielen Identifikationen der Cousintheorie belastet. Das dogmatische Interesse, das hinter ihr steht und das Origenes deutlich ausspricht, macht sie freilich sehr unwahrscheinlich.

wendet wird); daß er von keinem neutestamentlichen Autor verwendet wird, sollte doch nachdenklich stimmen. Für *leibliche Vollbrüderschaft* spricht, daß allein bei dieser Theorie keine dogmatische Vorentscheidung nötig ist. Es ist somit *diese Theorie als die wahrscheinlichste anzusehen*[66].

Die Cousintheorie wurde auch von anderen übernommen. Als Zeitgenossen des Hieronymus sind zu nennen: im Westen *Pelagius*[67], *Augustinus*[68] und *Petrus Chrysologus*[69], wobei jeweils auf das dogmatische Postulat der perpetua virginitas Mariae Bezug genommen wird. Diese Lösung ist die der abendländischen Kirche schlechthin geworden[70], aber auch im Osten wurde sie von manchen Kirchenvätern (wenn auch nicht als die einzige) vertreten, so von *Chrysostomus*, der von Jakobus als Sohn des Klopas spricht, ohne Klopas' Verwandtschaft mit Maria und Josef festzulegen (KommGal 1,11 [PG 61,632]), was bei Theodoret von Kyros (zu Gal 1,19 [PG 82,468]) der Fall ist. Jakobus ist bei ihm Sohn des Klopas und Cousin Jesu, da seine Mutter die Schwester der Herrenmutter gewesen sei. In der griechischen Kirche hat sich die Cousintheorie gegenüber der Stiefbrüdertheorie jedoch nicht durchsetzen können[71].

---

[66] Sie wird in jüngerer Zeit auch von katholischen Exegeten angenommen: Oberlinner, Überlieferung 338; Pesch, Mk I,319. 322 ff.; Blank, Joh I b,79: „Die gesamte kritische Forschung ist heute der Auffassung, daß die nächstliegende Erklärung diejenige ist, daß es sich in der Tat um leibliche Geschwister Jesu handelt"; etwas zurückhaltender im Urteil: Mahoney, in: Dautzenberg–Merklein–Müller (edd.), Frau 96: „offensichtlich"; Brown u.a., Maria 62 ff. 78: Die Annahme leiblicher Vollbrüderschaft sei nicht „zweifelsfrei" (67) zu erweisen, habe aber doch die „Wahrscheinlichkeit" (78) für sich; nach Knoch, in: Beinert–Petri (edd.), Marienkunde 78 könne das Neue Testament „nicht als eindeutige Quelle" für diese Annahme in Anspruch genommen werden. – Bruce, Men 88 ist zuzustimmen, wenn er die Beweislast auf denen liegen sieht, die nicht leibliche Vollbrüderschaft annehmen.

[67] Zu Gal 1,19 (Souter II,311): fratres domini de propinquitate dicuntur.

[68] ExposGal 8,5 (CSEL 84,63) stellt Augustin die Stiefbrüder- und die Cousintheorie nebeneinander, ohne sich zu entscheiden; TractJoh 10,2 (CCL 36,101); 28,3 (CCL 36,278) redet er nur noch von letzterer, ohne allerdings die Verwandtschaftsbeziehungen zu erläutern; Sermo 133,1 (PL 38,737) spricht er nur allgemein von Blutsverwandten, zu Ps 127,12 (PL 37,1685) genauerhin von solchen Marias.

[69] Sermo 48,4 (CCL 24,266); die Geschwister Jesu sind nach ihm Kinder der Cleopha(!), der Schwester Marias.

[70] Vgl. Blinzler, Brüder 136ff.

[71] Die Cousintheorie liegt möglicherweise auch in der judenchristlichen Gnosis vor: 2 ApJac 50,11 ff. werden Jesus und Jakobus nicht als leibliche Vollbrüder angesehen. Gegen die Interpretation als Stiefbrüder spricht, daß (gerade umgekehrt wie in der von ProtevJac ausgehenden Tradition) die Mutter des Jakobus am Leben ist, während von Jesu Mutter nicht die Rede ist und auch ihr Tod nicht vorausgesetzt zu sein scheint. Auch der Name des Vaters des Jakobus, Theudas, und der Hinweis auf die gemeinsame Erziehung deuten nicht auf Halbbrüderschaft. Cousins (so Funk, Apokalypse 122) oder eine ähnliche Verwandtschaft wird also hier anzunehmen sein. Stimmt das und ist die oben vertre-

3.4.4 Zusammenfassung

Neben das judenchristliche und das gnostische tritt das großkirchliche Jakobusbild, das nach großkirchlichen Prämissen gestaltet wurde. Soweit es die institutionelle Seite betrifft, gilt Jakobus gemeinhin als erster Bischof Jerusalems; die episkopale Verfaßtheit der Großkirche wird in die Anfänge zurückprojiziert; das judenchristliche Jakobusbild wird aufgenommen und gleichzeitig (schon bei Clemens Alexandrinus) in doppelter Weise neutralisiert: Jakobus ist erstens von den Aposteln eingesetzt (diese Unterordnung wird im Laufe der Zeit noch deutlicher herausgestellt), d. h. er steht in der apostolischen Sukzession, und seine Zuständigkeit wird zweitens auf die Jerusalemer Gemeinde beschränkt; als Jerusalemer Bischof führt er selbst wieder eine Sukzession an, wie sie für Petrus in Rom und Johannes in Ephesus reklamiert wurde. Jakobus setzt seinerseits den unter ihm stehenden Klerus ein; die Art seiner Tätigkeit wird immer mehr als „herrschen" bezeichnet und selbstverständlich sitzt er von Anfang an auf einem Thron.

Überaus charakteristisch ist die Betonung der Frömmigkeit und Tugend des Jakobus, wie im Anschluß an die judenchristlichen Aussagen seine Toratreue (im Laufe der Zeit noch in verstärkter Weise) betont wird. Jakobus wird immer mehr zu einem Heiligen: er wird immer stärker ein beatus bzw. sanctus. Eine besondere Rolle spielt auch seine Einordnung in die Märtyrertradition, wobei freilich mancher Aspekt des judenchristlichen Jakobusbildes (z. B. Untergang Jerusalems als Strafe für Jakobus' Tod) wenigstens z. T. zurückgewiesen wird.

Theologisch wird Jakobus zumeist als orthodox eingestuft. Er steht schon bei Irenäus und Clemens Alexandrinus in antignostischem Zusammenhang (genau im Gegensatz zum gnostischen Jakobus), er gehört zu denen, die das Evangelium unverfälscht weitergeben und ist somit eine Säule der Kirche – teils wegen seiner Rezeption des alten Testaments (im antignostischen Kontext bei Irenäus), teils wegen seiner (was historisch nicht stimmt) Distanzierung des alttestamentlichen Zeremonialgesetzes (Didask). Seine Gelehrsamkeit und sein kluges Handeln werden gerühmt (Chrys. Hieron.), ja ihm kann sogar der Ehrentitel θεολόγος verliehen werden. Nur in der lateinischen Kirche wird Jakobus teilweise distanziert: bei Marius Victorinus, da sich die Symmachianer auf ihn beriefen; ambivalent ist auch das Jakobusbild Augustins (allerdings wegen falscher Exegese von Gal 2,11ff.). Für die gesamte sonstige Großkirche ist ein Moment außerordentlich wichtig, das bisher nicht thematisiert wurde, da es sich von selbst versteht: *der Jakobus*

---

tene Ansetzung der 2 ApJac richtig, so wäre die Cousintheorie schon lange vor Hieronymus entstanden; sie ist allerdings nicht im Bereich der Großkirche tradiert worden.

der Großkirche steht in keinem Gegensatz zu Paulus. In diesem Punkt wurden judenchristliche Traditionen deutlich korrigiert.

Was die Art der Verwandtschaft der Herrenbrüder zu Jesus betrifft, ist die Annahme der leiblichen Verwandtschaft die älteste und am Anfang am häufigsten verbreitete Auffassung. Sie liegt wahrscheinlich bei Hegesipp, sicher bei Tertullian vor und ist z.Z. des Origenes die am weitesten verbreitete Auffassung; nach Hilarius wird sie von vielen vertreten; Zeugen der späteren Zeit sind die sog. Antidikomariamiten bei Epiphanius, die Arianer Eunomius und Eudokius sowie Helvidius und seine Anhänger, unter denen im besonderen Bischof Bonosus von Sardica zu erwähnen ist.

Seit der Mitte des 2. Jh.s taucht eine andere Lösung auf: die Brüder Jesu seien Söhne Josefs aus erster Ehe. Erstmals ist diese Auffassung im Protevangelium Iacobi bezeugt: sie dringt von hier aus nicht nur in die weiteren Kindheitsevangelien ein, sondern erobert sich auch unter den Kirchenvätern immer mehr Anhänger; im Osten wurde sie die gängige Lösung schlechthin, von Clemens angefangen, im Westen wurde sie zunächst ebenfalls vertreten, später aber von der Lösung des Hieronymus immer mehr verdrängt; danach seien die Brüder Cousins Jesu, wobei dieses Verwandtschaftsverhältnis nicht immer in derselben Weise vermittelt gedacht wurde. Die Theorie, die Hieronymus selbst schon modifizierte, wurde von Augustin übernommen und in der Folgezeit in der westlichen Kirche zumeist und in der Ostkirche zum Teil vertreten.

Die in Frage kommenden neutestamentlichen Stellen, insbesondere die Rede von den Brüdern, läßt die Annahme der leiblichen Verwandtschaft zwar nicht als die einzig mögliche, aber doch als die bei weitem wahrscheinlichste Lösung erscheinen. Sie ist zudem unbelastet von dogmatischem Interesse (perpetua virginitas Mariae), das von den Vertretern der beiden anderen Lösungen immer wieder für ihre Meinung ins Feld geführt wird, in Wahrheit aber eines der stärksten Argumente gegen sie ist.

3.5 Die pseudepigraphe Jakobusliteratur

Jakobustradition liegt auch in der pseudepigraphen Jakobusliteratur vor; freilich nicht in der Weise, daß (wie bisher) bestimmte Aussagen über den Herrenbruder gemacht, sondern so, daß ihm literarische Erzeugnisse zugeschrieben werden. Letztere sind ähnlich vielfältig wie erstere und bestätigen wie diese, daß der Herrenbruder in sehr verschieden ausgerichteten Kreisen höchste Verehrung genoß, sonst wäre ja nicht gerade ihm die betreffende Schrift zugeschrieben worden. Diese Jakobusliteratur soll im folgenden untersucht werden; das ist freilich im vorliegenden Zusammenhang nur soweit möglich und sinnvoll, als die wesentlichsten Grundlagen der jeweiligen Schrift herausgearbeitet werden, um diese so in ihrem Rezipientenkreis bestimmen und in die Geschichte der Jakobusverehrung einordnen zu können. Der Bogen, den diese Literatur umfaßt, ist sehr weit gespannt. Er reicht (dabei ist die Zeit bis ca. 600 n. Chr. ins Auge gefaßt) vom neutestamentlichen Jakobusbrief bis hin zur Jakobusliturgie[1].

3.5.1 Der kanonische Jakobusbrief

3.5.1.1 Die Authentizität

Die Frage der Authentizität des Jak ist umstritten wie bei kaum einer anderen neutestamentlichen Schrift. Während die meisten Exegeten sich für Unechtheit entscheiden[2], erfreut sich die Annahme der Echtheit immer noch bzw. wieder großer Beliebtheit[3]. Da diese Frage für die vorliegende Arbeit von größter Bedeutung ist, sollen die wesentlichsten

---

[1] Nicht dazu gehört die judenchristliche Schrift Ἀναβαθμοὶ Ἰακώβου, die in zwei Versionen bei Epiph Pan XXX 16,6–9 und Ps Cl R I 33ff. vorliegt (dazu oben 3.2.3.2); sie berichtet über Jakobus und macht nirgends eine Andeutung, die (im Sinne von Autobiographie) auf ihn als Verfasser schließen ließe. Die Schrift ist eng verwandt mit der Apg-Literatur; Epiph redet im unmittelbaren Kontext von Apostelakten, die die Ebionäer verwendeten. Nach Pan XXX 23,1 benützten die Ebionäer gefälschte Apostelschriften, so von Jakobus, Matthäus und anderen Jüngern. Genaueres läßt sich aus dieser Notiz nicht erheben; es ist nicht einmal völlig sicher, daß Epiphanius hier den Herrenbruder meint.

[2] Ropes, James 47ff.; Dibelius – Greeven, Jak 23ff.; Windisch – Preisker, Jak 3f.; Moffatt, James 1; Meyer, Rätsel 306; Aland, Entwürfe 233ff.; Bieder, ThZ 1949, 94, A2; Jeremias, ET 1954/55, 368ff.; Eichholz, Jakobus 37, A13; ders., Glaube 37; Shepherd, JBL 1956, 49; Lohse, Einheit 291; ders., Entstehung 130f.; Eckart, ThLZ 1964, 523; Reicke, James 4; Stuhlmacher, Gerechtigkeit 192, A4; Michl, Jak 20; Schrage, Jak 11; Wikenhauser – Schmid, Einleitung 573ff.; Vielhauer, Geschichte 578ff.; Schille, Theol. Versuche IX,75; Wanke, FS Schürmann (1977) 490; Hoppe, Hintergrund 148; Marxsen, Einleitung 266ff.; Schenke – Fischer, Einleitung II, 237ff.; Lindemann, Paulus 241; Burchard, FS Bornkamm (1980) 315, A2; ders., ZNW 1980, 44, A77; Kümmel, Einleitung, 364f.; Laws, James 38ff.; Sidebottom, James 20; Elliott-Binns, James 1022; Lüdemann, Paulus II, 194; Vouga, Jacques 18; Ruckstuhl, Jak 8f.

[3] Patrick, James 34. 98ff.; Kittel, ZNW 1942, 71ff.; ders., ZNW 1950/51, 109ff.; Tasker, James 22; Ross, James 12ff.; Geyser, Neotestamentica 1975, 25ff.; Mußner, Jak 1ff. 237ff.; Robinson, Redating 138; Wuellner, Ling Bibl 43, 1978, 38; Stuhlmacher, Verstehen 234f.; Maier, Reich 9; Riesner, Jesus als Lehrer 217; Davids, James 2ff.; Grünzweig, Jak 17; Guthrie, Introduction 764.

Argumente dargestellt werden, um so zu einer begründeten Entscheidung kommen zu können.

G. Kittel verwies für die These der Authentizität u. a. auf die schlichte Selbstbezeichnung des Absenders als δοῦλος, auf die Adressierung an die zwölf Stämme in der Diaspora, weiters auf die Berührungen mit Herrenworten, die vorausgesetzte eschatologische Situation und Palästinismen[4]. Diese Argumente sind nicht stichhaltig[5]: wie Jak verweist auch Jud nicht auf die Herrenbruderschaft, obwohl er sie voraussetzt; die „zwölf Stämme in der Diaspora" sind entsprechend der Vorstellung von der Kirche als dem neuen Gottesvolk nicht auf Judenchristen zu beschränken, lassen also keinen Schluß auf die Verfasserschaft zu; die Verwandtschaft mit Herrenworten zeigt nur, daß Jak in den Zusammenhang dieser Tradition gehört; sie setzt nicht eine Zugehörigkeit des Verfassers zur Urgemeinde voraus[6]; die eschatologische Erwartung ist ähnlich lebendig in Did 10,6; 16,1 ff.; Barn 4,1 ff.; Herm Vis II 2 ff. und anderen Schriften der ausgehenden neutestamentlichen Zeit; einzelnen Palästinismen steht eine Fülle von Elementen der hellenistischen Tradition gegenüber. Auch die autoritative Redeweise des Jak[7] wie sprachliche Ähnlichkeiten mit der Jakobusrede Apg 15,13 ff.[8] beweisen natürlich nichts: jede Paränese ist autoritativ und Apg 15,13 ff. ist lk. Formulierung. Auch *Mußners* Frage[9], warum Jak überhaupt in den Kanon aufgenommen wurde, wenn er pseudepigraph ist, ist nicht schwer zu beantworten: weil man ihn (nach langem Hin und Her) doch für authentisch hielt. Daß schließlich bei einer Spätdatierung des Jak keine kirchen- und theologiegeschichtliche Situation zu nennen sei, in die der Brief hineingehört[10], trifft auch nicht zu (dazu genauer unten).

Eine Reihe von Argumenten macht die Authentizität des Jak unwahrscheinlich.

1. *Sprache und Stil* gehören, wie allgemein anerkannt wird, zur gehobenen Koine, sie haben „fast literarisches Niveau"[11]. Nicht nur ein rei-

---

[4] Kittel, ZNW 1942, 71 ff.; vgl. ders., ZNW 1950/51, 54 ff.

[5] Vgl. schon Aland, Entwürfe 234 ff.

[6] Gegen Mußner, Jak 239 f., bereits zu Recht Vielhauer, Geschichte 578 f. Was die Beziehung zu Jesus betrifft, fällt auf: der Brief nennt Jesus im Unterschied zu einer Reihe alttestamentlicher Gestalten nicht als Vorbild für den Glaubenden und erwähnt auch nicht die entscheidende Begegnung mit dem Auferstandenen.

[7] Nach Mußner, Gal 139, A 25 lasse die Adresse des Jak einen über die Grenzen Palästinas hinausgehenden Jurisdiktionsanspruch erkennen. Diese juridische Kategorie wäre selbst bei Annahme der Echtheit aufgrund des paränetischen Charakters des Jak unangemessen.

[8] Tasker, James 25 f.; Ross, James 14.

[9] Mußner, Jak 239.

[10] Ebd. 240.

[11] Vielhauer, Geschichte 568.

cher Wortschatz, sondern vor allem eine Fülle von lexikalischen, grammatikalischen und rhetorischen Figuren zeigen das: eine lange Reihe von neutestamentlichen Hapax legomena, darunter Vokabeln, die auch in der LXX nicht vorkommen; Subordination, Partizipialkonstruktionen, Inversion; weiters Alliteration, Homoioteleuton, Anapher, Klimax, Paronomasie, Chiasmus, überhaupt die Stilmittel der Diatribe wie: rhetorische Anreden und Fragen, Imperative, Einwände fingierter Gegner, Vergleiche, Zitate, Beispiele und vieles mehr findet sich im Jak[12]. Diese Gewandtheit im Umgang mit der griechischen Sprache deutet auf einen Verfasser mit griechischer Muttersprache hin. Selbst wenn man eine weite Verbreitung des Griechischen im Palästina des 1. Jh.s n. Chr. annimmt[13], wird man eine Abfassung des Jak durch den Herrenbruder selbst kaum für möglich halten[14], insbesondere, wenn man daneben das merklich einfachere Griechisch des Diasporajuden Paulus stellt. Das sprachliche Kleid einem griechisch sprechenden Mitarbeiter zuzuschreiben[15], befriedigt ebenfalls nicht, da literarische Texte vom Verfasser selbst geschrieben bzw. diktiert zu werden pflegten, und zudem bei dieser These der Anteil des Herrenbruders nicht mehr exakt festgestellt werden könnte[16]; das sprachliche Kleid ist gerade beim Jak keineswegs etwas bloß Äußerliches. Sicher ist der Hinweis auf die Sprache nicht das stärkste Argument gegen die Authentizität, wohl aber gegen die direkte Verfasserschaft des Herrenbruders[17]. Daß aber mit ihm nicht mehr operiert werden könne, weil wir über die Griechischkenntnisse des Herrenbruders nichts wüßten[18], unterspielt die Gewichtigkeit dieses Arguments.

2. Sehr wichtig ist das Fehlen jedes Bezugs auf das *Ritualgesetz*[19]. Jak spricht vom Gesetz als dem „vollkommenen Gesetz der Freiheit" (1,25; vgl. 2,12) bzw. vom „königlichen Gesetz" (2,8) und sieht es in der Nächstenliebe erfüllt (2,8); er konkretisiert es im gesamten Brief

---

[12] Genaue Belege bei Mußner, Jak 26 ff.; Wuellner, Ling Bibl 43, 1978, 62 ff.

[13] Vgl. zu Recht schon Weiß, Urchristentum 120.

[14] Gegen Sevenster, Do you know Greek? 191. Patrick, James 30 nimmt an, „that James knew Greek as well as the average Welshman or Highlander knows English"; doch reichen solche Griechisch-Kenntnisse wohl kaum für die Abfassung des Jak aus.

[15] Mußner, Jak 8, dort weitere Belege. Nach Burkitt, Christian Beginnings I, 65 ff. (aufgenommen von Bruce, Men 113) ist eine unter dem Namen des Jakobus überlieferte aramäische Schrift von der heidenchristlichen Gemeinde Aelia Capitolinas ins Griechische übertragen worden. Die folgenden Argumente gegen die Verfasserschaft des Herrenbruders gelten auch gegenüber dieser These.

[16] Vgl. Lohse, Einheit 304.

[17] Vgl. Michl, Jak 19 f.

[18] Mußner, Jak 237 f.

[19] Wikenhauser–Schmid, Einleitung 575 und Lüdemann, Paulus II, 194, A 1 halten dieses Argument für das stärkste.

nur durch ethische Anweisungen und verweist nie auf rituelle (rein ethisch verstanden ist auch die θρησκεία καθαρὰ καὶ ἀμίαντος 1,27, ebenso Termini wie ἁγνός 3,17, καθαρίζειν und ἁγνίζειν 4,8), was deshalb auffällig ist, weil der Herrenbruder betont an der Einhaltung ritueller Vorschriften durch die Judenchristen festhielt (Gal 2,11ff.). Den Heidenchristen gegenüber scheint er (vgl. oben 3.1) keine ähnlichen Forderungen erhoben zu haben, da Paulus ihm dergleichen nirgends vorwirft. Da nun Jak an die gesamte Christenheit gerichtet ist, ist diese fehlende Differenzierung auffällig und spricht gegen die Abfassung durch den Herrenbruder.

3. Für eine Spätansetzung spricht auch die *Situation des Briefes*: und zwar nicht nur die vielen Parallelen zu Schriften des letzten Viertels des ersten Jh.s und später (was ähnliche Problemstellungen voraussetzt und einigermaßen auf die gleiche Zeit deutet[20]), sondern vielleicht auch die im Jak erkennbaren Leitungsstrukturen der angesprochenen Gemeinden: es treten nur Lehrer (3,1) und Presbyter (5,14ff.) auf, die in der Zeit nach dem Tod der Apostel und der Entwicklung des Bischofsamtes große Bedeutung hatten.

4. Von den Vertretern der Echtheit wird auch das *kanonsgeschichtliche* Argument unterschätzt. Jak hat erst allmählich kanonisches Ansehen erlangt; er wird erstmals von Origenes als Schrift zitiert (Select Ps 30,6 [PG 12,1300]); nach Eus HE III 25,3 gehört er zu den Antilegomena; er fehlt im Kanon Muratori und bei Tertullian. Erst im Lauf des 3. Jh.s festigt sich sein kanonisches Ansehen. Dies ist kaum verständlich, hätte man von Anfang an ein Wissen von der Verfasserschaft des Herrenbruders gehabt; denn diesem stand die Großkirche (von einigen späteren Lateinern abgesehen, vgl. oben 3.4) durchaus positiv gegenüber. Daß „das häretische Judenchristentum den Herrenbruder Jakobus zu seinem Papst erhob"[21], ist mithin kein Argument, das den kanonsgeschichtlichen Befund erklären könnte (unter dieser Voraussetzung wäre der Brief wohl überhaupt nicht in den Kanon gekommen); ebensowenig auch die These, die Adressierung an Judenchristen spiele eine Rolle[22], da diese Eingrenzung der Adresse nicht zutreffend ist.

5. Das, wie mir scheint, wichtigste Argument ist der *nachpaulinische Charakter von 2,14ff.*[23] Die Trennung von Glauben und Gesetzeswer-

---

[20] Vgl. Mußner, Jak 33 ff.

[21] Mußner, Jak 20, A 4.

[22] Ebd.

[23] Mit Ausnahme der Exegeten, die Jak für die älteste Schrift des Neuen Testaments halten (z. B. Pieper, Kirche 26; Kittel, ZNW 1942, 94 ff.; Michaelis, Einleitung 282; Ross, James 20; Guthrie, Introduction 764), wird der nachpaulinische Charakter allgemein anerkannt; vgl. nur Dibelius–Greeven, Jak 31; Kümmel, Einleitung 364; Vielhauer, Geschichte 579; Schrage, Jak 10; Lüdemann, Paulus II,197 ff. Dazu zählen auch jene Auto-

ken entspricht nicht jüdischem Empfinden und ist vor Paulus nicht belegt. Jak übernimmt diese Trennung; auch wenn er sich nicht einfach
der paulinischen Rechtfertigungslehre anschließt, stimmen doch einzelne Formulierungen derart genau überein, daß sie nicht ohne Kenntnis entsprechender paulinischer Parallelen verstehbar sind[24], gleichgültig, wie dieser Bezug näher herzustellen und zu deuten ist. Bei der
Annahme der Echtheit müßte sich die Polemik direkt gegen Paulus
richten; da Jak aber Paulus keineswegs gerecht wird, ist es ganz unwahrscheinlich, daß der Herrenbruder diesen Brief relativ kurze Zeit
nach dem Zusammentreffen mit Paulus (Apg 21) verfaßt haben soll.
Die Frage ist m. E. nicht befriedigend zu beantworten, warum der Herrenbruder Paulus so völlig mißverstanden haben sollte. Bei Annahme
der Spätdatierung ist dieses Problem um vieles glatter zu lösen (im einzelnen unten).

3.5.1.2 Die Intention des Jakobusbriefes

Um die zeitgeschichtliche Einordnung des Jak durchführen zu können, ist es nötig, sein Grundanliegen herauszuarbeiten. Obwohl der
Brief kein systematisch aufgebautes Ganzes ist, läßt sich diese Intention
– das weisheitlich motivierte praktische Christentum – in den jeweiligen
Gedankenkreisen doch als durchgehend erweisen.

3.5.1.2.1 Glaube und Werke

Jak 2, 14–26 gilt zu Recht als theologisch zentraler Abschnitt des
Briefes[25]. Er läßt das Grundanliegen des Jak deutlich hervortreten und
ermöglicht zugleich eine theologiegeschichtliche Einordnung. Die
These V. 24, der Mensch werde aus Werken gerechtgesprochen und
nicht aus Glauben allein, setzt paulinische Aussagen voraus (Gal 2, 16;
Röm 3, 28; 4, 2 f.)[26]. Daß dem Verfasser Gal und Röm ganz oder teilweise schriftlich vorlagen[27], ist nicht unmöglich, aber doch unwahr-

---

ren, nach denen Jak Anfang der sechziger Jahre entstanden ist: Tasker, James 31; Mußner, Jak 239; Wuellner, Ling Bibl 43, 1978, 65; Stuhlmacher, Verstehen 234.

[24] Vgl. dazu in neuerer Zeit Lindemann, Paulus 240 ff. und Lüdemann, Paulus II,
194 ff.

[25] So Marxsen, Einleitung 223; Lohse, Einheit 287; Vielhauer, Geschichte 574;
Schrage, Jak 30; ders., Ethik 267 f. Daß es dem Vf. „auch sonst um die tathafte Verwirk-
lichung christlicher Existenz" (Schrage, Jak 30) geht, zeigt die Integration dieses Abschnittes in den Brief. Dagegen Stuhlmacher, Gerechtigkeit 194: „Für Jakobus ist die Frage der
Rechtfertigung eines unter mehreren Theologumena, für Paulus das eine Herzstück seiner Predigt". Zustimmend zitiert von Luck, ZThK 1984, 4.

[26] Gleiches gilt auch für 1, 2–4 (vgl. Röm 5, 3–5) und 2, 10 (vgl. Gal 5, 3), dazu Lüdemann, Paulus II, 195 ff.

[27] Lindemann, Paulus 244 ff.; Lüdemann, Paulus II, 194 ff.

scheinlich: einerseits sind die wörtlichen Übereinstimmungen und die Verwendung gemeinsamer Argumentationsmittel nicht so groß, daß nur der Schluß auf literarische Abhängigkeit bliebe. Andererseits wäre das Mißverständnis der paulinischen Position bei Vorlage von Paulusbriefen viel weniger leicht möglich, als wenn der Verfasser des Jak bloß von paulinischer Theologie gehört hätte. Paulus vertritt ja keineswegs den von Jak attackierten Glaubensbegriff. Für ihn ist Glaube ohne Gehorsam (Röm 1,5) und tätige Liebe (Gal 5,6) gerade kein Glaube. Der Gegner des Jak hingegen trennt Glaube und Werke und stellt sie additiv nebeneinander, und Jak übernimmt dieses Glaubensverständnis, ohne es ausreichend zu korrigieren, obwohl er die Frage der Bewahrung des Glaubens, m.a.W. dessen Verständnis als Ermöglichungsgrund der Werke, immerhin kennt (1,3; 2,18 u.ö.).

Selbst wenn der (bzw. die) mit τις angesprochene(n) Gegner (V. 14 ff.) dem Diatribestil des Verfassers entsprechend als fiktiv anzusehen sein sollte(n)[28], kann Jak diese Position kaum direkt aus einer eigenen falschen Interpretation von Paulusbriefen haben; sie wird ihm wohl auf dem Weg „paulinischer" Tradentenkreise überkommen sein, die freilich Paulus nicht mehr adäquat überlieferten[29]. Aber nicht nur diese haben *Paulus mißverstanden*, sondern auch Jak selbst, genauer: Er hat überhaupt keine exakte Kenntnis von ihm erhalten, sonst hätte seine Reaktion doch differenzierter ausfallen müssen.

Hat Jak nicht unmittelbar Paulus bzw. korrekt überlieferte paulinische Aussagen vor sich, so kann man auch nicht von Antipaulinismus im Sinne bewußter Agitation sprechen[30]. In dem Maße aber, in dem er gegen eine depravierte Paulustradition antritt, und auch seine eigene Position nicht mit der des Paulus in Einklang steht, sondern bestimmte paulinische Aussagen zu distanzieren scheint, wird man von einem *de-facto-Antipaulinismus* sprechen können (und damit ist auch schon an diesem speziellen Punkt der historische Ort des Jak markiert): Jak steht mit Paulus in unüberbrückbarem Gegensatz, „wenn er die Werke in die Rechtfertigung einbezieht und diese damit synergistisch korrumpiert"[31].

---

[28] Lohse, Einheit 288; Schille, Theol. Versuche IX, 80; Hoppe, Hintergrund 100.

[29] Für viele andere: Kümmel, Einleitung 362; Schrage, Jak 37; Dassmann, Stachel 117. Wie bestimmend für diese Pseudopauliner paulinisches Gedankengut war, läßt sich nicht exakt sagen; Luck, ZThK 1984, 28 sieht die Polemik des Jak „auch gegen Kreise des hellenistischen Christentums gesprochen". Dem ist nur insofern zuzustimmen, als diese Kreise im weiteren Umfeld paulinischer Tradition gestanden sein müssen.

[30] So in letzter Zeit betont Lindemann, Paulus 248 ff.; Lüdemann, Paulus II, 194 ff. Daß Jak die paulinische Theologie verstand und trotzdem widerlegen wollte (Lindemann, Paulus 250), hängt von der These ab, daß Jak Paulusbriefe vor sich hatte. Ist letzteres nicht sicher, so auch nicht ersteres.

[31] So in gut lutherischer Tradition mit Recht Schrage, Jak 37; vgl. auch Hengel, FS Kümmel (1985) 88.

„So ist denn auch Abraham nicht mehr der Typus der Rechtfertigung des Gottlosen, sondern der des Gerechten, dessen Gerechtigkeit nicht von Gott hergestellt, sondern festgestellt wird."[32]

Trotz dieser 2,14 ff. vorhandenen unterschiedlichen Position von Paulus und Jak finden sich bei letzterem Aussagen, die wenigstens *in der Nähe dessen stehen, was der paulinische Indikativ meint*: 1,5 (Gott gibt allen ohne weiteres); 1,17. 18 („nach seinem Willen hat er uns durch das Wort der Wahrheit geboren, damit wir gleichsam Erstlinge seiner Geschöpfe wären"); 2,5 (Erwählung derer, die vor der Welt arm sind); 3,17 (Weisheit von oben); 4,12 (Gott als Retter). Diese Aussagen werden jedoch nicht ausreichend theologisch vermittelt und für die Ethik fruchtbar gemacht: Glaube als Voraussetzung für die Ethik im Sinne von Gal 5,6 ist Jak 2,22 bestenfalls unklar anvisiert, wenn von einem Zusammenwirken[33] des Glaubens „mit seinen Werken" die Rede ist und aus den Werken der Glaube vollendet wird.

Volle Übereinstimmung zwischen Paulus und Jakobus besteht in einem Punkt, auf den letzterer 2,14 ff. das größte Gewicht legt: die Notwendigkeit der *Realisierung des Glaubens im konkreten Handeln*. Auch wenn er das Verhältnis Glaube – „Werke" nicht näher theologisch durchdenkt, ist doch auch für ihn eine Trennung beider nicht möglich. Die Vernachlässigung des konkreten Glaubensvollzugs sieht er bei seinen Gegnern gegeben; er protestiert dagegen in der ihm eigenen Weise auf das schärfste; er ist in diesem Protest gut paulinisch, aber auch nur (soweit es das vorliegende Problem betrifft) in diesem Protest[34]. Nicht

---

[32] Schrage, Jak 36. Maier, Reich 21 meint, 2,14 ff. liege keine antipaulinische Polemik vor. Heiligenthal, Werke, spricht sich „gegen eine von Jakobus explizit geführte Auseinandersetzung mit paulinischem Gedankengut" (50) aus; in dieser Form sind diese Urteile nicht aufrecht zu halten. Worauf Heiligenthal 42 ff. zurecht hinweist, ist der soziologische Hintergrund von Jak 2,14 ff. in der Forderung nach sozialem Ausgleich innerhalb der Gemeinden.

[33] Bieder, ThZ 1949, 103 verweist auf das Impf. συνήργει (2,22), das eine kontinuierliche Anwesenheit des Glaubens in den Taten Abrahams zum Ausdruck bringe. Es liege kein Synergismus vor, da die „Frage nach dem Wieviel oder Wiewenig, das dem Menschen beim Zustandekommen der Rechtfertigung zuerkannt werden dürfe", keine Rolle spiele. So sehr hier Richtiges gesehen ist, geht doch die Aussage, es liege trotz formaler Verschiedenheit, ja Grundsätzlichkeit zu Paulus, eine „sachliche Uebereinstimmung" vor (104, A 19), zu weit. Denn einen Satz wie V.24 könnte Paulus nicht nachsprechen; er kann auch nicht dem Sinn paulinisch interpretiert werden. Zur Paränese des Jak vgl. zusammenfassend Schrage, Ethik 266 ff. (ebd. 266 auch neuere Literatur).

[34] Jakobus ist gut paulinisch, wenn er sich gegen eine schlechte Praxis einsetzt, so Schille, Theol. Versuche IX,81; Ruckstuhl, Jak 21; aber daß er ein pseudopaulinisches Christentum zur ursprünglichen paulinischen Position zurückzubringen suchte (so Lorenzen, ET 1977/78, 234: in Anlehnung an W. Marxsen, Introduction to the New Testament, Philadelphia 1968, 231; Marxsen formuliert im Zusammenhang freilich zurückhaltender als Lorenzen), ist ohne diese Präzisierung unmöglich zu sagen.

in einer präzisen theologischen Theoriebildung, wohl aber im Wertlegen auf die Praxis liegt die entscheidende Bedeutung des Jak.

Ist Jak so gegen tatsächliche und mögliche Mißverständnisse eines nachpaulinischen Christentums aufgetreten, so tut er dies freilich nicht, weil er ein Repräsentant dieser Tradition und von ihr geprägt wäre. Er tut es vielmehr von einer Position her, die in hohem Maße von der Jesustradition herkommt und ihre letzten Wurzeln in einer dem Armenideal verpflichteten frühjüdischen Weisheitstradition hat.

3.5.1.2.2 Die Weisheit als Garant richtigen Handelns

Die theologische Mitte der für Jak charakteristischen Ausrichtung auf die konkrete Lebensgestaltung kommt in den Abschnitten zum Ausdruck, die von der *Weisheit* handeln[35]: Zunächst 1,2–12: danach bewirken Versuchungen als Erprobung des Glaubens Geduld; die Geduld aber hat eine Haltung zur Folge, die zur Vollkommenheit führt. Die Kraft dazu wird dem Menschen von Gott in der Weisheit geschenkt[36], um die er deshalb mit Zuversicht und ungeteilten Herzens bitten soll. Der so in der Versuchung sich Bewährende erhält die Krone des Lebens. Weiters 3,13–18: Wer weise und einsichtig ist, zeige das an seinem Tun; an ihm ist erkennbar, ob einer durch die von oben kommende oder durch die nicht von oben kommende „Weisheit" bestimmt ist. Erstere realisiert sich in Reinheit, Friedsamkeit, Freundlichkeit, Fügsamkeit, in Barmherzigkeit und guten Früchten; wem sie geschenkt ist, der ist frei von Zweifeln und Heuchelei[37].

Jak hat den in seinem Tun einheitlichen und geradlinigen[38] Menschen als Träger der Weisheit Gottes vor Augen, der Vollkommenheit und Ganzheit erreichen will (1,4) und dessen Gegenstück der auf allen seinen Wegen unbeständige ἀνὴρ δίψυχος ist (1,8). Die Welt ist im Jak zurückhaltend bewertet. Seine Ethik ist eine Ethik der *Distanz zur Welt*: Es geht darum, daß der Glaubende sich von ihr rein hält, wie es in der umfassenden Formulierung 1,27 heißt. Freundschaft mit der Welt und gleichzeitig mit Gott zu halten, ist unmöglich, da beides sich

---

[35] Zum weisheitlichen Hintergrund, der die Aussagen des Jak trotz aller Verschiedenartigkeit als Einheit verstehen läßt, vgl. zuletzt Hoppe, Hintergrund passim; Baasland, StTh 1982, 119 ff.; Luck, ZThK 1984, 1 ff.; dort weitere Literatur.

[36] Zur Traditionsgeschichte: Die Weisheit ist der Erstling von Gottes Tun (Spr 8,22 ff.); er schenkt sie und wer sie sucht, wird sie nicht verfehlen (Spr 2,4 ff.; Sap Sal 6,12 ff.; 8,2 ff.). Die Weisheit ist eng mit der Tora verbunden: wer an der Tora festhält, erlangt die Weisheit (Sir 15,1 ff.).

[37] Vgl. die ähnliche Charakteristik des Tuns der Weisheit Sap Sal 7,22.

[38] Vgl. bes. die Betonung der Einheit von Hören und Tun des Wortes 1,19 ff. sowie den Hinweis auf die Integrität und Geradlinigkeit im Handeln, die das Schwören überhaupt unnötig machen, 5,12.

ausschließt (4,4). Das von der göttlichen Weisheit gelenkte Verhalten äußert sich also darin, sich nicht an die Welt zu verlieren. Dafür wirbt Jak mit seiner ganzen Überzeugungskraft[39]. Diese Ethik ist als Konventikelethik bezeichnet worden[40], ein vielleicht etwas hartes Urteil, denn immerhin verschließt sich diese Gruppe nicht einfach Außenstehenden, auch wenn sie sich „der Welt" gegenüber distanziert; andererseits erscheint es ebenso übertrieben, in der im Jak angesprochenen Gruppe „eine missionarische, sich ihrer geringen Größe bewußte Gruppe"[41] zu sehen, deren Selbstbewußtsein durch Bilder wie „Salz der Erde" oder „Licht der Welt" adäquat zum Ausdruck gebracht sei[42].

Das deutlichste Beispiel für die Zurückhaltung der Welt gegenüber ist die *Stellungnahme zum Reichtum* 1,9–11; 2,1–7; 4,13–5,6. Der Reiche wird wie Gras vergehen, wie es in weisheitlicher Redeweise heißt; sein Reichtum nützt ihm nichts; dem Großhandel Treibenden wird 4,14 entgegengehalten: ein Hauch seid ihr, der eine kleine Zeit sichtbar ist, hernach wieder verschwindet; auch hier dieselbe weisheitlich motivierte Distanz, die nicht näher begründet ist. Nicht bloß unbußfertige Reiche greift 5,1–6 an und will sie zur Umkehr bewegen[43], sondern Reiche überhaupt. Sie scheinen auch nicht zur Gemeinde zu gehören; es wird ihnen üppiges Leben auf Kosten anderer und ungerechte Rechtsprechung vorgeworfen und die Vergänglichkeit des Reichtums vorgehalten. Die Reichen schleppen Gemeindeglieder vor Gericht und lästern den schönen Namen, der über ihnen (bei der Taufe) gesprochen wurde (2,6f.). Das klingt wieder nicht danach, als ob wohlhabende Schichten schon einen integrierenden Bestandteil der Adressatengemeinden gebildet hätten, wohl aber setzt 2,1ff. erste Kontakte voraus. Die Gemeinden scheinen an einem historischen Punkt zu stehen, an dem dieser Übergang sich vollzieht, dem Jak von der traditionellen Armenfrömmigkeit[44] her äußerst reserviert gegenübersteht, den er aber doch nicht schlichtweg ablehnt, sondern nur soweit beeinflußt, als er eine gefährliche Bevorzugung von Reichen verhindern will.

Die Weisheit ist wegen ihrer grundsätzlichen Stellung im Jak auch in den sonstigen paränetischen Topoi der Garant richtigen, die Distanz

---

[39] Die Fragestellung nach der Wirkungsabsicht hat Wuellner, Ling Bibl 43, 1978, 9ff. zu Recht herausgestrichen. Jak will die Leser für seine Ziele gewinnen. Zwischen „lehrend oder gar mahnend" einerseits und „werbend, gewinnend" andererseits einen Gegensatz aufzubauen (65), ist jedoch übertrieben.

[40] Dibelius – Greeven, Jak 71; Vielhauer, Geschichte 577.

[41] Schille, Theol. Versuche IX,77.

[42] Ebd. 88, A40.

[43] So Maier, Reich 34ff.

[44] Dibelius – Greeven, Jak 58ff.; Mußner, Jak 76ff.; Maier, Reich, passim; dort reiche Belege.

zum Weltverhaftetsein wahrenden Handelns, auch wenn das nicht direkt gesagt wird. So wehrt 3, 1 ff. dem Drängen zum Lehramt, weil man in diesem in besonderer Weise Verfehlungen ausgesetzt ist; 4, 1 ff. wendet sich gegen Streitigkeiten, die in den eigenen Begierden begründet sind und ebenso wie Versuchungen (1, 14) von der eigenen Lust verursacht werden. Wer seinen Bruder richtet, verunglimpft das (weisheitlich verstandene) Gesetz[45] (4, 11 f.); wer geduldig auf die Parusie des Kyrios wartet, handelt ebenso klug wie der Landwirt, der geduldig auf die Ernte wartet (5, 7 ff.).

3.5.1.3 Der religions- und theologiegeschichtliche Ort des Jakobusbriefs

Mit dem Hinweis auf die paulinische und weisheitliche Tradition ist der historische Ort des Jak bereits in wesentlichen Punkten markiert. Dies soll nun noch durch weitere Bezüge wenigstens angedeutet werden. Die Bekanntschaft mit der Geisteswelt des *Hellenismus* ist nicht nur in der Verwendung der Diatribe gegeben, sondern auch durch einzelne Vorstellungen wie die von der Unveränderlichkeit Gottes (1, 13. 17), vom ἔμφυτος λόγος (1, 21) und dem Rad des Werdens (3, 6), eventuell auch durch Dichterzitate (1, 17; 4, 5 b). Vermittelt ist das alles aber wohl durch die hellenistische Synagoge, wie andererseits *apokalyptische* Aussagen (wie die Rede vom Gericht 4, 12; 5, 1 ff.) durch die christliche Tradition vermittelt zu denken sind.

Von großer Bedeutung ist die *Verwandtschaft mit der Jesustradition* speziell mt. Prägung. Einige Parallelen zur Q-Tradition: Gebetserhörung: Jak 1, 5/Mt 7, 7 ff.; Lk 11, 5 ff.; Hören und tun: Jak 1, 22 ff./ Mt 7, 24 ff.; Lk 6, 47; Erwählung der Armen: Jak 2, 5/Mt 5, 3; Lk 6, 20 u. ö.; daneben gibt es Parallelen zum lk. Sondergut: Weheruf gegen Reiche: Jak 4, 9; 5, 1 ff./Lk 6, 24 f.; Diskrepanz zwischen Kennen und Tun des Guten: Jak 4, 17/Lk 12, 47 u. ö. und insbesondere zum mt. Sondergut: Gericht über den Unbarmherzigen: Jak 2, 13/Mt 5, 7; unnützes Reden: Jak 3, 1 ff./Mt 12, 36 f.; Verzicht auf Richten: Jak 4, 11 f./ Mt 7, 1 ff.; Verzicht auf Schwören: Jak 5, 12/Mt 5, 33 ff. u. ö.[46]. Eine Abhängigkeit des Jak von den Parallelen ist wegen mangelnder Übereinstimmung im Wortlaut nicht anzunehmen[47]; vereinzelt ist auch die Jak-

---

[45] Das königliche Gesetz (2, 8; Parallelen: Gesetz der Freiheit 2, 12 bzw. vollkommenes Gesetz der Freiheit 1, 25) ist in der Nächstenliebe erfüllt. Es ist also das durch Christus neu ausgelegte Gesetz. Vgl. Hoppe, Hintergrund 72 ff. 86 ff.; Wanke, FS Schürmann (1977) 505 f.

[46] Vgl. genauer Mußner, Jak 48 ff.

[47] Shepherd, JBL 1956, 47 nimmt an, Jak habe das Matthäusevangelium zwar nicht schriftlich vor sich liegen gehabt, aber es sei in seiner Gemeinde in Verwendung gestanden und ihm so aus der mündlichen Vorlesung her vertraut gewesen. Auf die Unbeweis-

Version die traditionsgeschichtlich älteste (insbesondere 5,12). Vielmehr liegt gemeinsame Tradition vor, die Jak z. T. möglicherweise gar nicht als Jesustradition überliefert bekam, sondern allgemein als Gemeindeparänese[48]. Den paränetischen Charakter des Jak hat *Dibelius* zu Recht herausgearbeitet, was auch mehr oder minder Allgemeingut der Exegese geworden ist[49]. Dennoch ist seiner These der inneren Zusammenhangslosigkeit des Jak aufgrund des disparaten paränetischen Materials nicht zuzustimmen. Daß ein gedanklicher Zusammenhang fehlt[50], ist nur insofern richtig, als ein von Kapitel zu Kapitel fortschreitender Gedankenablauf fehlt, was im Charakter der Schrift als einer Paränese begründet ist. Dennoch werden aber die Einzelaussagen nicht nur durch die allen gemeinsame Wirkungsabsicht zusammengehalten, nämlich die *Bewährung in der Praxis* der christlichen Existenz. Diese sehr allgemein gehaltene gemeinsame Absicht ist noch insofern genauer zu bezeichnen, als *durch die Erfüllung der Einzelforderungen des Gesetzes* (auch in der Situation der Bedrückung) *Vollkommenheit erstrebt wird*, wie gleich am Anfang 1,4 als Leitlinie für den ganzen Brief herausstellt (vgl. 2,10). Hierin besteht wieder eine enge Beziehung zur mt. Bergpredigt, in der ebenfalls Vollkommenheit durch Erfüllung des durch Jesus neu interpretierten Gesetzes erreicht werden soll (5,48).

Der theologiegeschichtliche Ort des Jak scheint also in einer mit Mt verwandten Tradition zu liegen, in der unter Aufnahme jüdischer und hellenistischer Einflüsse die Jesustradition prägend war, und die mit Pseudopaulinismus zu tun hatte, ohne selbst allerdings ein näheres Verständnis paulinischer Anliegen zu haben[51]. Die Verwandtschaft mit Mt

---

barkeit der Abhängigkeitsthese hat schon Dibelius (Dibelius – Greeven, Jak 46) verwiesen; vgl. in neuerer Zeit auch Mußner, Jak 51; Lohse, Einheit 293; Schrage, Jak 11 f.; Schenke – Fischer, Einleitung II, 241.

[48] Die Bezeichnung als Homilie, Elliott – Binns, James 1022, ist eine Verengung, da Paränese nicht an die Predigt gebunden ist, ja in ihr nicht einmal ihren genuinen Ort hat.

[49] Vgl. Eichholz, Glaube 38; Kümmel, Einleitung 360; Vielhauer, Geschichte 571; Lohse, Entstehung 128; Michl, Jak 16; Schille, Theol. Versuche IX,71; Wikenhauser – Schmid, Einleitung 569; Marxsen, Einleitung 223; Schenke – Fischer, Einleitung II, 231; Schrage, Jak 6 u. a.

[50] Dibelius – Greeven, Jak 21; Kümmel, Einleitung 360; Vielhauer, Geschichte 571 u. a. Anders zu Recht Schrage, Jak 8 f.

[51] Zur Beziehung des Jak zu den Apostol. Vätern vgl. Kittel, ZNW 1950/51, 54 ff. sowie Köster, Überlieferung, passim. Obwohl auch hier (ebenso wie beim 1 Petr) keine literarische Abhängigkeit festgestellt werden kann, zeigt die Verwandtschaft verschiedener Topoi doch die relativ ähnliche Situation der Tradentenkreise und weist wieder auf eine Ansetzung des Jak in den letzten Jahrzehnten des 1. Jh.s. Als Ort wäre Syrien gut denkbar. Schenke – Fischer, Einleitung II, 240 schließen das (u. a.) aus folgenden Argumenten: die mündliche Überlieferung muß im betreffenden Gebiet noch lebendig sein; Jakobus muß Autorität besitzen; der Einfluß jüdischer und hellenistischer Geisteswelt muß vorhanden und einigermaßen gleich stark sein.

könnte auf einen judenchristlichen Verfasser hindeuten, doch ist das nicht mit Sicherheit festzulegen; nach 3,1 gibt er sich als Lehrer zu erkennen; er ist nach dieser seiner Funktion innerhalb der Gemeinde in besonderer Weise als Träger von Jesustradition erkennbar.

Welchen *Bezug er zum Herrenbruder* hat, m. a. W. warum er dessen Namen als Verfasser seiner Schrift einsetzte, läßt sich nur andeutungsweise erkennen. Daß ein solcher Bezug überhaupt vorhanden ist, wird von den Vertretern der Unechtheit gewöhnlich überhaupt nicht reflektiert. Und doch muß ein solcher Bezug in den Augen des Verfassers bestanden haben, sonst hätte er nicht diese Wahl des Pseudonyms getroffen. Einen interessanten Vorschlag macht *B. R. Halson*[52]: danach ist Jak eine Sammlung katechetischen Materials, das in einer mit dem Herrenbruder verbundenen Katechetenschule tradiert worden sei; diese Schule habe sich allerdings in der Zeit nach dessen Martyrium aufgelöst und aus ihrem mündlich weitertradierten Erbe sei nicht allzu lang nach der Entstehung des Mt der Jak gestaltet worden. Daß zweifellos das meiste Material des Jak mit dem Herrenbruder verbunden sei[53], ist sicher insofern richtig, als die betreffenden Traditionen dem Herrenbruder bekannt gewesen sein werden; freilich nicht nur ihm, so daß eine direkte Ableitung nicht sinnvoll erscheint[54]; auch geht die Rückführung auf eine einzige Schule, die noch dazu so genau lokalisiert wird, über das einigermaßen sicher Aussagbare hinaus; da die betreffenden Traditionen, wie die Synoptiker zeigen, in verschiedenen Tradentenkreisen gepflegt wurden, verbietet sich eine zu geradlinige Rückführung auf den Herrenbruder. Daß freilich dessen Name als Pseudonym gewählt wurde, erklärt sich gleichwohl am einfachsten bei *Annahme eines traditionsgeschichtlichen, vielleicht sogar persönlichen Zusammenhangs mit ihm – nur braucht das kein allzu direkter und ausschließlicher gewesen zu sein.* Voraussetzung ist nur, daß er dem Verfasser als Mann galt, der genug Autorität hatte, das Gebotene beim Leserkreis entsprechend zur Anerkennung bringen zu können. Sowohl beim Verfasser wie bei den Lesern ist der Herrenbruder als anerkannte Autorität vorauszusetzen; in diesem Kreis liegt mithin Jakobustradition vor; allerdings weniger in dem Sinn, daß dessen Vorstellungen in diesem Kreis in besonderer Weise weiterlebten – was vom historischen Jakobus bekannt ist (Verantwor-

---

[52] Halson, in: Cross (ed.), Studia Evangelica IV,1, 308 ff., bes. 312 f.

[53] Ebd. 312.

[54] Nach Bieder, ThZ 1949, 94, A2 kann die These von H. Rendall (The Epistle of St. James and Judaic Christianity, 1927, 33), „wonach der Jakobusbrief ein Kompendium von mündlichen Äußerungen des Herrenbruders sei, die er von Zeit zu Zeit in Jerusalem, am Zentralort der Judenchristenheit, von sich gab, in dem Sinn aufgenommen und verwertet werden, als dann ein unbekannter Hörer des Herrenbruders diese offenbar markanten Aussprüche in seiner Schrift selbständig zu verwerten wußte".

tung speziell für das Judenchristentum und dessen Toratreue, auch im
rituellen Bereich), spricht nicht dafür; wohl aber in dem Sinn, daß er als
verehrte und schon verklärte Gestalt der Anfänge, die noch dazu auf
die Realisierung des Glaubens im konkreten Leben großen Wert legte,
in Erinnerung geblieben war. Insofern liegt, wie ich es nennen möchte,
bei Jak eine *sekundäre Herrenbrudertradition* vor, die sich primär nicht
an dessen Vorstellungen, sondern an *dessen Ruhm orientiert.*

3.5.2 *Das Protevangelium Iacobi*

Beim neutestamentlichen Jakobusbrief konnte noch mit größter
Wahrscheinlichkeit eine Bekanntschaft des Jakobus mit vielen Aussagen vorausgesetzt werden, die in dem ihm zugeschriebenen Brief vorkommen, da beide, Herrenbruder und Jakobusbrief in derselben Jesustradition standen. Das wird nun anders. Mit dem ProtevJac beginnt die
spätere pseudepigraphe Jakobusliteratur, die mit dem historischen Herrenbruder fast nur mehr die Verfasserangabe gemein hat. Das Protev
Jac gibt sich zwar 25,1 als Jakobusschrift aus, im ursprünglichen *Titel*
fehlt aber wohl ein Hinweis auf den Verfasser[55]: Zwar lautet Super-
und Subscriptio in der ältesten griechischen Handschrift des ProtevJac,
dem Pap. Bodmer V[56] Γένεσις Μαρίας. Ἀποκάλυψις Ἰακώβ, und in späteren griechischen Handschriften wird die Verfasserangabe z.T. noch
ausgeschmückt[57]; z.T. fehlt sie aber überhaupt[58] und dieser Umstand
erklärt sich am besten bei einem ursprünglichen Fehlen dieses Unterti-
tels (der Hinweis auf die Geburt Marias findet sich dagegen durchgehend in der Überlieferung). Zudem sprechen, wie *de Strycker* zeigte[59],
noch einige andere Argumente dafür: ein Doppeltitel ohne Verbindung
mit ἤ ist in der griechischen Literatur ungebräuchlich; der Untertitel
ἀποκάλυψις wird der Schrift nicht gerecht; auch ist die Form Ἰακώβ für
Gestalten des Neuen Testaments ungebräuchlich (25,1 nennt sich der
Verfasser Ἰάκωβος!). Der Hinweis auf Jakobus im Titel muß aber sehr
alt sein, da Pap. Bodmer V spätestens ins frühe 4. Jh. gehört[60] und
Orig KommMt 10,17 (GCS Orig X,21) die Schrift mit βίβλος Ἰακώβου
zitiert.

[55] So richtig de Strycker, Forme 208 ff.
[56] Testuz (ed.), Papyrus Bodmer V.
[57] Einige Beispiele bei Smid, Protevangelium 1, A 1.
[58] In der syrischen Version fehlt der Hinweis auf Jakobus im Titel ebenfalls: Apocrypha Syriaca. The Protevangelium Jacobi and Transitus Mariae, ed. and transl. by Lewis, 1.
[59] De Strycker, Forme, 212 ff.
[60] De Strycker, in: Cross (ed.), Studia Evangelica III,2, 345. Testuz, Pap. Bodmer V,10
datiert die Hs. ins 3. Jh.

Das „Protevangelium"[61] erzählt (wenigstens z.T.) Ereignisse, die zeitlich vor den im Neuen Testament erzählten liegen. Die *Hauptperson* ist dabei nicht der junge Jesus (wie in der Kindheitserzählung des Thomas) oder Josef (wie in der Geschichte von Josef dem Zimmermann), sondern Maria: ihre wunderbare Geburt nach kinderloser Ehe ihrer (reichen!) Eltern Joachim und Anna, ihr Aufwachsen im Tempel vom dritten bis zum zwölften Geburtstag, ihre Verlobung mit dem alten Witwer Josef und die Geburt Jesu. Die Schrift schließt mit der Erzählung von der Ermordung des Hohenpriesters(!) Zacharias, des Vaters des Täufers. Wie die Differenzen zwischen dem Pap. Bodmer V und späteren Handschriften zeigen, ist der Umfang der Schrift im Lauf der Zeit gewachsen; deutliche Beispiele dafür sind etwa die unvermittelt in 1. Person gegebene Erzählung vom Stillstand der Natur bei der Geburt Jesu (18,2) oder das Gebet Salomes um Heilung ihrer Hand, die als Strafe für ihren Zweifel an der perpetua virginitas Mariae vom Feuer verzehrt wurde (20,2). Die Schrift ist mehrfach überarbeitet worden, ein Prozeß, in den wir aufgrund der wenigen Handschriften aus früher Zeit nur einen geringen Einblick haben. Der Stoff stammt aus der volkstümlichen christlichen Tradition, die unter Heranziehung alttestamentlicher und frühchristlicher Schriften[62] sowie insbesondere der Vorgeschichten des Mt und Lk gestaltet wurde.

Wie alle Kindheitsevangelien wurde auch das ProtevJac[63] geschrieben, um für die fromme Neugier die Lücken in den kanonischen Evangelien zu füllen. Daß es „zur *Verherrlichung der Maria* geschrieben"[64]

---

[61] Dieser Titel ist handschriftlich nicht bezeugt; er stammt von dem französischen Humanisten Guillaume Postel, dessen lat. Übersetzung 1552 in Basel von Th. Bibliander publiziert wurde.

[62] Vgl. van Stempvoort, in: Cross (ed.), Studia Evangelica III, 2, 410 ff.

[63] Nach dem Urteil de Stryckers, in: Cross (ed.), Studia Evangelica III, 2, 339 (vgl. ders., Forme V) „le plus ancien et le plus important des évangiles apocryphes de l'Enfance"; insofern mariologische Themen in der späteren Kirche wichtiger wurden als Ausführungen über die Kindheit Jesu (wie sie in der Kindheitserzählung des Thomas vorliegen), ist dem zuzustimmen. Das ProtevJac zeigt, daß die Marienverehrung schon in früher Zeit weit fortgeschritten war. Es hat selbst wiederum die Mariologie der Folgezeit entscheidend beeinflußt und übte auf bildende Kunst und den Festkalender der Kirche große Wirkung aus. Es erfreute sich insbesondere im Osten großer Beliebtheit, auch wenn es nicht kanonischen Rang erhielt; im Westen war man unter dem Einfluß des Hieronymus, der die Brüder Jesu nicht als Söhne Josefs aus einer früheren Ehe, sondern als Cousins Jesu interpretierte, zurückhaltend (im Decretum Gelasianum [TU 38,4,11]) wird es verurteilt.

[64] Cullmann, in: NTApo I⁴,279; weiters: Bardenhewer, Geschichte I,536; Vielhauer, Geschichte 672; letzterer spricht 670 etwas zurückhaltender von der „Glorifizierung der Mutter Jesu" als der „Hauptsache"; ähnlich Quasten, Patrology I,120 f.: „The principal aim of the whole writing is to prove the perpetual and inviolate virginity of Mary before, in, and after the birth of Christ."

wurde, trifft diese letzte christologische Ausrichtung nicht ganz. De facto kommt freilich doch eine solche Verherrlichung zustande: die Eigendynamik des Stoffes und das apologetische Interesse[65] bewirken, daß die *christologische Ausrichtung in den Hintergrund tritt* und im Neuen Testament untergeordnete Personen zu Hauptakteuren werden, die so das Interesse des Lesers an sich ziehen. Anknüpfungspunkt ist die neutestamentliche Vorstellung der Jungfrauengeburt, die im Protev Jac durch eine (die Aussagen des Mt und Lk weit übersteigende) Herausstreichung der besonderen Heiligkeit Marias gegen Angriffe von außen gesichert wird: so ist die Davidssohnschaft Jesu nicht mehr bloß adoptiv über Josef vermittelt, wie bei Mt und Lk, sondern direkt über die Davididin Maria (10,1); die Unberührtheit Marias trotz Schwangerschaft wird gegen zeitgenössische Verleumdungen (Pantheramotiv) 13 ff. breit geschildert; die nach Jesu Geburt fortwährende Virginität Marias wird nicht bloß durch die eigens auftretende Salome bezeugt (19,3 ff.), sondern auch durch die erstmals auftauchende These, die Brüder Jesu seien Söhne aus der (bzw. einer) früheren Ehe Josefs (9,2; 17,1 f.; 18,1).

Als Verfasser wird 25,1 *Jakobus* angegeben. Auch wenn seine Erwähnung im Titel sekundär ist, ist mit dieser Stelle seine (wenn auch nur postulierte) Verfasserschaft gesichert. Gemeint kann unter den Trägern dieses Namens nur der Herrenbruder sein[66]. Denn nur er erfüllte eine Bedingung, die für die Glaubwürdigkeit der Schrift von höchster Bedeutung ist: die *Augenzeugenschaft*. An mehreren Stellen wird von Söhnen Josefs aus einer früheren Ehe gesprochen; 17,2 sogar im Singular von „dem" Sohn Josefs; unter diesem einzeln hervorgehobenen Sohn Josefs, der bei der Reise nach Bethlehem dabei war, kann sehr gut Jakobus gemeint sein[67]. Da er als älterer Stiefbruder Jesu wenigstens am größeren Teil der berichteten Geschehnisse aktiv Anteil nehmen konnte, war er als pseudonymer Verfasser besonders geeignet. Daß gerade er und nicht ein anderer der Mk 6,3 genannten Brüder Jesu gewählt wurde, hängt sicher mit seinem *Bekanntheitsgrad* aufgrund seiner Bedeutung in der frühen Kirche zusammen. Die Glaubwürdigkeit des im ProtevJac Geschilderten erhöht sich noch durch die näheren Umstände der Abfassung: die Schrift soll nach 25,1 während der nach dem

---

[65] Smid, Protevangelium 15 ff. führt eine Reihe von Entgegnungen gegen die Kritik des Celsus an: Wohlhabenheit Joachims, davidische Herkunft, Jungfrauengeburt, Pantheraverleumdung.

[66] Es ist zu zurückhaltend, wenn Vielhauer, Geschichte 668 von „vermutlich" spricht; vgl. richtig schon Bardenhewer, Geschichte I,534; ebenso Quasten, Patrology I,121; Bardenhewer und Quasten identifizieren den Herrenbruder freilich mit Jakobus dem Kleinen.

[67] So Smid, Protevangelium 120.

Tod des Herodes einsetzenden Unruhen verfaßt sein. Mit Herodes ist sicher Herodes der Gr. gemeint, da schon vorher von ihm die Rede war (21,2; 22,1; 23,1 f.). Die Zeit der fiktiven Abfassung liegt also nur relativ *kurze Zeit nach den Ereignissen* [68]. Erklärt sich aus den genannten Gründen die Wahl des Herrenbruders, so braucht keine Jakobustradition mehr als Grund für die Verfasserangabe angenommen zu werden. Spezifisch judenchristliche Vorstellungen fehlen, auch liegen keine Heterodoxien vor, so daß der Autor am besten in der großkirchlich ausgerichteten Volksfrömmigkeit gesucht werden kann. Unkenntnis jüdischer Verhältnisse läßt auf einen Heidenchristen schließen: z. B. das Gebet des Hohenpriesters im Allerheiligsten, um dadurch zu erfahren, was mit der angeblich gesetzesbrecherischen Maria geschehen solle (8,3); das Aufwachsen Marias im Allerheiligsten (13,2)[69].

---

[68] Ort der fingierten Abfassung ist wohl die Wüste. Ἐν Ἱεροσολύμοις (25,1) ist nicht zu γράψας τὴν ἱστορίαν ταύτην zu ziehen (so de Strycker, Forme 188), sondern mit Syr (Apocr. Syr. ed. Lewis, 12) zu θορύβου γενομένου (so Cullmann, in: NT Apo I⁴, 290; Smid, Protevangelium 169). Das Motiv der Flucht in die Wüste ist so besser erklärbar.

[69] Als Abfassungszeit kann die 2. Hälfte des 2. Jh.s angenommen werden. Der Verfasser benutzt Mt und Lk noch sehr frei; das Stadium der Kanonsbildung ist in etwa das gleiche wie bei Tatians Diatessaron; van Stempvoort, in: Cross (ed.), Studia Evangelica III, 2, 415 nimmt als term. a quo den λόγος ἀληθής des Celsus an (ca. 178 n. Chr.), gegen den sich Protev Jac wende (was nicht völlig sicher ist); eine nahe Verwandtschaft besteht zu Justin (vgl. z. B. ProtevJac 11,3 mit Apol I,33,5 [Goodspeed 49]: Mt 1,21 und Lk 1,35 sind hier in gleicher Weise verknüpft; ProtevJac 11,2 und Apol I,33,6 [Goodspeed 49]: Rolle des λόγος bei der Ankündigung der Geburt Jesu; ProtevJac 12,2 mit Dial 110,5 [Goodspeed 215]: bei der Reaktion Marias auf die Verkündigung heißt es beide Male χαρὰν [δὲ] λαβοῦσα). Auf das ProtevJac spielt „sehr wahrscheinlich" (Bardenhewer, Geschichte I,535) auch ClAl Strom VII,93 (GCS ClAl III,66) an, wenn er die Behauptung einiger zitiert, Maria sei nach der Geburt noch Jungfrau geblieben; in AdumbrJud 1 (GCS ClAl III,206 f.) hält er die Brüder Jesu für Söhne Josefs aus einer früheren Ehe. Origenes nennt dann als erster ausdrücklich eine βίβλος Ἰακώβου (vgl. oben). Parallelen bestehen auch zu Hippolyt (vgl. van Stempvoort 420 ff. z. B.: Hipp KommDan I 13 [GCS Hipp I, 22 f.] unterstreicht die königliche Abstammung Joachims und seinen Reichtum, vgl. Prot evJac 1,1; 10,1). Der Abfassungsort ist nicht sicher zu ermitteln. De Strycker, Forme 419 ff. und Vielhauer, Geschichte 668 nehmen Ägypten an; die Argumente (Unkenntnis palästinensischer Verhältnisse, einfaches Griechisch, Identität von Bergen und Wüste und koptischer Einfluß) sind freilich nicht stringent. Aber auch Syrien (so Conrady, ThStKr 1889, 770 ff. [er verweist auf die für Antiochien charakteristischen Lorbeerbäume, vgl. Protev Jac 2,4 u. ö.]; ebenso Smid, Protevangelium 22; Cameron, Gospels 108 f. [er argumentiert mit den in Syrien gebräuchlichen Evangelienharmonien]) ist nicht sicher, wie Smid und Cameron zugeben. Völlig auszuschließen ist nicht einmal Palästina, obwohl dies allgemein getan wird.

3.5.3 Die gnostische Jakobusliteratur: Epistula Iacobi Apocrypha, erste und zweite Jakobusapokalypse von Nag Hammadi

Der Beliebtheit des Jakobus im gnostischen Bereich entspricht das Vorhandensein mehrerer angeblich von ihm verfaßter gnostischer Schriften. Die drei genannten gehören zu den Texten von Nag Hammadi. Ob außer diesen noch andere pseudepigraphe Jakobusschriften existierten, kann nicht gesagt werden; es ist aber angesichts der Zufälligkeit des Fundes wie der einzelnen Titel dieser Sammlung durchaus wahrscheinlich, daß die Frage positiv zu beantworten ist (gleiches gilt auch für den nichtgnostischen judenchristlichen Bereich). Da EpJac, 1 ApJac und 2 ApJac bereits oben (3.3, dort genauere Belege) behandelt wurden und Wiederholungen vermieden werden sollen, genügen hier ein paar Hinweise zu ihrer religionsgeschichtlichen Einordnung. Sie gehen sämtlich auf judenchristliche Tradition zurück, die sie in einem teils geringeren, teils größeren Maße gnostisch interpretieren (eine genauere Einordnung in bekannte gnostische Systeme ist nur bei 1 ApJac möglich). Teilweise lassen sie eine Konkurrenz zu petrinischen Traditionen erkennen. Parallelen bestehen auch zu einer Reihe frühchristlicher bzw. heidnischer Schriften. Die um die Mitte des 2. Jh.s bzw. etwas später vermutlich in Syrien und/oder Ägypten entstandenen Schriften sind Offenbarungsschriften, in denen teils vom irdischen, zumeist aber vom auferstandenen Jesus vornehmlich dem Jakobus das zum Heil nötige Wissen mitgeteilt und so die Angst vor der Zukunft genommen wird; 2 ApJac ist darüber hinaus insofern von großer Bedeutung, als darin ein Bericht über das Martyrium des Herrenbruders vorliegt, der enge Parallelen zu Hegesipp und der AJ II-Quelle der Pseudoklementinen hat. Daß gerade in der Gnosis eine Reihe von Offenbarungsschriften unter dem Pseudonym Jakobus entstand, hat seinen allgemeinen Grund in der Notwendigkeit der Übermittlung von Offenbarungen und seinen besonderen in der Jakobusverehrung judenchristlicher Kreise, die bei ihrem Übergang zur Gnosis die Bindung an die geliebte Gestalt der eigenen Vergangenheit beibehielten.

3.5.4 Ausblick: Die spätere pseudepigraphe Jakobusliteratur

Pseudepigraphe Jakobusliteratur entstand auch nach dem Ende des in der vorliegenden Arbeit gesteckten zeitlichen Rahmens (5. Jh.). Soweit diese Schriften (in der Endgestalt) spätestens den folgenden Jahrhunderten angehören, seien sie wenigstens andeutungsweise genannt.

1. Ein „*Brief des Jakobus an Quadratus*" liegt in einer syrischen[70] und einer altarmenischen[71] Handschrift vor, deren Text in großen Zügen übereinstimmt. Darin berichtet der Jerusalemer Bischof dem Quadratus[72] über die Ablehnung Jesu und der urchristlichen Gemeinde durch „die Juden", deren Hinterlist in der aufgedeckten Bestechung der Wächter des Grabes Jesu zutage getreten sei. Pilatus habe dem Kaiser berichtet „quae Judaei sunt perpetrati in Christum, Jesum" (*Rahmani* 1). Den Inhalt des gegen die Juden gerichteten Befehls des Kaisers möge Quadratus ausfindig machen und Jakobus sowie den Gemeinden in Ephesus, Antiochien und Alexandrien zusenden. Eine Datierung des Briefs ist von den Handschriften her nicht möglich. Der syrische Text soll immerhin nach *Rahmani* (53) „ex quodam sat vetusto codice"[73] stammen, der in Modiad aufbewahrt wurde. Der Brief zeigt in hohem Maße eine antijudaistische Ausrichtung. Vielleicht bestehen Beziehungen zur Abwehr jüdischer Lebensformen in den Apost Const. Das beginnende 5. Jh. wäre dann als Entstehungszeit möglich – freilich bleibt eine solche Ansetzung kaum mehr als eine Vermutung. Es muß zumindest eine Zeit sein, in der eine spezifische Jakobustradition im großkirchlichen Bereich lebendig war. Der Entstehungsort dürfte (von der Bezeugung her) wohl in Syrien zu suchen sein, ein Land, in dem die Jakobustradition in verschiedener Ausprägung eine Rolle spielte.

2. Mit dem Namen des Herrenbruders Jakobus ist die *Jakobusliturgie* verbunden, die in Syrien in griechischer und syrischer Fassung gebräuchlich war[74]. Erstmals mit diesem Namen genannt ist sie in Can. 32

---

[70] Rahmani, Studia syriaca 1 f. mit einer lat. Übersetzung.

[71] Die armenische Edition aufgrund einer Hs. in Venedig besorgte Daschean (Tašean) in: Azga'in Matenadaran [Wien] 1896, 386–391. Eine deutsche Übersetzung legte Vetter vor: Lit Rdsch 1896, 259 f.

[72] Damit dürfte eindeutig der Apologet gleichen Namens gemeint sein, da von seinen Disputen mit Juden und Heiden die Rede ist; in der armenischen Version wird er mit Aristides in Verbindung gebracht, der die Nachrichten an Jakobus weiterleiten solle (vgl. Zahn, Forschungen VI, 41 f., A 2; Bardenhewer, Geschichte I, 187); Aufenthaltsort des Quadratus ist nach Syr. Italien, d. h. Rom, gleiches kann für Aristides angenommen werden; nach Eus HE IV 3, 1–3 überreichten beide Kaiser Hadrian Apologien. Der Brief setzt also (auch in der syrischen Version) die Kirchengeschichte Eusebs voraus. Die weite Entfernung vom 1. und 2. Jh. zeigt die Rückversetzung der beiden Apologien in die Mitte des 1. Jh.s.

[73] Er folgt dort dem 1 Klem. Rahmani 53 nimmt ein griechisches Original an, bringt aber keine Argumente.

[74] Edition der griechischen Fassung: Mercier, PO 26,2. Edition der syrischen Fassung: Brightman, Liturgies I, 69 ff. Edition der Anaphora (Teil der Liturgie von Präfation bis Epiklese, d. h. der wichtigste Teil der Eucharistiefeier): Heiming, Anaphorae Syriacae II, 2, 105 ff.; die syrische Fassung, deren älteste Handschriftenfragmente aus dem 8. Jh. stammen, bietet (jedenfalls was die Anaphora betrifft) den älteren Text (Kretschmar, JLH 1956, 29, A 34).

des zweiten Trullanums (692 n.Chr.); die älteste griechische Handschrift (vatic. gr. 2282, 8./9. Jh.) nennt Jakobus allerdings nicht als Verfasser der gesamten Liturgie, sondern nur der Anaphora[75]. Diese Handschrift zeigt eine Form der Jakobusliturgie, die noch wenig vom byzantinischen Ritus beeinflußt ist; dieser Einfluß auf die Jakobusliturgie wurde in den späteren Jahrhunderten immer größer und führte schließlich ab dem 12. Jh. zu ihrer Einschränkung auf das Fest des Jakobus (23. Oktober)[76]. Die Liturgie war Mitte des 6. Jh.s bei der Trennung der Jakobiten, der syrischen Monophysiten, von der katholischen Kirche bereits ausgebildet, da sie von diesen übernommen wurde (und heute noch in Gebrauch steht). Sie ist im Lauf der Zeit verändert und ergänzt worden. Sie wird nicht zu Unrecht nach dem Herrenbruder Jakobus genannt; zwar hat sie natürlich nicht unmittelbar mit ihm etwas zu tun, sie geht aber auf den Jerusalemer Kult zurück[77], und es war mithin naheliegend, sie zuerst in ihrem wesentlichen Teil und später in ihrer Gänze dem als ersten Bischof Jerusalems verehrten Herrenbruder zuzuschreiben.

3. In einer sahidischen Handschrift[78] wird Johannes Chrysostomus eine *Lobrede auf* den in Ägypten sehr verehrten *Johannes d. T.* in den Mund gelegt[79]. Chrysostomus berichtet darin, er habe bei einem Jerusalembesuch in der Bibliothek einer Kirche „ein kleines, altes (ἀρχαῖον) Buch, das die Apostel geschrieben hatten" (Übers. *Till* 327) gefunden. Als Verfasser dieses Buches gibt sich im Text selbst Jakobus aus: „Ich, Jakobus, der Bruder des Herrn, der ich das erzähle ..." (Übers. *Till* 328). Erzählt wird in der Schrift eine vor der Himmelfahrt auf einer Lichtwolke stattfindende Entrückung Jesu und derer, die sich bei ihm

---

[75] Rücker, Jakobusanaphora XI.

[76] Zu modernen, allerdings nicht sehr erfolgreichen Versuchen zur Wiederbelebung vgl. Rücker, Jakobusanaphora XI f.

[77] Die älteste Quelle zur Rekonstruktion der frühen Jerusalemer Geschichte dieser Liturgie liegt in den Mystagogischen Katechesen vor, die entweder von Kyrill (so Altaner – Stuiber, Patrologie 312) oder dessen Nachfolger Johannes von Jerusalem (so Kretschmar, JLH 1956, 27) gehalten wurden (Text: ed. Cross 1 ff.).

[78] Ediert und übersetzt von Budge, An encomium on Saint John the Baptist (Text 128–145; Übersetzung 335–351). Eine neue, verbesserte Übersetzung legte Till vor: MDAI.K 1958, 322–332. Die Handschrift ist datiert vom (übertragen in unsere Zeitrechnung) 10.2.987 n.Chr. (Till, 313, A 1). Fragmente davon finden sich auch in der ebenfalls sahidischen Handschrift Par. Copt. 129 f. 116–119, ed. Winstedt, JThSt 1907 (Text 241–243; Übersetzung 244–247).

[79] Der Kirchenvater wird dabei als „unser heiliger, in jeder Weise geehrter Vater, der heilige (ἅγιος) Apa Johannes, der Erzbischof von Konstantinopel, der heilige Chrysostomus" (Übers. Till 322) eingeführt. Da der Beiname Chrysostomus erst im 6. Jh. entstand (Altaner–Stuiber, Patrologie 322) und in überschwenglicher Weise von ihm als einem Heiligen die Rede ist, kann das Pseudepigraphon auch frühestens in dieser Zeit entstanden sein.

auf dem Ölberg aufhielten, bis zum siebenten Himmel, wobei insbesondere der dem Täufer zum Geschenk gemachte dritte Himmel in vielen
Einzelheiten beschrieben wird (*Till* 327–331). Warum gerade Jakobus
als Verfasser genannt ist, wird nicht deutlich, denn er spielt sonst keine
Rolle mehr. Er gehört allerdings in dieser Schrift zu den Aposteln, die
mit Jesus vor der Himmelfahrt beisammen waren, und denen der Mis-
sionsbefehl galt[80]; es wird also fragmentarisch alte, schon im EvHebr
ausgebildete und später auch im gnostischen Bereich übernommene Jakobustradition sichtbar.

3.5.5 Zusammenfassung

Die pseudepigraphe Jakobusliteratur zeigt, in wie verschiedenen
Kreisen die Erinnerung an den Herrenbruder Jakobus lebendig war
und auf welch vielfältige Weise sich die Lebensformen und Vorstellungen der betreffenden Autoren mit seinem Namen verbanden. Im kanonischen Jak wird in Anknüpfung an Motive, die dem historischen Jakobus wichtig waren, die Praxis des Glaubenden herausgestellt, die besonders durch Anknüpfung an weisheitliche Traditionen bestimmt ist und
viele Parallelen zur synoptischen Jesustradition aufweist, aber auch für
Einflüsse aus dem Judentum und Hellenismus offen ist. Im ProtevJac
findet ein wesentliches Element der großkirchlichen Frömmigkeit des
2. Jh.s, die Mariologie, Gestalt; daß der Name des Jakobus gerade in
diesen Kreisen als Pseudonym gewählt wurde, ist nicht durch eine lebendige Jakobustradition verursacht, sondern durch die Verwandtschaft mit Jesus. Jakobusschriften aus spezifisch judenchristlichem Milieu sind nicht bezeugt, das könnte aber durch die (fehlende) Überlieferung bedingt sein, wie wir ja auch erst in der jüngeren Vergangenheit
von der Existenz gnostischer Offenbarungsschriften unter dem Namen
des Jakobus Kenntnis erlangten: EpJac, 1 ApJac und 2 ApJac. Auch in
späteren Jahrhunderten entstand pseudepigraphe Jakobusliteratur:
nicht nur ein „Brief des Jakobus an Quadratus" ist dafür Zeuge, sondern auch ein ihn als Verfasser nennender Entrückungsbericht und
nicht zuletzt die Jakobusliturgie: zuerst wurde ihm die Anaphora zugeschrieben, dann die gesamte Liturgie.

---

[80] Wie legendarisch die Schrift ist, zeigt das unvermutete Auftauchen auch von Paulus,
Lukas und Markus innerhalb der Entrückungsgeschichte (Till, 328).

4. Das Martyrium des Jakobus

Jakobus gehört zu den Gliedern der ersten christlichen Generation, deren Leben auf gewaltsame Weise endete. Soweit die Quellen unmittelbar Auskunft geben, ist er der dritte Märtyrer nach Stephanus, dem hellenistischen „Diakon", und dem Zebedaiden Jakobus, dem Mitglied des Zwölferkreises[1]. In dem Maße, in dem sich eine Jakobustradition herausbildete, mußte notwendigerweise auch diesem seinem Tod Aufmerksamkeit geschenkt werden. Es existiert tatsächlich eine Reihe von Schriften, die davon berichten. Eng zusammen gehören die Berichte der sog. AJ II-Quelle der Pseudoklementinen, der zweiten Jakobusapokalypse von Nag Hammadi und des Hegesipp sowie eine kurze Notiz des Clemens von Alexandrien. Es liegt hier die Darstellung der näheren Umstände des Todes des Jakobus aus christlicher, genauer: judenchristlicher Sicht vor[2]. Von diesen christlichen Ausführungen deutlich unterschieden sind die des Josephus. Diese verschiedenen Quellen[3] sollen im folgenden untersucht werden, wobei es nicht nur um die Frage nach dem vermutlich historischen Ablauf der Ereignisse geht, sondern auch um die der legendarischen Ausgestaltung. Da der Josephusbericht der älteste ist, soll mit ihm begonnen werden.

---

[1] Die Verfolgung erfaßte im Laufe der ersten Jahrzehnte also sehr verschieden ausgeprägte christliche Gruppen bzw. deren Exponenten, die der Umwelt als nicht akzeptabel ins Bewußtsein getreten waren.

[2] Judenchristliche Tradition liegt auch in den sog. Pseudo-Josephuszitaten Origenes' und Eusebs (oben 3.4.2) vor, in denen eine theologisch motivierte Verbindung des Todes des Jakobus mit der Zerstörung Jerusalems hergestellt wird.

[3] Keine Rolle spielen spätere Hinweise auf das Martyrium des Jakobus bei Kirchenschriftstellern (z. B. bei Eus HE II 23,2 f. 19; III 11; Epiph Pan LXXVIII 14,5 [an diesen Stellen formulieren Euseb und Epiphanius selbst]; Hier VirInl 2 [TU 14,1,7 f.]) oder im Manichäischen Psalmenbuch (Allberry 142,25 f.; 194,14). Diese Berichte nehmen nur längst Tradiertes in kurzen Hinweisen auf. – Ein kurzer Martyriumsbericht könnte auch in der 1ApJac von Nag Hammadi vorhanden gewesen sein. Er kann aber nicht in der Lücke NHC V,42,24–43,14 untergebracht werden, wie Kemler, Jakobus 47 meint, da 43,21 f. noch von einem (Weg)Gehen des Jakobus die Rede ist; auch bezieht sich die Aussage „wir haben nicht teil an diesem Blut" (43,17 f.) kaum auf den Tod des Jakobus, sondern eher auf den Jesu. Der Zusammenhang des Todes des Jakobus und der Zerstörung Jerusalems ist 36,16–19 deutlich ausgesprochen: „Wenn du herauskommst, dann wird man alsbald mit diesem Land Krieg führen (πολεμεῖν). Nicht bleibt aber (οὖν) etwas übrig in Jerusalem" (Übers. Böhlig – Labib, Apokalypsen 46).

4.1 Josephus

4.1.1

Die *Echtheit* des Josephustextes Ant XX 197–203 ist nicht in Zweifel zu ziehen. Diesbezügliche Vermutungen, selbst wenn sie nur als Möglichkeit vorgetragen werden[4], sind ganz unbegründet. Es findet sich nichts, was ein Jude wie Josephus nicht sagen könnte: was Jakobus betrifft, fehlt jede der für die christliche Jakobustradition charakteristischen Aussagen, auch ὁ δίκαιος; Jakobus wird einzig als Bruder Jesu eingeführt; von letzterem spricht die Stelle nur als dem λεγόμενος Χριστός, die Distanz zum Anspruch der Messianität Jesu ist also deutlich zu erkennen; zwar wird auch bei Pseudojosephus, einem angeblichen Josephuszitat bei Origenes und Euseb (vgl. oben 3.4.2), von Jesus als dem λεγόμενος Χριστός gesprochen, so daß diese Redeweise noch nicht gegen eine Interpolation spricht; beweiskräftig für die Echtheit scheint mir aber nicht nur die Zurückhaltung in der Darstellung der Person des Jakobus zu sein, sondern vor allem die völlig andere Darstellung des Martyriums als in der christlichen Tradition (vgl. unten 4.2). Bei Annahme selbst nur der Möglichkeit einer christlichen Interpolation müßte also erst ein historischer Ort dafür namhaft gemacht werden.

4.1.2

Inhalt von Ant XX 197–203: Nach dem Tode des Festus, des Prokurators von Judäa, habe der Kaiser den Albinus als Nachfolger geschickt. Der König (Agrippa II) aber habe den Joseph des Hohenpriesteramtes entsetzt und es dem Ananus (= Hannas, jüngster Sohn seines gleichnamigen, in der Passionsgeschichte Jesu auftauchenden Vaters) übertra-

---

[4] Zahn, Forschungen VI, 301 ff.; die Argumentation ist alles andere als überzeugend, wenn Zahn aus der Unechtheit des sog. Testimonium Flavianum Jos Ant XVIII 63 f. und des sog. Ps Jos auch die Unechtheit von Ant XX 197 ff. folgert: „Sind zwei derselben anerkanntermaßen christliche Interpolationen, so ist es auch die dritte.", 305 (vorsichtiger ders., Einleitung I, 101); Schürer, Geschichte I, 581; v. Dobschütz, Gemeinden 274; Waitz, ZNW 1913, 130; v. Harnack, Mission II, 529, A 1 („… doch vermag ich ein abschließendes Urteil nicht zu gewinnen. Die Unechtheit des Jacobuszeugnisses scheint mir nicht erwiesen."); Juster, Juifs II, 140 f., A 2; Schoeps, Theologie 416; Beyschlag, ZNW 1965, 149, A 1: „Der Text kann christlich interpoliert sein"; Meyer–Bauer, in: NTApo I⁴, 314: Wenn man die Möglichkeit einer Interpolation vor Euseb in Betracht zieht, „hätte Josephus nur vom Justizmord an einigen geschrieben, die wegen Gesetzesverletzung angeklagt waren – er würde damit aber eben einen Vorgang wie die Hinrichtung des Jakobus (und anderer) andeuten"; Mußner, Jak 3, A 4. – Für die Annahme der Echtheit und historischen Zuverlässigkeit zuletzt Hengel, FS Kümmel (1985) 73.

gen (197). Dieser Ananus sei kühn und verwegen gewesen (θρασὺς ἦν
τὸν τρόπον καὶ τολμητὴς διαφερόντως) und habe zu den in Gerichts-
fragen hart vorgehenden Sadduzäern gehört (199), wie auch der Tod
des Herrenbruders Jakobus zeigte: ἅτε δὴ οὖν τοιοῦτος ὢν ὁ ᾽Άνανος
νομίσας ἔχειν καιρὸν ἐπιτήδειον διὰ τὸ τεθνάναι μὲν Φῆστον, ᾽Αλβῖνον
δ᾽ ἔτι κατὰ τὴν ὁδὸν ὑπάρχειν καθίζει συνέδριον κριτῶν καὶ παραγαγὼν
εἰς αὐτὸ τὸν ἀδελφὸν ᾽Ιησοῦ τοῦ λεγομένου Χριστοῦ, ᾽Ιάκωβος ὄνομα
αὐτῷ, καί τινας ἑτέρους, ὡς παρανομησάντων κατηγορίαν ποιησάμενος
παρέδωκε λευσθησομένους (200). Das habe die ἐπιεικέστατοι τῶν κατὰ
τὴν πόλιν ... καὶ περὶ τοὺς νόμους ἀκριβεῖς so erzürnt, daß sie eine Delegation an den König gesandt hätten mit der Bitte, er möge Ananus
auftragen, in Zukunft derartiges zu unterlassen; denn schon das erste
(τὸ πρῶτον, d. h. die Einsetzung eines Gerichtshofes im Falle der Kapi-
taljustiz) sei nicht korrekt gewesen (201); einige von ihnen seien sogar
dem aus Alexandria kommenden Albinus entgegengegangen und hätten
ihm mitgeteilt, daß es dem Ananus ohne Genehmigung (des Agrippa[5])
gar nicht erlaubt gewesen wäre, das Synedrion einzuberufen (καθίσαι
συνέδριον 202). Albinus habe dem beigepflichtet und im Zorn an Ananus einen Brief geschickt, in dem er ihm Strafe androhte. Der König
habe wegen dieses Vorfalls (διὰ τοῦτο) Ananus das Hohenpriesteramt
entzogen und Jesus, den Sohn des Damnäus, eingesetzt (203).

4.1.3

Vorausgesetztes Todesjahr des Jakobus ist wahrscheinlich 62. Beim
Laubhüttenfest 4 Jahre vor Kriegsausbruch (Jos Bell VI 300) bzw. 7
Jahre und 5 Monate vor Beginn der Belagerung Jerusalems (ebd. 308)
trat der Unheilsprophet Jesus, Sohn des Ananias, erstmals auf. Zu diesem Zeitpunkt, also Herbst 62, war Albinus bereits Prokurator. Sein
Amtsantritt ist spätestens Sommer 62 erfolgt. Wenn dieser späteste Ter-
min der richtige ist, fällt die Hinrichtung des Jakobus in den Frühling
oder Frühsommer 62[6].

4.1.4

Dieser Zeitpunkt der Vakanz der judäischen Prokuratur nach dem
im Amt verstorbenen Festus wurde vom Hohenpriester bewußt gewählt, wie Josephus betont: Ananus suchte einen καιρὸς ἐπιτήδειος für

---

[5] So richtig Strobel, Stunde 35.
[6] Diese Ansetzung ist die fast allgemein angenommene; vgl. für viele andere Conzelmann, Geschichte 138; Barrett, NTS 1974, 233; Smend–Luz, Gesetz 75; Hengel, FS
Kümmel (1985) 73.

die Beseitigung des Herrenbruders und einiger anderer. Damit stellt sich die Frage, warum Ananus eine solche günstige Gelegenheit suchen mußte; es ist also zunächst zu untersuchen, ob das Synedrion in der betreffenden Zeit die Berechtigung besaß, Todesurteile zu fällen und vollstrecken zu lassen.

Zunächst zu letzterem, dem *Recht der Vollstreckung*. Es gibt eine Reihe von Belegen, die eindeutig zeigen, daß das Synedrion dieses Recht nicht besessen hat[7]. Nur die wichtigsten sollen genannt werden.

1. Der vorliegende Josephustext selbst setzt das Fehlen eines solchen Rechtes voraus; auf diese Weise ist der Protest der ἐπιεικέστατοι bei Agrippa II und Albinus[8] und die negative Reaktion beider auf die Aktion des Ananus am leichtesten zu verstehen[9].

2. Ant XVIII 2 wird der von Augustus 6 n. Chr. zum Präfekten Judäas eingesetzte Coponius mit der Wahrnehmung der höchsten Gewalt (τῇ ἐπὶ πᾶσιν ἐξουσίᾳ) betraut; im Parallelbericht Bell II 117 spricht Josephus von μέχρι τοῦ κτείνειν λαβὼν παρὰ Καίσαρος ἐξουσίαν. Daß daneben ein ius gladii des Synedrions bestanden habe, wird nicht erwähnt und ist schwer vorstellbar.

3. Nach Joh 18,31 bestand ein solches Recht z. Z. des Prozesses Jesu nicht. Die jüdischen Gegner Jesu erklären dort, sie hätten nicht das Recht, einen Menschen zu töten.

4. Die Fastenrolle[10], Meg. Taanit 6 (Nr. 34 f. *Lichtenstein*) berichtet, man sei nach der am 17. Elul des Jahres 66 n. Chr. erfolgten Kapitulation der römischen Kohorte in Jerusalem am 22. desselben Monats wieder darangegangen, Hinrichtungen durchzuführen. Die Wiederherstellung der Blutgerichtsbarkeit war eine der ersten Neuerungen nach Abzug der römischen Besatzung. Die rasche Wiedereinführung der Sou-

---

[7] Die Forschungsgeschichte braucht nicht dargestellt zu werden, vgl. dazu Blinzler, Prozeß 229 ff.; Bammel, Judaica 59 ff.; Neudorfer, Stephanuskreis 186 ff.

[8] Ant XX 200 sind zwei Handlungen des Ananus genannt: καθίζει συνέδριον κριτῶν und παρέδωκε λευσθησομένους. Der Protest bei Agrippa nennt beides, der bei Albinus nur ersteres. Daraus zu schließen, daß das Synedrion, vorausgesetzt es ist rechtmäßig berufen, Todesurteile fällen *und* vollstrecken lassen durfte (Ebeling, ZNW 1936, 291 f.), ist eine petitio principii und daher unzulässig. Agrippa hatte mit der Angelegenheit insofern zu tun, als er (wie sein Vater Agrippa I) das Recht der Ein- und Absetzung der Hohenpriester hatte (Jos Ant XIX 299. 313; XX 179. 197. 213; die Bemerkung Ant XX 222 könnte sogar noch weitergehende Vollmachten andeuten: dem König sei von Claudius τὴν ἐπιμέλειαν τοῦ ἱεροῦ anvertraut worden).

[9] Nach Burkill, VC 1956, 91 f. weise der Protest nicht auf das Fehlen des Rechtes der Kapitalgerichtsbarkeit hin; er sei vielmehr erfolgt, weil Jakobus kein todeswürdiges Verbrechen begangen habe. So sehr Burkill in der Unschuldsfrage zugestimmt werden kann, war die Ursache des Protests ja nicht bloß ein Justizmord, sondern auch(!) schon die unbefugte Einberufung des Synedrions. Dieses Moment wird vor Agrippa wie vor Albinus geltend gemacht.

[10] Lichtenstein, HUCA 1931/32, 304 ff.

veränität auf diesem Gebiet zeigt nicht nur, daß sie vorher nicht vorhanden war, sondern auch, wie wenig man sich mit dem Verlust abgefunden hatte.

5. Die rabbinische Tradition weiß zu berichten, daß 40 Jahre vor Zerstörung des Tempels Israel die Urteile über Leben und Tod entzogen worden waren (pSan I 1,18 a; VII 2,24 b; vgl. bAZ 8 b). Dazu *Samuel Krauß*: „... ich denke, die Rabbinen werden es am besten gewußt haben, wie es in ihrem Lande aussah, und wenn sie gegen ihr eigenes Prestige aussagten, sie hätten keine Gerichtsbarkeit in Kapitalsachen, so wird das auch stimmen.“[11.12]

Ein untauglicher Versuch, die Annahme der Kapitalgerichtsbarkeit wenigstens teilweise zu retten, liegt in der *Einschränkung ihrer Anwendung auf Religionsvergehen*[13]. In bezug auf den Prozeß Jesu – gleiches gilt mutatis mutandis für den des Jakobus – hielt schon *Blinzler* zu Recht fest: „Wäre nur Hochverrat, nicht aber ein Religionsvergehen der einheimischen Justiz entzogen gewesen, dann hätten die Juden ja Jesus wegen Blasphemie hinrichten und sich so den Gang zu Pilatus ersparen können.“[14]

Nicht mit gleicher Sicherheit wie das Recht der Vollstreckung ist das der *Fällung eines Todesurteils* durch das Synedrion zu beantworten[15]; eine negative Antwort legen die vorhin angeführten Belege nahe, besonders deutlich die rabbinische Tradition, die von einem Entzug der Urteile(!)[16] über Leben und Tod spricht. Danach hätte das Synedrion auch keine Berechtigung zur Fällung eines Todesurteils gehabt.

4.1.5

Dagegen spricht freilich Josephus: Die *Vorgangsweise* des Ananus sieht Josephus in zwei Handlungen konzentriert, wie die Hauptverben

---

[11] Krauß, Sanhedrin (Mischna IV, 4. 5) 24.

[12] Demgegenüber sind die immer wieder für das ius gladii des Synedrions geltend gemachten historischen Daten nicht beweiskräftig. Ich nenne nur: die Steinigungen des Stephanus (Apg 6 f.) und des Herrenbruders Jakobus (Jos Ant XX 200), die Verbrennung einer Priestertochter (San VII 2), die Tempelwarninschrift, die den Heiden bei Todesstrafe verbot, die den Juden vorbehaltenen Teile des Tempels zu betreten (Jos Bell VI 124 ff.; Deißmann, Licht vom Osten 63), der Brief Agrippas II an Caligula (Philo LegGai 307: Todesurteil für jedes unbefugte Betreten des Allerheiligsten) und die Todesstrafe im Falle der Lästerung des Gesetzgebers bei den Essenern (Jos Bell II 145); ausführlich dazu Büchsel, ZNW 1931, 202 ff.; ders., ZNW 1934, 84 ff.; Blinzler, Prozeß 229 ff.

[13] Burkill, VC 1956, 92; Winter, ZNW 1959, 33; ders., Trial 110 ff.

[14] Blinzler, Prozeß 231.

[15] Bejaht von Surkau, Martyrien 114; Blinzler, Prozeß 229 (dort die ältere Literatur); Catchpole, Trial 254.

[16] דין = „Rechtsstreit“, „Urteil“ (Koehler–Baumgartner, Lexicon 208).

zeigen: καθίζει und παρέδωκε. Die Wendung καθίζει συνέδριον κριτῶν läßt kaum an die eigenmächtige „Einsetzung neuer Ratsmitglieder"[17] denken; sie meint auch nicht allgemein ein schon bestehendes Gericht „zusammenrufen"[18], sondern am ehesten die Konstituierung des Synedrions als Gerichtshof in der vorliegenden Causa; ohne Zustimmung des Agrippa hätte diese gar nicht erfolgen dürfen, wie die Protestdelegation bei Albinus betont (Ant XX 202): οὐκ ἐξὸν ἦν Ἀνάνῳ χωρὶς τῆς ἐκείνου γνώμης καθίσαι συνέδριον scheint zu bedeuten: ohne Zustimmung jenes (= Agrippas) habe Ananus keine Legitimation gehabt, in der Causa Iacobi das Synedrion als Gerichtshof einzusetzen; das heißt aber wohl: mit seiner Zustimmung hätte Ananus es tun können. Dann würde Josephus hier die Berechtigung des Synedrions (allerdings gebunden an die Zustimmung Agrippas) voraussetzen, Kapitalprozesse zu führen und Todesurteile zu fällen (wenn auch nicht zu vollstrecken)[19]. In diesem Fall stünde aber Josephus in eindeutigem Gegensatz zu den vorhin zitierten rabbinischen Belegen (pSan I 1,18 a; VII 2,24 b; bAZ 8 b)[20]. Gegen das Recht der Fällung von Todesurteilen spricht auch folgende Überlegung: die Judikatur ist im Falle des Rechts auf Fällung eines Todesurteils und gleichzeitigen Fehlens des Rechts auf Vollstreckung seltsam unklar; entweder wäre der Prokurator bloßes Ausführungsorgan eines Synedrionbeschlusses, was ganz unglaubwürdig ist (auch in der Passionsgeschichte Jesu kommt Pilatus zu einem eigenen Urteil), oder der Prokurator bestätigte das Urteil (oder auch nicht!), bevor es vollzogen werden konnte – dann war dieses Recht wiederum eingeschränkt[21]. Deutlich ist aber auf jeden Fall: der Prozeß gegen Jakobus war von allem Anfang an ein Rechtsbruch des Hohenpriesters Ananus.

---

[17] Ebeling, ZNW 1936, 290, der meinte, in diesem Sinne Büchsels Interpretation „ein Gericht einsetzen" (ZNW 1934, 85) korrekt wiederzugeben.

[18] Dieses als Möglichkeit erörterte Verständnis lehnt Büchsel, ZNW 1934, 85 ab; in dieser Form wird es sich auch nicht halten lassen.

[19] So z. B. Strobel, Stunde 35.

[20] Diese Schwierigkeit wird von Blinzler in der Weise „gelöst", daß er zwar zunächst vom Entzug der „Blutgerichtsbarkeit überhaupt" spricht (Prozeß 241), dann aber (ebd. 242) unvermittelt vom „Tötungsrecht". Blinzler tut also so, als ob die genannten rabbinischen Belege in keinem Widerspruch zu seiner Auffassung stünden, wonach das Synedrion zwar nicht das Recht der Vollziehung, wohl aber das der Fällung von Todesurteilen hatte. Blinzler hätte nur dann recht, wenn „Urteil" gleich „Vollstreckung" wäre, was freilich recht schwer vorstellbar ist.

[21] Vgl. das Urteil Hengels, ZThK 1975, 188, A 131: „Daß das Synhedrium unter herodianischer wie römischer Herrschaft keine Kompetenz hatte, Todesurteile zu vollziehen, sollte nicht mehr bestritten werden. S. das Material bei J. Blinzler, Der Prozeß Jesu, 1969[4], 229 ff. Gegen Blinzler erscheint es mir sogar zweifelhaft, ob das Synhedrium überhaupt Todesurteile aussprechen konnte. Die letzte Entscheidung lag auf jeden Fall beim Präfekten, nach Agrippa I (41–44) beim Prokurator."

Josephus berichtet in lakonischer Kürze, daß der Vorführung und Verurteilung des Jakobus die *Steinigung* folgte. Eine nähere Beschreibung, auf welche Weise sie vollzogen wurde, liegt nicht vor. Die Frage ist im einzelnen unklar. Sie hängt eng zusammen mit der nach der Geltung des mischnischen Strafkodex vor 70 n. Chr. San VI 1–6 beschreibt genau die Vorgangsweise; die wesentlichsten Teile des eigentlichen Hinrichtungsaktes: der (die) Verurteilte wurde durch einen Zeugen von einem mindestens zwei Mann hohen Ort hinabgestoßen; war er tot, war die Steinigung zu Ende; wenn nicht, warf er ihm (nachdem er gegebenenfalls auf den Rücken gedreht wurde) einen schweren Stein auf die Brust; war er noch immer nicht tot, so mußte ihm ein zweiter Zeuge einen Stein auf die Brust werfen; dann, wenn nötig, das ganze anwesende Volk. Nach der Steinigung mußte der Tote bis Sonnenuntergang an einen Pfahl gehängt werden. Diese, der humanistischen Tendenz des mischnischen Strafrechts entsprechende Hinrichtungsform stand z. Z. des zweiten Tempels sicher nicht in Geltung: nach Joh 8,7 (Wer von euch ohne Sünde ist, werfe als erster einen Stein auf sie) ist Steinigung ein Bewerfen mit Steinen; an dasselbe Verfahren läßt wohl auch Apg 7,58 ff. denken (mitten im Steinigungsvorgang kniet Stephanus nieder und betet!); ebenso Josephus: Ant XVI 394 berichtet er die Hinrichtung der von Herodes verurteilten angeblichen Verschwörer; das Volk habe sie mit allem, was ihm gerade in die Hände kam, zu Tode geworfen; Ant IV 202 verwendet Josephus das Verb καταλεύειν = „steinigen, mit Steinen zu Tode werfen"[22]. Philon begründet Vit Mos II 202 die Steinigung als Strafe für Gotteslästerung: „Und Gott befiehlt ihn zu steinigen, wohl weil er die Bestrafung durch Steine als gebührende Strafe erachtete für den Mann mit der steinharten, unempfindlichen Seele, zugleich aber auch weil er wollte, daß alle Angehörigen des Volkes, die, wie er wußte, sehr ergrimmt und wütend waren, bei der Bestrafung mitwirken. Die gemeinsame Beteiligung so vieler Myriaden konnte aber nur durch Steinwürfe erfolgen."[23] Philon, der hier Lev 24,10 ff. interpretiert, deutet in nichts eine Kenntnis der mischnischen Hinrichtungsform an[24].

Mit Jakobus zusammen wurden καί τινας ἑτέρους gesteinigt. Wer damit näherhin gemeint ist, bleibt unklar. Wenn es Christen waren[25], bleibt merkwürdig, warum ihr Martyrium in der Erinnerung der Jerusa-

---

[22] Pape, Handwörterbuch I, 1360.
[23] Übers. Badt, in: Cohn (ed.), Werke Philos I, 344.
[24] Vgl. den Exkurs „Zur Frage der Geltung des mischnischen Strafrechts in der Zeit Jesu" bei Blinzler, Prozeß 216 ff.
[25] So Gaechter, Petrus 307; Hengel, Nachfolge 45; nach Lüdemann, Paulus II, 99, A 125 nur eine Möglichkeit.

lemer Kirche keine Rolle spielte[26], aber vielleicht hängt das damit zusammen, daß die Gestalt des Jakobus beherrschend im Mittelpunkt der
Erinnerung stand – in der christlichen Tradition über das Martyrium
Iacobi wird überhaupt nur von diesem einen Martyrium gesprochen,
nur die Person des Jakobus ist Gegenstand des Interesses der Berichte
in der AJ II-Quelle, der 2 ApJac und bei Hegesipp. Daß es nur Christen
waren, braucht nicht angenommen zu werden; Religion und Politik
sind unter den damaligen Verhältnissen ohnehin nicht klar zu trennen.
Auf jeden Fall waren es Leute, die zu Jakobus ein Nahverhältnis hatten;
daß in diesem Kreis Jakobus die leitende Figur war, bezeugt Josephus
klar, da er nur ihn namentlich anführt. Damit ist die Folgerung, daß
Christen zumindest mit unter den Opfern waren, nahegelegt. Mit Gewißheit scheint diese Frage geklärt werden zu können, wenn die Motivation für das Vorgehen des Ananus untersucht wird.

4.1.6

Die offizielle Anklage gegen Jakobus lautete auf Gesetzesübertretung. Daß die christlichen Parallelberichte davon nichts erwähnen, ist
noch kein Beweis für die Unschuld des Jakobus. Auffallend ist aber der
scharfe Protest der ἐπιεικέστατοι τῶν κατὰ τὴν πόλιν ... καὶ περὶ τοὺς
νόμους ἀκριβεῖς. Wer waren diese Leute? Man wird an eine einzige
Gruppe zu denken haben; eine gehobene Sozialstellung und Engage-
ment für das Gesetz charakterisierte sie. Letztere Bestimmung könnte
auch auf Essener und Zeloten zutreffen, beide Gruppen kommen aber
eindeutig nicht in Betracht[27]; so wird die herkömmliche Auffassung
richtig sein, daß es sich um Pharisäer handelte[28], genauer: hochangese-
hene Bewohner Jerusalems, die sich zur pharisäischen Partei bekannten.
Ob die offizielle, auf Gesetzesübertretung lautende Anklage legitimer-
weise erhoben wurde, sagt Josephus nicht ausdrücklich; die Proteste beziehen sich unmittelbar nur auf die Einsetzung eines Gerichtshofes und
die Fällung eines Todesurteils. Bei diesem Protest gegen das gesamte
Verfahren wird man die Begründung des Todesurteils aber kaum ausnehmen können; die Schlußfolgerung wird also richtig sein, daß auch

---

[26] Aus diesem Grund hielt Goguel, Naissance 148 sie für Nichtchristen.
[27] Für die Essener gilt das schon aufgrund ihres zurückgezogenen Lebens in der Wüste; die Zeloten hingegen pflegt Josephus nicht als ἐπιεικέστατοι zu bezeichnen, sondern
als Räuber und Mörder (vgl. nur Ant XX 160 ff.).
[28] Vgl. nur Weiß, Urchristentum 552, A 2; Meyer, Ursprung III, 74; Lietzmann, Geschichte I, 185; Gaechter, Petrus 102; Hyldahl, StTh 1960, 108; Dibelius – Greeven,
Jak 27; Goppelt, Zeit 40; Lüdemann, Paulus II, 99, A 126; Παπαδόπουλος, DBM 1982,
2, 42.

diese Begründung in den Augen der Beschwerdeführer nicht stichhaltig war und wohl auch nicht in den Augen des Josephus selbst; er hätte sonst diese Leute nicht derart positiv charakterisiert. Damit scheitern Versuche, in einem religiösen Vergehen des Jakobus die Ursache für das Vorgehen gegen ihn zu erkennen: sei es ein Vergehen des „Hohenpriesters" Jakobus[29], eine Distanz der Jerusalemer Gemeinde zum Opferkult[30], ein (nicht näher bezeichneter) „Religionsfrevel"[31] oder eine „Gesetzesübertretung"[32].

Eine Frage für sich ist die, warum diese angesehenen, pharisäisch ausgerichteten Jerusalemer gegen die Vorgangsweise des Ananus Protest einlegten. Wahrscheinlich, wenn auch nicht ohne weiteres zu beweisen, ist die Vermutung, Sympathien für Jakobus und die Jerusalemer Judenchristen hätten eine Rolle gespielt[33]. Zwar wird man kein ausgesprochenes Nahverhältnis zwischen beiden Gruppen postulieren dürfen, sie hatten aber als theologisch „fortschrittliche" Gruppierungen des Judentums sicher mehr gemeinsam als mit den Sadduzäern[34]. Der Eifer um das Gesetz, der für die Jerusalemer Gemeinde unter Jakobus wie für diesen selbst charakteristisch ist (vgl. nur Apg 21), mußte diese Christen

---

[29] Nach Eisler, ΙΗΣΟΥΣ II, 586, der die Hegesippsche Version neben der des Josephus als historisch retten möchte (ebd. 584 ff.), agierte Jakobus als Hoherpriester und wurde wegen verbotenen Betretens des Allerheiligsten und Aussprechens des Gottesnamens im Gebet am Großen Versöhnungstag in einer unerlaubten Synedrionssitzung (= Josephus) zum Tode verurteilt und in der bei Hegesipp beschriebenen Art hingerichtet; den Römern gegenüber sollte das Herunterfallen vom Dach als Schwindelanfall erklärt werden, in Wirklichkeit sei er aber vom Dach gestoßen worden (bKeth 30 a ist ein Herunterfallen vom Dach die Strafe Gottes für einen Verurteilten, der infolge Kompetenzmangels nicht hingerichtet werden kann) und von einem bestellten Walker erschlagen worden. – Diese Begründung für das Einschreiten des Ananus gegen Jakobus fällt schon mit der Annahme der Historizität des Hegesippschen Motivs, Jakobus habe als (Hoher)Priester agiert – von der geradezu abenteuerlich anmutenden Kontamination verschiedenster Berichte ganz zu schweigen.

[30] Lohmeyer, Galiläa 63, A 1; ders., Kultus 124 f.; dagegen zu Recht Lüdemann, Paulus II, 100, A 128.

[31] Lietzmann, Geschichte I, 185. Lietzmann schließt das aus dem Umstand der Steinigung des Jakobus.

[32] Munck, Paulus 107; Hyldahl, StTh 1960, 112 argumentiert bezüglich des Motivs des Ananus von San VII her; von den dort genannten Vergehen, auf denen die Strafe der Steinigung stand, passe nur die Verführung zum Götzendienst (San VII 4; vgl. bSan 67 a). In der Tat sei Jakobus nach Hegesipp (Eus HE II 23, 10) gezwungen worden, das Volk zu überreden, sich nicht zum Glauben an Jesus verführen (πλανᾶσθαι) zu lassen, „was recht besehen voraussetzt, dass er es gerade dazu verleitet hat" (ebd.). – Doch schon die dabei gemachten Voraussetzungen sind nicht haltbar: Historizität des Hegesipptextes in diesem Punkt und Geltung des mischnischen Strafrechts vor 70 n. Chr.

[33] Windisch, ThR 1933, 293; Lüdemann, Paulus II, 100, A 130. Nach Patrick, James 237 sei es „doubtful whether this inference, so grateful to the Christian, is valid".

[34] Ich verweise nur auf Themata wie Auferstehung oder Messiaserwartung.

den Pharisäern eher in positivem Licht erscheinen lassen. Dabei braucht für Jakobus keineswegs ein Verhalten postuliert zu werden, wie es die spätere judenchristliche Tradition zeichnete (oben 3.2). Entgegen dieser Tradition war die Gesetzesobservanz des Jakobus in Wirklichkeit durchaus nicht fanatisch, aber doch von der Art, daß dieser als korrekter, aufrichtiger Jude gelten konnte. Für einen solchen sich so zu exponieren, wäre aber kaum im pharisäischen Interesse gelegen, wenn nicht auch noch andere Motive vorhanden gewesen wären: der alte Parteigegensatz gegen die Sadduzäer wird das wichtigere Motiv für ihre Interventionen gewesen sein; er war aber sicher nicht das allein entscheidende[35].

War die *Verurteilung und Hinrichtung aufgrund von Gesetzesübertretung nicht gerechtfertigt*, so müssen in Wirklichkeit andere Gründe dafür vorhanden gewesen sein. Welche das waren, kann aber sinnvollerweise erst gefragt werden, wenn die christlichen Zeugnisse über das Martyrium Iacobi untersucht wurden.

4.2 Die christlichen Berichte

Die christliche Tradition über das Martyrium des Jakobus liegt in drei verschiedenen, voneinander unabhängigen Versionen vor[36]. Die Übereinstimmungen und Besonderheiten sind durch synoptische Darstellung ihres Inhaltes am besten erkennbar.

---

[35] Gegen Weiß, Urchristentum 553; richtig Hengel, FS Kümmel (1985) 74: „Vermutlich wollten die Protestierenden mehr das Machtstreben des ungestümen Hannas dämpfen, als die Jerusalemer Judenchristen verteidigen."

[36] Die Notiz ClAl Hyp VII (Eus HE II 1,5) wird hier ausgeklammert, da sie, wie es scheint, von Hegesipp abhängig ist, also keinen eigenständigen Informationsgehalt bietet; die These der Abhängigkeit von Hegesipp vertraten schon Meyer, Ursprung III,73 f., A 2 und Dibelius, Jak 27, A 1; Παπαδόπουλος, DBM 1982, 2, 45 läßt die Möglichkeit gegenseitiger Abhängigkeit oder die von einer gemeinsamen Quelle offen. Abhängigkeit des Hegesipp von Clemens erscheint aber nicht gerade wahrscheinlich. Unwahrscheinlich auch die Annahme Browns, James 246, Clemens habe das Steinigungsmotiv fallengelassen, um die Anspielung auf die Hinrichtung des Jakobus infolge Gesetzesübertretung zu umgehen.

4.2.1 Die Einzelmotive der christlichen Versionen: Synoptischer Vergleich

AJ II (R I 66–70) (bzw. 33–70)	2 ApJac 61,12–63,32 (bzw. 44,13–63,32)	Heg (Eus HE II 23,8–18)
I	I	I
44.53 ff. Disputation der 12 mit den Sekten im Tempel Zeit: Passa: 44,1	44 ff. *1. gnost. Rede des Jak.* [der Gerechte 44,14. 18 etc.] auf der 5. Treppe des Tempels (45,23 ff.) Thema u. a. Tür (55,6 ff.)	8 *Diskussion d. Jak.* (= Gerechter 4. 10. 12. 15 f. 18) wohl im Tempel aufgrund der Frage der Sekten: Wer ist die Tür? [Zeit: Passa: 10]
	61,1 ff. *Reaktion*	9 ff. *Reaktionen* 9 f. pos: viele für Glauben an den Messias Jesus gewonnen (sogar viele der Führer)
	neg: [Aufruhr 45,9 ff.]; Volk ist verwirrt und nicht überzeugt: 61,1 ff. Jak. geht weg	10 neg: Aufruhr: ganzes Volk in Gefahr, Jesus als Messias zu erwarten
66 f. Aufstieg d. Jak. z. Tempel zwecks Diskussion mit den jüd. Sekten, große Menschenmenge anwesend Gamalielrede		
68 Kaiphas fordert Jak. zur Rede auf Thema: Messianität Jesu		11 f. Schriftgelehrte und Pharisäer bitten Jak. um weitere Rede Zeit: Passa Thema: Tür
II	II	II
69 *Rede des Jak.* (auf obersten Stufen 70,8): 7 Tage lang, Messiasbekenntnis, zweifache Parusie, Taufe	61,7 ff. *2. gnost. Rede des Jak.* [auf Tempelzinne 61,20 ff.]	13 f. *Rede des Jak.* (von Zinne des Tempels aus) Menschensohnbekenntnis, Parusie
70 *Reaktionen*	61,12 ff. *Reaktion*	14 f. *Reaktionen*

AJ II (R I 66–70) (bzw. 33–70)	2 ApJac 61,12–63,32 (bzw. 44,13–63,32)	Heg (Eus HE II 23,8–18)
70 pos: Volk und Priester begehren Taufe		14 a pos: Erfolg bei vielen (Hosiannarufe)
neg: Auftreten des feindlichen Menschen: „Was macht ihr? Warum laßt ihr euch verführen?"	neg: Todesbeschluß der Priester: Laßt uns den Gerechten steinigen! [er hat sich geirrt 62,7]	14 b f.neg:Todesbeschluß der Pha säer und Schriftgelehrten: auch der Gerechte habe sich geirrt
Aufhetzung des Volkes; Schmähung der Priester, Aufforderung, Jak. u. seine Leute zu töten	„Laßt uns diesen Menschen töten ... Denn er wird uns in keiner Weise nützlich sein!" (Jes 3,10 Anspielung)	„Laßt uns den Gerechten töten aus dem Weg räumen, denn er ist unnütz." (Jes 3,10 Zitat)
III	III	III
Beinahe-Tod des Jak.	61,20 ff. *Tod d. Jak.*	16 ff. *Tod des Jak.*
Tumult Sturz von den obersten Stufen	Sturz von Zinne, bei dem starken Eckstein	16 Sturz von Zinne
	Steinigung, da von Sturz noch nicht tot: Schleifen auf Erde, Ausstrecken, Steine auf Bauch geworfen, mit Füßen getreten, Grube graben lassen, hineingestellt, bis Bauch zugeschüttet und so gesteinigt	[Steinigung, da von Sturz nicht tot: Laßt uns Jak. den Gerechten steinigen]
Jak. als vermeintlich tot liegengelassen		
	62,16 ff. gnost. Gebet des Jak.	Fürbittengebet: Nichtanrechnung
[70,5: Was macht ihr?]		17 Rechabit: „Haltet ein. Was tut ihr?"
		18 Walker, Begräbnis, Grabmal
	[60,13 ff.: Tod des Jak. im Konnex mit Fall Jerusalem]	Tod des Jak. im Konnex mit Untergang Jerusalems

4.2.2 Traditionsgeschichte der christlichen Berichte

Die drei ausführlichen christlichen[37] Berichte über das Martyrium Iacobi sind einander auffallend ähnlich. Die *Gemeinsamkeiten* betreffen sowohl die Gesamtstruktur als auch eine Reihe von Einzelmotiven. Bezüglich der *Struktur*: Auf eine erste Rede des Jakobus bzw. einen ersten Diskussionsgang (I) folgt eine in sich noch nicht klare und endgültige Stellungnahme der Kontrahenten des Jakobus, so daß eine zweite Rede (II) notwendig wird. Die Reaktion darauf ist zwar auch differenziert, aber doch so, daß die Gegner den Tod des Jakobus beschließen und tatsächlich (in AJ II in der jetzigen Form: vermeintlich) herbeiführen (III). Das Grundmuster der Darstellung ist also – und das ist bei dem doppelten Redegang doch recht auffällig – identisch. Aber auch bezüglich der *Einzelmotive* besteht eine Reihe von Übereinstimmungen. Alle drei Berichte haben gemeinsam: 1. Das gesamte Geschehen findet im Tempelbereich statt. 2. Es ist eine große Zahl von Zuhörern anwesend. 3. Die Reaktion auf die Jakobusrede ist letztlich negativ. 4. Ein Verbündeter des Jakobus tritt auf. 5. Der Tod des Jakobus wird durch einen Sturz von einer erhöhten Stelle herbeizuführen gesucht, der Sturz selbst ist aber nirgends tödlich[38]. Diese Gemeinsamkeiten aller drei Versionen (sie betreffen eher übergreifende Momente; im einzelnen gibt es natürlich wieder eine Reihe von Differenzen, wie gleich zu zeigen sein wird) sind ausreichend, um enge traditionsgeschichtliche Beziehungen anzunehmen. Wie diese Beziehungen näherhin zu denken sind, kann erst nach Vergleich der Gemeinsamkeiten und Differenzen der einzelnen Versionen gesagt werden.

4.2.2.1 AJ II-Quelle – 2 ApJac

In den vorhin genannten Motiven, die allen drei Versionen gemeinsam sind, gibt es zwischen AJ II und 2 ApJac auch eine Reihe von Differenzen:

---

[37] 2 ApJac ist zwar in der jetzigen Form nicht mehr als christlich zu bezeichnen; es handelt sich vielmehr um eine gnostische Offenbarungsschrift, die aber (u. a.) auf christliche Traditionen zurückgeht. Was den in ihr vorliegenden Martyriumsbericht betrifft, ist die vorgnostische Stufe noch deutlich zu erkennen.

[38] Auch die AJ II-Quelle wird ursprünglich einen Schluß gehabt haben, der vom Tode des Jakobus sprach; der jetzige Schluß entspricht nicht dem Gefälle des Textes: Der homo quidam inimicus entfacht einen wüsten Tumult; er fordert auf, Jakobus zu töten, um ihn dann bloß die Stufen hinunterzustoßen und liegen zu lassen, ohne sich vom eingetretenen Tod zu überzeugen. Auch redet der Text R I 70,6 ausdrücklich von „caedis fecit exordium". Der Redaktor (Grundschriftautor) wird den Tod weggelassen haben, da er (wie Lüdemann, Paulus II,236 wohl richtig vermutet) Jakobus noch für die Fortsetzung brauchte.

1. Die Rede des Jakobus findet in allen drei Versionen im *Tempel*gebiet statt; hier liegt alte Tradition vor. Der genaue Ort wird allerdings verschieden angegeben; obwohl AJ II und 2 ApJac hier eng zusammengehören (in letzterer Version findet allerdings nur die erste Rede, 45 fin. ff., auf Stufen statt), sind im einzelnen die genannten Differenzen festzustellen. Beide Male ist auch vom Fall des Tempels die Rede (R I 64,2; 2 ApJac 60,13 ff.), allerdings ist die Tempelkritik verschieden motiviert: In AJ II ist die Zeit der Opfer durch das Kommen Christi vorbei und weitere Opfertätigkeit erzeugt Gottes Zorn; in 2 ApJac steht die Tempelzerstörung mit dem Tod des Jakobus in kausalem Konnex.

2. Die *Reaktion* auf die Jakobusrede ist letztlich (d. h. was den Fortgang der Handlung betrifft) *negativ*; sie ist im einzelnen aber wieder sehr verschieden dargestellt: in AJ II hetzt der homo quidam inimicus die Zuhörer gegen Jakobus auf (R I 70,1 ff.), in 2 ApJac beschließen die Priester seinen Tod (61,12 ff.). Auch die vorhergehenden Reaktionen auf die Rede sind verschieden: in AJ II (R I 69,8) verlangen Volk und Priester, überzeugt von den Ausführungen des Jakobus, die Taufe; in 2 ApJac (61,1 ff.) war die Menge verwirrt und nicht überzeugt. Diese nur negative Reaktion auf die Rede des Jakobus im Gegensatz zum zunächst gegebenen großen Erfolg in der AJ II-Quelle wie in der Hegesipptradition dürfte erst auf den gnostischen Endredaktor zurückzuführen sein[39].

3. Der auftretende *Verbündete des Jakobus* (bzw. der Christen) ist das eine Mal Gamaliel: AJ II (R I 66,4 ff.), das andere Mal ein mit Jakobus verwandter Priester: 2 ApJac 44,16 ff. Also wieder dasselbe Motiv, das in verschiedener Form auftaucht.

4. Der *Tod* wird durch ein Hinabstürzen herbeizuführen gesucht; in AJ II (R I 70,8) von den obersten Stufen, in 2 ApJac von einem Ort „bei der Zinne des Tempels …, bei dem starken Eckstein" (61,21 ff.)[40]. In 2 ApJac fand die erste Rede des Jakobus auf der fünften Treppe statt, die zweite bei der Zinne; der Bericht wechselt von dem Ort, den auch AJ II im Blick hat, zu dem von der Hegesipptradition bezeugten. Das Wachsen der Tradition ist hier besonders deutlich zu sehen; denn hier kommt ein Motiv dazu, das allein vom Bericht der 2 ApJac her nicht nötig erscheint. Warum steht Jakobus plötzlich „bei der Zinne"? Die Antwort wird von der Hegesipptradition her zu geben sein, denn dort spielt die „Zinne" eine sehr wichtige Rolle. In 2 ApJac scheinen also verschiedene Traditionsstufen des Jakobusmartyriums gleichzeitig vorausgesetzt zu sein. M. a. W.: Die 2 ApJac geht nicht auf eine einzige Ausprä-

---

[39] Lüdemann, Paulus II,234.
[40] Übersetzung Funk, Apokalypse 45.

gung dieser Tradition zurück, sondern auf mehrere, zumindest auf zwei verschiedene.

Über die Gemeinsamkeiten aller drei Versionen hinaus gibt es zwischen der AJ II-Version und derjenigen der 2 ApJac nur wenige gemeinsame Motive, die freilich im einzelnen wiederum verschieden ausgestaltet werden.

1. Die Jakobusrede hat mit *Tempelstufen* zu tun. Sie findet nach AJ II summis gradibus statt (R I 70,8); ein Wissen um diese Tradition hat auch 2 ApJac, nach der die (erste) Rede auf der fünften Treppe gehalten wurde (45,24)[41]. An welchen Ort konkret gedacht ist, bleibt unklar. AJ II denkt an eine Treppe, auf deren oberster Stufe Jakobus steht, wobei viel Platz für die zahlreiche Zuhörerschaft vorhanden sein muß. Die 2 ApJac spricht statt von der „obersten" von der „fünften" Stufe, denkt also wohl nicht an eine „Stufe", sondern an eine „Treppe"[42], die „besonders ausgestaltet ist" (45,25)[43]. Gleichwohl ist das Motiv identisch.

2. In beiden Versionen tauchen *Priester* auf; beide Male haben Priester etwas mit dem Tod des Jakobus zu tun, freilich in äußerlich sehr unterschiedlicher, innerlich aber ganz ähnlicher Weise: 2 ApJac 61,12 ff. beschließen sie die Steinigung, sind also direkt beteiligt; AJ II (R I 69,8) begehrt nicht nur das Volk, sondern sogar die Priesterschaft die Taufe, was das Einschreiten des homo quidam inimicus unmittelbar zur Folge hat (70,1), sie sind also indirekt beteiligt.

Differenzen bestehen auch im *Inhalt der Jakobusrede*: während es in AJ II (R I 69) um Christusbekenntnis, Parusie Jesu und Heilsnotwendigkeit der Taufe geht, ist in 2 ApJac 61,7 f. eine Rede vorausgesetzt, die analog zur vorhergehenden als gnostische Offenbarungsrede zu charakterisieren ist; allerdings liegt hier bereits eine gnostische Überar-

---

[41] Daß die Erwähnung dieser fünften Treppe nicht im eigentlichen Martyriumsbericht steht, sondern mit der ersten Rede verknüpft wurde, spielt keine Rolle. Die Versetzung erfolgte durch den gnostischen Redaktor, der auch sonst in den ihm vorliegenden Martyriumsbericht eingreift: So berichtet er über den Inhalt der unmittelbar der Steinigung vorangehenden Rede überhaupt nichts – die erste Rede ist ja ausführlich geschildert – und auch das Gebet, das Jakobus vor seinem Tod spricht, ist ein gnostisches.

[42] tōrt = staircase (Crum, Dictionary 431 b f.).

[43] Übersetzung Funk, Apokalypse 13. Die 2 ApJac denkt also an eine bestimmte, besonders ausgestaltete Treppe. Funk, ebd. 96 identifiziert sie, wohl zu Recht, mit dem Aufgang zum Nikanor-Tor, dem repräsentativen Mittelaufgang zum Männervorhof vom Frauenvorhof aus; dieser war in der Tat, gleichgültig, ob man von der Nord- oder Südseite her zählte, der fünfte Treppenaufgang (vgl. Jos Bell V 198 ff.): drei Tore mit je einer fünfstufigen Treppe vom Heidenvorhof in den Priestervorhof; ein Tor in den Frauenvorhof und das fünfte, das Nikanortor, mit einem fünfzehnstufigen Treppenaufgang; daß das erwähnte Tor in den Frauenvorhof keine Treppe hatte, konnte für einen Erzähler des 2. Jh.s ohne Belang sein.

beitung vor; der vorgnostische Martyriumsbericht muß ebenfalls eine Rede enthalten haben oder wenigstens deren Inhalt genannt haben. Wie dieser näherhin aussah, läßt sich nicht sagen, man wird aber nicht allzuweit fehlgehen, wenn man einen wenigstens einigermaßen ähnlichen Inhalt annimmt, da auch im Hegesippbericht ähnliche Themata wie in AJ II auftauchen.

Eine wesentliche Differenz besteht auch im *Fehlen der antipaulinischen Zuspitzung* des Martyriumsberichts *in der 2ApJac*; dem Gnostiker fehlt das diesbezügliche Interesse der AJ II-Quelle. Daß es auch in seiner eigenen Tradition vorhanden war, ist möglich.

Vergleicht man die Gemeinsamkeiten und Differenzen der AJ II-Version mit der der 2ApJac[44], so lassen sich erste traditionsgeschichtliche Schlüsse ziehen: die Gemeinsamkeiten sind so groß, daß eindeutig eine *traditionsgeschichtliche Verwandtschaft* festgestellt werden kann; genauerhin kann von den verschiedenen Orten her, an denen das Martyrium des Jakobus lokalisiert ist, an verschiedene Traditionsschichten gedacht werden, wobei die Schicht, in der von „Stufen" die Rede ist, als die ältere anzunehmen ist (bei der Diskussion der Hegesipptradition wird dies noch deutlicher werden). Die Gemeinsamkeiten sind aber nicht so groß, daß in irgendeiner Form ein literarisches Verhältnis postuliert werden könnte, sei es in der Form einer Abhängigkeit der einen Version von der anderen oder der einer gemeinsam zugrunde liegenden Quelle.

4.2.2.2 AJ II-Quelle – Hegesipp

In den allen drei Versionen gemeinsamen Motiven gibt es zwischen der AJ II-Quelle und Hegesipp im einzelnen z.T. beachtliche Differenzen:

1. Der *Ort*, an dem die Rede stattfindet und von dem Jakobus hinuntergestürzt wird, ist ein verschiedener. Statt von Stufen wie die AJ II-Version (R I 70,8) redet Hegesipp vom πτερύγιον, der „Zinne" (Eus HE II 23,11 f.). Was Hegesipp mit diesem Term meint, ist unklar; eine Anspielung auf die Jesustradition (Mt 4,1 ff. par Q) liegt ziemlich sicher vor, was aber nur die theologische Wertung des Jakobus zeigt (sein Verhalten und sein Geschick stehen in Parallele zu dem Jesu), noch nicht aber den Ort selbst näher bestimmt – ein πτερύγιον genannter Teil des Tempels taucht in der Tempelbeschreibung des Josephus (Bell V 184 ff.) nicht auf. Auf die richtige Spur – wenigstens was das

---

[44] Daß die einzigen Motive die Rede und der Sturz seien (Brown, James 170), ist eine minimalistische Interpretation.

πτερύγιον des Jakobusmartyriums betrifft[45] – führt wohl die Jerusalemer Lokaltradition, die die „Zinne" mit der mächtigen Ruine an der Südostecke des Tempelplatzes identifizierte[46]. Die Pilgerlegende pflegt „sich an erhaltene Ruinen zu klammern"[47]; da Mitte des 2. Jh.s der Tempel bereits einige Generationen lang Ruine war und eine konkrete Vorstellung vom unzerstörten Tempel längst nicht mehr bestand, wird diese Lokalisierung auch schon für diese Zeit anzunehmen sein. Dafür spricht auch die 2 ApJac, nach der Jakobus „bei der Zinne des Tempels ..., bei dem starken Eckstein" stand (61,21 ff.)[48]. Der Sturz von der Zinne ist gegenüber dem Sturz von den Stufen sicher sekundär[49]: nicht nur ist er eindrucksvoller (er befriedigt ungleich besser die fromme Phantasie der Erzähler), er steht auch in Parallele zur Jesustradition. Das Wachsen der Tradition ist an dieser (allerdings sehr wichtigen) Stelle deutlich nachzuvollziehen[50].

2. Die *negativ Reagierenden* setzen sich durch. In AJ II geht der homo quidam inimicus gegen Jakobus vor (R I 70,1 ff.), bei Hegesipp sind es die Schriftgelehrten und Pharisäer (Eus HE II 23,14). Auch hier scheint letztere Tradition wegen der Verbindung zur Jesustradition die jüngere zu sein.

3. Der *Verbündete*, der als Warner und Beschützer auftritt, ist das eine Mal Gamaliel (R I 66,4 ff.), das andere Mal ein rechabitischer Priester (Eus HE II 23,17). Beide treten auch zu verschiedenen Zeitpunkten auf: ersterer vor Beginn der Diskussion, letzterer mitten im Vorgang der Tötung des Jakobus.

---

[45] Wo die Q-Tradition das πτερύγιον lokalisierte, ist dadurch nicht präjudiziert; zu denken ist auf jeden Fall an einen hochgelegenen, vielleicht vorspringenden Teil des Komplexes. Was eine genaue Festlegung betrifft, sind die Exegeten eher ratlos; man denkt zumeist an einen Balkon an der äußeren Tempelmauer oder an einen altanartigen Verbau oberhalb eines Tempeltors, vgl. Jeremias, ZDPV 1936, 195 ff. (dort ältere Belege); Schürmann, Lk I,213; Grundmann, Lk 116; Ernst, Lk 160.

[46] Vgl. Itin. Burdigalense (CSEL 39,21,9 ff.); weitere Belege bei Jeremias, ZDPV 1936, 198 f.

[47] Jeremias, ZDPV 1936, 199.

[48] Übersetzung Funk, Apokalypse 45.

[49] Gegen Kemler, Jakobus 26, nach dem die Tempelzinne in die älteste Überlieferungsschicht gehört.

[50] Nach Schoeps, Theologie 416 wisse die älteste judenchristliche Legende nur etwas vom Sturz von den Tempelstufen; erst die jüngere Erzählung kombiniere diesen Sturz mit der geschichtlichen Steinigung des Jakobus. In der Annahme des hohen Alters des Motivs vom Sturz über die Stufen ist Schoeps zuzustimmen; ansonsten jedoch sind die von ihm angedeuteten traditionsgeschichtlichen Verbindungen zu undifferenziert. Auch Funk, Apokalypse 175 nimmt den Sturz von der Tempeltreppe als wahrscheinlichen Ausgangspunkt der Legende an.

Darüber hinaus gibt es noch eine Reihe bemerkenswerter Übereinstimmungen zwischen der AJ II-Quelle und der Hegesipptradition, wobei wieder z.T. bedeutende Differenzen vorliegen.

1. In beiden Versionen treten *jüdische Parteien* auf, die mit den Christen, im besonderen mit Jakobus, disputieren: R I 44. 53 ff.; Eus HE II 23, 8[51]. Diese Parteien sind zwar verschiedene, auch ihre Reaktion auf die Ausführungen des Jakobus ist eine verschiedene: bei Hegesipp sind es die Schriftgelehrten und Pharisäer; sie sind gegen Jakobus eingestellt (Eus HE II 23, 10. 14); in der AJ II-Quelle sind es die Priester; sie stehen positiv zu Jakobus, R I 69, 8 – genannt ist namentlich Kaiphas (R I 68, 1), darüber hinaus (stellvertretend für die Pharisäer) Gamaliel (R I 66, 4 ff.). Trotz dieser Differenzen ist aber deutlich: der Kontext des Martyriums Iacobi ist die Auseinandersetzung mit diesen konkurrierenden jüdischen Gruppen – dieser Aspekt findet sich ebenfalls bei Josephus und gehört nicht bloß zum ältesten Gut der christlichen Tradition, sondern zum historischen Kern des Jakobusmartyriums überhaupt.

2. Als Zeit wird beide Male *Passa* angegeben (R I 44, 1; Eus HE II 23, 11). Hier liegt wieder Parallelität zur Jesustradition vor; die Notiz dürfte daher nicht zur ältesten Schicht der judenchristlichen Jakobustradition gehören.

3. Der *Inhalt der Rede* ist sehr ähnlich. Es geht jeweils um christologische Fragen; R I 69, 1 ff. geht es um den Messias, Eus HE II 23, 12 f. um den Menschensohn; beide Texte reden zudem von der Parusie Jesu, die AJ II-Quelle darüber hinaus noch von der Notwendigkeit der Taufe. Die Differenzierung des christologischen Themas zeigt, daß es eine längere Tradition hinter sich hat; es geht sicher in die früheste Zeit der Traditionsbildung zurück, setzt aber doch das Bewußtsein der Trennung der Christen von den übrigen Juden aufgrund spezifisch christologischer Anschauungen voraus. Ein anderes Motiv für den Tod des Jakobus wird in der judenchristlichen Tradition aber nicht genannt; hier scheint ein ursprünglich wohl weitergehendes Wissen um die historischen Umstände auf den christologischen Aspekt konzentriert worden zu sein.

4. Die *Reaktion* ist *bei den meisten sehr positiv.* Nur wenige treten gegen Jakobus auf, führen aber seinen Tod herbei: R I 70, 1 ff.: der homo quidam inimicus; Eus HE II 23, 10. 14: Die Schriftgelehrten und Pharisäer. Die Gegner sind typische Gegner, sei es des Judenchristentums, sei

---

[51] In der AJ II-Version ist die Sektendisputation aufgespalten: zunächst treten die Zwölf auf, dann erst Jakobus; diese Version scheint gegenüber der von Hegesipp gebotenen die spätere zu sein, da die Zwölf Jakobus zu- und untergeordnet werden.

es der synoptischen Tradition – ein Indiz für mangelnde Glaubwürdigkeit das historische Geschehen betreffend. Die konkrete Zusammensetzung von „Schriftgelehrte und Pharisäer" könnte unter synoptischem
Einfluß auf Hegesipp zurückzuführen sein.

5. Eine überraschende Übereinstimmung gibt es in dem *Ausruf*:
Quid facitis? (R I 70,2) bzw. τί ποιεῖτε; (Eus HE II 23,17); er stammt
im ersteren Fall vom Gegner des Jakobus, im letzteren von dem für ihn
eintretenden Rechabiten. Es gibt sonst zwischen beiden Versionen
keine so frappante wörtliche Übereinstimmung; eine Schlußfolgerung
literarischen Charakters ist von da aus freilich nicht möglich. Der Ausruf ist erzählerisch motiviert; daß er überhaupt vorkommt, nimmt nicht
wunder; daß er in gegensätzlichem Sinne gebraucht werden kann, zeigt
die Wandlungsfähigkeit von Einzelmotiven.

6. Eine Parallele besteht, wie es scheint, auch in der Verwendung eines *klobigen Holzstückes* zur Tötung des Jakobus: der homo quidam
inimicus reißt ein Scheit aus dem Altarfeuer und stürzt damit auf Jakobus los (R I 70,6) bzw. ein Walker erschlägt ihn mit seinem Walkholz
(Eus HE II 23,18). Wenn es richtig ist, daß die AJ II-Quelle ursprünglich den Tod des Jakobus berichtete, so hätten wir mit diesem Holzstück überhaupt das eigentliche Mordwerkzeug vor uns. Sowohl in der
AJ II-Quelle wie bei Hegesipp wäre dann der Tod durch Erschlagen
mit einem Holzstück erfolgt nach vorherigem Sturz von einem höher
gelegenen Ort – das dürfte alte Tradition sein. Im konkreten scheint
die Hegesippfassung die jüngere zu sein, da das Auftreten des Walkers
erzählerisch als legendarische Ausschmückung zu werten ist[52].

Zurückblickend ergeben sich auch für die AJ II-Quelle und die Hegesippversion eine Reihe z.T. auffallender Übereinstimmungen[53]. Eine
gemeinsame Tradition ist auch hier wieder gegeben. Die Annahme literarischer Abhängigkeit einer Version von einer anderen oder von einer
gemeinsamen Quelle ist jedoch nicht gerechtfertigt[54]. Dabei muß nicht
ausgeschlossen werden, daß Hegesipp und die AJ II-Quelle schriftliche
Vorlagen benützten (für beide ist das zu vermuten, vgl. oben 3.2.2 und

---

[52] Zur legendarischen Ausgestaltung gehören auch die Motive des Begräbnisses und
des Grabmals (Eus HE II 23,18); das Grab sei an der Stelle seines Todes in der Nähe des
Tempels errichtet worden und zu Hegesipps Zeit noch zu sehen gewesen. Hier VirInl 2
(TU 14,1,8) weist die Behauptung zurück, es befinde sich auf dem Ölberg.

[53] Daß nur der Sturz gemeinsam wäre (so Strecker, Judenchristentum 250), ist ein viel
zu restriktives Urteil, ebenso das Lüdemanns (Paulus II,236f.), der Grundstock der gemeinsamen Tradition wäre eine christologisch orientierte erfolgreiche Rede des Jakobus
und der darauffolgende Sturz.

[54] Nach Schmidt, Studien 325, A2 habe der Autor von ΚΠ 7 (d.h. die AJ II-Quelle)
Hegesipp benutzt; nach Schoeps, Theologie 414; ders., Urgemeinde 12 liege eine gemeinsame Quelle (Ebionäerakten) vor.

3.2.3) – nur dieselbe Quelle scheidet aus. Eine Schichtung zwischen älteren und jüngeren Motiven innerhalb des Traditionsprozesses des Jakobusmartyriums, soweit es aus diesen beiden Versionen ersichtlich ist, ist bereits ansatzweise deutlich geworden.

4.2.2.3 2 ApJac – Hegesipp

Auch zwischen 2 ApJac und Hegesipp gibt es bei den allen drei Versionen gemeinsamen Motiven Differenzen:

1. Das Geschehen findet *im Tempel* statt. In der 2 ApJac ist während der 1. Rede die fünfte Treppe Schauplatz, während der 2. Rede die Zinne (45, 23 ff.; 61, 20 ff.); Hegesipp nennt nur den Schauplatz der 2. Rede: das πτερύγιον (Eus HE II 23, 11 f.); die vorausgehende Disputation mit den Sekten ist mit größter Wahrscheinlichkeit ebenfalls im Tempel zu lokalisieren; man wird in der Annahme nicht fehlgehen, daß die Hegesipptradition für diesen Teil von „Stufen" o. dgl. redete: mit der AJ II-Quelle hat ja Hegesipp die Sektendisputation gemeinsam; letztere spricht zusammen mit 2 ApJac von „Stufen" (bzw. einer Treppe); der Motivzusammenhang von Stufen und Sektendisputation scheint also allen drei Versionen bekannt zu sein; erhalten ist er in vollständiger Form nur in der AJ II-Quelle.

2. Die in großer Zahl erschienene Zuhörerschaft reagiert recht unterschiedlich: bei Hegesipp reagiert das Volk (und sogar viele Führer) zustimmend (Eus HE II 23, 9 f.); gegen Jakobus treten nur die Schriftgelehrten und Pharisäer auf (ebd. 10 ff.), in 2 ApJac ist das Volk verwirrt und nicht überzeugt (61, 1 ff.); gegen Jakobus wenden sich Priester. Die *negative Reaktion* geht zwar von verschiedenen Leuten aus, sie gewinnt aber in beiden Fällen die Oberhand. Die Rede von Priestern scheint wiederum älter zu sein als die von Schriftgelehrten und Pharisäern.

3. Der *auftretende Verbündete* ist bei Hegesipp (Eus HE II 23, 17) ein rechabitischer Priester, in der 2 ApJac ein mit Jakobus verwandter Priester (44, 16 ff.).

Darüber hinaus finden sich zwischen der 2 ApJac und Hegesipp eine Reihe von z. T. recht frappanten Übereinstimmungen, wiederum mit gewichtigen Differenzen im einzelnen:

1. Jakobus ist in beiden Versionen *„der Gerechte"* (2 ApJac 44, 14. 18; 60, 12; Eus HE II 23, 4. 10. 12. 15 f. 18).

2. Beide Male ist die symbolische Rede von der *„Tür"* zu finden (2 ApJac 55, 6 ff.; Eus HE II 23, 8. 12); daß Hegesipp dieses Motiv ursprünglicher bewahrte[55], ist insofern richtig, als der jetzige(!) Kontext

---

[55] Brown, James 175.

der 2 ApJac ein gnostischer ist; für die jeweils benützte Tradition gilt das selbstverständlich nicht.

3. Schon nach der ersten Rede des Jakobus (2 ApJac 45, 9 ff.; 61, 1 ff.) bzw. nach seiner Disputation mit den jüdischen Sekten (Eus HE II 23, 10) entsteht ein *Aufruhr* unter „vielen" Zuhörern (2 ApJac 45, 9) bzw. unter „den Juden, den Schriftgelehrten und Pharisäern" (Eus HE II 23, 10). Das Moment des Aufruhrs ist konstitutiv für die in den judenchristlichen Versionen vorausgesetzte Lynchjustiz und dürfte deshalb alt sein.

4. Der *Beschluß, Jakobus zu töten,* geht von führenden Repräsentanten des Volkes aus. 2 ApJac 61, 12 ff. 15 ff.: die Priester; Eus HE II 23, 14: die Schriftgelehrten und Pharisäer. Auffälligerweise bieten nun beide Versionen diese Absichtserklärung mehrfach, die 2 ApJac doppelt (61, 12 ff. 15 ff.), Hegesipp sogar dreifach (Eus HE II 23, 14. 15. 16). Für die 2 ApJac vermutet *Funk*[56], die ursprüngliche Apokalypse habe nur kurz von einer Steinigung geredet; der Kompilator der vorliegenden Schrift sei an dieser Stelle auf den mit der Hegesippfassung verwandten Martyriumsbericht übergesprungen und habe deshalb den Beschluß in deren Form wiederholt. Das setzt freilich voraus, daß die ursprüngliche Apokalypse schon ausdrücklich von einer Steinigung sprach – mehr als eine Möglichkeit ist es nicht. Mindestens ebensogut ist denkbar, daß der Hinweis auf den Steinigungsversuch schon vom Autor der in 2 ApJac verarbeiteten Martyriumsschrift unter Einfluß des Josephusberichts aufgenommen wurde. Er geht ja im folgenden auf die Steinigung noch recht genau ein, wobei er im besonderen die rabbinische Tradition voraussetzt[57]. Die Doppelung des Tötungsbeschlusses könnte dann so erklärt werden, daß der Verfasser des Martyriumsberichts zuerst den ihm wichtig erscheinenden Hinweis auf die Steinigung brachte (die er im weiteren auszuführen gedachte), andererseits aber auch die mit der Hegesipptradition verbindende Aufforderung, Jakobus

---

[56] Funk, Apokalypse 173.

[57] Der Konnex mit der rabbinischen Tradition ist bereits von Böhlig bemerkt worden. Seine Aussage, „es werden alle in der jüdischen Ordnung des Sanhedrin vorgeschriebenen Anweisungen genauestens befolgt" (Mysterion 108), ist freilich weit übertrieben; die Aussage, 2 ApJac habe die *Tendenz,* die Hinrichtung nach San VI 1–4 darzustellen (Brown, NT 1975, 229), ist das Maximum, das ausgesagt werden kann. Nur teilweise gibt es eine Übereinstimmung, und die Differenzen zeigen deutlich, wie wenig exakt die Kenntnis der rabbinischen Tradition wirklich ist (zum Vorgang der Steinigung nach San VI vgl. oben): Entsprechungen haben nur der Sturz aus der Höhe (61, 23 ff.), das Ausstrecken (62, 3; korrekt wäre gegebenenfalls: umdrehen), der Steinwurf auf den Bauch (62, 3 f.; korrekt wäre: Brust); nicht übereinstimmend sind folgende Handlungen: Schleifen auf der Erde (62, 2), mit den Füßen treten (62, 5 f.), eine Grube graben lassen (62, 8 f.), hineinstellen (62, 9 f.) und bis zum Bauch zuschütten (62, 10 f.). Judenchristlicher, nicht direkt rabbinischer Hintergrund dürfte anzunehmen sein, vgl. Maier, in: Tröger (ed.), AT 254, A 76.

zu „töten", nicht fallen lassen wollte, da mit dieser der Hinweis verbunden war, Jakobus sei „unnütz"[58]. Eine letztlich befriedigende Lösung scheint an diesem Punkt nicht möglich. Soviel ist aber deutlich: die ursprünglichere judenchristliche Version ist nicht die, Jakobus steinigen, sondern ihn beseitigen zu wollen (2 ApJac 61,17: töten; Eus HE II 23,14: hinaufsteigen und hinabstürzen; 15: aus dem Weg räumen).

5. Von auffallender Übereinstimmung ist die *zweifache Motivation*: „O, der du dich geirrt hast!" (2 ApJac 62,7), ὢ ὤ, καὶ ὁ δίκαιος ἐπλανήθη (Eus HE II 23,15) und weiter: „Laßt uns diesen Menschen töten, damit er aus unserer Mitte entfernt werde! Denn er wird uns in keiner Weise nützlich sein" (2 ApJac 61,16ff.)[59] bzw. ἄρωμεν τὸν δί-καιον, ὅτι δύσχρηστος ἡμῖν ἐστιν (Eus HE II 23,15). Im Irrtum sich befinden und unnütz (d. h. den Gegnern im Weg) zu sein, sind so frappante Konvergenzen, daß man mindestens an sehr fest geprägte Tradition denken muß, auch wenn 2 ApJac (in Unterschied zu Hegesipp) die beiden Motivationen nicht unmittelbar nebeneinander genannt werden. Letzterer Umstand könnte darauf hindeuten, daß Hegesipp den Zusammenhang besser bewahrt hat; andererseits fehlt in 2 ApJac ein Hinweis auf Jes 3,10, was wiederum für die größere Originalität der 2 Ap Jac-Version spräche[60]. – Die Frage der größeren Treue zur vorliegenden Tradition scheint nicht nach der einen oder anderen Seite hin beantwortet werden zu können; vielmehr ist je im Einzelfall zu entscheiden.

6. Ort der Rede und des Sturzes ist in beiden Fällen die *Zinne* (2 Ap Jac 61,20ff.; Eus HE II 23,12ff.; dazu bereits oben 4.2.2.2); beide Male ist der Sturz nicht tödlich.

7. Jakobus spricht kurz vor seinem Tod ein *Gebet* (2 ApJac 62,16ff.; Eus HE II 23,16). Die Hegesippversion verdient sicher den Vorzug[61],

---

[58] Nicht auszuschließen ist auch die Möglichkeit, schon in der zugrunde liegenden Tradition (oder Quelle: dazu im folgenden) sei die ursprüngliche Aufforderung, Jakobus zu „beseitigen", mit der Aufforderung, ihn zu steinigen, verbunden gewesen. Nach Brown, James 181 f., habe Hegesipp das Steinigungsmotiv unterdrückt, obwohl es in seiner Quelle gestanden sei, da er den damit implizierten Vorwurf des Gesetzesbruches durch Jakobus habe vermeiden wollen. Der Vorgang ist in dieser Annahme doch etwas unwahrscheinlich: in der Vorlage sei von der Steinigung die Rede gewesen, Hegesipp habe sie weggelassen und nach ihm sei sie wieder in seinen Text eingefügt worden. Wenn das Motiv schon in der Vorlage vorhanden gewesen wäre, erschiene es als geradliniger, es auch in der ursprünglichen Hegesippversion als vorhanden anzunehmen. Dann müßte aber noch erklärt werden, woher Clemens von Alexandrien seine Fassung hat, die von den bei Hegesipp genannten drei Tötungsversuchen (Sturz von Zinne, Steinigung, Erschlagen durch einen Walker) die Steinigung nicht kennt?

[59] Übersetzungen nach Funk, Apokalypse 47 bzw. 45.
[60] Brown, James 179.
[61] Brown, James 182.

da die der 2 ApJac ein gnostisches Sterbegebet darstellt[62], doch dürfte das Gebetsmotiv, da es in Abhängigkeit von der Jesustradition steht, nicht zur ältesten Traditionsschicht gehören.

8. Charakteristisch ist auch die Übereinstimmung in der *Verbindung mit der Zerstörung des Tempels* (2 ApJac 60, 13 ff.; Eus HE II 23, 18; dasselbe Motiv liegt bei Pseudo-Josephus vor, oben 3.4.2, ebenso in 1 Ap Jac 36, 16 ff.). Und auch hier wieder Differenzen: an ersterer Stelle ist die Zerstörung des Tempels mit der Taubheit gegenüber der Predigt des Jakobus motiviert, an letzterer die Zerstörung Jerusalems mit dessen Tod[63]. Als Zeitpunkt des Martyriums ist nach der judenchristlichen Tradition wohl an 66 n. Chr. zu denken, also an den Beginn des Jüdischen Krieges, wie aus dem αὐτούς (Eus HE II 23, 18 = die Juden, nicht Jerusalem!) hervorgeht: das πολιορκεῖ ist dann allerdings ungenau; andererseits würde bei einer Datierung auf 69 n. Chr. der Hinweis auf Vespasian unzutreffend sein; die Notiz ist also auf jeden Fall historisch unexakt; was das Verhältnis des Martyriumsberichts der 2 ApJac und der Hegesippversion betrifft, könnte man an ein literarisches denken. Abhängigkeit der einen von der anderen Version fällt jedoch aus, da jede Version in bestimmten Motiven authentischer ist. Gut möglich ist allerdings die Abhängigkeit beider Versionen von einer gemeinsamen Quelle[64]. Die Übereinstimmungen sind viel weitergehend, als es zwischen 2 ApJac und AJ II bzw. zwischen Hegesipp und AJ II der Fall ist. Sicherheit läßt sich kaum gewinnen, da auch gewichtige Differenzen vorliegen. Sollte tatsächlich eine Quelle vorliegen, so wäre diese allerdings nicht der einzige Informant für beide Versionen, denn beide haben Elemente, die sie allein mit der AJ II-Version gemeinsam haben (AJ II und Hegesipp: Disputation mit den jüdischen Sekten; AJ II und 2 ApJac: Stufen); m. a. W., die sie dann aus mündlicher Tradition hätten. Sollte keine Quelle vorliegen, so wären die 2 ApJac und die Hegesippversion auf jeden Fall von einer gemeinsamen Traditionsstufe abhängig, die eine spätere ist als die der AJ II-Version („Zinne" neben bzw. anstelle von „Stufen").

---

[62] Zum gnostischen Sterbegebet vgl. im einzelnen: Funk, in: Nagel (ed.), Studia Coptica 152 ff. und besonders ausführlich: Little, James 98 ff.

[63] Brown, James 173 sieht auch eine Parallele zwischen dem Begräbnis des Jakobus (Eus HE II 23, 18) und seinem Eingegrabenwerden bis zur Hüfte (2 ApJac 62, 8 ff.). Letzteres ist aber Teil der Steinigung, so wie der Verfasser des Martyriumsberichts der 2 Ap Jac sie sich vorstellt.

[64] So Brown, James 136. 156; Funk, Apokalypse 173; Lüdemann, Paulus II, 232; mit Vorsicht Little, James 41. Böhlig – Labib, Apokalypsen 64 meinten, Heg und 2 ApJac gingen „auf gleiche oder sehr ähnliche Überlieferungen" zurück.

4.2.2.4 Die Parallelen zum Martyrium des Stephanus und zur Jesustradition

Eine Reihe von Parallelen gibt es auch zum *Martyriumsbericht des Stephanus*. Nach *Beyschlag* reicht „die Kette der Stephanusmotive bei Hegesipp von den Disputen über das Christusbekenntnis, Tumult, Steinigung und Fürbitte bis zu Tod und Begräbnis des Jakobus"[65]. Das Motiv der Steinigung ist wegzulassen, da es erst nachträglich zum Hegesipptext hinzugekommen ist. Parallelen liegen auch zur AJ II-Quelle vor: Dispute: Apg 6,9f.; R I 53ff.; 66,2ff.; heilsgeschichtlicher Abriß: Apg 7, 1ff.; R I 33ff.; Christusbekenntnis: Apg 7,56; R I 69,3; Tumult: Apg 7, 54; R I 70,1ff. Nur umrißhaft erkennbar sind gemeinsame Motive in der 2 ApJac: sie spricht nicht von Disputen, sondern nur von zwei Reden des Jakobus (45,13ff.; 61,7f.); der Tumult (45,9ff.) taucht daneben in der Form des Verwirrt- und Nichtüberzeugtseins (61,1ff.) auf; aus der Fürbitte ist ein gnostisches Sterbegebet geworden (62,16ff.).

Aufs Ganze gesehen liegt also eine Reihe gemeinsamer Motive zwischen dem Martyriumsbericht des Stephanus und denen des Jakobus vor. Sie sind aber nicht so eng, daß auf literarische Abhängigkeit der letzteren vom ersteren geschlossen werden müßte. Bezüglich der 2 Ap Jac ist das aufgrund der geringen Übereinstimmung von vornherein ziemlich deutlich[66]; in der AJ II-Quelle sind auffallende Gemeinsamkeiten nur der heilsgeschichtliche Abriß und das Christusbekenntnis (letzteres zudem in Apg als Menschensohn-, in AJ II als Messiasbekenntnis)[67]. Selbst die Parallelen in der Hegesippversion setzen die Apostelgeschichte nicht voraus. So stimmt die Reihenfolge der Motive nicht überein; weiters ist die Begründung des Vorgehens gegen Stephanus bzw. gegen Jakobus verschieden: bei Hegesipp erfolgt es aufgrund des Christusbekenntnisses, Apg 6,13ff. aufgrund der Tora- und Tempelkritik. Zudem sind die genannten Einzelmotive so allgemein für die Dar-

---

[65] Beyschlag, ZNW 1965, 155, A 13; die Belegstellen: Disputation: Apg 6,9f.; Eus HE II 23,8f.; Christusbekenntnis: Apg 7,56; Eus HE II 23,8. 13; Tumult: Apg 7,54; Eus HE II 23,15; Fürbitte: Apg 7,60; Eus HE II 23,17; Tod: Apg 7,60; Eus HE II 23,18; Begräbnis: Apg 8,2; Eus HE II 23,18. Beyschlag weist ebd. 157ff. auf weitere, allerdings schon entferntere Parallelberichte zur Tradition vom Jakobusmartyrium hin, so auf die Erzählkreise um Petrus (Apg 3ff.) und Paulus (Apg 14; 21) sowie auf nachneutestamentliche, verwandte Texte (Mart Pol u.a.): beim Vergleich von Einzelmotiven ist hier allerdings große Zurückhaltung am Platz.

[66] Ebenso Brown, James 167. Anders Lüdemann, Paulus II,237.

[67] Nach Beyschlag, ZNW 1965, 155 lasse die Art der Berührungen zwischen der AJ II-Quelle und der Stephanustradition „darauf schließen ..., daß dem judenchristlichen Verf. die lukanische Redaktion des Stoffes überhaupt unbekannt war". Dagegen nehmen Brown, James 225 und Lüdemann, Paulus II,237 in der AJ II-Quelle Anleihen aus der Apostelgeschichte an.

stellung eines Martyriumsberichts, daß sie nicht entlehnt zu werden brauchten. Sie legen sich für einen Martyriumsbericht von vornherein nahe. Über die zweifelsohne bestehende motivgeschichtliche Verwandtschaft hinaus sind literarkritische Annahmen nicht nötig – freilich ebenso wie bei der AJ II-Quelle und der 2ApJac auch nicht völlig ausgeschlossen[68].

Eine Reihe von Motiven hat die Darstellung des Jakobusmartyriums auch mit der des Lebens und insbesondere des Todes *Jesu*, wie sie aus den Synoptikern bekannt ist, gemeinsam: beide werden als Gerechte bezeichnet (z. B. Mt 27,19; Apg 3,14; 2ApJac 44,14. 18; Eus HE II 23,4. 10[69]); beider Tod hat mit dem Passa zu tun (Mk 14,1 parr; R I 44,1; Eus HE II 23,10 f.); beide sollen auf der Zinne des Tempels ihrer Mission untreu werden (Mt 4,5 par; Eus HE II 23,12, etwas anders: 2ApJac 61,21); beide haben großen Zulauf (Mk 2,13; R I 66,2; 2ApJac 45,19 f.; Eus HE II 23,10), was sich u. a. in Hosiannarufen äußert (Mk 11,9 par; Eus HE II 23,14); auch taucht die Menschensohnthematik auf (Mk 14,62 parr; Eus HE II 23,13; in R I 69,3 die Messiasthematik); beide sprechen vor ihrem Tod ein Fürbittengebet (Lk 23,34; Eus HE II 23,17; gnostisches Sterbegebet: 2ApJac 62,16 ff.). Die Annahme einer Kenntnis der synoptischen Evangelien wird man zwar nicht von vornherein als unmöglich bezeichnen können; allerdings müßte dann gezeigt werden, wie eine solche Kenntnis bei den drei Versionen, die auf teilweise verschiedene Stufen der judenchristlichen Traditionsbildung über das Martyrium Iacobi zurückgehen, zustande gekommen ist. Einfacher ist die Annahme, daß die *judenchristliche Jakobustradition als ganze von bestimmten Motiven der Jesustradition geprägt ist,* wie sie sich auch in den Synoptikern niedergeschlagen haben. Die Motive sind leicht mündlich tradierbar; sie gehören zum Grundbestand der Jesustradition und eigneten sich auch gut zur Übertragung auf eine andere hervorgehobene Person (die Hosiannarufe und die Rede vom Menschensohn werden natürlich nicht auf Jakobus übertragen; sie charakterisieren nur Jesus selbst). Eine Kenntnis eines oder mehrerer synoptischer Evangelien dürfte, wenn überhaupt, nur bei Hegesipp vorliegen; hier tauchen mehrmals, obwohl zunächst von den „Sekten" gesprochen wird (Eus HE II 23,8) „die Schriftgelehrten und Pharisäer"

---

[68] v. Campenhausen, Idee 85, A4 meint, der Hegesippbericht lehne sich an Apg 6 f. an; ebenso Surkau, Martyrien 126; nach Lüdemann, Paulus II,233 stammen in der überarbeiteten Hegesippfassung die Fürbitte und die Menschensohnthematik aus Apg 7 (unter Hinweis auf Schwartz, ZNW 1903, 56 f.). Dagegen betont Brown, James 223 f. zu Recht, Hegesipp schöpfe ziemlich sicher nicht aus Apg 6 f.

[69] Es ist nicht nötig, hier jeweils sämtliche Belege anzuführen. Daß solche Parallelen bestehen, ist schon früh beobachtet worden, vgl. z. B. Dibelius – Greeven, Jak 29 f.

auf (Eus HE II 23,10. 12. 14), eine frappant an synoptischen Usus erin-
nernde Zusammenstellung.

4.2.2.5 Überblick über die einzelnen Stufen der judenchristlichen Tradition

Trotz der z.T. gegebenen Ungesichertheit in Einzelfragen sind folgende Traditionsstufen erkennbar:

1. Der *historische Kern* besteht im Wissen, daß der Tod des Jakobus
mit den Konflikten innerhalb des zeitgenössischen jüdischen Parteiwe-
sens zusammenhängt, wobei Priester eine besondere Rolle spielen. Das
Christusbekenntnis ist nicht der Grund des Todes des Jakobus; es gehört in diese Schicht nur insofern, als es die Christen als eigenständige
jüdische Gruppe kennzeichnete. Öffentliche Bekanntheit und Erfolg
des Jakobus sind dabei vorausgesetzt.

2. In der *älteren judenchristlichen Traditionsschicht* nimmt der Bericht
über das Martyrium Iacobi schon recht deutliche Formen an: bei innerjüdischen Disputen über christologische Fragen erreicht Jakobus ein so
hohes Maß an Zustimmung, daß bestimmte Gruppen ihn in tumultuari-
scher Weise die Stufen einer Tempeltreppe hinabwerfen und mit einem
Holzstück erschlagen. Diese Traditionsschicht hat sich am deutlichsten
in der AJ II-Version erhalten.

3. In der *jüngeren judenchristlichen Traditionsschicht*, repräsentiert in
stärkerem Maße von der Hegesipp- und der 2 ApJac-Tradition (sowie
in schriftlicher Form im ursprünglichen Hegesippbericht und bei Clemens von Alexandrien), kommt es zu einer weiteren legendarischen
Ausschmückung. Neben die (und im weiteren: an die Stelle der) Stufen
tritt die Zinne des Tempels, von der Jakobus hinabgestoßen wird. Wird
so der Ort des Todes in Anlehnung an die Jesustradition neu bestimmt,
so werden auch die Person des Jakobus und vor allem die näheren Umstände ebenfalls in Anlehnung an Jesustraditionen noch stärker legendarisch (in Verherrlichung des Märtyrers Jakobus) herausgestellt: er ist
der Gerechte, auf seine z.Z. des Passafestes gehaltene Rede hin bricht
das Volk in Hosianna-Rufe aus, er spricht ein Fürbittengebet für seine
Peiniger und sein Tod hängt letztlich mit einem Holzstück als Instru-
ment der Hinrichtung zusammen.

4. In einem weiteren Traditionsstadium kommt es zur *Kombination*
des Sturzes (und Erschlagenwerdens) *mit der* von Josephus her bekannten *Steinigung*. Dies geschieht in dem der 2 ApJac zugrundeliegenden
Martyriumsbericht und in der überarbeiteten Hegesippversion.

5. Schließlich erfolgt in der 2 ApJac eine *gnostische Bearbeitung*. Jakobus hat beim ungläubig bleibenden Volk (d.h. den Nichtgnostikern)
keinen Erfolg; im Zuge dieser Bearbeitung erfolgt auch der Austausch
des Fürbittengebets durch ein gnostisches Sterbegebet.

4.2.2.6 Stemma der Berichte über das Martyrium Iacobi

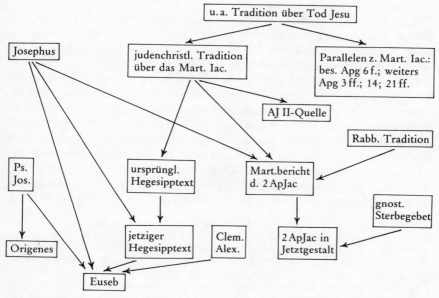

Legende:

nicht eingezeichnet wegen des zu großen Unsicherheitsfaktors:
– gemeinsame Quelle für den ursprünglichen Hegesipptext und den ursprünglichen Martyriumsbericht der 2 ApJac
– Kenntnis eines synoptischen Evangeliums (oder mehrerer) durch Hegesipp
– Quelle AJ für AJ II-Quelle

4.3 Die Hintergründe des Todes des Jakobus

Scheidet eine Gesetzesübertretung des Jakobus als Grund für das Vorgehen des Ananus aus, so müssen diesen andere Motive bestimmt haben. *M. Goguel* denkt an persönliche: Ananus sei auf die *Popularität des Jakobus eifersüchtig geworden*: „Le grand-prêtre dont les préoccupations étaient bien plus politiques que religieuses, aurait été jaloux de la popularité dont jouissait Jacques."[70] Freilich darf auch dieses Motiv nicht so ausschließlich betont werden. Es wird aber im folgenden mit-

---

[70] Goguel, Naissance 148.

zubedenken sein. Eine Monokausalität ist in dieser Frage aufgrund der
Differenziertheit der Beziehungen der damaligen jüdischen Gruppen
von vornherein nicht anzunehmen.

So wenig die judenchristlichen Berichte vom Martyrium Iacobi mit
dem des Josephus harmonisiert werden dürfen[71], so sehr stimmen sie
doch in einem wesentlichen Punkt mit ihm überein[72]: Jakobus' Tod hat
mit den Auseinandersetzungen zwischen innerjüdischen Gruppen zu tun. In
den fünfziger und sechziger Jahren kommt es zu immer größeren politischen, sozialen und religiösen Spannungen, die sämtlich vom Verhältnis zur römischen Besatzungsmacht mindestens mitbedingt sind. Den
politischen und sozialen Aspekt hat *S. G. F. Brandon* mit Entschieden-
heit betont[73]. Zwei Momente sind für seine Argumentation von großer
Bedeutung: einerseits der Gegensatz von Priesteraristokratie und der
Masse der niedrigen Priester, den Jos Bell II 408 ff. 425 ff.; Ant
XX 179 ff. 205 ff. bezeugt: die Hohenpriester betrogen in den Jahren
nach der Hungersnot unter Claudius die niedrigen Priester nach Kräf-

---

[71] Gegen Eisler, ΙΗΣΟΥΣ II, 584; Maier, Mt I, 443; in einem gemäßigten Sinne auch
Hyldahl, StTh 1960, 108 ff.; Frend, Martyrdom 170 f. Eine originelle, wenn auch alles andere als überzeugende Kombination der Martyriumsberichte Hegesipps und Josephus' legen Nicklin – Taylor, CQR 1948, 46 ff. vor: Zwischen dem Hegesipp- und dem Josephusbericht bestehe kein Widerspruch, da letzterer nur von einer versuchten, nicht aber ver-
wirklichten Steinigung spreche: παρέδωκε λευσθησομένους sei zu verstehen „(hoping
that) they would be sentenced to death by stoning" (56 f.); das Martyrium sei nach dem
Hegesippbericht auf Passa 70 zu datieren (59); Hegesipp sei überhaupt „a trustworthy
authority on the subject of James's character and death" (59; vgl. 55: „Hegesipp is solid
history"); so merkwürdig wie diese Thesen sind auch die Argumente: die Historizität der
Hegesippversion werde durch ClAl bestätigt (55), weiters durch das für authentisch gehaltene PsJos-Zitat (56), auch Euseb habe keinen Widerspruch zwischen Josephus und
Hegesipp gesehen (57). – Natürlich kann auch nicht die Hegesippversion der des Josephus vorgezogen werden, gegen Zahn, Forschungen VI, 301; Hoennicke, Judenchristentum 225, A 1; anglo-amerikanische Autoren bei Lüdemann, Paulus II, 99, A 122. Die Ver-
trauenswürdigkeit des Josephusberichts wird mit Recht (von den genannten Ausnahmen
abgesehen) als gegeben angesehen: z.B. Schwartz, ZNW 1903, 57 f.; Patrick, James 235;
Weiß, Urchristentum 554 f., A 1; Meyer, Ursprung III, 73 f., A 2; Lietzmann, Geschichte I,
185; Kittel, ZNW 1931, 145 f.; v. Campenhausen, Idee 47; Jeremias, ZDPV 1936, 200; Pieper, Kirche 40; Gaechter, Petrus 100; Kemler, Jakobus 17 f.; Brandon, Zealots 166 f.;
Little, James 42; Brown, James 172; Bruce, Men 110; Neudorfer, Stephanuskreis 260; Lüdemann, Paulus II, 99; Παπαδόπουλος, DBM 1982, 2, 42. Die historische Zuverlässigkeit
des Josephustextes nehmen auch Autoren an, die diesen Text für (wenigstens: möglicherweise) interpoliert halten. So ist nach Schürer, Geschichte I, 582 f., A 46 der Hegesippbericht wenigstens in chronologischer Hinsicht ebenso beachtenswert wie Josephus (m.
a. W. im übrigen ist letzterer vorzuziehen), nach Schoeps, Theologie 416 gibt der interpolierte Josephustext wahrscheinlich die historischen Verhältnisse richtig wieder; ähnlich
urteilt auch Mußner, Jak 3, A 4.

[72] Das Urteil Meyers, Ursprung III, 73 f., A 2, nach dem der Martyriumsbericht Hegesipps „eine phantastische Legende ohne jeden geschichtlichen Wert" sei, ist eindeutig
überzogen.

[73] Ich nenne nur: Brandon, FS Scholem (1967) 57 ff.; ders., Zealots 120 ff. u. ö.

ten um den ihnen zustehenden Teil am Zehnten, so daß letztere ihrer
Existenzgrundlage beraubt wurden und sich in der Folge immer stärker
mit der zelotischen Bewegung identifizierten, viele sogar starben. Ist
bezüglich dieses Gegensatzes zwischen Priesteraristokratie und mit den
Zeloten sympathisierenden niederen Priestern (ein Gegensatz, der sowohl politische wie religiöse und soziale Implikationen hatte) *Brandon*
recht zu geben, so ist auch das zweite Moment seiner Argumentation
zunächst noch positiv aufzunehmen: zur christlichen Gemeinde in Jerusalem gehörten auch Priester (Apg 6,7) und Gesetzeseiferer
(Apg 21,20; vgl. Mk 3,18). Diese Aussagen (die in der Apg stark hyper-
bolischen Charakter tragen: es gehört eine große Menge von Priestern
zur Gemeinde und alle Jerusalemer Judenchristen – offenbar mit Ausnahme der gerade beim Gespräch mit Paulus Anwesenden – seien Eiferer für die Tora) werden von *Brandon* aber nun in unzulässiger Weise
überspitzt, wenn er den Schluß zieht, Jakobus habe *mit den niederen
Priestern (gegen die Priesteraristokratie) sympathisiert*, ja es sei sogar gut
denkbar, daß er *für ihr Haupt gehalten* worden war, weshalb es Ananus
zweifellos klug habe vorkommen müssen, einen solchen Führer auszuschalten[74].

In dieser nur erschlossenen, durch keinerlei Texte gestützten Behauptung[75] läßt sich der Grund für die Beseitigung des Jakobus sicher
nicht finden. Die Gemeinde erwartete nicht einen kriegerischen Messias, sondern den Menschensohn (Mk 13,26f. parr; 14,62 parr;
Apg 7,56; Hegesipp bei Eus HE II 23,13). Ihre Grundeinstellung war
nicht die der kämpfenden Zeloten, sondern die einer auf Gottes apoka-
lyptisches Eingreifen wartenden Schar, der nicht erlaubt ist, zu den
Waffen zu greifen (Mt 26,52 par); aus Justin ist zu erschließen, daß
einzig die Christen sich am Aufstand des Bar Kochba nicht beteiligten
und gerade deswegen verfolgt wurden (Apol I 31,6 [Goodspeed 46[76]]).
Daraus freilich im Gegensatz zur These *Brandons* zu schließen, die Judenchristen seien auch vor 66 n.Chr. deshalb verfolgt worden, weil sie
allein der nationalen Erhebung ferngestanden waren[77], ist ebenso unzu-

---

[74] Brandon, FS Scholem (1967) 67f.; ders., Zealots 169 u.ö. Brandon verweist (Zealots 169) auch auf den „Kommunismus" der frühen Gemeinde und auf den Kampf des
(für unecht gehaltenen, aber immer in der Tradition dem Herrenbruder zugeschriebenen) Jak gegen die Reichen – beides sind keine starken Argumente.

[75] Insofern ist die Kritik an Brandon bei Hengel, Zeloten 307; Catchpole, Trial 243;
Lüdemann, Paulus II,100, A129 richtig. Sie darf aber nicht überzogen werden, denn
Brandon weist bei aller Übertreibung doch auf einen wichtigen Punkt hin.

[76] Expressis verbis ist nur von einer Verfolgung wegen des Christusbekenntnisses die
Rede; doch legt sich der Schluß auf Nichtbeteiligung am Aufstand vom zeitgeschicht-
lichen Kontext her nahe.

[77] Goppelt, Zeit 41. Eine ganz andere Frage ist, ob die Judenchristen zu Beginn und
während des Aufstandes sich ganz aus den Kämpfen heraushalten konnten. Wenn es

lässig, wie die These *Brandons*; gerade die Sadduzäer versuchten ja, die
Erhebung gegen Rom zu verhindern (zur Friedenswilligkeit des Ananus
vgl. Jos Bell IV 318 ff.).

Auch wenn Jakobus keine zelotischen Neigungen zugesprochen werden können, kommt man kaum an dem Urteil vorbei, daß er *Ananus als
gefährlich erschien*, um es zunächst ganz allgemein auszudrücken – dies
um so mehr, als damit nicht gesagt ist, daß sich jedes einzelne Glied der
Jerusalemer Gemeinde völlig von zelotischem Gedankengut fernhielt;
eine Stelle wie Mt 26,52 par läßt ja durchaus darauf schließen, daß
diese Frage aktuell war und nicht eo ipso schon im pazifistischen Sinne
beantwortet war, auch wenn diese Meinung sich durchsetzte, zumindest
bei der Mehrheit; es ist zudem nicht vorstellbar, daß die Gemeinde in
all den Jahren der politischen Eskalation keinerlei Anteil an den Vorgängen um sie herum nahm. Daß Ananus im Verhalten der Gemeinde
wie des Jakobus politische Implikationen sah, ist mehr als naheliegend
(und insofern visiert *Brandon* ein wichtiges Motiv an); immerhin war
Jakobus der *Bruder Jesu*, der von Ananus' Vater den Römern ausgelie-
fert worden war, wobei ebenfalls politische Motive mitgespielt hatten
(König der Juden Mk 15,2 parr; Vorwurf der Aufwiegelung des Volkes
Lk 23,5). Die Priesteraristokratie betrachtete auch später die Christen
recht kritisch (Apg 4 ff.).[78] Immerhin waren sie eine *messianische Sekte*,
die eo ipso als gefährlich erscheinen mußte. Auch wenn es nicht ihre
Absicht war, so war sie bzw. konkret ihr Führer in den Augen des Ananus ein destabilisierender Faktor im Gesellschaftsgefüge, den auszuschalten um so eher interessant sein mußte, als Jakobus sich (wie Josephus durch die Nennung nur seines Namens Ant XX 200 voraussetzt
und die judenchristlichen Berichte in übertreibender Weise betonen) als
durchaus *ausstrahlungskräftig erwies und über die Gruppe der Christen
hinaus gesellschaftlichen Einfluß* ausübte[79]. Das scheint das Hauptmotiv
für Ananus gewesen zu sein.

Daneben dürften noch weitere Motive mit eine Rolle gespielt haben:
Ananus setzte sein geplantes Vorgehen gegen Jakobus wohl nur deswegen in die Tat um, weil er meinte, das ohne große Schwierigkeiten und

---

richtig ist, daß das Gros der Gemeinde in Jerusalem blieb (und die Pellatradition nur bezeugt, daß einzelne Jerusalemer Judenchristen im Ostjordanland Zuflucht fanden), ist die
völlige Aufrechterhaltung der Distanz zum antirömischen Kampf mindestens für die Zeit
nach der Einschließung Jerusalems nicht anzunehmen. Für diese Endphase des Krieges
wird man „ernsthaft mit der Möglichkeit rechnen müssen: Mitglieder der christlichen Gemeinde sind ebenso wie die friedenswilligen Pharisäer und Sadduzäer im Jüdischen Krieg
in Solidarität mit ihrem Volk umgekommen" (Lüdemann, Paulus II, 102).

[78] Speziell von einem Haß des Hauses Hannas gegen die Christen zu reden (Gaechter,
Petrus 67 ff.) ist nicht falsch, sicher aber nicht der letztlich ausschlaggebende Grund.

[79] In diesem Sinn ist das oben genannte Argument Goguels aufzunehmen.

ohne großes Risiko für sich selbst tun zu können[80]. Daß er sich darin täuschte, entsprang einer Fehleinschätzung des Zusammenspiels der verschiedenen gesellschaftlichen Kräfte[81] und hatte für ihn selbst die fatale Folge des Verlustes des hohenpriesterlichen Amtes. Ein anderes Motiv hat wohl ebenfalls eine Rolle gespielt. Die Position des Jakobus war *durch die Verbindung mit* dem Heidenchristentum, im speziellen mit *Paulus* sicher in einem nicht geringen Maße gefährdet[82]. Jakobus wollte die Schwierigkeiten, vor die er sich durch den Aufenthalt des Paulus in Jerusalem (Apg 21) gestellt sah, in einer Weise lösen, die Paulus nicht einfach distanzieren sollte; dies Bemühen mußte letzten Endes auch ihn selbst in den Augen einer argwöhnischen Umgebung diskreditieren, auch wenn er durch eigenes Verhalten keinen unmittelbaren Anlaß dazu gegeben hatte.

4.4 Zusammenfassung

Über das Martyrium des Jakobus berichtet sowohl Josephus wie die judenchristliche Tradition. Nach ersterem ließ der Hohepriester Ananus Jakobus während der Vakanz der Prokuratur Judäas nach dem Tode des Festus (62 n. Chr.) zusammen mit einigen anderen (wohl in erster Linie Christen) der Gesetzesübertretung anklagen und steinigen. Damit hatte er seine Kompetenz überschritten, wie der Protest vornehmer Jerusalemer (wahrscheinlich pharisäischer Richtung) bei Agrippa II und dem neuen Prokurator Albinus zeigt. Agrippa setzte daraufhin den nur 3 Monate im Amt befindlichen Hohenpriester ab; das scheint der Grund für den Bericht des Josephus über das Martyrium Iacobi gewesen zu sein. Die letzten Motive des Ananus werden nicht genannt.

Deutlich unterschieden davon sind die Berichte der judenchristlichen Tradition, die in drei verschiedenen Versionen vorliegen: AJ II-Quelle der Pseudoklementinen (R I 33 ff.), 2 ApJac aus Nag Hammadi (NHC V, 44, 11 ff.) und Hegesipp bei Euseb (HE II 23, 4 ff.; von letzterem ist,

---

[80] Das setzt auch voraus, daß sie eine trotz allem eher bescheidene gesellschaftliche Rolle spielten.

[81] Jos Ant XX 199 beschreibt ihn als (jugendlich) kühn und draufgängerisch: θρασὺς ἦν τὸν τρόπον καὶ τολμητὴς διαφερόντως. In der Folgezeit scheint er mäßigend gewirkt zu haben, Bell IV 318 ff. redet Josephus sehr lobend von ihm: wäre er am Leben geblieben, so hätte er sicherlich den Krieg verhindern können (321). Auch wenn Josephus das Bild des Ananus im Bellum so positiv zeichnet, wird sowohl hieraus wie aus Ant XX 199 deutlich, daß in dessen Handeln realpolitische Erwägungen eine große Rolle spielten.

[82] Vgl. zu diesem Argument Gaechter, Petrus 308; Bruce, Paul 359.

wie es scheint, Clemens von Alexandrien abhängig, Eus HE II 1,5). Die
Traditionsgeschichte dieser in der Grundstruktur wie in vielen Einzelheiten übereinstimmenden Berichte (bei gleichwohl gewichtigen Differenzen aufgrund der jeweils verschiedenen Rezeption der Tradition)
läßt sich folgendermaßen in den Grundzügen bestimmen: 1. Historischer Kern: Der Tod des Jakobus hängt mit den Konflikten innerhalb
der jüdischen Gruppen zusammen, wobei insbesondere Priester eine
Rolle spielen. Das als Motiv seiner Ermordung genannte Christusbekenntnis gehört nur insofern hierher, als es die Judenchristen als eigenständige Gruppe konstituierte. 2. In einer älteren Traditionsschicht ist
von Disputen über christologische Fragen auf den Stufen des Tempels
die Rede. In einem Tumult wird Jakobus die Stufen hinuntergestürzt
und mit einem Holzstück erschlagen (am deutlichsten kommt diese
Traditionsstufe in der AJ II-Quelle zum Ausdruck). 3. In einer jüngeren Traditionsschicht erfolgt eine weitere legendarische Ausgestaltung,
wobei insbesondere der Bezug zur Jesustradition prägend ist (vgl. nur:
Passa, Zinne, Hosiannarufe, Fürbittengebet; repräsentiert ist diese
Schicht im wesentlichen durch die 2 ApJac- und die Hegesipptradition).
4. Im Martyriumsbericht der 2 ApJac und im jetzigen Hegesipptext erfolgt die Kombination mit dem aus Josephus bekannten Motiv der Steinigung. 5. In der 2 ApJac schließlich kommt es zu einer gnostischen
Überarbeitung.

Das historische Motiv für das Vorgehen des Ananus gegen Jakobus
läßt sich nur thetisch formulieren: Es war sicher keine Gesetzesübertretung (*Lietzmann*, *Lohmeyer* u. a.), auch nicht Konspiration mit den un-
teren Priesterklassen gegen die Priesteraristokratie (*Brandon*), auch
wurde er nicht ein Opfer der Eifersucht des Ananus (*Goguel*), obwohl
die beiden letzteren Motive auf Richtiges hinweisen. Das Motiv scheint
darin gelegen zu sein, daß Ananus Jakobus für politisch destabilisierend
hielt: Er war der Bruder Jesu, welcher als politisch gefährlich hingerichtet worden war; er war das erfolgreiche Haupt einer messianischen
Sekte, in der wahrscheinlich manche Mitglieder zelotischen Bestrebun-
gen nicht völlig ablehnend gegenüberstanden. Er war nicht zuletzt auch
durch den Kontakt mit Paulus kompromittiert. Ein Zusammenspiel verschiedener Aspekte desselben Motivs der Destabilisierung scheint also
für den Tod des Herrenbruders verantwortlich zu sein.

Epilegomena

Im folgenden sollen nur einige Grundlinien der Position des Herrenbruders Jakobus wie der Entwicklung des Jakobusbildes herausgestellt werden.

Jakobus gehört nicht zu den Anhängern des irdischen Jesus, kam aber schon sehr früh zur Gemeinde, was auf die ihm zuteil gewordene Christophanie zurückzuführen sein wird. Er spielte eine immer größer werdende Rolle im Leben der frühen Kirche; die paulinischen Briefe und die Apostelgeschichte zeigen sie deutlich, obwohl sie nicht primär an seiner Person interessiert sind. Schon bald scheint es zur Bildung einer Jakobusgruppe gekommen zu sein, die für Jakobus anstelle von Petrus die Führungsposition in der Jerusalemer Gemeinde reklamierte: die Rivalitätsformel 1 Kor 15,7 ist dafür ebenso ein Hinweis wie die Bildung des Säulenkollegiums Gal 2,9, das aufgrund eines Kompromisses zwischen der (älteren) Petrus- bzw. Dodekatradition und der (jüngeren) Jakobustradition zustandegekommen sein dürfte. Parallel zum Aufstieg des Jakobus, für den am Anfang wahrscheinlich die Herrenbrüderschaft und die Christophanie die entscheidenden Motive waren, kam es zur Bildung eines Presbyterkollegiums. Nach dem Weggang des Petrus im Zusammenhang der Verfolgung unter Agrippa I übernahm Jakobus vollends die Gemeindeleitung und übte sie bis zu seinem Tod unangefochten aus.

Dieser Übergang von Petrus zu Jakobus scheint hauptsächlich durch die andere theologische Ausrichtung des letzteren bedingt gewesen zu sein. Ein wesentlich stärkeres Wertlegen auf die Toratreue der Jerusalemer (= Juden)Christen ist für ihn charakteristisch (weswegen er auch von der Verfolgung nicht betroffen war; das Motiv der stärkeren Betonung der Toraobservanz scheint in dieser Zeit ausschlaggebend dafür gewesen zu sein, daß Jakobus die Führung der Gemeinde übernehmen konnte); der Konflikt in Antiochien zeigt, daß Jakobus auch von den Judenchristen der Diaspora die Einhaltung der rituellen Bestimmungen der Tora verlangte. Die freiere Einstellung Jesu zur Tora scheint in der Jakobusgruppe ungleich weniger weitergelebt zu haben als in der Tradition der Jünger Jesu.

Gleichwohl war Jakobus kein Judaist; nicht an die Heiden-, sondern an die Judenchristen stellte er seine Forderungen. Antipaulinismus im Sinne bewußter Agitation gegen Paulus ist nirgends erkennbar. Vielmehr hatte er betont „ökumenische" Interessen: er suchte zwischen den paulusfeindlichen Judenchristen und Paulus zu vermitteln. Obwohl seine theologische Position weit von der des Paulus entfernt ist, brach er den Kontakt zu ihm nicht ab.

Eine, wenn nicht die wesentliche Leitlinie seines Verhaltens war die Verantwortung für die Judenchristen insbesondere Palästinas; in einer politisch, religiös und sozial immer schwieriger werdenden Zeit suchte er die Gemeinde verantwortungsbewußt zu lenken: Intervention in Antiochien, Beteiligung an der Erstellung der Jakobusklauseln und Haltung bei der Kollektenreise des Paulus nach Jerusalem sind dafür Indizien. Die persönliche Haltung des Jakobus entbehrt schließlich nicht einer doppelten Tragik. Einerseits: im Festhalten der Tora mußte er notwendigerweise auch deren (effektiven) Heilscharakter betonen – und das neben dem Bekenntnis zur eschatologischen Ermöglichung des Heils durch Jesu Tod und Auferstehung. Diese Verdoppelung der Heilswege scheint Jakobus nicht, jedenfalls nicht in dem Maße wie Paulus, erkannt zu haben. Es ist eine Position, die eine wirkliche Einheit von Juden- und Heidenchristen in der einen Kirche nicht ermöglichte und das Judenchristentum der späteren Zeit an den Rand der Kirche drängen mußte. Andererseits: trotz seiner Toraobservanz wurde schließlich auch Jakobus zum Märtyrer: Verwandtschaft zu Jesus, Führer einer messianischen Richtung und Kontakt zu Paulus scheinen wichtige Motive gewesen zu sein, daß der Hohepriester Ananus ihn für politisch destabilisierend hielt und bei günstiger Gelegenheit beseitigte.

Gleichwohl hat sich das Wissen um die Bedeutung des Herrenbruders in späterer Zeit in unterschiedlichster Weise niedergeschlagen; nach dem jeweiligen Standort des Tradenten ist das Bild, das von Jakobus gezeichnet wird, ein anderes. Gefeiert wird Jakobus (fast) überall: im späteren Judenchristentum, in der Gnosis und in der Großkirche, freilich: der Jakobus der jeweiligen Gruppe. Das Jakobusbild wird immer stärker verklärt: ansatzweise beginnt dies schon bei Mt, Lk und der Semeiaquelle; fortgesetzt wird es dann zunächst in der judenchristlichen Tradition vom Hebräer- und Nazaräerevangelium bis hin zu den Pseudoklementinen: Jakobus wird in dieser Tradition immer stärker zur allein dominierenden Figur der christlichen Anfänge: er ist der Missionar der Kirche schlechthin; er ist der wahre Priester Israels, sein Tod bewirkt als Strafe Gottes den Untergang Jerusalems; er ist schließlich betont antipaulinisch.

Fast konträr dazu ist Jakobus in der Gnosis gezeichnet; soweit „jakobinische" Gnosis vorliegt, ist er der entscheidende Offenbarungsempfänger und -mittler; er ist z.T. antipetrinisch und antijüdisch, nirgends jedoch antipaulinisch; auch von der Betonung der Tora ist keine Rede.

Wiederum wesentlich anders ist das Jakobusbild der Großkirche gezeichnet: Hier wird er eingereiht in die apostolische Tradition und Suk-

zession. Darin und in der Beschränkung seines Wirkungsbereiches auf
Jerusalem wird das judenchristliche Jakobusbild trotz Aufnahme vieler
Motive aus diesem Traditionsbereich neutralisiert. Er erscheint insbe-
sondere als einer der herausragenden Heiligen und Märtyrer der
(Groß)Kirche. Soweit die Gnosis in den Blick kommt, ist Jakobus einer
der Zeugen gegen sie (Irenäus). Wird Jakobus dabei aufgrund seiner
Rezeption des Alten Testaments Orthodoxie zugesprochen, so in der
Didaskalia wegen seiner (angeblichen) Distanzierung des Ritualgeset-
zes. Im Protevangelium Iacobi wird er in den Dienst der Mariologie gestellt.

Man sieht, was im Lauf der Zeit aus dem Herrenbruder gemacht
wurde. Jede Gruppe gestaltete sich ihren eigenen Jakobus. Jede bewahrte einige wenige Züge richtig, keine jedoch zeichnete Jakobus in
seinem gesamten erkennbaren Wollen und Tun auch nur einigermaßen
korrekt. Stets sind es die eigenen Intentionen, denen Jakobus dienstbar
gemacht und von denen her er gesehen und dargestellt wurde.

Abkürzungsverzeichnis

Die Abkürzungen folgen in der Regel der TRE; darüber hinaus sei vermerkt:

BCNH.Ét = Bibliothèque Copte de Nag Hammadi. Section „Études"
JSNT = Journal for the Study of the New Testament
NCBC = The New Century Bible Commentary
NEB.NT = Neue Echter Bibel. Neues Testament
NHS = Nag Hammadi Studies
NIGTC = The New International Greek Testament Commentary
RCT = Revista Catalana de Teologia
TfS = Texts for Students
TuD = Theologie und Dienst
WS = Wuppertaler Studienbibel

Literaturverzeichnis

1. Quellen

1.1 Frühjüdische und rabbinische Literatur

Aboth R. Nathan, ed. J. Goldin (engl.), New York 1974 (Nachdr. d. Aufl. 1955).

(*Strack*, Hermann Leberecht/) *Billerbeck*, Paul: Kommentar zum Neuen Testament aus Talmud und Midrasch I–VI, München 1922–1961.

H. Lichtenstein, Die *Fastenrolle*. Eine Untersuchung zur jüdisch-hellenistischen Geschichte, HUCA 8/9, 1931/32, 257–351.

Flavius Josephus, Opera, ed. B. Niese, I–VII (VI zus. mit J. A. Destinon), Berlin 1955².

– De Bello Judaico, ed. O. Michel – O. Bauernfeind, I, Bad Homburg vor der Höhe 1960; II,1 München 1963; II,2 und III, München 1969.

Jüdische Schriften aus hellenistisch-römischer Zeit, ed. W. G. Kümmel u. a., Gütersloh 1973 ff.

Die *Mischna*. Text, Übersetzung und ausführliche Erklärung, ed. G. Beer u. a., Gießen (Berlin, New York) 1912 ff.

Philon, Opera, ed. L. Cohn – P. Wendland, I–VII, Berlin 1896–1930.

Septuaginta. Vetus Testamentum Graecum Auctoritate Academiae Scientiarum Gottingensis editum I: Genesis, ed. J. J. Wevers, Göttingen 1974.

Der *Babylonische Talmud*, ed. L. Goldschmidt (dt.), I–XII, Berlin 1930–1936.

Targum Onkelos to Genesis. A Critical Analysis together with an English Translation of the Text (Based on A. Sperber's Edition) by M. Aberbach and B. Grossfeld, Denver 1982.

Targum du Pentateuque. Traduction des deux recensions Palestiniennes complètes avec Introduction, Parallèles, Notes et Index par R. Le Déaut avec la Collaboration de J. Robert, I: Genèse, SCh 245, Paris 1978.

Umwelt des Urchristentums. II: Texte zum neutestamentlichen Zeitalter, ed. J. Leipoldt – W. Grundmann, Berlin 1979⁵.

1.2 Frühchristliche und patristische Literatur

Agrapha. Außercanonische Schriftfragmente, ed. A. Resch, Darmstadt 1967 (Nachdr. d. Aufl. Leipzig 1906² = TU NF 15/3. 4).

Ambrosiaster qui dicitur Commentarius in Epistulas Paulinas. III: in Epistulas ad Galatas, ad Efesios, ad Filippenses, ad Colossenses, ad Thessalonicenses, ad Timotheum, ad Titum, ad Filemonem, ed. H. I. Vogels, CSEL 81, 3, Wien 1969.

Ambrosius, Opera, PL 16, Turnhout 1966 (Nachdr.).

– Sancti Ambrosii Opera IV: Expositio Evangelii secundum Lucan, ed. C. Schenkl – H. Schenkl, CSEL 32, Prag – Wien – Leipzig 1902.

Analecta. Kürzere Texte zur Geschichte der Alten Kirche und des Kanons. I: Staat und Christentum bis auf Konstantin. Kalendarien, ed. E. Preuschen, SQS 1, 81, Tübingen 1909².

Antilegomena. Die Reste der außerkanonischen Evangelien und urchristlichen Überlieferungen, ed. E. Preuschen, Gießen 1905².

Aphrahat's des persischen Weisen Homilien. Aus dem Syrischen übersetzt und erläutert von G. Bert, TU 3, 3. 4, Leipzig 1888, 1–431.

– Aphraatis Sapientis Persae Demonstrationes. Textum Syriacum vocalium signis instruxit, Latine vertit, notis illustravit Ioannes Parisot, Patrologia Syriaca I, 1, Paris 1894; I, 2, Paris 1907, 2–489.

Apocrypha. I: Reste des Petrusevangeliums, der Petrusapokalypse und des Kerygma Petri, ed. E. Klostermann, Kl. Texte 3, Berlin 1933 (Nachdr.).

– Evangelia Apocrypha, adhibitis plurimis codicibus graecis et latinis maximam partem nunc primum consultis atque ineditorum copia insignibus collegit atque recensuit C. de Tischendorf, Hildesheim 1966 (Nachdr. d. Aufl. 1876²).

– Apocrypha Syriaca. The Protevangelium Jacobi and Transitus Mariae. With Texts from the Septuagint, the Corân, the Peshitta, and from a Syriac Hymn in a Syro-Arabic Palimpsest of the fifth and other centuries, ed. and transl. by A. S. Lewis, Studia Sinaitica 11, London 1902.

– Neutestamentliche Apokryphen in deutscher Übersetzung, ed. E. Hennecke – W. Schneemelcher, I: Evangelien, Tübingen 1968⁴; II: Apostolisches, Apokalypsen und Verwandtes, Tübingen 1971⁴.

– The Apocryphal New Testament being the Apocryphal Gospels, Acts, Epistles, and Apocalypses with other Narratives and Fragments newly translated by M. R. James, Oxford 1975 (Nachdr. d. Aufl. 1924).

– The Other Gospels. Non-Canonical Gospel Texts, ed. R. Cameron, Philadelphia 1982.

– Los Evangelios Apocrifos. Colleccion de textos griegos y latinos, versión crítica, estudios introductorios, comentarios e ilustraciones por Aurelio de Santos Otero, BAC, Madrid 1956.

Die *Apostolischen Väter.* I: Didache, Barnabas, Klemens I und II, Ignatius, Polykarp, Papias, Quadratus, Diognetbrief, ed. F. X. Funk – K. Bihlmeyer – W. Schneemelcher, SQS II, 1, 1, Tübingen 1970³.

– Die Apostolischen Väter. I: Der Hirt des Hermas, ed. M. Whittaker, GCS 48², Berlin 1967².

The *Ascension of Isaiah*, ed. R. H. Charles, London 1900.

Augustin, Opera, PL 37, Turnhout o. J. (Nachdr.); PL 38, Turnhout o. J. (Nachdr.); PL 42, Turnhout 1969 (Nachdr.).

– Sancti Aureli Augustini de utilitate credendi, de duabus animabus, contra Fortunatum, contra Adimantum, contra epistulam fundamenti, contra Faustum, ed. J. Zycha, CSEL 25, Prag – Wien – Leipzig 1891.

– S. Aureli Augustini Hipponensis Episcopi Epistulae. II: Epistulae XXXI-CXXIII, ed. A. Goldbacher, CSEL 34, Prag – Wien – Leipzig 1898.

– Sancti Aureli Augustini retractationum libri duo, ed. P. Knöll, CSEL 36, Wien – Leipzig 1902.

– Sancti Aureli Augustini Scripta contra Donatistas. II: contra litteras Petiliani libri tres, epistula ad Catholicos de secta Donatistarum, contra Cresconium libri quattuor, ed. M. Petschenig, CSEL 52, Wien – Leipzig 1909.

- Sancti Aureli Augustini de peccatorum meritis et remissione et de baptismo parvulorum ad Marcellinum libri tres, de spiritu et littera liber unus, de natura et gratia liber unus, de natura et origine animae libri quattuor, ed. C. F. Vrba – I. Zycha, CSEL 60, Wien – Leipzig 1913.
- Sancti Aurelii Augustini in Iohannis Evangelium Tractatus CXXIV, ed. R. Willems, CCL 36, Turnhout 1954.
- Sancti Aureli Augustini Opera. IV, 1: Expositio quarundam propositionum ex epistola ad Romanos, epistolae ad Galatas expositionis liber unus, epistolae ad Romanos inchoata expositio, ed. I. Divjak, CSEL 84, Wien 1971.
- Sancti Aurelii Augustini Quaestiones Evangeliorum cum appendice Quaestionum XVI in Matthaeum, ed. A. Mutzenbecher, CCL 44 B, Turnhout 1980.

Basilius, Opera, PG 31, Paris 1857.

Brief des Jakobus an Quadratus: Armenische Edition von J. Daschean (Tašean) in: Azga'in Matenadaran [Wien] 20, 1896, 386–391; dt. Übers. bei P. Vetter, Armenische Texte zur Apostellehre, LitRdsch 22, 1896, 259 f.
- Studia syriaca seu collectio documentorum hactenus ineditorum ex codicibus syriacis primo publicavit, Latine vertit notisque illustravit I. E. Rahmani, Studia Syriaca (1), Monte Libano 1904.

Clemens Alexandrinus. II: Stromata Buch I–VI, ed. O. Stählin – L. Früchtel, GCS 52 (15), Berlin 1960³; III: Stromata Buch VII und VIII. Excerpta ex Theodoto. Eclogae Propheticae. Quis dives salvetur. Fragmente, ed. O. Stählin – L. Früchtel – U. Treu, GCS 17², Berlin 1970².

Die *Pseudoklementinen*. I: Homilien, ed. B. Rehm – J. Irmscher – F. Paschke, GCS 42², Berlin 1969².
- Die Pseudoklementinen. II: Rekognitionen in Rufins Übersetzung, ed. B. Rehm – F. Paschke, GCS 51, Berlin 1965.
- Die syrischen Clementinen mit griechischem Paralleltext. Eine Vorarbeit zu dem literargeschichtlichen Problem der Sammlung, ed. W. Frankenberg, TU 48, 3, Leipzig 1937.

Cyprian. Opera Omnia, ed. G. Hartel, CSEL 3, 1–3, Wien 1868–1871.

Cyrill von Alexandrien, Opera, PG 73, Turnhout o. J. (Nachdr.).

Cyrill von Jerusalem, Opera PG 33, Turnhout o. J. (Nachdr.).
- St. Cyril of Jerusalem's Lectures on the Christian Sacraments. The Procatechesis and the Five Mystagogical Catecheses, ed. F. L. Cross, TfS 51, London 1951.

Das *Decretum Gelasianum* de libris recipiendis et non recipiendis in kritischem Text herausgegeben und untersucht von E. von Dobschütz, TU 38, 4, Leipzig 1912.

Die *Syrische Didaskalia*, ed. H. Achelis – J. Flemming, Die ältesten Quellen des orientalischen Kirchenrechts 2, TU 25, 2, Leipzig 1904.
- The Didascalia Apostolorum in Syriac, translated by A. Vööbus, I: Chap. I–X, CSCO 402 (Script. Syri 176), Louvain 1979; II: Chap. XI–XXVI, CSCO 408 (Script. Syri 180), Louvain 1979.

Didascalia et *Constitutiones Apostolorum*, ed. F. X. Funk, I. II, Paderborn 1905.

Didymus der Blinde, Opera, PG 39, Turnhout o. J. (Nachdr.).

- Didyme l'Aveugle, Sur Zacharie. Texte inédit d'après un Papyrus de Toura. Introduction, Texte critique, Traduction et Notes de L. Doutreleau, III: Livres IV et V, SCh 85, Paris 1962.

Doctrina Addai, ed. G. Phillips, London 1876.

Enchiridion Symbolorum, Definitionum et Declarationum de rebus fidei et morum, ed. H. Denzinger – A. Schönmetzer, Barcelona – Freiburg – Rom 1976[36].

An *Encomium on Saint John the Baptist*, by Saint John Chrysostom, in: Coptic Apocrypha in the Dialect of Upper Egypt. Edited, with English Translations by E. A. W. Budge, London 1913, 128–145 (Text). 335–351 (Übers.); verbesserte (deutsche) Übersetzung bei W. C. Till, Johannes der Täufer in der koptischen Literatur. MDAI.K 16, 1958, 322–332.

- A Coptic Fragment attributed to James the Brother of the Lord, ed. E. O. Winstedt, JThS 8, 1907, 240–248.

S. *Ephraem Syri* Commentarii in epistolas D. Pauli nunc primum ex Armenio in Latinum sermonem a Patribus Mekitharistis translati, Venedig 1893.

Epiphanius. I: Ancoratus und Panarion haer. 1–33, ed. K. Holl, GCS 25, Leipzig 1915; II: Panarion 34–64, ed. K. Holl – J. Dummer, GCS, Berlin 1980[2]; III: Panarion 65–80. De Fide, ed. K. Holl, GCS 37, Leipzig 1933.

Epistula Apostolorum, ed. H. Duensing, KlT 152, Bonn 1925.

Epistula Imperatorum pontificum aliorum inde ab a. CCCLXVII usque ad a. DLIII datae Avellana quae dicitur collectio. I: Prolegomena. Epistulae I–CIV, ed. O. Guenther, CSEL 35, Prag – Wien – Leipzig 1895.

Eusebius. II: Die Kirchengeschichte, ed. E. Schwartz, II,1: Die Bücher I–V, GCS 9,1, Leipzig 1903; II,2: Die Bücher VI–X. Über die Märtyrer in Palästina, GCS 9,2, Leipzig 1908; II,3: Einleitungen, Übersichten und Register, GCS 9,3, Leipzig 1909.

- Eusebius. III,2: Die Theophanie. Die griechischen Bruchstücke und Übersetzung der syrischen Überlieferungen, ed. H. Gressmann, GCS (11), Leipzig 1904.

- Eusebius. VI: Die demonstratio evangelica, ed. I. A. Heikel, GCS 23, Leipzig 1913.

- Eusebius. VII: Die Chronik des Hieronymus, ed. R. Helm, GCS 47, Berlin 1956.

- Eusebius. IX: Der Jesajakommentar, ed. J. Ziegler, GCS, Berlin 1975.

- Eusebius, Opera PG 23, Turnhout 1967 (Nachdr.).

- Eusebius. Kirchengeschichte, ed. E. Schwartz, Kleine Ausgabe, Leipzig 1914[2].

- Eusebius von Caesarea, Kirchengeschichte, hrsg. und eingeleitet von H. Kraft (Übers. von P. Haeuser, neu durchgesehen von H. A. Gärtner), München 1967.

Filastrius. Diversarum hereseon liber, ed. F. Heylen, CCL 9, Turnhout 1957, 207–324.

S. *Gaudentii* Episcopi Brixensis Tractatus. ed. A. Glueck, CSEL 68, Wien – Leipzig 1936.

Gennadius, Opera, PL 58, Turnhout 1967 (Nachdr.).

- Gennadius. Liber de viris inlustribus, ed. E. C. Richardson, TU 14,1, Leipzig 1896, 57–97.

Geschichte von Joseph dem Zimmermann, übersetzt, erläutert und untersucht von S. Morenz, TU 56, Berlin – Leipzig 1951.

Gregor von Nyssa, Opera, PG 46, Turnhout o. J. (Nachdr.).

Hieronymus, Opera, PL 23, Paris 1845; PL 24, Paris 1845; PL 26, Turnhout 1970 (Nachdr.).

- Hieronymus. Liber de viris inlustribus, ed. E. C. Richardson, TU 14,1, Leipzig 1896, 1–56.

- Sancti Eusebii Hieronymi Epistulae. II: Epistulae LXXI–CXX, ed. I. Hilberg, CSEL 55, Wien – Leipzig 1912.

- S. Hieronymi Presbyteri Opera I,7: Commentarium in Matheum libri IV, CCL 77, Turnhout 1969.

Hilarius von Poitiers, Opera, PL 9, Turnhout 1967 (Nachdr.).

Hippolyt. I: Exegetische und Homiletische Schriften, ed. G. N. Bonwetsch – H. Achelis, GCS (1), Leipzig 1897.

- Hippolyt. III: Refutatio omnium haeresium, ed. P. Wendland, GCS 26, Leipzig 1916.

Irénée de Lyon. Contre les Hérésies. I, SCh 263. 264, Paris 1979; II, SCh 293. 294, Paris 1982; III, SCh 210. 211, Paris 1974; IV, SCh 100 (2 Bde.), Paris 1965; V, SCh 152. 153, Paris 1969.

Itinera Hierosolymitana Saeculi IIII–VIII, ed. P. Geyer, CSEL 39, Prag – Wien – Leipzig 1898.

Johannes Chrysostomus, Opera, PG 57, Paris 1862; PG 58, Paris 1862; PG 59, Paris 1862; PG 60, Paris 1862; PG 61, Turnhout 1969 (Nachdr.).

Justin, in: Die ältesten Apologeten. Texte mit kurzen Einleitungen, hrsg. von E. J. Goodspeed, Göttingen 1984[2], 24–265.

- Justin, Dialogus, ed. G. Archambault, I. II, TDEHC 8. 11, Paris 1909.

La *Liturgie de Saint Jacques*. Édition critique du texte grec avec traduction latine par B.-C. Mercier, PO 26,2, Paris 1946.

- Die syrische Jakobusanaphora nach der Rezension des Ja'qôb(h) von Edessa, mit dem griechischen Paralleltext hrsg. von A. Rücker, LQu 4, Münster 1923.

- Anaphorae Syriacae quotquot in codicibus adhuc repertae sunt cura Pontifici instituti Studiorum Orientalium editae et Latine versae, II,2, ed. O. Heiming, Rom 1953, 105–232.

- Liturgies Eastern and Western, being the Texts original or translated of the principal Liturgies of the Church, ed. with Introductions and Appendices by F. E. Brightman, I: Eastern Liturgies, Oxford 1967 (Nachdr. d. Aufl. 1896).

Marius Victorinus, Opera, PL 8, Paris 1844, 993–1310.

M. Minucius Felix, Octavius, ed. B. Kytzler, München 1965.

Papyrus Bodmer V. *Nativité de Marie*, ed. M. Testuz, Cologny – Genève 1958.

Die *Oracula Sibyllina*, ed. J. Geffcken, GCS (8), Leipzig 1902.

Origenes, Opera Omnia, PG 12, Turnhout o. J. (Nachdr.).

- Origenes. I: Die Schrift vom Martyrium. Buch I–IV gegen Celsus, ed. P. Koetschau, GCS (2), Leipzig 1899.

- Origenes. IV: Der Johanneskommentar, ed. E. Preuschen, GCS (10), Leipzig 1903.

- Origenes. VI: Homilien zum Hexateuch in Rufins Übersetzung, I: Die Homilien zu Genesis, Exodus und Leviticus, ed. W. A. Baehrens, GCS 29, Leipzig 1920.

- Origenes. IX: Die Homilien zu Lukas in der Übersetzung des Hieronymus und die griechischen Reste der Homilien und des Lukas-Kommentars, ed. M. Rauer, GCS 49, Berlin 1959².
- Origenes. X: Origenes Matthäuserklärung. I: Die griechisch erhaltenen Tomoi, ed. E. Klostermann (unter Mitwirkg. v. E. Benz), GCS 40, Leipzig 1935.
- ˌDer Scholien-Kommentar des Origenes zur Apokalypse Johannis, entdeckt und herausgegeben von C. Diobouniotis u. A. Harnack, TU 38,3, Leipzig 1911.
- Origenes vier Bücher von den Prinzipien. Herausgegeben, übersetzt, mit kritischen und erläuternden Anmerkungen versehen von H. Görgemanns und H. Karpp, TzF 24, Darmstadt 1976.
Pauluskommentare aus der griechischen Kirche. Aus Katenenhandschriften gesammelt und herausgegeben von K. Staab, NTA 15, Münster 1984².
Pelagius's Expositions of thirteen Epistles of St Paul. II: Text and Apparatus criticus by A. Souter, Texts and Studies. Contributions to Biblical and Patristic Literature 9,2, Cambridge 1926.
Sancti *Petri Chrysologi* Collectio sermonum a Felice episcopo parata sermonibus extravagantibus adiectis, ed. A. Olivar, CCL 24, Turnhout 1975.
Philippus Sidetes, in: Neue Fragmente des Papias, Hegesippus und Pierius in bisher unbekannten Excerpten aus der Kirchengeschichte des Philippus Sidetes, ed. C. de Boor, TU 5,2, Leipzig 1888, 165–184.
Philostorgius. Kirchengeschichte. Mit dem Leben des Lucian von Antiochien und den Fragmenten eines arianischen Historiographen, ed. J. Bidez – F. Winkelmann, GCS, Berlin 1972².
Photius. Bibliothèque. Texte établi et traduit par R. Henry, I–IV, Coll. Byz., Paris 1959–1965.
(Ps.) Siricius, Epistulae, PL 13, Turnhout 1977 (Nachdr.), 1131–1196.
Tertullian. Opera. I: Opera Catholica. Adversus Marcionem, ed. E. Dekkers u. a., CCL 1, Turnhout 1954.
- Tertullian. Opera. II: Opera Montanistica, ed. A. Gerlo u. a., CCL 2, Turnhout 1954.
Theodoret von Kyros, Opera, PG 82, Turnhout o. J. (Nachdr.).
Theodori Episcopi *Mopsuesteni* in Epistolas B. Pauli Commentarii. The Latin Version with the Greek Fragments. With an Introduction, Notes and Indices, I: Introduction. Galatians – Colossians, Cambridge 1880; II: I. Thessalonians – Philemon. Appendices. Indices, Cambridge 1882.
Titus von Bostra. Studien zu dessen Lukashomilien von J. Sickenberger, TU 21, 1, Leipzig 1901.

1.3 Gnostische Literatur

Koptisch-gnostische *Apokalypsen* aus Codex V von Nag Hammadi im Koptischen Museum zu Alt-Kairo, hrsg., übers. und bearb. von A. Böhlig – P. Labib, WZ (H) 1963 (Sonderband [3]).
The *(First) Apokalypse of James*. V,3: 24,10–44, 10, ed. W. R. Schoedel, in: Nag Hammadi Codices V, 2–5 and VI with Papyrus Berolinensis 8502, 1 and 4, ed. D. M. Parrott, NHS 11, Leiden 1979, 65–103.
Die *Zweite Apokalypse des Jakobus* aus Nag-Hammadi-Codex V. Neu hrsg., übers. und erklärt von W.-P. Funk, TU 119, Berlin 1976.

- The (Second) Apocalypse of James V, 4: 44, 11–63, 32, ed. W. C. Hedrick, in: Nag Hammadi Codices V, 2–5 and VI with Papyrus Berolinensis 8502, 1 and 4, ed. D. M. Parrott, NHS 11, Leiden 1979, 105–149.

Epistula Iacobi Apocrypha. Codex Jung F. I^r–F. VIII^v (p. 1–16), ed. M. Malinine u. a., Zürich–Stuttgart 1968.

- Epistula Jacobi Apocrypha. Die erste Schrift aus Nag Hammadi-Codex I (Codex Jung), neu hrsg. und kommentiert von D. Kirchner, Diss. Berlin (Ost) 1977.

- The Apocryphon of James. I, 2: 1. 1–16. 30, ed. F. E. Williams, in: Nag Hammadi Codex I (The Jung Codex). Introductions, Texts, Translations, Indices, ed. H. W. Attridge, NHS 22, Leiden 1985, 13–53.

Das *Ägypterevangelium* von Nag Hammadi (Das heilige Buch des großen unsichtbaren Geistes), nach der Edition von A. Böhlig–F. Wisse–P. Labib ins Deutsche übersetzt und mit einer Einleitung sowie Noten versehen von A. Böhlig, GOF.H 1, Wiesbaden 1974.

- J. Doresse, „Le Livre Sacré du Grand Esprit invisible" ou „L'Évangile des Égyptiens". Texte copte édité, traduit et commenté d'après le Codex I de Nag'a-Hammadi/Khénoboskion, JA 254, 1966, 317–435; 256, 1968, 289–386.

- Nag Hammadi Codices III, 2 and IV, 2: The Gospel of the Egyptians (The Holy Book of the Great Invisible Spirit), ed. with transl. and comm. by A. Böhlig–F. Wisse (in coop. with P. Labib), NHS 4, Leiden 1975.

Das *Evangelium nach Philippos*, hrsg. und übers. von W. C. Till, PTS 2, Berlin 1963.

Evangelium nach Thomas. Koptischer Text, hrsg. und übers. von A. Guillaumont u. a., Leiden 1959.

- J. Leipoldt, Ein neues Evangelium? Das koptische Thomasevangelium übers. und bearb., ThLZ 83, 1958, 481–496.

- J. Doresse, Les Livres Secrets des Gnostiques d'Égypte. II: L'Évangile selon Thomas ou Les Paroles Secrètes de Jésus, Paris 1959.

- R. Kasser, L'Évangile selon Thomas, Présentation et commentaire théologique, BT(N), Neuchâtel–Paris 1961.

- Das Evangelium nach Thomas. Koptisch und Deutsch, von J. Leipoldt, TU 101, Berlin 1967.

- P. de Suarez, L'Évangile selon Thomas. Traduction, Présentation et Commentaires, Marsanne 1974.

- J. É. Ménard, L'Évangile selon Thomas, NHS 5, Leiden 1975.

H.-M. Schenke, Der *Jakobusbrief* aus dem Codex Jung, OLZ 66, 1971, 117–130.

Manichäische Texte aus Turfan: Handschriften-Reste in Estrangelo-Schrift aus Turfan, Chinesisch-Turkistan. II, von F. W. K. Müller, APAW 1904 Anhang, Berlin 1904.

A Manichaean Psalm-Book. II, ed. C. R. C. Allberry, Man. Manuscr. in the Ch. Beatty Coll 2, Stuttgart 1938.

The *Nag Hammadi Library* in English, ed. M. W. Meyer, New York–Hagerstown–San Francisco–London 1977.

J. D. Turner, The *Book of Thomas the Contender*. SBL Diss. Ser. 23, Missoula 1975.

1.4 Griechische und lateinische Profanliteratur

Aeschyli septem quae supersunt Tragoediae, ed. G. Murray, Script. Class. Bibl. Oxon., Oxford 1960 (Nachdr. d. Aufl. 1955²).

Dio Chrysostom. With an Engl. Transl. by J. W. Cohoon and H. L. Crosby, I–V, Loeb Class. Libr., London – Cambridge/Mass. 1956 ff. (versch. Nachdr. d. Aufl. 1932 ff.).

Epiktet. Dissertationes ab Arriano digestae, ed. H. Schenkl. Accedunt fragmenta. Enchiridion. Ex recensione Schweighaeuseri. Gnomologiorum Epicteteorum reliquiae, ed. maior, Bibl. Teubn., Stuttgart 1965 (Nachdr. d. Aufl. 1916²).

Euripides. Fabulae, ed. G. Murray, Script. Class. Bibl. Oxon., I, Oxford 1958 (Nachdr. d. Aufl. 1902); II, Oxford 1957 (Nachdr. d. Aufl. 1913³); III, Oxford 1957 (Nachdr. d. Aufl. 1913²).

Herodot. Historiae, ed. C. Hude, Script. Class. Bibl. Oxon., I. II, Oxford 1958–1960 (Nachdr. d. Aufl. 1927³).

Philostratus. The Life of Apollonius of Tyana. The Epistles of Apollonius and the Treatise of Eusebius, with an Engl. Translation by F. C. Conybeare, I. II, Loeb Class. Libr., London – Cambridge/Mass. 1960 (Nachdr. d. Aufl. 1912).

Platon. Opera, ed. I. Burnet, I–V, Script. Class. Bibl. Oxon., Oxford 1957–1962 (Nachdr. d. Aufl. 1900–1907).

Plutarch's Moralia in fifteen (sixteen) volumes. With an English Translation by F. C. Babbitt a. o., Loeb Class. Libr., London – Cambridge/Mass. 1957–1976 (teilw. Nachdr.).

– Vitae Parallelae I, 1, ed. K. Ziegler, Bibl. Teubn., Leipzig 1957.

2. Sekundärliteratur

Abramowski, Luise: διαδοχή und ὀρθὸς λόγος bei Hegesipp, ZKG 87, 1976, 321–327.

– Die Entstehung der dreigliedrigen Taufformel – ein Versuch. Mit einem Exkurs: Jesus der Naziräer, ZThK 81, 1984, 417–446.

Adam, Alfred: Die Psalmen des Thomas und das Perlenlied als Zeugnisse vorchristlicher Gnosis, BZNW 24, Berlin 1959.

Aland, Kurt: Der Herrenbruder Jakobus und der Jakobusbrief, ThLZ 69, 1944, 97–104, jetzt in: Neutestamentliche Entwürfe, TB NT 63, München 1979, 233–245.

– Jakobus, RGG³ III, 525 f.

Albertz, Martin: Zur Formengeschichte der Auferstehungsberichte, ZNW 21, 1922, 259–269.

Altaner, Berthold – *Stuiber*, Alfred: Patrologie. Leben, Schriften und Lehre der Kirchenväter, Freiburg – Basel – Wien 1978⁹.

Aus, Roger D.: Three Pillars and Three Patriarchs: A Proposal Concerning Gal 2, 9, ZNW 70, 1979, 252–261.

Baasland, Ernst: Der Jakobusbrief als Neutestamentliche Weisheitsschrift, StTh 36, 1982, 119–139.

Bagatti, Bellarmino: The Church from the Circumcision. History and Archaeology of the Judaeo-Christians, PSBF.Mi 2, Jerusalem 1971.

Baltzer, Klaus – *Köster*, Helmut: Die Bezeichnung des Jakobus als ὠβλίας, ZNW 46, 1955, 141 f.

Bammel, Ernst: Herkunft und Funktion der Traditionselemente in 1.Kor. 15,1–11, ThZ 11, 1955, 401–419.

– πτωχός κτλ, ThWNT VI, dort 888–915.

– Die Blutgerichtsbarkeit in der römischen Provinz Judäa vor dem ersten jüdischen Aufstand, JJS 25, 1974, 35–49, jetzt in: Judaica. Kleine Schriften I, WUNT 37, Tübingen 1986, 59–72.

Bardenhewer, Otto: Geschichte der altkirchlichen Literatur. I: Vom Ausgang des apostolischen Zeitalters bis zum Ende des zweiten Jahrhunderts, Darmstadt 1962 (Nachdr. d. Aufl. 1913²).

Barrett, Charles Kingsley: Paul and the „Pillar" Apostles, in: Studia Paulina in honorem Johannis de Zwaan Septuagenarii, Haarlem 1953, 1–19.

– A Commentary on the First Epistle to the Corinthians, BNTC, London 1968.

– Paul's Opponents in II Corinthians, NTS 17, 1970/71, 233–254.

– Pauline Controversies in the Post-Pauline Period, NTS 20, 1974, 229–245.

– The Gospel according to St John. An Introduction with Commentary and Notes on the Greek Text, London 1978².

Bartsch, Hans-Werner: Die Argumentation des Paulus in I Cor 15,3–11, ZNW 55, 1964, 261–274.

Bauer, Walter: Das Johannesevangelium, HNT 6, Tübingen 1925².

– Rechtgläubigkeit und Ketzerei im ältesten Christentum, BHTh 10, mit einem Nachtrag ed. G. *Strecker*, Tübingen 1964².

– Griechisch-deutsches Wörterbuch zu den Schriften des Neuen Testaments und der übrigen urchristlichen Literatur, Berlin – New York 1971 (Nachdr. d. Aufl. 1958⁵).

Bauernfeind, Otto: Die Apostelgeschichte, ThHK V, Leipzig 1939, jetzt in: Kommentar und Studien zur Apostelgeschichte mit einer Einleitung von Martin Hengel, ed. V. *Metelmann*, WUNT 22, Tübingen 1980, 1–282.

– Die Begegnung zwischen Paulus und Kephas Gal 1,18–20, ZNW 47, 1956, 268–276.

Baur, Ferdinand Christian: Die Christuspartei in der korinthischen Gemeinde, der Gegensatz des petrinischen und paulinischen Christentums in der alten Kirche, der Apostel Petrus in Rom, TZTh 1831, Heft 4, 61–206, jetzt in: Ausgewählte Werke in Einzelausgaben, ed. K. *Scholder*, I: Historisch-kritische Untersuchungen zum Neuen Testament mit einer Einführung von E. Käsemann, Stuttgart-Bad Cannstatt 1963, 1–146.

– Paulus, der Apostel Jesu Christi. Sein Leben und Wirken, seine Briefe und seine Lehre. Ein Beitrag zu einer kritischen Geschichte des Urchristentums, Stuttgart 1845.

Becker, Jürgen: Der Brief an die Galater, NTD 8, Göttingen 1976¹⁴, 1–85.

– Das Evangelium nach Johannes. Kapitel 1–10, ÖTK 4,1, GTB 505, Gütersloh – Würzburg 1979.

Berliner Arbeitskreis für koptisch-gnostische Schriften: Die Bedeutung der Texte von Nag Hammadi für die moderne Gnosisforschung, in: K.-W. *Tröger* (ed.), Gnosis und Neues Testament, Berlin 1973, 13–76.

Best, Ernest: Mark III. 20, 21, 31–35, NTS 22, 1976, 309–319.

Betz, Hans Dieter: The Literary Composition and Function of Paul's Letter to the Galatians, NTS 21, 1975, 353–379.

– Galatians. A Commentary on Paul's Letter to the Churches in Galatia, Hermeneia, Philadelphia 1979.

Beyer, Hermann Wolfgang – *Karpp*, Heinrich: Bischof, RAC II, 394–407.

Beyschlag, Karlmann: Das Jakobusmartyrium und seine Verwandten in der frühchristlichen Literatur, ZNW 56, 1965, 149–178.

– Simon Magus und die christliche Gnosis, WUNT 16, Tübingen 1974.

Bieder, Werner: Christliche Existenz nach dem Zeugnis des Jakobusbriefes, ThZ 5, 1949, 93–113.

Bietenhard, Hans: Die himmlische Welt im Urchristentum und Spätjudentum, WUNT 2, Tübingen 1951.

Blank, Josef: Petrus und Petrus-Amt im Neuen Testament, in: Arbeitsgemeinschaft ökumenischer Universitätsinstitute (ed.), Papsttum als ökumenische Frage, München – Mainz 1979, 59–103, jetzt in: Vom Urchristentum zur Kirche. Kirchenstrukturen im Rückblick auf den biblischen Ursprung, München 1982, 89–147.

– Das Evangelium nach Johannes, I a.b, Geistl. Schriftlesung 4, 1 a.b, Düsseldorf 1981.

Bligh, John: Galatians. A Discussion of St Paul's Epistle, HousCom 1, London 1969.

Blinzler, Josef: Petrus und Paulus – Über eine angebliche Folge des Tages von Antiochien (Gal 2), Klerusblatt 24, 1943, 190–193, jetzt in: Aus der Welt und Umwelt des Neuen Testaments. Gesammelte Aufsätze 1, SBB, Stuttgart 1969, 147–156, mit einem Nachtrag 157.

– Die Brüder und Schwestern Jesu. SBS 21, Stuttgart 1967.

– Der Prozeß Jesu, Regensburg 1969[4].

Böhlig, Alexander: Der judenchristliche Hintergrund in gnostischen Texten von Nag Hammadi (1966), jetzt in: Mysterion und Wahrheit. Gesammelte Beiträge zur spätantiken Religionsgeschichte, AGSU 6, Leiden 1968, 102–111.

– Zum Martyrium des Jakobus, NT 5, 1962, 207–213, jetzt in: Mysterion und Wahrheit. Gesammelte Aufsätze zur spätantiken Religionsgeschichte, AGSU 6, Leiden 1968, 112–118.

– Jacob as an Angel in Gnosticism and Manicheism, in: R. McL. *Wilson* (ed.), Nag Hammadi and Gnosis, NHS 14, Leiden 1978, 122–130.

Bornkamm, Günther: πρέσβυς κτλ, ThWNT VI, 651–683.

– Paulus, Stuttgart – Berlin – Köln – Mainz 1979[4].

Borse, Udo: Der Standort des Galaterbriefes, BBB 41, Köln – Bonn 1972.

– Paulus in Jerusalem, in: P.-G. *Müller* – W. *Stenger* (edd.), Kontinuität und Einheit. Für Franz Mußner, Freiburg – Basel – Wien 1981, 43–64.

– Der Brief an die Galater, RNT, Regensburg 1984.

Brandon, Samuel George Frederick: The Death of James the Just: A New Interpretation, in: Studies in Mysticism and Religion presented to Gershom G. Sholem on his Seventieth Birthday by Pupils, Colleagues and Friends, Jerusalem 1967, 57–69.
– Jesus and the Zealots. A Study of the Political Factor in Primitive Christianity, Manchester 1967.
Braumann, Georg: Der theologische Hintergrund des Jakobusbriefes, ThZ 18, 1962, 401–410.
Brown, Raymond Edward: The Gospel according to John (I–XII). Introduction, Translation, and Notes, AncB 29, Garden City 1966.
– u. a. (edd.): Maria im Neuen Testament. Eine ökumenische Untersuchung, Stuttgart 1981.
Brown, Scott Kent: James: A Religio-Historical Study of the Relations between Jewish, Gnostic, and Catholic Christianity in the Early Period through an Investigation of the Traditions about James the Lord's Brother, PhD Brown University 1972.
– Jewish and Gnostic Elements in the Second Apocalypse of James (CG V, 4), NT 17, 1975, 225–237.
Bruce, Frederick Fyvie: Further Thoughts on Paul's Autobiography. Galatians 1:11–2:14, in: E. E. *Ellis* – E. *Gräßer* (edd.), Jesus und Paulus. Festschrift für Werner Georg Kümmel zum 70. Geburtstag, Göttingen 1975, 21–29.
– Paul: Apostle of the Free Spirit. „Where the Spirit of the Lord is, there the heart is free" (2 Corinthians 3:17, Basic English Version), Exeter 1977.
– Men and Movements in the Primitive Church. Studies in Early Non-Pauline Christianity, Exeter 1979.
– The Epistle of Paul to the Galatians. A Commentary on the Greek text, NIGTC, Exeter 1982.
Brun, Lyder: Die Auferstehung Christi in der urchristlichen Ueberlieferung, Gießen 1925.
Büchsel, Friedrich: Die Blutgerichtsbarkeit des Synedrions, ZNW 30, 1931, 202–210.
– Noch einmal: Zur Blutgerichtsbarkeit des Synedrions, ZNW 33, 1934, 84–87.
Bultmann, Rudolf: Zur Frage nach den Quellen der Apostelgeschichte, in: A. J. B. *Higgins* (ed.), New Testament Essays. Studies in Memory of Thomas Walter Manson 1893–1958, Manchester 1959, 68–80, jetzt in: Exegetica. Aufsätze zur Erforschung des Neuen Testaments, ed. E. *Dinkler*, Tübingen 1967, 412–423.
– Das Evangelium des Johannes, KEK 2, Göttingen 1978[20].
– Die Geschichte der synoptischen Tradition, FRLANT 29, Göttingen 1979[9], mit Ergänzungsheft, bearb. von G. *Theißen* und P. *Vielhauer*, Göttingen 1979[5].
Burchard, Christoph: Zu Jakobus 2,14–26, ZNW 71, 1980, 27–45.
– Gemeinde in der Strohernen Epistel. Mutmaßungen über Jakobus, in: D. *Lührmann* – G. *Strecker* (edd.), Kirche. Festschrift für Günther Bornkamm zum 75. Geburtstag, Tübingen 1980, 315–328.
Burkill, Tom Alec: The Competence of the Sanhedrin, VC 10, 1956, 80–96.
Burkitt, Francis Crawford: Christian Beginnings, I, London 1924.

Burton, Ernest de Witt: A Critical and Exegetical Commentary on the Epistle to the Galatians, ICC, Edinburgh 1956 (Nachdr. d. Aufl. 1921).

Bussmann, Claus: Themen der paulinischen Missionspredigt auf dem Hintergrund der spätjüdisch-hellenistischen Missionsliteratur, EHS.T 3, Bern – Frankfurt/Main 1971.

Campenhausen, Hans Freiherr von: Die Nachfolge des Jakobus. Zur Frage eines urchristlichen „Kalifats", ZKG 63, 1950/51, 133–144, jetzt in: Aus der Frühzeit des Christentums. Studien zur Kirchengeschichte des ersten und zweiten Jahrhunderts, Tübingen 1963, 135–151.

– Lehrerreihen und Bischofsreihen im 2. Jahrhundert, in: In memoriam Ernst Lohmeyer, ed. W. *Schmauch*, Stuttgart 1951, 240–249.

– Der Ablauf der Osterereignisse und das leere Grab, SHAW.PH 1952, 4, jetzt in: Tradition und Leben. Kräfte der Kirchengeschichte. Aufsätze und Vorträge, Tübingen 1960, 48–113.

– Kirchliches Amt und geistliche Vollmacht in den ersten drei Jahrhunderten, BHTh 14, Tübingen 1963[2].

– Die Idee des Martyriums in der alten Kirche, Göttingen 1964[2].

Carrington, Philip: The Early Christian Church. I: The First Christian Century, Cambridge 1957; II: The Second Christian Century, Cambridge 1957.

Carroll, Kenneth Lane: The Place of James in the Early Church, BJRL 44, 1961/62, 49–67.

Catchpole, David R.: The Trial of Jesus. A Study in the Gospels and Jewish Historiography from 1770 to the Present Day, StPB 18, Leiden 1971.

– Paul, James and the Apostolic Decree, NTS 23, 1977, 428–444.

Chapman, J.: The Brethren of the Lord, JThSt 7, 1906, 412–433.

Charlot, John Pierre: The Construction of the Formula in 1 Corinthians 15, 3–5, Diss. München 1968.

Cohn-Sherbok, Dan: Some Reflections on James Dunn's: ‚The Incident of Antioch (Gal. 2. 11–18)', JSNT 18, 1983, 68–74.

Conrady, Ludwig: Das Protevangelium Jacobi in neuer Beleuchtung, ThStKr 62, 1889, 728–784.

Conzelmann, Hans: Die Apostelgeschichte, HNT 7, Tübingen 1963.

– Zur Analyse der Bekenntnisformel I. Kor. 15, 3–6, EvTh 25, 1965, 1–11.

– Der erste Brief an die Korinther, KEK 5, Göttingen 1969[11].

– Geschichte des Urchristentums, GNT 5, Göttingen 1971[2].

– / *Lindemann*, Andreas: Arbeitsbuch zum Neuen Testament, UTB 52, Tübingen 1977[3].

Cornelis, E. M. J. M.: Quelques Éléments pour une Comparaison entre L'Évangile de Thomas et la Notice d'Hippolyte sur les Naassenes, VC 15, 1961, 83–104.

Crossan, John Dominic: Mark and the Relatives of Jesus, NT 15, 1973, 81–113.

Cousar, Charles B.: Galatians, Interpretation. A Bible Commentary for Teaching and Preaching, Atlanta 1982.

Crum, Walter Ewing: A Coptic Dictionary. Compiled with the help of many scholars, Oxford 1962 (Nachdr. d. Aufl. 1939).

Cullmann, Oscar: Le Problème littéraire et historique du Roman pseudo-clémentin. Étude sur le Rapport entre le Gnosticisme et le Judéo-Christianisme, EHPhR 23, Paris 1930.

- Πέτρος κτλ, ThWNT VI, 99–112.
- Petrus. Jünger – Apostel – Märtyrer. Das historische und das theologische Petrusproblem, Zürich 1985³.
- Das Thomasevangelium und die Frage nach dem Alter der in ihm enthaltenen Tradition, ThLZ 85, 1960, 321–334.
- Die literarischen und historischen Probleme des pseudoklementinischen Romans (dt. Bearb. von Le Problème littéraire et historique du Roman pseudoclémentin), RHPhR 10, 1930, 471–476, jetzt in: Vorträge und Aufsätze. 1925–1962, ed. K. Fröhlich, Tübingen – Zürich 1966, 225–231.
- Dahl, Niels Alstrup: Das Volk Gottes. Eine Untersuchung zum Kirchenbewußtsein des Urchristentums, Darmstadt 1963².
- Daniélou, Jean: The Theology of Jewish Christianity. The Development of Christian Doctrine before the Council of Nicaea, I, London 1964.
- Das Judenchristentum und die Anfänge der Kirche, Arbeitsgemeinschaft für Forschung des Landes Nordrhein-Westfalen, Geisteswiss. 121, Köln – Opladen 1964.
- Dassmann, Ernst: Zur Entstehung des Monepiskopats, JAC 17, 1974, 74–90.
- Der Stachel im Fleisch. Paulus in der frühchristlichen Literatur bis Irenäus, Münster 1979.
- Davids, Peter H.: The Epistle of James. A Commentary on the Greek Text, NIGTC, Exeter 1982.
- Davies, Stevan: Thomas. The Fourth Synoptic Gospel, BA 46, 1983, 6–9. 12–14.
- Davies, William David: Christian Origins and Judaism, London 1962.
- Deissmann, Adolf: Licht vom Osten. Das Neue Testament und die neuentdeckten Texte der hellenistisch-römischen Welt, Tübingen 1923⁴.
- Dibelius, Martin: Paulus, ed. W. G. Kümmel, SG 1160, Berlin 1951.
- Das Apostelkonzil, ThLZ 72, 1947, 193–198, jetzt in: Aufsätze zur Apostelgeschichte, ed. H. Greeven, FRLANT 60, Göttingen 1951, 84–90.
- Die Apostelgeschichte als Geschichtsquelle, FUF 21/23, 1947, 67–69, jetzt in: Aufsätze zur Apostelgeschichte, ed. H. Greeven, FRLANT 60, Göttingen 1951, 91–95.
- Die Formgeschichte des Evangeliums, mit einem Nachtrag von G. Iber, ed. G. Bornkamm, Tübingen 1971⁶.
- Der Brief des Jakobus, hrsg. und ergänzt von H. Greeven, KEK 15, Göttingen 1964¹¹.
- Dinkler, Erich: Der Brief an die Galater. Zum Kommentar von Heinrich Schlier, VuF 1953/55, 175–183, jetzt in: Signum Crucis. Aufsätze zum Neuen Testament und zur Christlichen Archäologie, Tübingen 1967, 270–280, mit Nachtrag 281 f.
- Die Petrus-Rom-Frage. Ein Forschungsbericht, ThR NF 25, 1959, 189–230. 289–335; ThR NF 27, 1961, 33–64.
- Dobschütz, Ernst von: Die urchristlichen Gemeinden. Sittengeschichtliche Bilder, Leipzig 1902.
- Drynjeff, Kaarina: Studier i Naassenertraktaten, Akad. avh. Uppsala univ. 3, Uppsala 1973.
- Dunn, James D. G.: The Relationship between Paul and Jerusalem according to Galatians 1 and 2, NTS 28, 1982, 461–478.

- The Incident at Antioch (Gal. 2: 11-18), JSNT 18, 1983, 3-57.

Dupont, Jacques: Pierre et Paul à Antioche et à Jérusalem, RSR 45, 1957, 42-60.
225-239, jetzt in: Études sur les Actes des Apôtres, LeDiv 45, Paris 1967,
185-215.

Ebeling, H. J.: Zur Frage nach der Kompetenz des Synhedrion, ZNW 35, 1936,
290-295.

Eckart, Karl-Gottfried: Zur Terminologie des Jakobusbriefes, ThLZ 89, 1964,
521-526.

Eckert, Jost: Die urchristliche Verkündigung im Streit zwischen Paulus und seinen Gegnern nach dem Galaterbrief, BU 6, Regensburg 1971.
- Paulus und die Jerusalemer Autoritäten nach dem Galaterbrief und der Apostelgeschichte. Divergierende Geschichtsdarstellung im Neuen Testament als
hermeneutisches Problem, in: J. *Ernst* (ed.), Schriftauslegung. Beiträge zur
Hermeneutik des Neuen Testaments und im Neuen Testament, München – Paderborn – Wien 1972, 281-311.
- Die Kollekte des Paulus für Jerusalem, in: P.-G. *Müller* – W. *Stenger* (edd.),
Kontinuität und Einheit. Für Franz Mußner, Freiburg – Basel – Wien 1981,
65-80.

Egger, Wilhelm: Galaterbrief. Philipperbrief. Philemonbrief, NEB.NT 9. 11. 15,
Würzburg 1985.

Ehrhardt, Arnold: The Apostolic Succession in the First Two Centuries of the
Church, London 1953.

Eichholz, Georg: Jakobus und Paulus. Ein Beitrag zum Problem des Kanons,
TEH 39, München 1953.
- Glaube und Werk bei Paulus und Jakobus, TEH 88, München 1961.

Eisenman, Robert: Maccabees, Zadokites, Christians and Qumran. A New Hy-
pothesis of Qumran Origins, StPB 34, Leiden 1983.
- James the Just in the Habakkuk Pesher, StPB 35, Leiden 1986.

Eisler, Robert: Ἰησοῦς βασιλεὺς οὐ βασιλεύσας. Die messianische Unabhängig-
keitsbewegung vom Auftreten Johannes des Täufers bis zum Untergang Jakobs des Gerechten nach der neuerschlossenen Eroberung von Jerusalem des
Flavius Josephus und den christlichen Quellen, I. II, RWB 9, Heidelberg
1930.

Elliott-Binns, Leonard Elliott: James, in: M. *Black* – H. H. *Rowley* (edd)., Peake's
Commentary on the Bible, Molly Millars Lane 1982 (Nachdr. d. Aufl. 1962).

Ernst, Josef: Das Evangelium nach Lukas, RNT, Regensburg 1977.
- Das Evangelium nach Markus, RNT, Regensburg 1981.
- Lukas. Ein theologisches Portrait, Düsseldorf 1985.

Féret, Henri-Marie: Pierre et Paul à Antioche et à Jérusalem. Le „conflit" des
deux Apôtres, Paris 1955.

Filson, Floyd Vivian: Geschichte des Christentums in neutestamentlicher Zeit.
Übers. und für die dt. Ausg. bearb. von F. J. *Schierse*, KBANT, Düsseldorf
1967.

Finegan, Jack: Die Überlieferung der Leidens- und Auferstehungsgeschichte
Jesu, BZNW 15, Gießen 1934.

Fitzmyer, Joseph Augustine: The Gospel According to Luke (I-IX). Introduction, Translation, and Notes. AncB 28, Garden City 1981.

Foerster, Werner: Die δοϰοῦντες in Gal 2, ZNW 36, 1937, 286–292.
– Die Naassener, in: U. *Bianchi* (ed.), Studi di Storia Religiosa della Tarda Antichità pubblicati dalla cattedra di storia delle religioni dell'Università Messina, Messina 1968, 21–33.
Frend, William Hugh Clifford: Martyrdom and Persecution in the Early Church. A Study of a Conflict from the Maccabees to Donatus, Oxford 1965.
Fuller, Reginald Horace: The Formation of the Resurrection Narratives, Philadelphia 1980 (Nachdr. d. Aufl. 1971).
Funk, Wolf-Peter: Probleme der Zweiten Jakobus-Apokalypse aus Nag-Hammadi-Codex V, in: P. *Nagel* (ed.), Studia Coptica, BBA 45, Berlin 1974, 147–158.
Gaechter, Paul: The Hatred of the House of Annas, TS 8, 1947, 3–34, jetzt unter dem Titel: Der Haß des Hauses Annas, in: Petrus und seine Zeit. Neutestamentliche Studien, Innsbruck–Wien–München 1958, 67–104.
– Petrus in Antiochia (Gal 2, 11–14), ZKTh 72, 1950, 177–212, jetzt in: Petrus und seine Zeit. Neutestamentliche Studien, Innsbruck–Wien–München 1958, 213–257.
– Jakobus von Jerusalem, ZKTh 76, 1954, 130–169, jetzt in: Petrus und seine Zeit. Neutestamentliche Studien, Innsbruck–Wien–München 1958, 258–310.
– Geschichtliches zum Apostelkonzil, ZKTh 85, 1963, 339–354.
Gärtner, Bertil: The Theology of the Gospel of Thomas, London 1961.
Georgi, Dieter: Die Geschichte der Kollekte des Paulus für Jerusalem, ThF 38, Hamburg–Bergstedt 1965.
Gero, Stephen: Ὠβλίας reconsidered, Muséon 88, 1975, 435–440.
Geyser, A. S.: Paul, the Apostolic Decree and the Liberals in Corinth, in: Studia Paulina in honorem Johannis de Zwaan Septuagenarii, Haarlem 1953, 124–138.
– The Letter of James and the Social Condition of his Addressees, Neotestamentica 9, 1975, 25–33.
Ginzberg, Louis: The Legends of the Jews, I–VII, Philadelphia 1909–1938.
Gnilka, Joachim: Das Evangelium nach Markus. I: Mk 1–8, 26, EKK 2/1, Zürich–Einsiedeln–Köln–Neukirchen–Vluyn 1978.
Goguel, Maurice: La Naissance du Christianisme, Paris 1955 (Nachdr. d. Aufl. 1946).
Goppelt, Leonhard: Christentum und Judentum im ersten und zweiten Jahrhundert. Ein Aufriß der Urgeschichte der Kirche, BFChTh 2, 55, Gütersloh 1954.
– Die apostolische und nachapostolische Zeit, KIG 1 A, Göttingen 1966².
Grant, Michael: Saint Paul, New York 1976.
Grant, Robert McQueen–*Freedman*, David Noel: Geheime Worte Jesu. Das Thomasevangelium, Frankfurt/Main 1960.
Graß, Hans: Ostergeschehen und Osterberichte, Göttingen 1962².
Gräßer, Erich: Jesus in Nazareth (Mc 6, 1–6 a). Bemerkungen zur Redaktion und Theologie des Markus, in: E. *Gräßer* u. a. (edd.), Jesus in Nazareth, BZNW 40, Berlin–New York 1972, 1–37; jetzt mit erweitertem Nachtrag in: Text und Situation. Gesammelte Aufsätze zum Neuen Testament, Gütersloh 1973, 13–49.

Grosheide, Frederik Willem: Commentary on the First Epistle to the Corinthians. The English Text with Introduction, Exposition and Notes. NIC, Grand Rapids 1974 (Nachdr. d. Aufl. 1953).

Grundmann, Walter: Das Problem des hellenistischen Christentums innerhalb der Jerusalemer Urgemeinde, ZNW 38, 1939, 45–73.

– Die Apostel zwischen Jerusalem und Antiochia, ZNW 39, 1940, 110–137.

– Das Evangelium nach Lukas, ThHK 3, Berlin 1974[7].

– Das Evangelium nach Markus, ThHK 2, Berlin 1980[8].

Grünzweig, Fritz: Der Brief des Jakobus, WS, Wuppertal 1982[5].

Gunther, John J.: The Family of Jesus, EQ 46, 1974, 25–41.

Gustafsson, B.: Hegesippus' Sources and his Reliability, in: F. L. *Cross* (ed.), Studia Patristica III, TU 78, Berlin 1961, 227–232.

Guthrie, Donald: New Testament Introduction, Downers Grove 1983.

Haenchen, Ernst: Petrus-Probleme, NTS 7, 1960/61, 187–197, jetzt in: Gott und Mensch. Gesammelte Aufsätze (I), Tübingen 1965, 55–67.

– Die Botschaft des Thomasevangeliums, TBT 6, Berlin 1961.

– Literatur zum Thomasevangelium, ThR NF 27, 1961, 147–178. 306–338.

– Literatur zum Codex Jung, ThR NF 30, 1964, 39–82.

– Historie und Verkündigung bei Markus und Lukas, in: Die Bibel und wir. Gesammelte Aufsätze II, Tübingen 1968, 156–181.

– Der Weg Jesu. Eine Erklärung des Markus-Evangeliums und der kanonischen Parallelen, Berlin 1968[2].

– Die Apostelgeschichte, KEK 3, Göttingen 1977[16].

– Das Johannesevangelium. Ein Kommentar aus den nachgelassenen Manuskripten hrsg. von U. *Busse*, mit einem Vorwort von J. M. *Robinson*, Tübingen 1980.

Hahn, Ferdinand: Das Verständnis der Mission im Neuen Testament, WMANT 13, Neukirchen 1963.

Hainz, Josef: Ekklesia. Strukturen paulinischer Gemeinde-Theologie und Gemeinde-Ordnung, BU 9, Regensburg 1972.

– Gemeinschaft (κοινωνία) zwischen Paulus und Jerusalem (Gal 2,9 f.). Zum paulinischen Verständnis von der Einheit der Kirche, in: P.-G. *Müller*– W. *Stenger* (edd.), Kontinuität und Einheit. Für Franz Mußner, Freiburg – Basel – Wien 1981, 30–42.

Halson, B. R.: The Epistle of James: ‚Christian Wisdom?‘, in: F. L. *Cross* (ed.), Studia Evangelica IV, 1, TU 102, Berlin 1968, 308–314.

Harnack, Adolf von: Geschichte der altchristlichen Litteratur bis Eusebius. II: Die Chronologie der altchristlichen Litteratur bis Eusebius, 2: Die Chronologie der Litteratur von Irenaeus bis Eusebius, Leipzig 1904.

– Die Verklärungsgeschichte Jesu, der Bericht des Paulus (I. Kor. 15,3 ff.) und die beiden Christusvisionen des Petrus, SAB.PH 1922, 62–80.

– Die Mission und Ausbreitung des Christentums in den ersten drei Jahrhunderten, I. II, Leipzig 1924[4].

Hedrick, Charles, W.: The (Second) Apocalypse of James, V, 4: 44,11–63,32, in: D. M. *Parrott* (ed.), Nag Hammadi Codices V, 2–5 and VI with Papyrus Berolinensis 8502, 1 and 4, NHS 11, Leiden 1979, 105–149.

Heiligenthal, Roman: Werke als Zeichen. Untersuchungen zur Bedeutung der urchristlichen Taten im Frühjudentum, Neuen Testament und Frühchristentum, WUNT 2,9, Tübingen 1983.

Heldermann, Jan: Anapausis in the Epistula Jacobi Apocrypha, in: R. McL. *Wilson* (ed.), Nag Hammadi and Gnosis, NHS 14, Leiden 1978, 34–43.

Hengel, Martin: Nachfolge und Charisma. Eine exegetisch-religionsgeschichtliche Studie zu Mt 8,21 f. und Jesu Ruf in die Nachfolge, BZNW 34, Berlin 1968.

– Die Ursprünge der christlichen Mission, NTS 18, 1971/72, 15–38.

– Judentum und Hellenismus. Studien zu ihrer Begegnung unter besonderer Berücksichtigung Palästinas bis zur Mitte des 2. Jh.s v. Chr., WUNT 10, Tübingen 1973².

– Zwischen Jesus und Paulus. Die „Hellenisten", die „Sieben" und Stephanus (Apg 6,1–15; 7,54–8,3), ZThK 72, 1975, 151–206.

– Die Zeloten. Untersuchungen zur jüdischen Freiheitsbewegung in der Zeit von Herodes I. bis 70 n. Chr., AGSU 1, Leiden – Köln 1976².

– Zur urchristlichen Geschichtsschreibung, Calwer Paperback, Stuttgart 1979.

– Jakobus der Herrenbruder – der erste „Papst"?, in: E. *Gräßer* – O. *Merk* (edd.), Glaube und Eschatologie. Festschrift für Werner Georg Kümmel zum 80. Geburtstag, Tübingen 1985, 71–104.

Héring, Jean: La Première Épître de Saint Paul aux Corinthiens, CNT 7, Neuchâtel – Paris 1949.

Herrmann, Léon: La Famille du Christ d'après Hégésippe, RUB 42, 1936/37, 387–394.

Hirsch, Emanuel: Die Auferstehungsgeschichten und der christliche Glaube, Tübingen 1940.

Hoennicke, Gustav: Das Judenchristentum im ersten und zweiten Jahrhundert, Berlin 1908.

Hofius, Otfried: Gal 1,18: ἱστορῆσαι Κηφᾶν, ZNW 75, 1984, 73–85.

Holl, Karl: Der Kirchenbegriff des Paulus in seinem Verhältnis zu dem der Urgemeinde, SPAW 1921, 920–947, jetzt in: Gesammelte Aufsätze zur Kirchengeschichte. II: Der Osten, Tübingen 1928, 44–67 (danach zitiert); weiters in: K. H. *Rengstorf* (ed.), Das Paulusbild in der neueren deutschen Forschung, WdF 24, Darmstadt 1969, 144–178.

Holtz, Traugott: Die Bedeutung des Apostelkonzils für Paulus, NT 16, 1974, 110–148.

Hoppe, Rudolf: Der theologische Hintergrund des Jakobusbriefes, FzB 28, Würzburg 1977.

Houlden, James Leslie: A Response to James D. G. Dunn, JSNT 18, 1983, 58–67.

Howard, George: Was James an Apostle? A Reflection on a New Proposal for Gal. i 19, NT 19, 1977, 63 f.

– Paul: Crisis in Galatia. A Study in Early Christian Theology, MSSNTS 35, Cambridge – London – New York – Melbourne 1979.

Hübner, Hans: Das Gesetz bei Paulus. Ein Beitrag zum Werden der paulinischen Theologie, FRLANT 119, Göttingen 1982³.

– Galaterbrief, TRE XII, 5–14.

– Rezension von U. *Borse*, Der Brief an die Galater, 1984, ThLZ 111, 1986, 198–200.

Hyldahl, Niels: Hegesipps Hypomnemata, StTh 14, 1960, 70–113.
– Die Versuchung auf der Zinne des Tempels (Matth 4,5–7 ≠ Luk 4,9–12), StTh 15, 1961, 113–127.

Irmscher, Johannes: Die Pseudo-Clementinen, in: NTApo II⁴, 373–398.

Jackson, Henry Latimer: The Death of John, Son of Zebedee, JThSt 18, 1917, 30–32.

Jackson, Frederick John Foakes – *Lake*, Kirsopp: The Beginnings of Christianity. I: The Acts of the Apostles, 1: Prolegomena. I: The Jewish, Gentile and Christian Backgrounds, London 1920.

Jasper, G.: Der Rat des Jakobus (Das Ringen des Paulus, der Urgemeinde die Möglichkeit der Mission unter Israel zu erhalten, Apostelgeschichte Kap. 21–28), Jud. 19, 1963, 147–162.

Jeremias, Joachim: Die „Zinne“ des Tempels (Mt. 4,5; Lk. 4,9), ZDPV 59, 1936, 195–208.
– Zur Geschichtlichkeit des Verhörs Jesu vor dem Hohen Rat, ZNW 43, 1950/51, 145–150.
– Paulus and James, ET 66, 1954/55, 368–371.
– Die Abendmahlsworte Jesu, Göttingen 1967⁴.

Jewett, Robert: The Agitators and the Galatian Congregation, NTS 17, 1970/71, 198–212.
– Paulus-Chronologie. Ein Versuch, München 1982.

Juster, Jean: Les Juifs dans l'Empire Romain. Leur condition juridique, économique et sociale, I. II, Paris 1914.

Kähler, Christoph: Zur Form- und Traditionsgeschichte von Matth. XVI. 17–19, NTS 23, 1977, 36–58.

Käsemann, Ernst: Die Legitimität des Apostels. Eine Untersuchung zu II Korinther 10–13, ZNW 41, 1942, 33–71, jetzt in: K. H. *Rengstorf* (ed.), Das Paulusbild in der neueren deutschen Forschung, WdF 24, Darmstadt 1969, 475–521.

Kasser, Rudolphe: Textes gnostiques. Remarques à propos des éditions récentes du Livre Secret de Jean et des Apocalypses de Paul, Jacques et Adam, Muséon 78, 1965, 71–98.

Kasting, Heinrich: Die Anfänge der urchristlichen Mission. Eine historische Untersuchung, BevTh 55, München 1969.

Kemler, Herbert: Der Herrenbruder Jakobus bei Hegesipp und in der frühchristlichen Literatur (Teildruck), Diss. Göttingen 1966.

Kertelge, Karl: Die Wunder Jesu im Markusevangelium. Eine redaktionsgeschichtliche Untersuchung, StANT 23, München 1970.

Kieffer, René: Foi et Justification à Antioche. Interpretation d'un Conflit, LD 111, Paris 1982.

Kilpatrick, George Dunbar: Galatians 1:18 Ἱστορῆσαι Κηφᾶν, in: A. J. B. *Higgins* (ed.), New Testament Essays. Studies in Memory of Thomas Walter Manson 1893–1958, Manchester 1959, 144–149.

Kittel, Gerhard: Die Stellung des Jakobus zu Judentum und Heidenchristentum, ZNW 30, 1931, 145–157.
– Der geschichtliche Ort des Jakobusbriefes, ZNW 41, 1942, 71–105.
– Der Jakobusbrief und die Apostolischen Väter, ZNW 43, 1950/51, 54–112.

Klausner, Joseph: Jesus von Nazareth. Seine Zeit, sein Leben und seine Lehren, Berlin 1934².

Klein, Günter: Galater 2,6–9 und die Geschichte der Jerusalemer Urgemeinde, ZThK 57, 1960, 275–295, jetzt in: Rekonstruktion und Interpretation. Gesammelte Aufsätze zum Neuen Testament, BevTh 50, München 1969, 99–118, mit einem Nachtrag 118–128.

– Die zwölf Apostel. Ursprung und Gehalt einer Idee, FRLANT 77, Göttingen 1961.

– Die Verleugnung des Petrus, ZThK 58, 1961, 285–328, jetzt in: Rekonstruktion und Interpretation. Gesammelte Aufsätze zum Neuen Testament, Bev Th 50, München 1969, 49–90, mit einem Nachtrag 90–98.

Klein, Peter: Zum Verständnis von Gal 2,1. Zugleich ein Beitrag zur Chronologie des Urchristentums, ZNW 70, 1979, 250 f.

Klijn, Albertus Frederik Johannes: Das Thomasevangelium und das altsyrische Christentum, VC 15, 1961, 146–159.

Klostermann, Erich: Das Markusevangelium, HNT 3, Tübingen 1971⁵.

Knoch, Otto: Maria in der Heiligen Schrift, in: *W. Beinert* – H. *Petri* (edd.), Handbuch der Marienkunde, Regensburg 1984, 15–92.

Koch, Gerhard: Die Auferstehung Jesu Christi, BHTh 27, Tübingen 1959.

Koch, Hugo: Zur Jakobusfrage Gal 1,19, ZNW 33, 1934, 204–209.

– Virgo Eva – Virgo Maria. Neue Untersuchungen über die Lehre von der Jungfrauschaft und der Ehe Mariens in der ältesten Kirche, AKG 25, Berlin – Leipzig 1937.

Kohler, Kaufmann: James, JE VII,67 f.

Koehler, Ludwig – *Baumgartner*, *Walter:* Lexicon in Veteris Testamenti Libros, Leiden 1953.

Köster, Helmut: Synoptische Überlieferung bei den Apostolischen Vätern, TU 65, Berlin 1957.

– Gnomai Diaphoroi: Ursprung und Wesen der Mannigfaltigkeit in der Geschichte des frühen Christentums (engl. HThR 58, 1965, 279–318), ZThK 65, 1968, 160–203, jetzt in: H. *Köster* – J. M. *Robinson*, Entwicklungslinien durch die Welt des frühen Christentums, Tübingen 1971, 107–146.

– Dialog und Spruchüberlieferung in den gnostischen Texten von Nag Hammadi, EvTh 39, 1979, 532–556.

– Einführung in das Neue Testament im Rahmen der Religionsgeschichte und Kulturgeschichte der hellenistischen und römischen Zeit, de Gruyter Lehrbuch, Berlin – New York 1980.

Kraft, Heinrich: Die Entstehung des Christentums, Darmstadt 1981.

Kraft, Robert Alan: In Search of ‚Jewish Christianity‘ and its ‚Theology‘, RSR 60, 1972, 81–92.

Kremer, Jacob: Das älteste Zeugnis von der Auferstehung Christi. Eine bibeltheologische Studie zur Analyse und Bedeutung von 1 Kor 15,1–11, SBS 17, Stuttgart 1966.

Kretschmar, Georg: Die frühe Geschichte der Jerusalemer Liturgie, JLH 2, 1956, 22–46.

Kümmel, Werner Georg: Kirchenbegriff und Geschichtsbewußtsein in der Urgemeinde und bei Jesus, Göttingen 1968².

- Einleitung in das Neue Testament, Heidelberg 1983[21].
Lambrecht, Jan: Ware verwantschap en eewige zonde. Ontstaan en structuur van Mc. 3,20–35, Bijdragen 29, 1968, 114–148. 234–258. 369–392.
- The Relatives of Jesus in Mark, NT 16, 1974, 241–258.
Lawlor, Hugh Jackson: The Hypomnemata of Hegesippus, in: Eusebiana. Essays on the Ecclesiastical History of Eusebius, Bishop of Caesarea, Oxford 1912, 1–107.
Laws, Sophie: A Commentary on the Epistle of James, HNTC San Francisco a.o. 1980.
Leclercq, Henri: Jacques le Mineur, DACL VII,2, 2109–2116.
Lichtenstein, Ernst: Die älteste christliche Glaubensformel, ZKG 63, 1950, 1–74.
Lietzmann, Hans: Zwei Notizen zu Paulus, SPAW.PH 8, 1930, 151–156, jetzt in: Kleine Schriften. II: Studien zum Neuen Testament, ed. K.*Aland*, TU 68, Berlin 1958, 284–291.
- Geschichte der Alten Kirche. I: Die Anfänge, Berlin 1953[3].
- An die Korinther I. II, HNT 9, ergänzt von W.G.*Kümmel*, Tübingen 1969[5].
- An die Galater. Mit einem Literaturnachtrag von P. *Vielhauer*, HNT 10, Tübingen 1971[4].
Lightfoot, John Barber: St Paul's Epistle to the Galatians. A Revised Text with Introduction, Notes, and Dissertations, London 1874[4].
Lindars, Barnabas: The Gospel of John, NCeB, London 1977 (Nachdr. d. Aufl. 1972).
Lindemann, Andreas: Paulus im ältesten Christentum. Das Bild des Apostels und die Rezeption der paulinischen Theologie in der frühchristlichen Literatur bis Marcion, BHTh 58, Tübingen 1979.
Little, Donald Henry: The Death of James, the Brother of Jesus, PhD Rice University, Houston 1971.
Lohmeyer, Ernst: Galiläa und Jerusalem, FRLANT 52, Göttingen 1936.
- Kultus und Evangelium, Göttingen 1942.
- Das Evangelium des Markus, KEK 1,2, Göttingen 1967[17], mit Ergänzungsheft von G. *Saß*, 1967[3].
Lohse, Eduard: Glaube und Werke. Zur Theologie des Jakobusbriefes, ZNW 48, 1957, 1–22, jetzt in: Die Einheit des Neuen Testaments. Exegetische Studien zur Theologie des Neuen Testaments, Göttingen 1973[2], 285–306.
- Paulus, in: R.*Kottje* – B.*Moeller* (edd.), Ökumenische Kirchengeschichte. I: Alte Kirche und Ostkirche, Mainz – München 1970, 42–52.
- Die Entstehung des Neuen Testaments, ThW 4, Stuttgart – Berlin – Köln – Mainz 1975[2].
Lönning, Inge: Paulus und Petrus. Gal.2,11 ff. als kontroverstheologisches Fundamentalproblem, StTh 24, 1970, 1–69.
Lorenzen, Thorwald: Faith without Works does not count before God! James 2,14–26, ET 89, 1977/78, 231–235.
Luck, Ulrich: Die Theologie des Jakobusbriefes, ZThK 81, 1984, 1–30.
Lüdemann, Gerd: Zum Antipaulinismus im frühen Christentum, EvTh 40, 1980, 437–455.

- Paulus, der Heidenapostel. I: Studien zur Chronologie, FRLANT 123, Göttingen 1980; II: Antipaulinismus im frühen Christentum, FRLANT 130, Göttingen 1983.
- A Chronology of Paul, in: B. *Corley* (ed.), Colloquy on New Testament Studies. A Time for Reappraisal and Fresh Approaches, Macon (Georgia) 1983, 289–307 (ebd. 309–337: Seminar Dialogue with Robert Jewett and Gerd Luedemann).
- Paulus und das Judentum, TEH 215, München 1983.

Lührmann, Dieter: Der Brief an die Galater, ZBK. NT 7, Zürich 1978.
- Abendmahlsgemeinschaft? Gal 2, 11 ff., in: D. *Lührmann* – G. *Strecker* (edd.), Kirche. Festschrift für Günther Bornkamm zum 75. Geburtstag, Tübingen 1980, 271–286.

Lyonnet, Stanislas: Témoignages de Saint Jean Chrysostome et de Saint Jérôme sur Jacques le frère du Seigneur, RSR 29, 1939, 335–351.

Mach, Rudolf: Der Zaddik in Talmud und Midrasch, Leiden 1957.

Mackenzie, Kenneth: Who was James, the Lord's Brother?, BS 96, 1939, 335–340.

Mahoney, Robert: Die Mutter Jesu im Neuen Testament, in: G. *Dautzenberg* – H. *Merklein* – K. *Müller* (edd.), Die Frau im Urchristentum, QD 95, Freiburg – Basel – Wien, 1983, 92–116.

Maier, Gerhard: Matthäus-Evangelium, I, Bibel-Kommentar 1, Neuhausen – Stuttgart 1979.
- Reich und arm. Der Beitrag des Jakobusbriefes, TuD 22, Gießen – Basel 1980.

Maier, Johann: Jüdische Faktoren bei der Entstehung der Gnosis?, in: K.-W. *Tröger* (ed.), Altes Testament – Frühjudentum – Gnosis. Neue Studien zu „Gnosis und Bibel", Gütersloh 1980, 239–258.

Marshall, Ian Howard: The Acts of the Apostles. An Introduction and Commentary, TNTC, Leicester 1980.

Martyn, James Louis: Clementine Recognitions 1, 33–71, Jewish Christianity, and the Fourth Gospel, in: J. *Jervell* – W. A. *Meeks* (edd.), God's Christ and His People. Studies in Honour of Niels Alstrup Dahl, Oslo – Bergen – Tromsö 1977, 265–295.

Marxsen, Willi: Die Auferstehung Jesu von Nazareth, Gütersloh 1968.
- Einleitung in das Neue Testament. Eine Einführung in ihre Probleme, Gütersloh 1978[4].

McDonald, James Ian Hamilton: Paul and the Jerusalem Decree: A Reappraisal, in: E. A. *Livingstone* (ed.), Studia Evangelica VII, TU 126, Berlin 1982, 327–332.

Merkel, Helmut: Rezension von L. Oberlinner, Historische Überlieferung und christologische Aussage, 1975, ThLZ 105, 1980, 276.

Meyer, Arnold: Das Rätsel des Jakobusbriefes, BZNW 10, Gießen 1930.

Meyer, Eduard: Ursprung und Anfänge des Christentums. III: Die Apostelgeschichte und die Anfänge des Christentums, Stuttgart – Berlin 1923[1–3].

Michaelis, Wilhelm: Die Erscheinungen des Auferstandenen, Basel 1944.
- Einleitung in das Neue Testament. Die Entstehung, Sammlung und Überlieferung der Schriften des Neuen Testaments, Bern 1961[3].

Michl, Johann: Die Katholischen Briefe, RNT 8, 2, Regensburg 1968[2].

Moffatt, James: The General Epistles James, Peter, and Judas, MNTC, New York – London o. J.

Molland, Einar: Das paulinische Euangelion. Das Wort und die Sache, AN VAO.HF, Oslo 1934, Nr. 3.

– La circoncision, le baptême et l'autorité du décret apostolique (Actes XV, 28 sq.) dans les milieux judéo-chrétiens des Pseudo-Clémentines, StTh 9, 1955, 1–39, jetzt in: Opuscula Patristica, Oslo – Bergen – Tromsö 1970, 25–59.

Munck, Johannes: Paulus und die Heilsgeschichte, AJut 26, 1 (Theol. Ser. 6), Kopenhagen 1954.

– Presbyters and Disciples of the Lord in Papias. Exegetic Comments on Eusebius, Ecclesiastical History III, 39, HThR 52, 1959, 225–243.

– Jewish Christianity in Post-Apostolic Times, NTS 6, 1959/60, 103–116.

Murphy-O'Connor, Jerome: Tradition and Redaction in 1 Cor 15: 3–7, CBQ 43, 1981, 582–589.

Mußner, Franz: Der Jakobusbrief, HThK 13, 1, Freiburg – Basel – Wien 1975³.

– Petrus und Paulus – Pole der Einheit. Eine Hilfe für die Kirchen, QD 76, Freiburg – Basel – Wien 1976.

– Der Galaterbrief, HThK 9, Freiburg – Basel – Wien 1977³.

– Apostelgeschichte, NEB.NT 5, Würzburg 1984.

Nagel, Peter: Die Psalmoi Sarakoton des manichäischen Psalmenbuches, OLZ 62, 1967, 123–130.

Neitzel, Heinz: Zur Interpretation von Galater 2, 11–21, ThQ 163, 1983, 15–39. 131–149.

Neudorfer, Heinz-Werner: Der Stephanuskreis in der Forschungsgeschichte seit F. C. Baur, Gießen – Basel 1983.

Neumann, Johannes: Bischof. I: Das katholische Bischofsamt, TRE VI, 653–682.

Nicklin, T. – *Taylor*, R. O. P.: James, the Lord's Brother, CQR 147, 1948, 46–63.

Niederwimmer, Kurt: Askese und Mysterium. Über Ehe, Ehescheidung und Eheverzicht in den Anfängen des christlichen Glaubens, FRLANT 113, Göttingen 1975.

– Ἰάκωβος, EWNT II, 411–415.

Oberlinner, Lorenz: Historische Überlieferung und christologische Aussage. Zur Frage der „Brüder Jesu" in der Synopse, FzB 19, Stuttgart 1975.

Oepke, Albrecht: Der Brief des Paulus an die Galater, ed. J. *Rohde*, ThHK 9, Berlin 1984⁵.

Ogg, George: The Chronology of the Life of Paul, London 1968.

Opitz, Helmut: Die Alte Kirche. Ein Leitfaden durch die ersten fünf Jahrhunderte, Leitfaden d. KG 1, Berlin 1983.

Osten-Sacken, Peter von der: Die Apologie des paulinischen Apostolats in 1 Kor 15, 1–11, ZNW 64, 1973, 245–262.

Παπαδόπουλος, K. N.: Τὸ μαρτύριον Ἰακώβου τοῦ ἀδελφοθέου, DBM NF 11, 1982, 2, 41–46.

Pape, Wilhelm: Griechisch-deutsches Handwörterbuch, I. II, Graz 1954 (Nachdr. d. Aufl. 1914³).

Parker, Pierson: Once More, Acts and Galatians, JBL 86, 1967, 175–182.

Patrick, William: James the Lord's Brother, Edinburgh 1906.

Paulsen, Henning: Rez. von R. Jewett, Paulus-Chronologie, München 1982, ThZ 40, 1984, 85–87.

Pesch, Rudolf: Zur Entstehung des Glaubens an die Auferstehung Jesu. Ein Vorschlag zur Diskussion, ThQ 153, 1973, 201–228.

– Das Markusevangelium. I: Einleitung und Kommentar zu Kap. 1, 1–8, 26, HThK 2, 1, Freiburg – Basel – Wien 1980³.

– Simon-Petrus. Geschichte und geschichtliche Bedeutung des ersten Jüngers Jesu Christi, PuP 15, Stuttgart 1980.

– Das Jerusalemer Abkommen und die Lösung des Antiochenischen Konflikts. Ein Versuch über Gal 2, Apg 10, 1–11, 18, Apg 11, 27–30; 12, 25 und Apg 15, 1–41, in: P.-G. *Müller* – W. *Stenger* (edd.), Kontinuität und Einheit. Für Franz Mußner, Freiburg – Basel – Wien 1981, 105–122.

Pieper, Karl: Die Kirche Palästinas bis zum Jahre 135. Ihre äußere Geschichte und ihr innerer Zustand. Ein Beitrag zur Erkenntnis des Urchristentums, Köln 1938.

Prentice, William Kelly: James the Brother of the Lord, in: P. R. *Coleman-Norton* (ed. unter Mitarbeit von F. C. *Bourne* und J. V. A. *Fine*), Studies in Roman Economic and Social History in Honour of Allan Chester Johnson, Princeton 1951, 144–151.

Preuschen, Erwin: Die Apostelgeschichte, HNT 4, 1, Tübingen 1912.

Quasten, Johannes: Patrology. I: The Beginnings of Patristic Literature, Utrecht – Antwerp 1975 (Nachdr. d. Aufl. 1950).

Quispel, Gilles: ‚The Gospel of Thomas‘ and the ‚Gospel of the Hebrews‘, NTS 12, 1965/ 66, 371–382.

– Makarius, das Thomasevangelium und das Lied von der Perle, NT.S 15, Leiden 1967.

– The Discussion of Judaic Christianity, VC 22, 1968, 81–93, jetzt in: Gnostic Studies II, Istanbul 1975, 146–158.

– The Gospel of Thomas Revisited, in: B. *Barc* (ed.), Colloque International sur les Textes de Nag Hammadi (Québec, 22–25 août 1978), BCNH.Et 1, Québec-Louvain 1981, 218–266.

Radl, Walter: Das „Apostelkonzil“ und seine Nachgeschichte, dargestellt am Weg des Barnabas, ThQ 162, 1982, 45–61.

Räisänen, Heikki: Die Mutter Jesu im Neuen Testament, STAT.B 158, Helsinki 1969.

Rebell, Walter: Paulus – Apostel im Spannungsfeld sozialer Beziehungen. Eine sozialpsychologische Untersuchung zum Verhältnis des Paulus zu Jerusalem, seinen Mitarbeitern und Gemeinden, Diss., Bochum 1982.

Rehm, Bernhard: Zur Entstehung der pseudoclementinischen Schriften, ZNW 37, 1938, 77–184.

– Bardesanes in den Pseudoclementinen, Philologus 93, 1938, 218–247.

Reicke, Bo: Der geschichtliche Hintergrund des Apostelkonzils und der Antiochia-Episode Gal. 2, 1–14, in: Studia Paulina in honorem Johannis de Zwaan Septuagenarii, Haarlem 1953, 172–187.

– The Epistles of James, Peter, and Jude. Introduction, Translation, and Notes. AncB 37, Garden City 1964.

Rengstorf, Karl Heinrich: ἀποστέλλω κτλ, ThWNT I, 397–448.

– Die Auferstehung Jesu. Form, Art und Sinn der urchristlichen Osterbotschaft, Witten 1954[2].

Rese, Martin: Zur Geschichte des frühen Christentums – ein kritischer Bericht über drei neue Bücher, ThZ 38, 1982, 98–110.

Richter, Hans-Friedemann: I. Korinther 15, 1/11. Eine exegetische, hermeneutische und ontologische Untersuchung, Diss. Berlin 1967.

Riesner, Rainer: Jesus als Lehrer. Eine Untersuchung zum Ursprung der Evangelien-Überlieferung, WUNT 2,7, Tübingen 1981.

Rinaldi, Giovanni: Giacomo, Paolo e i Giudei (Atti 21,17–26), RivB 14, 1966, 407–423.

Rius-Camps, Jose: Las Pseudoclementinas. Bases filológicas para una nueva interpretación, RCT 1, 1976, 79–158.

Robertson, Archibald – *Plummer*, Alfred: A Critical and Exegetical Commentary on the First Epistle of St Paul to the Corinthians, ICC, Edinburgh 1955 (Nachdr. d. Aufl. 1914[2]).

Robinson, John Arthur Thomas: Redating the New Testament, London 1976.

Rohde, Erwin: Der griechische Roman und seine Vorläufer, Leipzig 1914[3].

Rolffs, Ernst: Das Indulgenz-Edict des römischen Bischofs Kallist kritisch untersucht und reconstruiert, TU 11,3, Leipzig 1893.

Roloff, Jürgen: Apostolat – Verkündigung – Kirche. Ursprung, Inhalt und Funktion des kirchlichen Apostelamtes nach Paulus, Lukas und den Pastoralbriefen, Gütersloh 1965.

– Das Kerygma und der irdische Jesus. Historische Motive in den Jesus-Erzählungen der Evangelien, Göttingen 1973[2].

– Die Apostelgeschichte, NTD 5, Göttingen 1981[17].

Ropes, James Hardy: A Critical and Exegetical Commentary on the Epistle of St. James, ICC, Edinburgh 1954 (Nachdr. d. Aufl. 1916).

Rosenberg, Arthur: [M] Iulius Agrippa (I.), RECA X, 1, 143–146.

Ross, Alexander: The Epistles of James and John, NIC, Grand Rapids 1964 (Nachdr. d. Aufl. 1954).

Ruckstuhl, Eugen: Jakobusbrief. 1.–3. Johannesbrief, NEB. NT 17. 19, Würzburg 1985.

Rudolph, Kurt: Gnosis und Gnostizismus, ein Forschungsbericht, ThR NF 34, 1969, 121–175. 181–231. 358–361; 36, 1971, 1–61. 89–124.

Ruppert, Lothar: Das Skandalon eines gekreuzigten Messias und seine Überwindung mit Hilfe der geprägten Vorstellung vom leidenden Gerechten, in: Kirche und Bibel. Festgabe für Bischof Eduard Schick. Hrsg. von den Professoren der Phil. Theol. Hochschule Fulda, Paderborn – München – Wien – Zürich 1979, 319–341.

Sahlin, Harald: Noch einmal Jacobus „Oblias“, Bibl. 28, 1947, 152f.

Sanders, John Newbould: Peter and Paul in the Acts, NTS 2, 1955/56, 133–143.

Saß, Gerhard: Apostelamt und Kirche. Eine theologisch-exegetische Untersuchung des paulinischen Apostelbegriffs, FGLP 9, 2, München 1939.

Schelkle, Karl Hermann: Paulus. Leben – Briefe – Theologie, EdF 152, Darmstadt 1981.

Schenk, Wolfgang: Textlinguistische Aspekte der Strukturanalyse, dargestellt am Beispiel von 1 Kor XV. 1–11, NTS 23, 1977, 469–477.

Schenke, Hans-Martin: Zum gegenwärtigen Stand der Erforschung der Nag-Hammadi-Handschriften, in: Koptologische Studien in der DDR, ed. Institut für Byzantinistik der M.-L.-Univ. Halle-Wittenberg, WZ(H) 1965, Sonderheft [10], 124–135.

- Exegetische Probleme der zweiten Jakobus-Apokalypse in Nag-Hammadi-Codex V, in: Probleme der koptischen Literatur, ed. Institut für Byzantinistik der M.-L.-Univ. Halle-Wittenberg, bearb. von P. *Nagel*, Wiss. B. Univ. Halle, 1968/1 (K 2), 109–114.

- Der Jakobusbrief aus dem Codex Jung, OLZ 66, 1971, 117–130.

- / *Fischer*, Karl Martin: Einleitung in die Schriften des Neuen Testaments. II: Die Evangelien und die anderen neutestamentlichen Schriften, Gütersloh 1979.

Schille, Gottfried: Wider die Gespaltenheit des Glaubens – Beobachtungen am Jakobusbrief, in: J. *Rogge*– G. *Schille* (edd.), Theologische Versuche IX, Berlin 1977, 71–89.

- Die Apostelgeschichte des Lukas, ThHK 5, Berlin 1983.

Schippers, Reinier: Het Evangelie van Thomas. Apocriefe Woorden van Jezus. Vertaling, Inleiding en Kommentar (zus. mit T. *Baarda*), Kampen 1960.

Schlatter, Adolf: Der Chronograph aus dem zehnten Jahre Antonins, TU 12,1, Leipzig 1894.

Schlier, Heinrich: Der Brief an die Galater, KEK 7, Göttingen 1971[14].

Schmidt, Carl: Studien zu den Pseudo-Clementinen. Nebst einem Anhange: Die älteste römische Bischofsliste und die Pseudo-Clementinen, TU 46,1, Leipzig 1929.

Schmidt, Karl Ludwig: Der Rahmen der Geschichte Jesu. Literarkritische Untersuchungen zur ältesten Jesusüberlieferung, Darmstadt 1969 (2. Nachdr. d. Aufl. 1919).

Schmithals, Walter: Die Häretiker in Galatien, ZNW 47, 1956, 25–67.

- Das kirchliche Apostelamt. Eine historische Untersuchung, FRLANT 79, Göttingen 1961.

- Paulus und Jakobus, FRLANT 85, Göttingen 1963.

- Das Evangelium nach Markus. Kapitel 1–9, 1, ÖTK 2,1, GTB 503, Gütersloh – Würzburg 1979.

- Die Apostelgeschichte des Lukas, ZBK.NT 3,2, Zürich 1982.

Schnackenburg, Rudolf: Das Johannesevangelium. I: Einleitung und Kommentar zu Kap. 1–4, HThK 4,1, Freiburg – Basel – Wien 1967[2]; II: Kommentar zu Kap. 5–12, HThK 4,2, Freiburg – Basel – Wien 1971.

- Das Evangelium nach Markus, I, Geistl. Schriftlesung 2,1, Düsseldorf 1981[3].

Schneemelcher, Wilhelm: Das Urchristentum, UB 336, Stuttgart – Berlin – Köln – Mainz 1981.

Schneider, Gerhard: Das Evangelium nach Lukas. Kapitel 1–10, ÖTK 3,1, GTB 500, Gütersloh – Würzburg 1977.

- Die Apostelgeschichte. II: Kommentar zu Kap. 9,1–28, 31, HThK 5,2, Freiburg – Basel – Wien 1982.

Schneider, Johannes: Das Evangelium nach Johannes. Aus dem Nachlaß hrsg. unter Leitung von E. *Fascher*, ThHK Sonderband, Berlin 1976.

Schniewind, Julius: Das Evangelium nach Markus, NTD 1, Göttingen 1949[5].

Schoedel, William R.: Naassene Themes in the Coptic Gospel of Thomas, VC 14, 1960, 225–234.

- The (First) Apocalypse of James, V, 3: 24,10–44,10, in: D. M. *Parrott* (ed.), Nag Hammadi Codices V, 2–5 and VI with Papyrus Berolinensis 8502, 1 and 4, NHS 11, Leiden 1979, 65–103.

Schoeps, Hans Joachim: Jacobus ὁ δίκαιος καὶ ὠβλίας. Neuer Lösungsvorschlag in einer schwierigen Frage, Bibl. 24, 1943, 398–403, jetzt in: Aus frühchristlicher Zeit. Religionsgeschichtliche Untersuchungen, Tübingen 1950, 120–125.

- Theologie und Geschichte des Judenchristentums, Tübingen 1949.
- Urgemeinde. Judenchristentum. Gnosis, Tübingen 1956.
- Die Pseudoklementinen und das Urchristentum, ZRGG 10, 1958, 1–15, jetzt in: Studien zur unbekannten Religions- und Geistesgeschichte, Veröff. d. Ges. f. Geistesgesch. 3, Göttingen 1963, 80–90.
- Paulus. Die Theologie des Apostels im Lichte der jüdischen Religionsgeschichte, Tübingen 1959.
- Das Judenchristentum und die Pseudoklementinen, ZRGG 11, 1959, 72–77, jetzt in: Studien zur unbekannten Religions- und Geistesgeschichte, Veröff. d. Ges. f. Geistesgesch. 3, Göttingen 1963, 91–97.
- Das Judenchristentum. Untersuchungen über Gruppenbildungen und Parteikämpfe in der frühen Christenheit, Dalp-Tb 376, Bern 1964.
- Das Judenchristentum in den Parteikämpfen der Alten Kirche, in: Aspects du Judéo-Christianisme. Colloque de Strasbourg 23–25 avril 1964, Paris 1965, 53–74.
- Judenchristentum und Gnosis, in: Le Origini dello Gnosticismo. Colloquio di Messina 13–18 aprile 1966. Testi e discussioni pubblicati a cura di U. *Bianchi*, SHR 12, Leiden 1970, 528–536 (mit Diskuss. 536 f.) (Nachdr. d. Aufl. 1967).

Schrage, Wolfgang: Der Jakobusbrief, in: H. *Balz* – W. *Schrage*, Die „Katholischen" Briefe. Die Briefe des Jakobus, Petrus, Johannes und Judas, NTD 10, Göttingen – Zürich 1985[13], 5–58.

- Ethik des Neuen Testaments, GNT 4, Göttingen 1982[4].

Schroeder, Hans-Hartmut: Eltern und Kinder in der Verkündigung Jesu. Eine hermeneutische und exegetische Untersuchung, ThF 53, Hamburg – Bergstedt 1972.

Schulz, Siegfried: Das Evangelium nach Johannes, NTD 4, Göttingen 1972[12].

Schürer, Emil: Geschichte des jüdischen Volkes im Zeitalter Jesu Christi, I–III, Hildesheim 1964 (Nachdr. d. Aufl. 1901–1909).

Schürmann, Heinz: Das Lukasevangelium. I: Kommentar zu Kap. 1, 1–9, 50, HThK 3, 1, Freiburg – Basel – Wien 1982[2].

Schwartz, Eduard: Zu Eusebius Kirchengeschichte. I. Das Martyrium Jakobus des Gerechten, ZNW 4, 1903, 48–61.

- Über den Tod der Söhne Zebedaei. Ein Beitrag zur Geschichte des Johannesevangeliums, AGWG.PH VII, 5, 1904, jetzt in: Gesammelte Schriften. V: Zum Neuen Testament und zum frühen Christentum. Mit einem Gesamtregister zu Band I–V, Berlin 1963, 48–123.
- Zur Chronologie des Paulus, NGWG.PH 1907, 262–299, jetzt in: Gesammelte Schriften V: Zum Neuen Testament und zum frühen Christentum. Mit einem Gesamtregister zu Band I–V, Berlin 1963, 124–169.

- Unzeitgemäße Beobachtungen zu den Clementinen, ZNW 31, 1932, 151–199.
Schweizer, Eduard: Das Evangelium nach Markus, NTD 1, Göttingen 1968[12].
- Das Evangelium nach Lukas, NTD 3, Göttingen 1982[18].
- u. a.: πνεῦμα κτλ, ThWNT VI, dort 387–453.
Seidensticker, Philipp: Das Antiochenische Glaubensbekenntnis 1 Kor 15, 3–7 im Lichte seiner Traditionsgeschichte, ThGl 57, 1967, 286–323.
Sevenster, Jan Nicolaas: Do You Know Greek? How much Greek could the First Jewish Christians have known?, NT.S 19, Leiden 1968.
Shepherd, Massey Hamilton: The Epistle of James and the Gospel of Matthew, JBL 75, 1956, 40–51.
Sidebottom, Ernest Malcolm: James, Jude, 2 Peter, NCBC, Grand Rapids – London 1982 (Nachdr. d. Aufl. 1967).
Sieffert, Friedrich: Jakobus im NT, RE[3], VIII, 571–587.
Simon, Marcel: Recherches d'Histoire Judéo-Chrétienne, EJ 6, Paris – La Haye 1962.
- The Apostolic Decree and its Setting in the Ancient Church, BJRL 52, 1969/70, 437–460.
- De l'observance rituelle a l'ascèse: Recherches sur le Décret Apostolique, RHR 193, 1978, 27–104.
Smend, Rudolf – *Luz*, Ulrich: Gesetz, Kohlhammer Tb 1015, Stuttgart – Berlin – Köln – Mainz 1981.
Smid, Harm Reinder: Protevangelium Jacobi. A Commentary, ANT 1, Assen 1965.
Smith, Terence V.: Petrine Controversies in Early Christianity. Attitudes towards Peter in Christian Writings of the First Two Centuries, WUNT 2, 15, Tübingen 1985.
Stählin, Gustav: Die Apostelgeschichte, NTD 5, Göttingen 1980[16].
Stauffer, Ethelbert: Die Theologie des Neuen Testaments, Stuttgart 1948[4].
- Zum Kalifat des Jakobus, ZRGG 4, 1952, 193–214.
- Jüdisches Erbe im urchristlichen Kirchenrecht, ThLZ 77, 1952, 201–206.
- Jerusalem und Rom im Zeitalter Jesu Christi, Dalp-Tb 331, Bern 1957.
- Petrus und Jakobus in Jerusalem, in: M. *Roesle* – O. *Cullmann* (edd.), Begegnung der Christen. Studien evangelischer und katholischer Theologen, Stuttgart – Frankfurt/Main 1959, 361–372.
Stempvoort, Pieter Albertus van: The Protevangelium Jacobi, the Sources of its Theme and Style and their Bearing on its Date, in: F. L. *Cross* (ed.), Studia Evangelica III, 2, TU 88, Berlin 1964, 410–426.
Stenger, Werner: Beobachtungen zur Argumentationsstruktur von 1 Kor 15, LingBibl 45, 1979, 71–128.
Stock, Hans: Die Streitgespräche der synoptischen Evangelien im Unterricht, in: H. *Stock* – K. *Wegenast* – S. *Wibbing*, Streitgespräche, Handbücherei f. d. Religionsunterricht 5, Gütersloh 1969[2], 3–26.
Strecker, Georg: Christentum und Judentum in den ersten beiden Jahrhunderten, EvTh 16, 1956, 458–477, jetzt in: Eschaton und Historie. Aufsätze, Göttingen 1979, 291–310.
- Zum Problem des Judenchristentums, in: W. *Bauer*, Rechtgläubigkeit und Ketzerei im ältesten Christentum, ed. G. *Strecker*, BHTh 10, Tübingen 1964[2], 245–287.

- Die Kerygmata Petrou, in: NTApo II⁴, 63–80.
- Judenchristentum und Gnosis, in: K.-W. *Tröger* (ed.), Altes Testament – Frühjudentum – Gnosis. Neue Studien zu „Gnosis und Bibel", Gütersloh 1980, 261–282.
- Das Judenchristentum in den Pseudoklementinen, TU 70², Berlin 1981².

Strobel, August: Die Stunde der Wahrheit. Untersuchungen zum Strafverfahren gegen Jesus, WUNT 21, Tübingen 1980.
- Das Aposteldekret als Folge des antiochenischen Streites. Überlegungen zum Verhältnis von Wahrheit und Einheit im Gespräch der Kirchen, in: P.-G. *Müller – W. Stenger* (edd.), Kontinuität und Einheit. Für Franz Mußner, Freiburg – Basel – Wien 1981, 81–104.

Strycker, Émile de: La Forme la plus ancienne du Protévangile de Jacques. Recherches sur le Papyrus Bodmer 5 avec une édition critique du texte grec et une traduction annotée, SHG 33, Bruxelles 1961.
- Le Protévangile de Jacques. Problèmes critiques et exégétiques, in: F. L. *Cross* (ed.), Studia Evangelica III, 2, TU 88, Berlin 1964, 339–359.

Stuhlmacher, Peter: Gerechtigkeit Gottes bei Paulus, FRLANT 87, Göttingen 1966².
- Das paulinische Evangelium. I. Vorgeschichte, FRLANT 95, Göttingen 1968.
- Vom Verstehen des Neuen Testaments. Eine Hermeneutik, GNT 6, Göttingen 1979.

Suhl, Alfred: Paulus und seine Briefe. Ein Beitrag zur paulinischen Chronologie, StNT 11, Gütersloh 1975.
- Rezension von R. *Jewett*, Paulus-Chronologie, 1982, ThLZ 109, 1984, 813–820.

Surkau, Hans-Werner: Martyrien in jüdischer und frühchristlicher Zeit, FRLANT 54, Göttingen 1938.

Talbert, Charles H.: Again: Paul's Visit to Jerusalem, NT 9, 1967, 26–40.

Tasker, Randolph Vincent Greenwood: The General Epistle of James. An Introduction and Commentary, TNTC, London 1963 (Nachdr. d. Aufl. 1957).

Telfer, William: Was Hegesippus a Jew?, HThR 53, 1960, 143–153.

Torrey, Charles Cutler: James the Just, and his Name „Oblias", JBL 63, 1944, 93–98.

Trudinger, L. Paul: ἕτερον δὲ τῶν ἀποστόλων οὐκ εἶδον, εἰ μὴ Ἰάκωβον. A Note on Galatians i 19, NT 17, 1975, 200–202.

Ullmann, Walter: The Significance of the Epistola Clementis in the Pseudo-Clementines, JThSt NS 11, 1960, 295–317.
- Some Remarks on the Significance of the Epistola Clementis in the Pseudo-Clementines, in: F. L. *Cross* (ed.), Studia Patristica IV, 2, TU 79, Berlin 1961, 330–337.

Unnik, Willem Cornelis van: Evangelien aus dem Nilsand, Frankfurt/Main 1960.
- The Origin of the Recently Discovered „Apocryphon Jacobi", VC 10, 1956, 149–156, jetzt in: Sparsa Collecta. Collected Essays of W. C. van Unnik. III: Patristica, Gnostica, Liturgica, NT.S 31, Leiden 1983, 192–198.

Vetter, Paul: Armenische Texte zur Apostellehre, LitRdsch 22, 1896, 257–262.

Vielhauer, Philipp: Geschichte der urchristlichen Literatur. Einleitung in das Neue Testament, die Apokryphen und die Apostolischen Väter, de Gruyter Lehrbuch, Berlin – New York 1975.

Vögtle, Anton: Wie kam es zum Osterglauben?, in: A. *Vögtle* – R. *Pesch*, Wie kam es zum Osterglauben?, Düsseldorf 1975, 9–131.

Vouga, François: L'Épître de Saint Jacques, CNT 13 a, Genève 1984.

Waitz, Hans: Die Pseudoklementinen. Homilien und Rekognitionen. Eine quellenkritische Untersuchung, TU 25, 4, Leipzig 1904.

– Das Evangelium der zwölf Apostel (Ebionitenevangelium), ZNW 14, 1913, 117–132.

– Die Pseudoklementinen und ihre Quellenschriften, ZNW 28, 1929, 241–272.

– Die Lösung des pseudoklementinischen Problems?, ZKG 59, 1940, 304–341.

Walls, Andrew Finlay: The References to Apostles in the Gospel of Thomas, NTS 7, 1960/61, 266–270.

Wanke, Joachim: Die urchristlichen Lehrer nach dem Zeugnis des Jakobusbriefes, in: R. *Schnackenburg* u. a. (edd.), Die Kirche des Anfangs. Festschrift für Heinz Schürmann zum 65. Geburtstag, EthSt 38, Leipzig 1977, 489–511.

Wansbrough, Henry: Mark III. 21 – Was Jesus Out of His Mind?, NTS 18, 1971/72, 233–235.

Ward, Roy Bowen: James of Jerusalem, RestQ 16, 1973, 174–190.

Wehnert, Jürgen: Zum gegenwärtigen Stand der Quellenkritik in den Pseudoklementinen, Diss., Göttingen 1981.

– Literarkritik und Sprachanalyse. Kritische Anmerkungen zum gegenwärtigen Stand der Pseudoklementinen-Forschung, ZNW 74, 1983, 268–301.

Weiser, Alfons: Die Apostelgeschichte. Kapitel 1–12, ÖTK 5, 1, GTB 507, Gütersloh – Würzburg 1981; Kapitel 13–28, ÖTK 5, 2, GTB 508, Gütersloh – Würzburg 1985.

– Das „Apostelkonzil" (Apg 15, 1–35). Ereignis, Überlieferung, lukanische Deutung, BZ NF 28, 1984, 145–167.

Weiß, Hans-Friedrich: Das Gesetz in der Gnosis, in: K.-W. *Tröger* (ed.), Altes Testament – Frühjudentum – Gnosis. Neue Studien zu „Gnosis und Bibel", Gütersloh 1980, 71–88.

Weiß, Johannes: Das Urchristentum. Nach dem Tode des Verf. hrsg. und am Schlusse ergänzt von R. *Knopf*, Göttingen 1917.

– Der erste Korintherbrief, KEK 5, Göttingen 1970 (Nachdr. der Aufl. 1910[9]).

Weiß, Konrad: Motiv und Ziel der Frömmigkeit des Jakobusbriefes, in: J. *Rogge* – G. *Schille* (edd.), Theologische Versuche VII, Berlin 1976, 107–114.

Weizsäcker, Carl: Das apostolische Zeitalter der christlichen Kirche, Tübingen – Leipzig 1902[3].

Wellhausen, Julius: Das Evangelium Johannis, Berlin 1908.

Wendland, Heinz-Dietrich: Die Briefe an die Korinther, NTD 7, Göttingen 1972[13].

Wengst, Klaus: Christologische Formeln und Lieder des Urchristentums, StNT 7, Gütersloh 1972.

Wenham, David: The Meaning of Mark III. 21, NTS 21, 1975, 295–300.

Wikenhauser, Alfred – *Schmid*, Josef: Einleitung in das Neue Testament, Freiburg – Basel – Wien 1973[6].

Wilckens, Ulrich: Der Ursprung der Überlieferung der Erscheinungen des Auferstandenen. Zur traditionsgeschichtlichen Analyse von 1 Kor 15,1–11, in: W. *Joest* – W. *Pannenberg* (edd.), Dogma und Denkstrukturen, Göttingen 1963, 56–95.

– στῦλος, ThWNT VII, 732–736.

– Auferstehung. Das biblische Auferstehungszeugnis historisch untersucht und erklärt, GTB 80, Gütersloh 1981[3].

– Zur Entwicklung des paulinischen Gesetzesverständnisses, NTS 28, 1982, 154–190.

Williams, Francis E.: The Apocryphon of James. I,2: 1.1–16.30, in: H.W. *Attridge* (ed.), The Nag Hammadi Codex I (The Jung Codex). Introductions, Texts, Translations, Indices, NHS 22, Leiden 1985, 13–53.

Wilson, Robert McLachlan: Studies in the Gospel of Thomas, London 1960.

– The Gospel of Thomas, in: F.L. *Cross* (ed.), Studia Evangelica III,2, TU 88, Berlin 1964, 447–459.

– Gnosis und Neues Testament, UB 118, Stuttgart – Berlin – Köln – Mainz 1971.

– The Gospel of the Egyptians, in: E.A. *Livingstone* (ed.), Studia Patristica XIV,3, TU 117, Berlin 1976, 243–250.

– Apokryphen. II: Apokryphen des Neuen Testaments, TRE III, 316–362.

– One Text, Four Translations: Some Reflections on the Nag Hammadi Gospel of the Egyptians, in: B. *Aland* (ed.), Gnosis. Festschrift für Hans Jonas, Göttingen 1978, 441–448.

Wilson, Stephen George: The Gentiles and the Gentile Mission in Luke-Acts, MSSNTS 23, Cambridge 1973.

Windisch, Hans: Urchristentum, ThR NF 5, 1933, 186–200. 239–258. 289–301.

– Die Katholischen Briefe, 3. stark umgearbeitete Aufl. ed. H. *Preisker*, HNT 15, Tübingen 1951.

Winter, Paul: I Corinthians XV 3b–7, NT 2, 1958, 142–150.

– Marginal Notes on the Trial of Jesus, ZNW 50, 1959, 14–33. 221–251.

– On the Trial of Jesus. Second Edition revised and edited by T.A. *Burkill* and G. *Vermes*, SJ 1, Berlin – New York 1974.

Wolff, Christian: Der erste Brief des Paulus an die Korinther. II: Auslegung der Kapitel 8–16, ThHK 7,2, Berlin 1982[2].

Wuellner, Wilhelm H.: Der Jakobusbrief im Licht der Rhetorik und Textpragmatik, LingBibl 43, 1978, 5–66.

Zahn, Theodor: Brüder und Vettern Jesu, in: Forschungen zur Geschichte des neutestamentlichen Kanons und der altkirchlichen Literatur VI, Leipzig 1900, 225–364.

– Einleitung in das Neue Testament, I, Leipzig 1906[3].

– Der Brief des Paulus an die Galater, KNT 9, Leipzig 1907[2].

– Die Apostelgeschichte des Lucas. I: Kap. 1–12, KNT 5,1, Leipzig – Erlangen 1922[3]; II: Kap. 13–28, KNT 5,2, Leipzig 1927[3,4].

Zeller, Dieter: Juden und Heiden in der Mission des Paulus. Studien zum Römerbrief, FzB 1, Stuttgart 1973.

Zuckschwerdt, Ernst: Das Naziräat des Herrenbruders Jakobus nach Hegesipp (Euseb, h.e. II 23,5–6), ZNW 68, 1977, 276–287.

Stellenregister

6,10	16[19]	21,14	40. 41[62]
6,20	218		
6,24 f.	218	*Apostelgeschichte*	
6,47	218	1,14	10. 23[54]. 33.
8,15	23[50]		49. 56[31]
8,19	23[51]	1,21 ff.	76[112]
8,19 ff.	22	1,23	115[43]
8,20	23[51]	3 ff.	252[65]. 255
8,21	22[50]	3,14	115. 118. 253
11,5 ff.	218	4 ff.	258
12,47	218	4,4	133[41]
20,21	118	6 f.	253[68]. 255
23,5	258	6,1	58
23,34	118. 253	6,1 ff.	83. 233[12]
23,44 f.	119	6,7	257
23,47	115	6,8 ff.	58
24,24	47	6,9 f.	252. 252[65]
24,34	30. 30[5]. 31.	6,13 ff.	252
	37[43]. 38[45]. 40	7	253[68]
24,36 ff.	35[33]	7,1 ff.	252
		7,2 ff.	125
Johannes		7,35	170
2,1 ff.	24. 25. 102	7,52	115. 118
2,2	25	7,54	252. 252[65]
2,4	24	7,56	252. 252[65].
2,12	10. 13. *24–26*		257
5,1 ff.	25[58]	7,58 ff.	235
6,42	23. 23[53]	7,60	118[55]. 252[65]
7,1 ff.	13. *24–26*.	8,1	58
	102	8,2	252[65]
7,3	10	8,14 ff.	86
7,3–10	25[59]	9,1 ff.	134. 142
7,5	10. 15[13]. 24.	9,43	83
	24[56]. 204	10,1 ff.	62[52]. 86
7,6	24	11	76
7,7	24	11 f.	59[43]
7,10	10	11,27 ff.	59[43]
8,7	235	11,28	59[43]
10	113[34]	11,30	76. 108
10,9	170	12,1 ff.	53. 70[84]. 75
11,1 ff.	24	12,2	51. 51[11]. 61
12,42	118	12,3	51. 74
17,1	169	12,3 ff.	49
18,31	232	12,12 ff.	76[110]
19,25	204. 205	12,17	10. 34. 45[78].
20,5 ff.	47		*74–77*. 114
20,14 ff.	41	13 f.	50

Forschungen zur Religion und Literatur des Alten und Neuen Testaments

Eine Titelauswahl

Vandenhoeck & Ruprecht in Göttingen und Zürich

Joachim Jeremias
Die Sprache des Lukasevangeliums

Redaktion und Tradition im Nicht-Markusstoff des dritten Evangeliums. (Sonderband: Meyers Kritisch-Exegetischer Kommentar über das Neue Testament). 1980. 323 Seiten, Leinen

Joachim Jeremias hat die Frage nach Redaktion und Tradition erstmals auf das gesamte Lukasevangelium ausgedehnt und mit seiner sprachlichen und stilistischen Analyse jedes Einzelstückes eine solide Grundlage und damit ein unentbehrliches Hilfsmittel mit durchaus eigenständigem Charakter geschaffen. Mit der Freilegung des vorlukanischen Traditionsgutes hat er den Blick erneut auf den historischen Jesus gelenkt, dessen Botschaft herauszuarbeiten ihm besonders wichtig war.

Klaus Berger/Carsten Colpe (Hg.)
Religionsgeschichtliches Textbuch zum Neuen Testament

(Texte zum Neuen Testament / NTD-Textreihe, Band 1). 1987. 328 Seiten, kart.

In der Reihenfolge der neutestamentlichen Schriften werden zu einzelnen Stellen und Texten Vergleichstexte in wortgetreuer Übersetzung geboten. Diese über 600 Texte aus der näheren Umwelt des Neuen Testaments werden in der Regel nicht zu einzelnen Begriffen geliefert, sondern zu ganzen Abschnitten. Die Art der jeweiligen Beziehung zum Stoff des Neuen Testaments wird für jeden einzelnen Text in einem Kurzkommentar erläutert. Im Einführungsteil wird nicht nur die theologische Bedeutung religionsgeschichtlichen Vergleichens dargestellt, vielmehr werden vor allem auch Kategorien angeboten, mit denen die Beziehungen zwischen Texten differenzierter erfaßt werden können, als es mit dem Modell der »Abhängigkeit« möglich war.
Dieses Textbuch ist die erste Sammlung, die den neuen Methoden religionsgeschichtlichen Vergleichs zum Neuen Testament Rechnung trägt und überraschende Perspektiven eröffnet.

Klaus Beyer
Die aramäischen Texte vom Toten Meer

samt den Inschriften aus Palästina, dem Testament Levis aus der Kairoer Genisa, der Fastenrolle und den alten talmudischen Zitaten; Aramaistische Einleitung, Text, Übersetzung, Deutung, Grammatik/Wörterbuch, Deutsch-aramäische Wortliste, Register. 2. Auflage 1986. 779 Seiten, Leinen

»Das mit umfangreichen Literaturangaben ausgestattete Buch von Beyer darf man, ohne zu zögern, als ein Meisterwerk bezeichnen, das souverän philologische, historische und auch theologische Fragestellungen vereint und die bislang nur schwer oder überhaupt nicht zugänglichen Texte für die weitere Forschung bequem bereitstellt.« *Samuel Vollenweider in: Kirchenblatt f. d. ref. Schweiz*

Vandenhoeck & Ruprecht · Göttingen und Zürich

DATE DUE

HIGHSMITH # 45220